시험에 더 강해지는

보카 클리어

고교필수편

학습자의 마음을 읽는 동아영어콘텐츠연구팀

동아영어콘텐츠연구팀은 동아출판의 영어 개발 연구원, 현장 선생님,
그리고 전문 원고 집필자들이 공동 연구를 통해 최적의 콘텐츠를 개발하는 연구 조직입니다.

원고 개발에 참여하신 분들

김기천, 김현아, 차민경

기획에 도움을 주신 분들

고미선, 김민성, 김태승, 김효성, 이민하, 이지혜, 이현아, 이재호, 임기애, 장성훈, 조나현, 조은혜, 한지원

시험에 더 강해지는 **보카클리어**

고교필수편

지은이	동아영어콘텐츠연구팀
발행일	2021년 10월 20일
인쇄일	2023년 6월 20일
펴낸곳	동아출판㈜
펴낸이	이욱상
등록번호	제300-1951-4호(1951. 9. 19)
개발총괄	장옥희
개발	서현전, 이유미, 백소영
영문교열	Patrick Ferraro, Ryan Lagace
표지 디자인	목진성, 권구철
내지 디자인	DOTS
대표번호	1644-0600
주소	서울시 영등포구 은행로 30 (우 07242)

시험에 더 강해지는

보카 클리어

고교필수편

STRUCTURES & FEATURES

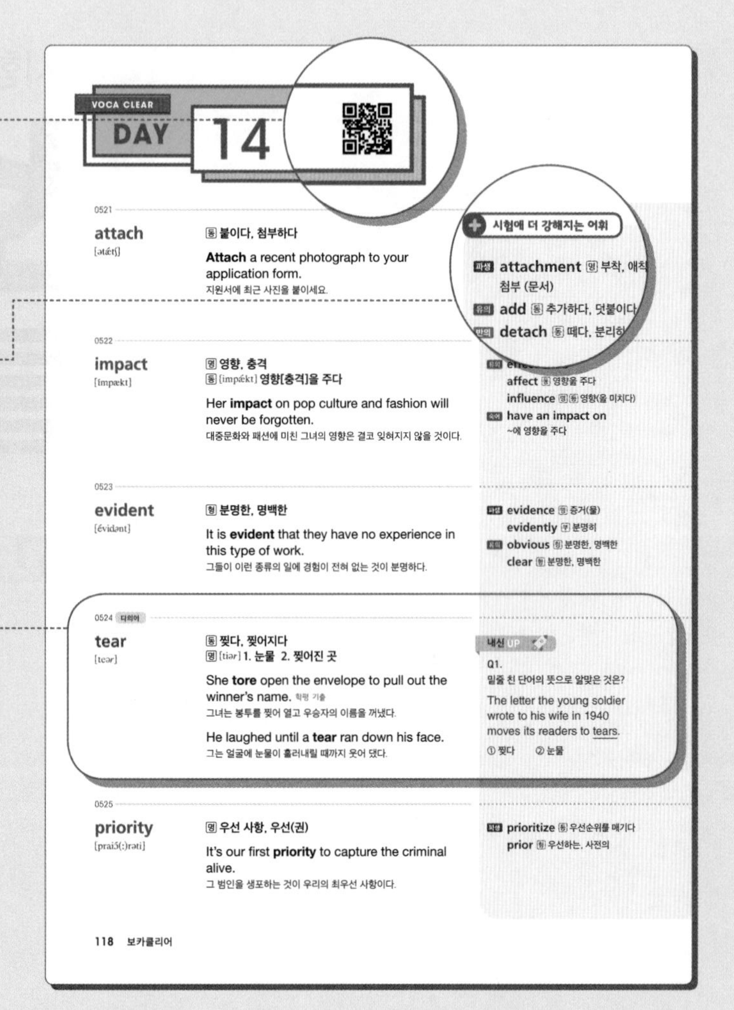

단어와 예문을 바로 들을 수 있는 QR 코드

〈영단어〉, 〈영단어+뜻〉, 〈영단어+뜻+예문〉 3가지의 음원이 제공됩니다.

시험에 더 강해지는 어휘

표제어뿐만 아니라 내신·수능에 나오는 유의어, 반의어, 관련 숙어 등 확장 어휘까지 학습할 수 있도록 별도 코너로 구성하였습니다.

고교 필수 다의어 + 내신 UP

문장에서 다양한 뜻으로 쓰이는 고교 필수 **다의어**를 제시합니다. 단어 학습을 하고 난 뒤, 바로 **내신 UP**을 통해 학습 내용을 확인할 수 있습니다.

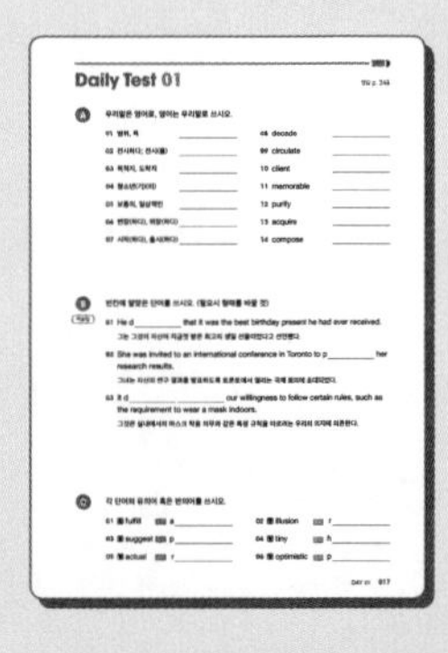

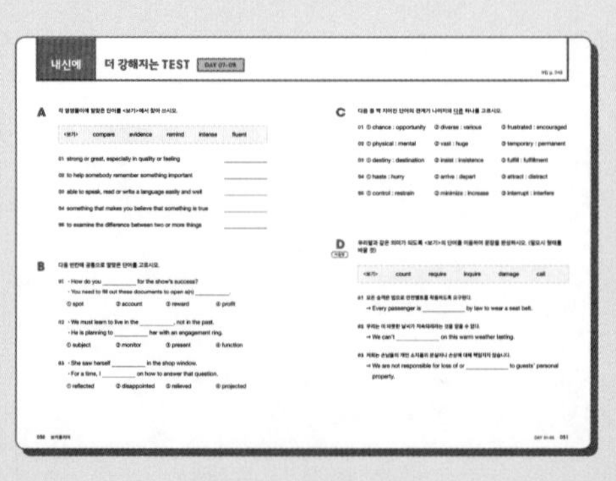

외운 단어를 반복 테스트

Day가 끝날 때마다 제시되는 **Daily Test**를 통해 표제어뿐만 아니라 유의어, 반의어까지 점검해 볼 수 있습니다.

5일마다 제공되는 **내신에 더 강해지는 Test**를 통해 누적 단어들을 복습하고 학교 내신에도 대비할 수 있습니다.

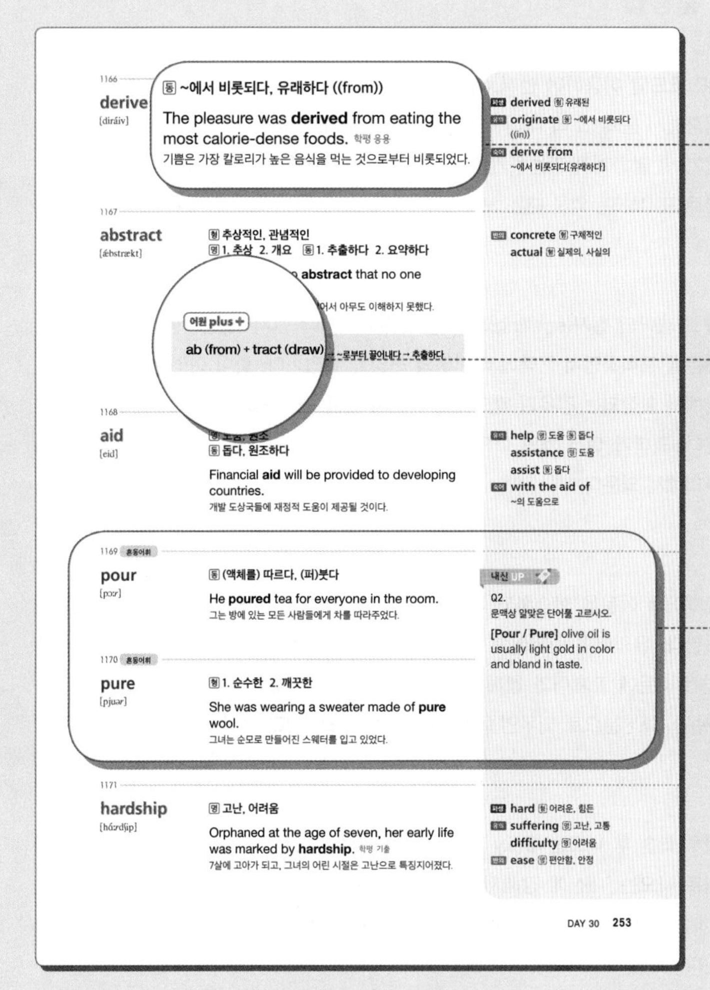
1166
derive [diráiv]
동 ~에서 비롯되다, 유래하다 ((from))
The pleasure was **derived** from eating the most calorie-dense foods. 학평 응용
기쁨은 가장 칼로리가 높은 음식을 먹는 것으로부터 비롯되었다.
파생 derived 형 유래된
유의 originate 동 ~에서 비롯되다 ((in))
숙어 derive from ~에서 비롯되다[유래하다]

1167
abstract [ǽbstrækt]
형 추상적인, 관념적인
명 1. 추상 2. 개요 동 1. 추출하다 2. 요약하다
... abstract that no one ...
...어서 아무도 이해하지 못했다.
어원 plus+
ab (from) + tract (draw) → ~로부터 끌어내다 → 추출하다
반의 concrete 형 구체적인
actual 형 실제의, 사실의

1168
aid [eid]
명 도움, 원조
동 돕다, 원조하다
Financial **aid** will be provided to developing countries.
개발 도상국들에 재정적 도움이 제공될 것이다.
유의 help 명 도움 동 돕다
assistance 명 도움
assist 동 돕다
숙어 with the aid of ~의 도움으로

1169 혼동어휘
pour [pɔːr]
동 (액체를) 따르다, (퍼)붓다
He **poured** tea for everyone in the room.
그는 방에 있는 모든 사람들에게 차를 따라주었다.

1170 혼동어휘
pure [pjuər]
형 1. 순수한 2. 깨끗한
She was wearing a sweater made of **pure** wool.
그녀는 순모로 만들어진 스웨터를 입고 있었다.

내신 UP
Q2.
문맥상 알맞은 단어를 고르시오.
[Pour / Pure] olive oil is usually light gold in color and bland in taste.

1171
hardship [há:rdʃip]
명 고난, 어려움
Orphaned at the age of seven, her early life was marked by **hardship**. 학평 기출
7살에 고아가 되고, 그녀의 어린 시절은 고난으로 특징지어졌다.
유의 hard 형 어려운, 힘든
유의 suffering 명 고난, 고통
difficulty 명 어려움
반의 ease 명 편안함, 안정

DAY 30 253

학력 평가 기출 예문

고등학교 학력 평가에 출제되었던 문장을 제시하여 실전에 대비할 수 있도록 하였습니다.

어원 Plus+

어원을 알면 훨씬 잘 외워지는 단어들은 어원 설명과 함께 제시하였습니다.

고교 필수 혼동어휘 + 내신 UP

정확한 독해를 위해 알아두어야 하는 고교 필수 **혼동어휘**를 제시합니다.
단어 학습을 하고 난 뒤,
바로 **내신 UP**을 통해 학습 내용을 확인할 수 있습니다.

학습 편의를 위한 미니 단어장과 모바일 어플!

미니 단어장

휴대하기 편한 미니 단어장으로 어디서든 편하게 공부한 단어를 복습해 보세요.

모바일 어플 '암기고래'

'암기고래' 앱을 설치해서
단어 발음도 익히고 단어 퀴즈도 풀어 보세요.

'암기고래' 앱 > 일반 모드 입장하기 > 영어 > 동아출판 > 보카클리어

HOW TO STUDY

보카 클리어 200% 활용법

❶ 단어 발음 익히기

QR 코드를 이용하여 먼저 40개 단어의 발음을 듣는다. 소리와 철자를 비교하며 집중해서 듣되, 소리 내어 따라 읽는 것이 좋다. 단어를 제대로 발음할 수 있어야 듣기 및 말하기가 가능하기 때문이다. 40개 단어를 다 듣고 나서 모르는 단어는 따로 표시하고, 외울 때는 모르는 단어 중심으로 외운다.

❷ 단어 철자와 뜻 외우기

각 표제어의 철자(spelling)와 뜻을 외운다. 이때 먼저 1번 뜻 중심으로 외우고, 예문을 해석하면서 문맥에서 단어의 쓰임을 확인한다. 뜻이 여러 개인 경우 대표 뜻에서 확장되는 경우가 많으므로 나머지 뜻은 1번 뜻을 중심으로 이해하면서 외운다. 의미가 여러 개인 다의어와 혼동 어휘는 별도로 표시되어 있으므로 좀 더 주의해서 외운다.

❸ 어휘 확장하기

표제어와 예문을 학습하고 나서 각 단어의 파생어 · 유의어 · 반의어 · 숙어를 학습한다. 유의어와 반의어를 이용한 문제는 내신 및 수능 어휘 문항에 자주 출제되기 때문에 표제어와 함께 외워두는 것이 좋다. 숙어의 경우 독해와 직결되는 구문이 대부분으로 외우면 독해 실력 향상에 크게 도움이 된다.

❹ 테스트와 미니 단어장으로 확인 & 반복 학습

하루 학습 후 나오는 'Daily Test'를 이용해서 학습한 어휘를 점검해 보고, 5일 단위로 나오는 '내신에 강해지는 Test'로 반복 점검한다. 이동 시간이나 자투리 시간에는 단어 발음 QR 코드가 들어 있는 미니 단어장을 수시로 보면서 반복 학습한다.

이 책에 사용된 약호·기호

명 명사 동 동사 형 형용사 부 부사 전 전치사 접 접속사

복수 명사의 복수형 파생 파생어 유의 뜻이 비슷한 말 반의 뜻이 반대되는 말

숙어 표제어와 관련된 구문이나 표현

어원을 이용한 단어 암기

어원을 알면 뜻이 쉽게 이해되고 오래 기억되는 단어들은 어원을 통해 외우는 것이 좋다. 예를 들어, 접두사 'com'에는 '함께(together)'라는 뜻이 있는데, 동사 'promise(약속하다)'와 결합되면 '함께 약속하다' 즉, '타협하다'라는 뜻이 된다. 변형이 많아 외워도 도움이 되지 않는 어근들은 과감히 빼고 활용도 높은 접두사와 어근을 알아두면 암기 · 기억 속도가 두 배로 빨라질 것이다.

• 단어 암기에 도움이 되는 주요 접두사 (Prefix)

접두사	뜻	접두사	뜻	접두사	뜻
ab-	~로부터 (from)	fore-	먼저, 미리 (before)	pre-	미리, 앞에 (before)
ante- (anci-)	앞에, 전에 (before)	in-	안에 (in) / ~로 (to)	pro-	앞에, 앞으로 (forward)
anti- (ant-)	~에 대항[반대]하여 (against, opposite)	inter-	서로 (each other) 사이에 (between)	re-	다시 (again) 뒤로, 뒤에 (back)
com- (con-)	함께 (together)	mis-	틀린 (wrong)	sym-	함께 (together)
de-	강조 (intensive) 아래로 (down)	out	더 ~한 (more ~ than) 밖으로 (outside)	tele-	멀리 (far off)
dis- (di-, dif-)	떨어져 (away)	over-	위에 (above) 넘어 (over) 과도하게 (excessively)	trans-	이쪽에서 저쪽으로 (across)
ex- (e-, exo-)	밖으로 (out)			uni-	하나의 (one) 혼자의 (alone)

• 단어 암기에 도움이 되는 주요 어근 (Root)

어근	뜻	어근	뜻	어근	뜻
ann(u)	년 (year)	duc(t) / duc(e)	이끌다 (lead)	scribe	글씨를 쓰다 (write)
astro / aster	별 (star)	flu	흐르다 (flow)	spect	보다 (look)
aud(i)	듣다 (hear)	ject	던지다 (throw)	tain	잡다 (hold)
cast	던지다 (throw)	manu / mani / main	손 (hand)	tract	끌다 (draw)
ceed / cess	가다 (go)	mit / miss	보내다 (send)	val(u) / vail	가치 (value) 가치 있는 (worth)
ceive	잡다 (take)	press	누르다 (push)	vert / verse	돌다, 돌리다 (turn)
dic(t)	말하다 (say)	rupt	깨다, 부수다 (break)	vis(e)	보다 (see)

STUDY PLANNER

1600단어 40일 완성 플래너입니다. Day 별 학습 여부를 체크하면서 2회독에 도전해 보세요.

	DAY	1회독	2회독
5일	DAY 01	☐	☐
	DAY 02	☐	☐
	DAY 03	☐	☐
	DAY 04	☐	☐
	DAY 05	☐	☐
10일	DAY 06	☐	☐
	DAY 07	☐	☐
	DAY 08	☐	☐
	DAY 09	☐	☐
	DAY 10	☐	☐
15일	DAY 11	☐	☐
	DAY 12	☐	☐
	DAY 13	☐	☐
	DAY 14	☐	☐
	DAY 15	☐	☐
20일	DAY 16	☐	☐
	DAY 17	☐	☐
	DAY 18	☐	☐
	DAY 19	☐	☐
	DAY 20	☐	☐
25일	DAY 21	☐	☐
	DAY 22	☐	☐
	DAY 23	☐	☐
	DAY 24	☐	☐
	DAY 25	☐	☐
30일	DAY 26	☐	☐
	DAY 27	☐	☐
	DAY 28	☐	☐
	DAY 29	☐	☐
	DAY 30	☐	☐
35일	DAY 31	☐	☐
	DAY 32	☐	☐
	DAY 33	☐	☐
	DAY 34	☐	☐
	DAY 35	☐	☐
40일	DAY 36	☐	☐
	DAY 37	☐	☐
	DAY 38	☐	☐
	DAY 39	☐	☐
	DAY 40	☐	☐

CONTENTS

고교 필수
1600단어
40일 완성

VOCA CLEAR

DAY 1-40

VOCA CLEAR

DAY 01

시험에 더 강해지는 어휘

0001

attract
[ətrǽkt]

동 (주의·관심 등을) 끌다, 끌어들이다, 매혹하다

The festival is expected to **attract** more tourists to the area.
그 축제는 그 지역에 더 많은 관광객을 끌어들일 것으로 기대된다.

파생 attraction 명 끌림, 매력
attractive 형 매력적인
유의 draw 동 끌다, 끌어당기다
fascinate 동 매혹하다
반의 distract 동 주의를 빼앗다

0002

opportunity
[ɑ̀pərtjúːnəti]

명 기회

This is a great **opportunity** for developing social skills and creativity. 학평 기출
이것은 사회적 기술과 창의성을 발달시킬 훌륭한 기회이다.

유의 chance 명 기회
숙어 take an opportunity 기회를 잡다

0003

curve
[kəːrv]

명 곡선, (도로 등의) 커브
동 곡선을 그리다, 굽히다

Slow down when going around a sharp **curve**.
급커브 길을 돌 때는 속도를 줄이세요.

유의 bend 명 (길의) 커브 동 굽히다
wind 명 굽이짐 동 굽이지다

0004

fluent
[flú(ː)ənt]

형 유창한, 유창하게 말하는

She was **fluent** in five languages and appeared in a range of films. 학평 기출
그녀는 5개 국어에 유창했고 다양한 영화에 출연했다.

파생 fluency 명 유창함
fluently 부 유창하게

0005

suggest
[səgdʒést]

동 1. 제안하다 2. 암시하다, 시사하다

They voluntarily **suggest** creative ideas that increase sales. 학평 기출
그들은 자발적으로 판매를 증가시키는 창의적인 아이디어를 제안한다.

파생 suggestion 명 제안, 암시, 시사
유의 propose 동 제안하다
imply 동 암시하다
숙어 suggest A to B B에게 A를 제안하다

0006

illusion
[ilúːʒən]

명 1. 착각 2. 환상, 환각

She has the **illusion** that she will win the lottery.
그녀는 자신이 복권에 당첨될 것이라는 착각을 하고 있다.

유의 **fantasy** 명 환상
반의 **reality** 명 진실

0007

ordinary
[ɔ́ːrdənèri]

형 1. 보통의, 일상적인 2. 평범한

The restaurant looked fancy, but its food was very **ordinary**.
그 식당은 근사해 보였지만 음식은 아주 평범했다.

파생 **ordinarily** 부 보통, 대개
유의 **usual** 형 보통의, 일상의
common 형 보통의, 평범한
반의 **extraordinary** 형 비범한, 뛰어난

0008 혼동어휘

memorable
[mémərəbl]

형 기억할 만한, 인상적인

A lot of **memorable** things happened to me last year.
작년에 내게 기억에 남는 일들이 많이 일어났다.

0009 혼동어휘

memorial
[məmɔ́ːriəl]

명 기념비, 기념물
형 기념하기 위한, 추모의

This is a **memorial** to those who died in the disaster last year.
이것은 작년에 그 재난 사고로 사망한 사람들에 대한 기념비이다.

내신 UP

Q1.
문맥상 알맞은 단어를 고르시오.

These ruins became a **[memorable / memorial]** for the victims of the bombing.

0010

range
[reindʒ]

명 범위, 폭
동 (범위가) ~에 이르다

The toys are suitable for children in the pre-school age **range**.
그 장난감들은 취학 전 연령대의 아이들에게 적합하다.

유의 **span** 명 범위, 폭
scope 명 범위

0011

compose
[kəmpóuz]

동 1. 구성하다 2. 작곡하다, 작문하다

The team was **composed** of five women.
그 팀은 5명의 여자들로 구성되었다.

파생 **composition** 명 구성, 작곡, 작문
유의 **make up** 구성하다, (이야기 등을) 지어내다
숙어 **be composed of** ~로 구성되다

0012

control
[kəntróul]

명 지배, 통제
동 1. 지배하다, 통제하다 2. 억제하다

They lost **control** over the military after the attack.
그들은 그 공격 이후 군에 대한 통제력을 잃었다.

유의 **rule** 명 지배 동 지배하다
govern 동 지배하다
restrain 동 억제하다
숙어 **take control of** ~을 지배하다

0013

circulate
[sə́ːrkjəlèit]

동 1. 순환하다 2. (소문 등이) 퍼지다

Certain foods can help your blood **circulate** better.
어떤 음식들은 혈액이 더 잘 순환하도록 도와줄 수 있다.

파생 **circulation** 명 순환
circular 형 순환하는
유의 **flow** 동 순환하다
spread 동 퍼지다

0014

decade
[dékeid]

명 10년(간)

I believe the second **decade** of this new century is already very different. 학평 기출
나는 이 새로운 세기의 두 번째 10년은 이미 매우 다르다고 믿는다.

0015

frustrated
[frʌ́strèitid]

형 좌절한, 낙담한

I got **frustrated** because no one trusted me.
아무도 나를 믿어주지 않아서 나는 좌절했다.

파생 **frustrate** 동 좌절감을 주다, 실망시키다
유의 **discouraged** 형 낙담한
depressed 형 낙담한
반의 **encouraged** 형 격려받은, 고무된

0016

government
[gʌ́vərnmənt]

명 1. 정부, 정권 2. 통치 (체제)

Government regulations require that sugar be listed first on the label. 학평 기출
정부 규정은 설탕이 라벨에 먼저 기재될 것을 요구한다.

파생 **govern** 동 통치하다
governmental 형 정부의
유의 **administration** 명 ((미)) 정부

0017

exhibit
[igzíbit]

동 전시하다
명 전시(품)

We will **exhibit** some of Gogh's work next month.
우리는 다음 달에 Gogh의 작품 몇 점을 전시할 예정이다.

파생 **exhibition** 명 전시회
유의 **show** 동 보여주다, 전시하다
display 동 전시하다

0018

branch

[bræntʃ]

명 1. 나뭇가지 2. 분점, 지사
동 갈라지다, 나뉘다

She climbed the tree and hid in the **branches**.
그녀는 나무에 올라가 나뭇가지 속에 숨었다.

유의 **bough** 명 가지
agency 명 대리점
divide 동 나뉘다
split 동 나뉘다

0019

disguise

[disgáiz]

동 변장하다, 위장하다
명 변장, 위장, 가면

Celebrities often have to **disguise** themselves to avoid attention.
유명인들은 관심을 피하기 위해 종종 변장해야 한다.

어원 plus+

dis (away) + guise (모습) → 본 모습과 동떨어진 모습 → 변장하다

파생 **disguised** 형 변장한, 속임수의
유의 **camouflage** 동 위장하다 명 위장
mask 동 가리다, 가장하다 명 가면, 마스크

0020

tiny

[táini]

형 아주 작은

The glass broke into thousands of **tiny** pieces.
그 유리는 수천 개의 작은 조각들로 부서졌다.

유의 **minute** 형 극히 작은
반의 **huge** 형 거대한

0021 다의어

present

[prézənt]

형 1. 현재의 2. 있는, 존재하는 3. 참석한, 출석한
명 1. 선물 2. 현재
동 [prizént] 1. 주다, 증정하다 2. 제시하다 3. 발표하다

When assessing results, think about any biases that may be **present**.
결과를 평가할 때 존재할 수 있는 편견들에 대해 생각하라.

There were 200 people **present** at the meeting. 학평 기출
그 모임에 200명의 사람들이 참석했다.

The limit and the consequence of breaking the limit must be clearly **presented**. 학평 기출
제한과 제한 위반의 결과는 명확하게 제시되어야 한다.

내신 UP

Q2.
밑줄 친 단어의 뜻으로 알맞은 것은?

The businessman is the <u>present</u> owner of the painting.

① 참석한 ② 현재의 ③ 선물

0022

flow

[flou]

명 1. 흐름 2. 계속적인 공급, 생산
동 흐르다

The **flow** of traffic is always slow at rush hour.
출퇴근 시간에는 교통 흐름이 항상 느리다.

유의 **current** 명 흐름
stream 명 흐름 동 흐르다
run 동 흐르다

0023

actual
[ǽktʃuəl]

형 실제의, 사실상의

The **actual** cost was much higher than we expected.
실제 비용은 우리가 예상한 것보다 훨씬 높았다.

파생 **actuality** 명 실제
actually 부 실제로, 사실은
유의 **real** 형 실제의, 진짜의
factual 형 실제의, 사실의

0024

honesty
[ánisti]

명 정직(성), 솔직함

We have never doubted her **honesty** and loyalty.
우리는 결코 그녀의 정직함과 충실함을 의심해 본 적이 없다.

파생 **honest** 형 정직한
유의 **sincerity** 명 정직
반의 **dishonesty** 명 부정직, 불성실

0025 혼동어휘

acquire
[əkwáiər]

동 얻다, 획득하다, 습득하다

Play allows children to **acquire** values that will be important in adulthood. 학평 응용
놀이는 아이들이 성인기에 중요해질 가치를 습득할 수 있게 해 준다.

내신 UP

Q3.
문맥상 알맞은 단어를 고르시오.
Friendships do not just happen; they **[acquire / inquire / require]** effort.

0026 혼동어휘

inquire
[inkwáiər]

동 1. 묻다, 알아보다 2. 조사하다

I **inquired** whether the 6 o'clock train would leave on time.
나는 6시 기차가 제시간에 출발하는지 물어보았다.

0027 혼동어휘

require
[rikwáiər]

동 요구하다, 필요로 하다

Our brains **require** only about 400 calories of energy a day. 학평 기출
우리의 뇌는 하루에 약 400칼로리의 에너지만을 필요로 한다.

0028

fulfill
[fulfíl]

동 1. 성취하다, 달성하다 2. (약속을) 이행하다 3. 충족시키다

Is there any wish that you want to **fulfill**?
당신은 이루고 싶은 어떤 소망이 있나요?

파생 **fulfillment** 명 성취, 실현
유의 **achieve** 동 달성하다
carry out 수행하다
satisfy 동 충족시키다

0029

client
[kláiənt]

명 고객, 의뢰인

I can't remember any **clients** named Clarkson.
나는 Clarkson이라는 이름을 가진 어떤 고객도 기억나지 않는다.

유의 **customer** 명 고객
patron 명 고객, 단골

0030

destination
[dèstənéiʃən]

명 목적지, 도착지

We had to get to our **destination** three miles away without stopping. 학평 응용
우리는 3마일 떨어진 목적지까지 쉬지 않고 가야만 했다.

유의 **goal** 명 목적지

0031

international
[ìntərnǽʃənəl]

형 국제의, 국제적인

The exhibition brought him **international** recognition. 학평 응용
그 전시회는 그에게 국제적인 인정을 가져다주었다.

유의 **global** 형 세계적인
worldwide 형 세계적인
반의 **domestic** 형 국내의

0032

declare
[dikléər]

동 1. 선언하다, 공표하다 2. (세금·소득을) 신고하다

The winner of the election will be **declared** tomorrow morning.
선거의 승자는 내일 아침 공표될 것입니다.

어원 plus+
de (강조) + clare (clear: 명백하게 하다) → 완전히 명백하게 하다 → 선언하다

파생 **declaration** 명 선언, 공표, 신고(서)
유의 **proclaim** 동 선언[선포]하다
announce 동 선언하다
숙어 **declare for[against]** ~에 대한 지지[반대]를 표명하다

0033

launch
[lɔːntʃ]

동 1. 시작[착수]하다 2. 출시하다 3. (로켓 등을) 발사하다
명 1. 시작 2. 출시 3. 발사

The government recently **launched** a national road safety campaign.
정부는 최근 전국 도로 안전 캠페인을 시작했다.

유의 **start** 동 시작하다
blast off 발사되다

0034

adolescent
[ӕdəlésənt]

명 청소년
형 청소년(기)의

Adolescents prefer to talk with friends when having problems.
청소년들은 문제가 있을 때 친구와 이야기하는 것을 선호한다.

파생 **adolescence** 명 청소년기
유의 **teenager** 명 십 대, 청소년

0035

purify
[pjú(:)ərəfài]

동 **정화하다, 정제하다**

The tap water has been **purified** for drinking.
수돗물은 마시기 위해 정화되어 왔다.

파생 **purification** 명 정화, 정제
purifier 명 정화기
유의 **refine** 동 정제하다

0036

optimistic
[ɑ̀ptəmístik]

형 **낙관적인, 낙천적인**

The actor is **optimistic** about his chances of winning the Oscar.
그 배우는 오스카 상을 탈 가능성에 대해 낙관적이다.

파생 **optimist** 명 낙관주의자
optimism 명 낙관주의
유의 **positive** 형 긍정적인
반의 **pessimistic** 형 비관적인

0037

vision
[víʒən]

명 **1. 시력, 시야 2. 통찰력, 선견지명**

The snowy owl has excellent **vision** both in the dark and at a distance. 학평 응용
흰올빼미는 어둠 속에서나 먼 거리에서도 뛰어난 시력을 가진다.

파생 **visual** 형 시각의
유의 **sight** 명 시력, 시야
foresight 명 예지력, 선견지명

고등 필수 숙어

0038

call on[upon]

1. 요청하다 2. 방문하다

The host **called on** the student president to give a speech.
진행자는 학생회장에게 연설을 요청했다.

Q4.
다음 빈칸에 알맞은 숙어는?

In his speech, the mayor ___________ the people of the city to work together.

① called on
② counted on
③ depended on

0039

count on

1. 믿다, 확신하다 2. 의지하다

We **count on** your continued support.
여러분의 지속적인 지원을 믿습니다.

0040

depend on [upon]

~에 의존하다

Many people **depend on** online recommendations when shopping. 학평 응용
많은 사람들은 쇼핑할 때 온라인 추천에 의존한다.

Daily Test 01

정답 p. 348

A 우리말은 영어로, 영어는 우리말로 쓰시오.

01 범위, 폭 ______________

02 전시하다; 전시(품) ______________

03 목적지, 도착지 ______________

04 청소년(기)(의) ______________

05 보통의, 일상적인 ______________

06 변장(하다), 위장(하다) ______________

07 시작(하다), 출시(하다) ______________

08 decade ______________

09 circulate ______________

10 client ______________

11 memorable ______________

12 purify ______________

13 acquire ______________

14 compose ______________

B 빈칸에 알맞은 단어를 쓰시오. (필요시 형태를 바꿀 것)

서술형

01 He d__________ that it was the best birthday present he had ever received.
그는 그것이 자신이 지금껏 받은 최고의 생일 선물이었다고 선언했다.

02 She was invited to an international conference in Toronto to p__________ her research results.
그녀는 자신의 연구 결과를 발표하도록 토론토에서 열리는 국제 회의에 초대되었다.

03 It d__________ __________ our willingness to follow certain rules, such as the requirement to wear a mask indoors.
그것은 실내에서의 마스크 착용 의무와 같은 특정 규칙을 따르려는 우리의 의지에 의존한다.

C 각 단어의 유의어 혹은 반의어를 쓰시오.

01 동 fulfill 유의 a______________

02 명 illusion 반의 r______________

03 동 suggest 유의 p______________

04 형 tiny 반의 h______________

05 형 actual 유의 r______________

06 형 optimistic 반의 p______________

VOCA CLEAR

DAY 02

0041

blend
[blend]

동 1. 섞다, 혼합하다 2. 조화되다
명 혼합(물)

Most of his novels **blend** fact and legend.
그의 소설에는 대부분 사실과 전설이 섞여 있다.

시험에 더 강해지는 어휘

- 파생 **blender** 명 믹서기
- 유의 **mix** 동 섞다, 혼합하다
  combine 동 결합하다, 화합하다

0042

careless
[kέərlis]

형 부주의한, 조심성 없는

It was **careless** of her to leave the house with the door open.
그녀가 문을 열어 둔 채로 집을 나서다니 부주의했다.

- 파생 **carelessness** 명 부주의
- 유의 **reckless** 형 경솔한, 신중하지 못한
- 반의 **careful** 형 주의깊은

0043

harm
[hɑːrm]

명 손해, 손상
동 해치다

Resource abundance in itself need not do any **harm.** 학평 기출
자원의 풍요 그 자체가 어떠한 해를 끼칠 필요는 없다.

- 파생 **harmful** 형 해로운
  harmless 형 무해한, 악의 없는
- 유의 **damage** 명 손해 동 해치다
- 숙어 **do harm** 해를 끼치다

0044

license
[láisəns]

명 면허(증), 인가(증)
동 면허를 주다, 허가하다

The police officer asked for my driver's **license**.
그 경관은 내 운전면허증을 요구했다.

- 파생 **licensed** 형 허가를 받은
- 유의 **certify** 동 면허증[자격증]을 주다
  permit 동 허가하다
- 반의 **forbid** 동 금지하다

0045

diverse
[daivə́ːrs]

형 다양한, 가지각색의

Modern insect communities are highly **diverse** in tropical forests. 학평 응용
현대의 곤충 군집들은 열대 우림 지역에서 매우 다양하다.

어원 plus +

di (away) + verse (turn: 돌다) → (원래 방향에서) 벗어난 방향으로 도는 → 다양한

- 파생 **diversity** 명 다양성
  diversify 동 다양화하다
- 유의 **various** 형 다양한, 가지각색의
- 반의 **identical** 형 똑같은, 동일한

0046

anxiety
[æŋzáiəti]

명 1. 불안(감), 염려 2. 갈망, 열망

This therapy will help you cope with **anxiety**.
이 치료는 당신이 불안감을 대처하는 데 도움을 줄 것입니다.

파생 anxious 형 걱정하는
유의 concern 명 걱정, 우려
eagerness 명 열망

0047

disappoint
[dìsəpɔ́int]

동 실망시키다, 낙담시키다

You will certainly be **disappointed** at some points along the way. 학평 응용
여러분은 분명히 도중에 어느 시점에서 실망하게 될 것이다.

파생 disappointment 명 실망
disappointing 형 실망시키는
유의 let down 실망시키다
frustrate 동 좌절시키다
반의 satisfy 동 만족시키다

0048

primary
[práimeri]

형 1. 주요한 2. 최초의 3. 초등(교육)의

Fishing is their **primary** source of income.
어업이 그들의 주요 수입원이다.

파생 primarily 부 주로
유의 chief 형 주요한
main 형 주요한, 주된
elementary 형 초등의

0049

masterpiece
[mǽstərpìːs]

명 걸작, 명작

The film is widely regarded as Hitchcock's **masterpiece**.
그 영화는 히치콕 감독의 걸작으로 널리 인정된다.

유의 masterwork 명 걸작, 명작

0050 다의어

reflect
[riflékt]

동 1. 반사하다 2. 반영하다 3. 숙고하다

Mirrors and other smooth, shiny surfaces **reflect** light. 학평 기출
거울이나 다른 매끄럽고 반들반들한 표면은 빛을 반사한다.

His music **reflects** his interest in African culture.
그의 음악은 아프리카 문화에 대한 그의 관심을 반영한다.

She **reflected** on the outcome her decision would bring about.
그녀는 자신의 결정이 가져올 결과에 대해 숙고했다.

내신 UP

Q1.
밑줄 친 단어의 뜻으로 알맞은 것은?

Our eating habits sometimes reflect our personalities.

① 반사하다
② 반영하다
③ 숙고하다

0051

liberal
[líbərəl]

형 자유주의의, 개방적인

We can see how **liberal** Tom is by reading his article.
우리는 Tom의 글을 읽음으로써 그가 얼마나 개방적인지 알 수 있다.

파생 liberate 동 자유롭게 하다, 해방하다
유의 free 형 자유로운
반의 strict 형 엄격한
conservative 형 보수적인

0052

fabric
[fǽbrik]

명 직물, 천

These pants are made of **fabric** that is wrinkle resistant.
이 바지는 주름이 잘 안 가는 천으로 만들어졌다.

유의 **textile** 명 직물, 옷감
cloth 명 직물, 천

0053

insist
[insíst]

동 1. 주장하다 2. 고집하다

He **insisted** he had no connection with the rumor.
그는 자신이 그 소문과 전혀 관계가 없다고 주장했다.

파생 **insistence** 명 주장, 단언
insistent 형 고집하는, 우기는
유의 **assert** 동 주장하다
maintain 동 주장하다
숙어 **insist on[upon]** ~을 주장하다

0054 혼동어휘

breath
[breθ]

명 숨, 호흡

She took a deep **breath** to calm down.
그녀는 마음을 진정하기 위해 심호흡을 했다.

내신 UP

Q2.
문맥상 알맞은 단어를 고르시오.
The patient was beginning to **[breath / breathe]** more easily.

0055 혼동어휘

breathe
[bri:ð]

동 숨 쉬다, 호흡하다

A frog gets part of its oxygen by **breathing** through its skin. 학평 응용
개구리는 피부를 통해 호흡함으로써 산소를 일부 얻는다.

0056

mortal
[mɔ́:rtəl]

형 1. 죽음을 피할 수 없는 2. 치명적인

In Greek mythology, while gods live forever, humans are **mortal** beings.
그리스 신화에서 신들은 영원히 살지만 인간은 죽음을 피할 수 없는 존재이다.

파생 **mortality** 명 사망(률)
유의 **fatal** 형 죽음에 이르는, 치명적인
deadly 형 치명적인
반의 **immortal** 형 불멸의

0057

weep
[wi:p]

동 울다, 눈물을 흘리다

She buried her face in her hands and **wept**.
그녀는 두 손에 얼굴을 파묻고 울었다.

유의 **cry** 동 울다
sob 동 흐느껴 울다

0058

thread
[θred]

명 실
동 실을 꿰다

Noah had a loose **thread** on one of his shirt buttons.
Noah의 셔츠 단추 중 하나에 실이 풀려 있었다.

유의 **string** 명 끈, 줄 동 실에 꿰다

0059

vast
[væst]

형 막대한, 방대한

A **vast** amount of useful information is contained in the material.
그 자료에는 방대한 양의 유용한 정보가 포함되어 있다.

파생 **vastly** 부 막대하게, 대단히
유의 **huge** 형 거대한
enormous 형 막대한, 거대한
반의 **tiny** 형 아주 작은[적은]

0060

provide
[prəváid]

동 제공하다, 공급하다

A free swimming cap will be **provided** to all participants. 학평 기출
모든 참가자들에게 무료 수영모가 제공될 것이다.

파생 **provider** 명 제공자, 제공 기관
유의 **supply** 동 공급하다
숙어 **provide A for B [provide B with A]**
B에게 A를 제공하다

0061

profit
[prɑ́fit]

명 수익, 이익
동 이익을 얻다[주다]

Bees can be kept with **profit** even under unfavorable circumstances. 학평 기출
불리한 환경에서도 벌을 키워 이익을 낼 수 있다.

파생 **profitable** 형 수익성이 있는
유의 **gain** 명 이득, 수익
benefit 명 동 이익(을 얻다)
반의 **loss** 명 손실
숙어 **make a profit** 이윤을 내다

0062 다의어

subject
[sʌ́bdʒikt]

명 1. 주제 2. 과목, 학과 3. 피실험자
형 ~ 받기[하기] 쉬운
동 [sʌbdʒékt] 복종[종속]시키다

Mark suddenly changed the **subject**, leaving everyone confused.
Mark는 갑자기 주제를 바꾸어서 모두를 혼란스럽게 했다.

The cargo is **subject** to damage due to bad weather.
나쁜 날씨로 인해 화물이 손상되기 쉽다.

Half of the countries were **subjected** to the new regulation.
그 국가들의 절반이 새로운 규정에 종속되었다.

내신 UP

Q3.
밑줄 친 단어의 뜻으로 알맞은 것은?

All the subjects were asked to stay awake the whole night.

① 주제들
② 과목들
③ 피실험자들

0063

suburb
[sʌ́bəːrb]

명 교외, 근교

Living in the **suburbs** has its own advantages.
교외에 사는 것은 그것만의 장점이 있다.

파생 **suburban** 형 교외의
유의 **outskirts** 명 교외

0064

ancient
[éinʃənt]

형 고대의, 옛날의

The remains of the **ancient** city was destroyed by the construction of a highway.
고대 도시의 유적이 고속도로 건설로 인해 파괴되었다.

어원 plus+
anci (before) + ent (형용사형 접미사) → 먼 이전의 → 고대의

유의 **old** 형 고대의, 이전의
반의 **modern** 형 현대의
recent 형 최근의

0065

meanwhile
[míːnwàil]

부 1. 그동안에, 그 사이에 2. 한편

He prepared the contracts. **Meanwhile,** his assistant greeted the guests.
그는 계약서를 준비했다. 그동안에 그의 조수는 손님들을 맞이했다.

유의 **(in the) meantime** 부 그동안에

0066

exchange
[ikstʃéindʒ]

동 1. 교환하다 2. 환전하다
명 1. 교환 2. 환전

It's an event for those who want to **exchange** their extra seeds for new varieties. 학평 기출
그것은 여분의 씨앗을 새로운 품종으로 교환하고 싶은 사람들을 위한 행사이다.

유의 **trade** 명동 교환(하다)
숙어 **exchange A for B** A를 B로 교환하다[바꾸다]
in exchange 그 대신, 답례로

0067

income
[ínkʌm]

명 소득, 수입

A third of her **income** goes toward rent.
그녀의 수입의 1/3은 임대료로 나간다.

유의 **earnings** 명 소득, 수입
반의 **expenditure** 명 지출, 소비

0068

relieve
[rilíːv]

동 1. 완화하다, 경감하다 2. 안심시키다

The government made a lot of efforts to **relieve** poverty.
정부는 빈곤을 줄이기 위해 많은 노력을 기울였다.

파생 **relief** 명 경감, 안도
유의 **reduce** 동 감소시키다, 줄이다
relax 동 편하게 하다
숙어 **relieve A of B** A에게서 B를 덜어주다

0069

attack
[ətǽk]

명 1. 폭행, 공격 2. 비난
동 1. 폭행[공격]하다 2. (강하게) 비난하다

There have been several **attacks** on Asians recently.
최근 아시아인들에 대한 폭행이 수차례 있었다.

유의 **assault** 명 폭행, 공격 동 폭행하다
반의 **defense** 명 방어
defend 동 방어하다
숙어 **under attack** 공격을 받는

0070

stimulate
[stímjəlèit]

동 1. 자극하다, 격려하다 2. 흥미를 불러일으키다

The color yellow **stimulates** people's appetite.
노란색은 사람의 식욕을 자극한다.

파생 **stimulation** 명 자극, 격려
stimulative 형 자극적인
유의 **encourage** 동 격려하다
반의 **discourage** 동 좌절시키다

0071 혼동어휘

principal
[prínsəpəl]

형 주요한, 제1의
명 (단체의) 장, 교장

The new highway will connect the **principal** cities of the country.
새 고속도로는 국가의 주요 도시들을 연결할 것이다.

내신 UP

Q4.
문맥상 알맞은 단어를 고르시오.

My mother was a woman of strict moral **[principals / principles]**.

0072 혼동어휘

principle
[prínsəpl]

명 1. 원리, 원칙 2. 신념, 신조

One basic **principle** is that education should be free to everyone.
한 가지 기본적인 원칙은 교육은 모든 사람들에게 무상이어야 한다는 것이다.

0073

climate
[kláimit]

명 기후

Trees are sensitive to local **climate** conditions, such as rain and temperature. 학평 기출
나무들은 비와 기온과 같은 지역의 기후 조건에 민감하다.

파생 **climatic** 형 기후의

0074

monitor
[mánitər]

동 감시하다, 관찰하다
명 화면, 모니터

It is necessary to **monitor** how long children watch videos.
아이들이 얼마나 오래 동영상을 시청하는지 감시하는 것은 필요하다.

파생 **monitoring** 명 감시, 관찰
유의 **observe** 동 감시하다
keep an eye on ~을 감시하다

0075

conquer
[káŋkər]

동 1. 정복하다 2. 이기다 3. 극복하다

Persians tried their best to **conquer** Greece but failed.
페르시아인들은 그리스를 정복하려고 최선을 다했으나 실패했다.

파생 **conqueror** 명 정복자
conquest 명 정복
유의 **defeat** 동 이기다
overcome 동 극복하다
반의 **lose** 동 지다

0076

evidence
[évidəns]

명 증거(물)

We have objective **evidence** that the Earth is in fact a sphere. 학평 기출
우리는 지구가 사실상 구(球)라는 객관적인 증거를 갖고 있다.

파생 **evident** 형 분명한, 명백한
유의 **proof** 명 증거, 증명

0077

nap
[næp]

명 낮잠
동 낮잠을 자다

Taking a short **nap** improves the efficiency of work.
짧게 낮잠을 자는 것은 일의 효율성을 개선시킨다.

숙어 **take a nap** 낮잠을 자다

고등 필수 숙어

0078

keep up

1. 계속하다[되다] 2. 따라가다

The rain **kept up** all day, so we stayed home.
비가 하루 종일 계속되어 우리는 집에 머물렀다.

0079

make up

1. 화장하다 2. 화해하다

She is ready to **make up** with her friend.
그녀는 친구와 화해할 준비가 되어 있다.

0080

throw up

토하다

After eating spoiled food, she **threw up**.
상한 음식을 먹은 후 그녀는 토했다.

내신 UP

Q5.
다음 빈칸에 알맞은 숙어는?

Everything is changing so fast, so it is hard to ________.

① keep up
② make up
③ throw up

Daily Test 02

정답 p. 348

A 우리말은 영어로, 영어는 우리말로 쓰시오.

01 직물, 천 ______________

02 걸작, 명작 ______________

03 다양한, 가지각색의 ______________

04 숨 쉬다, 호흡하다 ______________

05 자극하다, 격려하다 ______________

06 부주의한, 조심성 없는 ______________

07 불안(감), 갈망 ______________

08 suburb ______________

09 thread ______________

10 weep ______________

11 evidence ______________

12 reflect ______________

13 conquer ______________

14 harm ______________

B 빈칸에 알맞은 단어를 쓰시오. (필요시 형태를 바꿀 것)

서술형

01 She said that she wasn't d______________ that her film didn't win the Best Picture award.

그녀는 자신의 영화가 최우수 작품상을 수상하지 못한 것에 대해 실망하지 않았다고 말했다.

02 Life is not a theory but a practical thing; this is one of my major life p______________.

삶은 이론이 아니라 실제적인 것인데, 이것은 내 주요 삶의 원칙들 중 하나이다.

03 With the help of my mother, I was able to m______________ ______________ with my sister.

엄마의 도움으로, 나는 내 여동생과 화해할 수 있었다.

C 각 단어의 유의어 혹은 반의어를 쓰시오.

01 동 provide 유의 s______________

02 형 liberal 반의 c______________

03 명 profit 유의 g______________

04 동 attack 반의 d______________

05 형 mortal 유의 f______________

06 명 income 반의 e______________

VOCA CLEAR

DAY 03

시험에 더 강해지는 어휘

0081

clue
[kluː]

명 단서, 실마리

Very old trees can offer **clues** about what the climate was like in the past. 학평 응용
아주 오래된 나무들은 과거에 기후가 어땠는지에 대한 단서들을 제공해 줄 수 있다.

유의 **cue** 명 단서
hint 명 단서, 힌트

0082

beneath
[biníːθ]

전 1. ~ 아래에 2. ~보다 못한

The dolphins disappeared **beneath** the waves.
돌고래들이 파도 아래로 사라졌다.

유의 **underneath** 전 ~ 아래에
below 전 ~ 밑에

0083

concern
[kənsə́ːrn]

동 1. 걱정하게 하다 2. 관련[연관]되다
명 1. 걱정, 염려 2. 관심(사)

The boy's parents were **concerned** about his bad temper. 학평 기출
그 소년의 부모는 그의 나쁜 성질에 대해 염려했다.

파생 **concerning** 전 ~에 관한
유의 **worry** 명동 걱정(하다)
interest 명 관심
숙어 **be concerned about** ~에 대해 염려하다

0084

temporary
[témpərèri]

형 일시적인, 임시의

This pill will give you **temporary** relief from pain.
이 약은 일시적으로 통증을 완화시켜줄 것이다.

파생 **temporarily** 부 임시로
유의 **momentary** 형 순간적인
반의 **permanent** 형 영구적인
lasting 형 지속되는

0085

spectacle
[spéktəkl]

명 구경거리, 장관

Last night's fireworks display was an exciting **spectacle**.
지난밤의 불꽃놀이는 흥미진진한 구경거리였다.

파생 **spectacular** 형 화려한, 장관의
spectator 명 관중, 구경꾼

0086

remind
[rimáind]

동 상기시키다, 생각나게 하다

Remind me to take the umbrella when I go out.
나갈 때 우산을 가져가라고 제게 일러 주세요.

파생 **reminder** 명 생각나게 하는 것
숙어 **remind A of B** A에게 B를 생각나게 하다

0087 혼동어휘

efficient
[ifíʃənt]

형 효율적인, 능률적인

Because the house is so small, an **efficient** use of space is necessary.
집이 아주 작기 때문에 공간의 효율적 사용이 필수적이다.

Q1.
문맥상 알맞은 단어를 고르시오.

The new traffic law will be **[effective / efficient]** from next month.

0088 혼동어휘

effective
[iféktiv]

형 1. 효과적인, 효력 있는 2. (법률 등이) 시행되는

Effective body language is more than the sum of individual signals. 학평 기출
효과적인 보디랭귀지는 개별 신호의 합계 이상이다.

0089

institute
[ínstitjùːt]

명 (교육) 기관, 협회
동 세우다, 설립하다

He attended night classes at the Art **Institute** of Chicago. 학평 기출
그는 시카고 미술 학교에서 야간 수업을 들었다.

파생 **institution** 명 기관, 제도
유의 **association** 명 협회
organization 명 단체, 협회
set up 설립하다

0090

shorten
[ʃɔ́ːrtən]

동 짧게 하다, 줄이다

A back injury **shortened** his career as a basketball player.
허리 부상이 농구 선수로서의 그의 경력을 단축시켰다.

유의 **reduce** 동 줄이다
lessen 동 줄이다
반의 **lengthen** 동 길게 하다, 늘이다

0091

tray
[trei]

명 쟁반

Please return the **tray** and clear the table after you've finished your meal.
식사를 마친 후에 쟁반을 반납하고 테이블을 치워 주세요.

0092

plant
[plænt]

명 1. 식물 2. 공장
동 (식물을) 심다

Lithops are **plants** that are often called "living stones." 학평 기출
Lithops는 종종 '살아 있는 돌'로 불리는 식물이다.

파생 plantation 명 농장
유의 sow 동 씨를 뿌리다, 심다

0093

cuisine
[kwizíːn]

명 요리(법)

Thailand is famous for its excellent **cuisine**.
태국은 훌륭한 요리로 유명하다.

유의 cooking 명 요리

0094

interrupt
[ìntərʌ́pt]

동 1. 방해하다 2. 중단시키다

She tried to explain, but he kept **interrupting** her.
그녀는 설명하려고 했으나 그는 계속 그녀의 말을 방해했다.

어원 plus+
inter (between) + rupt (break) → 사이로 부수고 들어가다 → 방해하다, 중단시키다

파생 interruption 명 방해, 중단
유의 disturb 동 방해하다
interfere 동 방해하다, 간섭하다

0095

underground
[ʌ́ndərgràund]

형 지하의, 땅속의 부 [ʌ̀ndərgráund] 지하에
명 지하(도)

The plants have no true stem and much of the plant is **underground**. 학평 기출
그 식물은 실제 줄기는 없고 식물의 대부분이 땅속에 있다.

유의 subterranean 형 지하의

0096

offend
[əfénd]

동 1. 기분을 상하게 하다 2. 위반하다

His jokes **offended** some of the audience.
그의 농담은 일부 청중을 불쾌하게 했다.

파생 offense 명 위반, 범죄, 공격
offensive 형 모욕적인, 불쾌한
유의 upset 동 속상하게 하다

0097

blank
[blæŋk]

형 빈, 텅 빈
명 빈칸, 공란

Write your name in the **blank** space below.
아래 빈 공간에 이름을 쓰세요.

유의 empty 형 빈, 없는
vacant 형 빈, 비어 있는
숙어 go blank 머릿속이 하얘지다

0098

murder
[mə́ːrdər]

명 살인(죄), 살해
동 살해하다

The investigators are searching everywhere to secure the **murder** weapon.
수사관들은 살인 흉기를 확보하기 위해 모든 곳을 수색 중이다.

파생 **murderer** 명 살인자
유의 **homicide** 명 살인
kill 동 죽이다

0099

field
[fiːld]

명 1. 분야, 영역 2. 경기장 3. 들판

He is one of the most brilliant psychologists in the **field**.
그는 그 분야에서 가장 뛰어난 심리학자 중 한 명이다.

유의 **area** 명 분야, 영역
ground 명 운동장

0100 다의어

general
[dʒénərəl]

형 1. 일반적인 2. 개괄적인, 대략적인
명 장군

He paid the little attention to the **general** maintenance of the machinery. 학평 응용
그는 기계의 일반적인 유지 보수에 최소한의 관심을 기울였다.

Though a **general** concept occurred to me, I wouldn't start a new business.
대략적인 생각이 떠올랐지만, 나는 새로운 사업을 시작하지 않을 것이다.

The **general** hesitated to give the order to attack.
장군은 공격 명령을 내리길 주저했다.

내신 UP

Q2.
밑줄 친 단어의 뜻으로 알맞은 것은?

The building was not open to the general public.

① 일반적인 ② 개괄적인 ③ 장군

0101

congratulate
[kəngrǽtʃəlèit]

동 축하하다

We'd like to **congratulate** you on your promotion.
당신의 승진을 축하합니다.

파생 **congratulation** 명 축하
유의 **celebrate** 동 축하하다
숙어 **congratulate A on B**
A에게 B에 대해 축하하다

0102

trash
[træʃ]

명 쓰레기

Outside food is allowed, but make sure to take your **trash** with you. 학평 응용
외부 음식 반입은 허용되지만 쓰레기는 반드시 가져가십시오.

유의 **garbage** 명 쓰레기
rubbish 명 쓰레기

0103

embarrassed
[imbǽrəst]

형 당황스러운, 난처한

I felt **embarrassed** at being the center of attention.
나는 관심의 초점이 되는 것이 당황스러웠다.

파생 **embarrass** 동 당황스럽게 만들다
유의 **ashamed** 형 창피한

0104

annual
[ǽnjuəl]

형 매년의, 연간의

This **annual** event for sustainable transport runs from Nov. 25 to Dec. 1. 기출 응용
지속 가능한 교통수단을 위한 이 연례 행사는 11월 25일부터 12월 1일까지 진행합니다.

어원 plus+
ann (year) + ual (형용사형 접미사) → 일 년의

파생 **annually** 부 해마다, 매년
유의 **yearly** 형 매년의

0105

deny
[dinái]

동 1. 부인하다 2. 거절하다

This may seem like an act of **denying** your desires. 학평 기출
이것은 당신의 소망을 부인하는 행동처럼 보일지도 모른다.

파생 **denial** 명 부인, 거절
유의 **contradict** 동 부인[부정]하다
refuse 동 거절하다
반의 **admit** 동 인정하다
accept 동 수락하다

0106

function
[fʌ́ŋkʃən]

명 기능, 역할
동 기능하다, 작동하다

He asked about the **function** of the white buttons.
그는 흰색 버튼들의 기능에 대해 물었다.

파생 **functional** 형 기능의
유의 **work** 동 기능하다
operate 동 작동하다
숙어 **function as** ~의 기능을 하다

0107 다의어

spot
[spɑt]

명 1. 장소 2. 점 3. 얼룩
동 발견하다, 알아채다

The dealer will give you a new toaster on the **spot.** 학평 기출
그 판매인이 그 자리에서 새 토스터를 드릴 것입니다.

The dog has a black **spot** on its forehead.
그 개는 이마에 검은 점이 하나 있다.

We couldn't **spot** any difference between the two pictures.
우리는 그 두 그림들 사이에서 어떤 차이도 발견할 수 없었다.

내신 UP

Q3.
밑줄 친 단어의 뜻으로 알맞은 것은?
We found her sitting in a sunny spot in the backyard.
① 장소 ② 점 ③ 얼룩

0108

project
[prədʒékt]

동 1. 계획하다 2. 투사하다
명 [prádʒekt] 계획 (사업), 과제

His new book is **projected** for publication in May.
그의 새 책은 5월에 출간될 계획이다.

파생 **projection** 명 계획, 예상, 투사
projector 명 투영기, 투사기
유의 **plan** 명 동 계획(하다)
reflect 동 비추다

0109

achieve
[ətʃíːv]

동 성취하다, 이루다

Without such passion, they would have **achieved** nothing. 학평 기출
그러한 열정이 없었다면, 그들은 아무것도 성취해 내지 못했을 것이다.

파생 **achievement** 명 성취, 업적
유의 **accomplish** 동 성취하다
attain 동 이루다

0110

afraid
[əfréid]

형 1. 두려워하는, 겁내는 2. 염려하는

The shoemaker was **afraid** to let the gold out of his sight. 학평 응용
그 구두장이는 금을 그의 시야 밖에 두기가 겁났다.

유의 **scared** 형 두려워하는
worried 형 걱정하는
숙어 **be afraid of** ~을 무서워하다
be afraid to-v ~하기가 두렵다

0111 혼동어휘

prey
[prei]

명 1. 먹이, 사냥감 2. 희생(물)

A spider usually catches its **prey** by building webs.
거미는 보통 거미줄을 쳐서 먹이를 잡는다.

내신 UP

Q4.
문맥상 알맞은 단어를 고르시오.

The young deer are ideal **[pray / prey]** for the leopard.

0112 혼동어휘

pray
[prei]

동 기도하다, 빌다, 간청하다

How many times had she **prayed** for a friend? 학평 기출
그녀가 얼마나 많이 친구를 달라고 기도했던가?

0113

earthquake
[ə́ːrθkwèik]

명 지진

Thousands of people were left homeless after the last **earthquake**.
수천 명의 사람들이 지난번 지진 후 집을 잃었다.

0114

frank
[fræŋk]

형 솔직한

She is quite **frank** about her feelings.
그녀는 자신의 감정에 꽤 솔직하다.

파생 **frankly** 부 솔직히 (말해서)
유의 **honest** 형 솔직한
반의 **dishonest** 형 정직하지 못한

0115

avenue
[ǽvənjùː]

명 (도시의) 큰 대로, 거리, -가(街)

We stayed at a hotel on Madison **Avenue.**
우리는 Madison가에 있는 호텔에 머물렀다.

유의 **street** 명 도로, 거리, -가
road 명 -가[로]

0116

entertain
[èntərtéin]

동 1. 즐겁게 하다 2. 접대하다

I'm writing a story that can **entertain** children.
나는 아이들을 즐겁게 할 수 있는 이야기를 쓰고 있다.

파생 **entertainment** 명 오락, 접대
entertaining 형 재미있는
유의 **amuse** 동 재미있게 하다
반의 **bore** 동 지루하게 하다

0117

cruel
[krú(ː)əl]

형 잔인한, 잔혹한

The rich man was very unkind and **cruel** to his slaves and servants. 학평 응용
그 부자는 노예와 하인들에게 매우 불친절하고 잔인했다.

파생 **cruelty** 명 잔인함, 학대
유의 **brutal** 형 잔인한, 야만적인
숙어 **cruel to** ~에게 잔인한

고등 필수 숙어

0118

carry on

계속하다

If you **carry on** working late, you'll have health problems.
늦게까지 일을 계속하면 건강에 문제가 생길 것이다.

0119

go on

1. (일이) 일어나다, 벌어지다 2. 계속되다

End all the excuses, and stop lying to yourself about what is **going on.** 학평 기출
모든 변명을 끝내고, 일어나고 있는 일에 대해 스스로에게 거짓말하는 것을 멈춰라.

0120

hang on

1. 붙잡다 2. 버티다 3. (잠시) 기다리다

Hang on for a few more minutes. I'm almost ready.
조금만 더 기다려라. 나는 거의 준비되었어.

내신 UP

Q5.
다음 빈칸에 알맞은 숙어는?

Can you ________ a minute? I'll check if he is available.

① carry on
② go on
③ hang on

Daily Test 03

정답 p. 348

A 우리말은 영어로, 영어는 우리말로 쓰시오.

01 솔직한 ____________

02 당황스러운, 난처한 ____________

03 매년의, 연간의 ____________

04 기도하다, 빌다 ____________

05 빈, 빈칸 ____________

06 구경거리, 장관 ____________

07 기분을 상하게 하다 ____________

08 entertain ____________

09 cuisine ____________

10 clue ____________

11 function ____________

12 efficient ____________

13 achieve ____________

14 remind ____________

B 빈칸에 알맞은 단어를 쓰시오. (필요시 형태를 바꿀 것)

서술형

01 The government couldn't find a sufficient s__________ to bury the nuclear waste.
정부는 핵폐기물을 매장할 충분한 장소를 찾지 못했다.

02 He was arrested as an accomplice in the m__________ because he provided money to the killer.
그는 살인업자에게 돈을 제공했기 때문에 그 살인 사건의 공범으로 체포되었다.

03 She c__________ __________ stirring so that chocolate wouldn't stick on the bottom of the pan.
그녀는 초콜릿이 팬 바닥에 눌어붙지 않도록 계속 저어주었다.

C 각 단어의 유의어 혹은 반의어를 쓰시오.

01 동 interrupt 유의 d____________

02 동 deny 반의 a____________

03 명 trash 유의 g____________

04 형 temporary 반의 p____________

05 형 cruel 유의 b____________

06 동 shorten 반의 l____________

VOCA CLEAR

DAY 04

시험에 더 강해지는 어휘

0121

apologize
[əpɑ́lədʒàiz]

동 사과하다

We sincerely **apologize** for the delay in delivery.
배달 지연에 대해 진심으로 사과드립니다.

파생 apology 명 사과
숙어 apologize for ~에 대해 사과하다

0122

shadow
[ʃǽdou]

명 그림자, 그늘
동 1. 그늘지게 하다 2. 미행하다

As the sun rises in the sky, **shadows** grow shorter.
하늘에 해가 뜰수록 그림자가 짧아진다.

파생 shadowy 형 그늘이 진
유의 shade 명동 그늘(지게 하다)
trail 동 미행[추적]하다

0123

follow
[fɑ́lou]

동 1. 따라가다[오다] 2. 뒤를 잇다 3. 이해하다

He gave them instruction to **follow** the path to its end. 학평 기출
그는 그들에게 그 길을 끝까지 따라가라고 지시했다.

파생 follower 명 추종자, 팔로워
following 형 따라오는, 다음의
유의 come after 뒤를 잇다
숙어 A be followed by B
A 다음에 B가 이어지다

0124 다의어

capital
[kǽpitəl]

명 1. 수도 2. 자본 3. 대문자
형 1. 주요한 2. 자본의 3. 대문자의

The **capital** of Australia is not Sydney but Canberra.
호주의 수도는 시드니가 아니라 캔버라이다.

Most of the company's **capital** is tied up in real estate.
그 회사의 자본 대부분이 부동산에 묶여 있다.

They lost their **capital** ship in the first battle.
그들은 첫 번째 전투에서 주력함을 잃었다.

내신 UP

Q1.
밑줄 친 단어의 뜻으로 알맞은 것은?

The goal is to bring foreign capital to the stock market.

① 수도 ② 자본 ③ 대문자

0125

exhausted
[igzɔ́:stid]

형 1. 기진맥진한 2. 고갈된, 다 써 버린

I finally fell asleep, **exhausted** from my grief. 학평 기출
나는 슬픔에 지쳐 마침내 잠이 들었다.

파생 exhaust 동 고갈시키다
유의 tired 형 지친
used up 몹시 지친, 다 써 버린

0126

corporation
[kɔ̀ːrpəréiʃən]

명 (큰 규모의) 기업, 법인

There are many multinational **corporations** these days.
요즘엔 다국적 기업들이 많다.

파생 corporate 형 기업의
유의 business 명 기업
company 명 회사
firm 명 회사

0127

interact
[ìntərǽkt]

동 1. 소통하다, 교류하다 2. 상호 작용하다

The singer **interacts** with her fans on social media.
그 가수는 소셜 미디어로 팬들과 소통한다.

어원 plus +
inter (each other) + act (작용하다) → 서로 작용하다 → 상호 작용하다, 교류하다

파생 interaction 명 상호 작용
interactive 형 상호적인, 쌍방향의
유의 communicate 동 의사소통하다

0128

average
[ǽvəridʒ]

형 1. 평균의 2. 보통의, 일반적인
명 평균 동 평균 ~이 되다

The **average** life span of an impala is between 13 and 15 years in the wild. 학평 기출
야생에서 임팔라의 평균 수명은 13년에서 15년 사이이다.

유의 mean 명 형 평균(의)
normal 형 보통의
반의 unusual 형 보통이 아닌, 비범한
숙어 on average 평균적으로

0129

unemployment
[ʌ̀nimplɔ́imənt]

명 실업(률), 실직 (상태)

The closure of the factory led to high **unemployment** in the area.
그 공장의 폐쇄는 그 지역의 높은 실업률을 야기했다.

반의 employment 명 취업, 고용

0130

except
[iksépt]

전 접 ~을 제외하고
동 제외하다

All the animals ran for safety, **except** one doe. 학평 기출
암사슴 한 마리를 제외하고 모든 동물들이 안전한 곳으로 달아났다.

파생 exception 명 제외
유의 apart from ~을 제외하고
exclude 동 제외하다
숙어 except for ~을 제외하고, ~이 없으면

0131

scream
[skriːm]

동 비명을 지르다, 악을 쓰다
명 비명

Even though Sarah was scared to death, she didn't **scream** or run away.
Sarah는 정말 무서웠지만, 비명을 지르거나 도망치지 않았다.

유의 shout 동 소리 지르다 명 고함, 외침
yell 명 동 고함(치다)
숙어 scream out 고함지르다

0132

pitch
[pitʃ]

명 1. 음의 높이 2. 최고조, 정점
동 내던지다

The piano and organ were tuned to the same **pitch**.
피아노와 오르간이 같은 음높이로 맞춰졌다.

파생 pitcher 명 (야구) 투수
유의 throw 동 던지다

0133

depart
[dipɑ́ːrt]

동 출발하다, 떠나다

People wondered when the delayed flight would **depart**.
사람들은 지연된 항공편이 언제 출발할지 궁금해 했다.

파생 departure 명 출발
유의 set out 출발하다
leave 동 떠나다
반의 arrive 동 도착하다

0134

accustomed
[əkʌ́stəmd]

형 익숙한

Some people are still not **accustomed** to shopping online.
일부 사람들은 여전히 온라인 쇼핑에 익숙하지 않다.

유의 familiar 형 익숙한
반의 unfamiliar 형 익숙지 않은
숙어 be accustomed to ~에 익숙하다

0135

root
[ru(ː)t]

명 1. 뿌리, 기원 2. 근원, 원인
동 뿌리를 내리다

The **root** of the problem is not discrimination but prejudice.
그 문제의 근원은 차별이 아니라 편견이다.

유의 origin 명 기원, 근원
source 명 근본, 원인
cause 명 원인, 기인
숙어 root out 뿌리 뽑다, 근절하다

0136

outstanding
[àutstǽndiŋ]

형 뛰어난, 눈에 띄는

He received an award for **outstanding** achievement in biology.
그는 생물학에서의 뛰어난 업적으로 상을 받았다.

어원 plus+

out (outside) + standing (서 있는) → 밖으로 나와 서 있는 → 뛰어난, 눈에 띄는

유의 excellent 형 뛰어난, 훌륭한
remarkable 형 뛰어난, 두드러진
반의 ordinary 형 평범한

0137

interfere
[ìntərfíər]

동 1. 방해하다 2. 간섭하다, 개입하다

Even a low level of noise **interferes** with my concentration.
낮은 수준의 소음조차도 나의 집중력을 방해한다.

파생 interference 명 방해, 간섭
유의 disturb 동 방해하다
intervene 동 개입하다
숙어 interfere with ~을 방해하다
interfere in ~에 개입하다

0138

amount
[əmáunt]

명 1. 양 2. 총계, 총액
동 총계가 ~이 되다

Ingredient labeling does not fully convey the **amount** of sugar in food. 학평 응용
성분 라벨 표기는 식품 내 설탕의 양을 충분히 전달하지 못한다.

유의 **quantity** 명 양
total 명 총계, 합계
숙어 **amount to** 총계가 ~에 이르다, 결과적으로 ~이 되다

0139

minimize
[mínəmàiz]

동 1. 최소화하다 2. 축소하다

We should aim to **minimize** the disruption we cause. 학평 응용
우리가 초래하는 혼란을 최소화하는 것을 목표로 해야 한다.

파생 **minimum** 명 최소
minimal 형 최소의
유의 **reduce** 동 줄이다, 축소하다
반의 **maximize** 동 최대화하다

0140 혼동어휘

board
[bɔːrd]

명 1. 판자 2. (게시)판 3. 이사회, 위원회
동 탑승하다

He is cutting the **board** to make a bench for his garden.
그는 자신의 정원에 놓을 벤치를 만들기 위해 판자를 자르고 있다.

내신 UP

Q2.
문맥상 알맞은 단어를 고르시오.

They've put a list of names up on the **[board / broad]**.

0141 혼동어휘

broad
[brɔːd]

형 넓은, 광대한

Both companies have a **broad** range of products sold globally.
두 회사 모두 세계적으로 다양한 제품을 판매하고 있다.

0142

effort
[éfərt]

명 수고, 노력

Despite your **efforts,** it is beyond our capacity to care for animals with special needs. 학평 기출
여러분의 노력에도 불구하고, 특별한 도움이 필요한 동물들을 돌보는 것은 저희의 수용 능력을 넘어섰습니다.

파생 **effortless** 형 노력이 필요 없는, 쉬운
유의 **endeavor** 명 노력
exertion 명 노력, 수고
숙어 **make an effort** 노력하다

0143

souvenir
[sùːvəníər]

명 기념품

The **souvenir** shop was full of tourists.
기념품 가게는 관광객들로 가득 차 있었다.

유의 **reminder** 명 기념품

0144

involve
[inválv]

동 1. 포함[수반]하다 2. 관련[연루]시키다

Sometimes, helping others **involves** some real sacrifice. 학평 응용
때때로 타인을 돕는 일엔 진짜 희생이 수반된다.

파생 **involvement** 명 관련, 관여
유의 **entail** 동 수반하다
associate 동 관련시키다
숙어 **involve A in B** A를 B에 연루시키다

0145

harvest
[há:rvist]

명 수확(물), 추수
동 수확하다

The wheat **harvest** will be completed next week.
밀 수확은 다음 주에 완료될 것이다.

We were able to **harvest** a variety of natural resources from this island.
우리는 이 섬에서 다양한 천연자원을 수확할 수 있었다.

유의 **crop** 명 수확물
reap 동 수확하다
반의 **sow** 동 파종하다

0146 다의어

fix
[fiks]

동 1. 고정시키다 2. 수리하다 3. 정하다 4. 준비하다

She **fixed** a new handle on the bathroom door.
그녀는 화장실 문에 새 손잡이를 달았다.

The interest rate is **fixed** at 6.5% until the end of the next year.
이자율은 내년 말까지 6.5%로 정해졌다.

Let me **fix** you something cool to drink.
시원한 음료수를 준비해 드릴게요.

내신 UP

Q3.
밑줄 친 단어의 뜻으로 알맞은 것은?

The chairs and tables were fixed to the floor.

① 고정시키다 ② 수리하다 ③ 정하다

0147

diet
[dáiət]

명 1. 식사, 식습관 2. 다이어트, 규정식

The healthy twin had a **diet** that turned off the cancer gene. 학평 응용
건강한 쌍둥이는 암 유전자를 차단하는 식사를 했다.

유의 **food** 명 음식
숙어 **be[go] on a diet** 다이어트를 하다

0148

private
[práivit]

형 1. 사적인, 개인적인 2. 비밀의

The millionaire has a **private** island in Mexico.
그 백만장자는 멕시코에 개인 소유의 섬이 있다.

파생 **privacy** 명 사생활, 개인 정보
privately 부 남몰래, 은밀히
유의 **individual** 형 개인적인, 개인의
반의 **public** 형 공공의

0149

debt
[det]

명 빚, 부채

I have always been in **debt** since I graduated from university 10 years ago.
나는 10년 전 대학을 졸업한 이래로 늘 빚을 지고 있는 상태이다.

파생 **debtless** 형 빚이 없는
숙어 **in debt** 빚을 진

0150

compare
[kəmpέər]

동 1. 비교하다 2. 비유하다

Consumers started to **compare** this car with other electric vehicles.
소비자들은 이 차를 다른 전기 자동차들과 비교하기 시작했다.

파생 **comparison** 명 비교, 비유
comparative 형 비교의
유의 **contrast** 동 대비[대조]하다
숙어 **compare A with[to] B** A를 B와 비교하다[A를 B에 비유하다]

0151

likely
[láikli]

형 1. ~할 것 같은 2. 그럴듯한

Athletes are less **likely** to participate in unacceptable behavior. 학평 응용
운동선수들이 받아들일 수 없는 행동에 참여할 가능성이 적다.

파생 **likelihood** 명 가능성
유의 **probable** 형 있음 직한, ~할 듯한
반의 **unlikely** 형 ~할 것 같지 않은
숙어 **be likely to-v** ~할 것 같다

0152 혼동어휘

immigrate
[íməgrèit]

동 이민을 오다, 이주해 오다

There are many legal ways to **immigrate** to the United States.
미국에 이민 올 수 있는 여러 가지 합법적인 방법들이 있다.

내신 UP

Q4.
문맥상 알맞은 단어를 고르시오.

Many types of birds **[immigrate / migrate]** in winter looking for more food.

0153 혼동어휘

migrate
[máigreit]

동 1. 이주하다 2. (새·동물이) 이동하다

Millions of people are expected to **migrate** to Europe this year.
수백만 명의 사람들이 올해 유럽으로 이주할 것으로 예상된다.

0154

crisis
[kráisis]

명 위기, 고비

The recent economic **crisis** led to massive layoffs.
최근의 경제 위기는 대규모 정리 해고를 초래했다.

유의 **emergency** 명 위급, 비상사태
숙어 **in a crisis** 위기에 처한

0155

reliable

[riláiəbl]

형 믿을[신뢰할] 수 있는

Are you sure the information is **reliable**?
그 정보가 믿을 만하다고 확신하세요?

파생 reliability 명 신뢰도
유의 dependable 형 믿을 수 있는
trustworthy 형 믿을 수 있는
반의 unreliable 형 믿을 수 없는

0156

cost

[kɔ(:)st]

명 값, 비용
동 1. (돈·시간·노력 등이) 들다 2. ~을 희생시키다

Our constant goal is to maximize rewards and minimize **costs.** 학평 응용
우리의 지속적인 목표는 보상을 극대화하고 비용을 최소화하는 것입니다.

파생 costly 형 많은 비용이 드는
유의 price 명 값, 가격
expense 명 비용

0157

accomplish

[əkámpliʃ]

동 이루다, 성취하다

The goal can be **accomplished** with your continual effort.
그 목표는 당신의 끊임없는 노력으로 이루어질 수 있다.

파생 accomplishment 명 성취, 업적
유의 achieve 동 이루다, 성취하다
fulfill 동 성취하다, 달성하다

고등 필수 숙어

0158

cut in

(말·대화에) 끼어들다

Sorry to **cut in** on you, but there is one thing I don't understand.
끼어들어서 죄송하지만, 한 가지 이해가 안 가는 것이 있습니다.

0159

fill in

1. 채우다, 작성하다 2. 일을 잠시 봐 주다

You have to **fill in** the form in order to join the club.
동아리에 가입하려면 양식을 작성해야 합니다.

0160

fit in

어울리다, 조화하다

He tried to **fit in** by wearing trendy clothes.
그는 유행하는 옷을 입고 어울리려고 노력했다.

내신 UP

Q5.
다음 빈칸에 알맞은 숙어는?

Students need to ________ the blank to complete the sentence.

① cut in
② fill in
③ fit in

Daily Test 04

정답 p. 349

A 우리말은 영어로, 영어는 우리말로 쓰시오.

01 익숙한 ______________

02 넓은, 광대한 ______________

03 뛰어난, 눈에 띄는 ______________

04 기념품 ______________

05 위기, 고비 ______________

06 (큰 규모의) 기업, 법인 ______________

07 이루다, 성취하다 ______________

08 compare ______________

09 debt ______________

10 unemployment ______________

11 exhausted ______________

12 migrate ______________

13 effort ______________

14 apologize ______________

B 빈칸에 알맞은 단어를 쓰시오. (필요시 형태를 바꿀 것)

서술형

01 I'm afraid of flying, so I feel some anxiety before I b__________ an airplane.

나는 비행기 타는 것을 무서워해서 비행기를 타기 전에 좀 불안해진다.

02 Each year, many people i__________ to the USA for education or job opportunities.

매년, 많은 사람들이 교육이나 취업 기회를 위해 미국으로 이민해 온다.

03 Mary and I were having a secret conversation, but Joe c__________ __________, so we had to stop talking.

Mary와 나는 비밀 대화를 나누고 있었는데, Joe가 끼어들어서 우리는 대화를 중단해야 했다.

C 각 단어의 유의어 혹은 반의어를 쓰시오.

01 동 scream 유의 s______________

02 동 minimize 반의 m______________

03 형 reliable 유의 t______________

04 형 private 반의 p______________

05 동 interfere 유의 d______________

06 동 depart 반의 a______________

VOCA CLEAR

DAY 05

시험에 더 강해지는 어휘

0161

sculpture
[skʌ́lptʃər]

명 조각(품), 조소

There's an exhibition of modern **sculpture** at the city gallery.
시립 미술관에서 현대 조각 전시회가 열리고 있다.

파생 **sculpt** 동 조각하다
유의 **statue** 명 조각상
figure 명 (조각 등의) 인물상

0162

intense
[inténs]

형 극심한, 강렬한

The golfer suddenly felt an **intense** pain in his back.
그 골프 선수는 갑자기 등에 극심한 통증을 느꼈다.

파생 **intensify** 동 격렬하게 하다
intensive 형 집중적인
유의 **extreme** 형 극심한, 극도의
severe 형 극심한, 심각한

0163

translate
[trænsléit]

동 번역하다, 통역하다

His job is to **translate** French into Korean.
그의 일은 프랑스어를 한국어로 번역하는 것이다.

어원 plus +

trans (across) + lat(e) (carry) → 이쪽에서 저쪽으로 나르다 → 번역하다

파생 **translation** 명 번역, 통역
translator 명 번역가, 통역사
유의 **interpret** 동 통역하다
숙어 **translate A into B** A를 B로 번역하다

0164

damage
[dǽmidʒ]

명 손상, 피해
동 손상을 입히다

No **damage** to the structure was reported yet in the tsunami. 학평 응용
쓰나미 이후 구조물에 대한 어떤 피해도 아직 보고되지 않았다.

유의 **harm** 명 해, 피해 동 손상시키다
impair 동 손상시키다

0165

criticize
[krítisàiz]

동 1. 비판[비난]하다 2. 비평하다

Their paintings were severely **criticized** as "art gone mad." 학평 응용
그들의 그림은 '미쳐 버린 예술'이라고 호되게 비판받았다.

파생 **critic** 명 비평가
critical 형 비판적인, 비난하는
유의 **condemn** 동 비난하다
반의 **praise** 동 칭찬하다
숙어 **criticize A for B** B에 대해 A를 비난하다

0166

inhale
[inhéil]

동 (숨을) 들이쉬다, 들이마시다

In case of fire, the important thing is not to **inhale** smoke.
화재 시, 중요한 것은 연기를 마시지 않는 것이다.

파생 **inhalation** 명 흡입
유의 **breathe in** (숨을) 들이쉬다
반의 **exhale** 동 (숨을) 내쉬다

0167

permanent
[pə́:rmənənt]

형 영구적인, 영원한

The accident might have caused **permanent** damage to his brain.
그 사고는 뇌에 영구적인 손상을 입혔을지도 모른다.

파생 **permanence** 명 영구성
유의 **lasting** 형 영구적인
eternal 형 영원한
반의 **temporary** 형 일시적인

0168 혼동어휘

imitate
[ímitèit]

동 모방하다, 흉내 내다

Greek artists did not blindly **imitate** what they saw in reality. 학평 기출
그리스 예술가들은 그들이 현실에서 본 것을 맹목적으로 모방하지 않았다.

내신 UP

Q1.
문맥상 알맞은 단어를 고르시오.

Dolphins learn to **[imitate / intimate]** sounds very accurately and quickly.

0169 혼동어휘

intimate
[íntəmət]

형 친한, 친밀한

We easily forget that love and loss are **intimate** companions. 학평 응용
우리는 사랑과 상실이 친밀한 동반자임을 쉽게 잊는다.

0170

acid
[ǽsid]

명 산
형 산성의

Acid may destroy or burn things it touches.
산은 산이 닿은 물체를 파괴하거나 태울 수도 있다.

반의 **alkali** 명 형 알칼리(의)

0171

consume
[kənsú:m]

동 1. 소비하다, 다 써 버리다 2. 먹다, 마시다

In spite of the depression, people were not willing to **consume** less.
불황에도 불구하고 사람들은 소비를 덜 하려는 의지가 없었다.

파생 **consumer** 명 소비자
consumption 명 소비, 소모
유의 **spend** 동 소비하다
use up 다 써 버리다
eat 동 먹다

0172

define
[difáin]

동 정의하다, 규정하다

It is hard to **define** our problems accurately.
정확하게 우리 문제들을 규정하는 것은 어렵다.

파생 **definition** 명 정의
definite 형 확고한, 분명한

0173

trial
[tráiəl]

명 1. 시도, 실험, 시험 2. 재판

Clinical **trials** are required before the medicine can be approved.
그 약이 승인되기 전에 임상 시험이 필요하다.

파생 **try** 동 시도하다
유의 **experiment** 명 실험
숙어 **on trial** 시험 중인, 재판 중에

0174 다의어

stick
[stik]

동 1. (풀로) 붙이다 2. 찌르다
명 막대기, 나뭇가지

It is forbidden to **stick** anything to the wall.
벽에 어떤 것도 붙이는 것은 금지되어 있다.

The lost campers gathered dry **sticks** and tried to make a fire.
길 잃은 야영객들은 마른 나뭇가지들을 모아 불을 피우려 했다.

내신 UP

Q2.
밑줄 친 단어의 뜻으로 알맞은 것은?

A tiny piece of wood got stuck in his finger, causing it to bleed.

① 붙이다 ② 찌르다 ③ 막대기

0175

physical
[fízikəl]

형 1. 육체[신체]의 2. 물리적인, 물질의

She bravely endured great **physical** pain.
그녀는 엄청난 육체적 고통을 용감하게 견뎠다.

파생 **physically** 부 신체적으로
유의 **bodily** 형 신체의
material 형 물질의
반의 **mental** 형 정신[마음]의

0176

bang
[bæŋ]

동 쾅[쿵/탕] 소리가 나게 치다
명 쾅[쿵/탕] 하는 소리

The customer **banged** on the door angrily.
그 손님은 화가 나서 문을 쾅 쳤다.

유의 **hit** 동 치다
strike 동 (세게) 치다

0177

pity
[píti]

명 동정(심), 유감

He felt **pity** for the shelter dogs living in such terrible conditions.
그는 그런 끔찍한 환경에서 살고 있는 보호소 개들을 불쌍히 여겼다.

파생 **pitiful** 형 측은한
유의 **compassion** 명 연민, 동정심
sympathy 명 동정, 연민
반의 **indifference** 명 무관심, 무심
숙어 **take pity on** ~을 불쌍히 여기다

0178

seemingly
[síːmiŋli]

뷔 외견상으로, 겉보기에는

The chess player sacrificed his knight, **seemingly** for no gain.
그 체스 선수는 겉으로 보기에는 아무런 이득도 없이 자신의 기사를 희생시켰다.

파생 **seem** 동 ~처럼 보이다
유의 **apparently** 부 외관상으로는

0179

restore
[ristɔ́ːr]

동 1. 복원[복구]하다 2. 회복시키다

It will not be easy to **restore** the deleted data.
삭제된 데이터를 복구하는 것은 쉽지 않을 것이다.

어원 plus +
re (again) + store (stand: 세우다) → 다시 세우다 → 복원하다

파생 **restoration** 명 복원[복구]
유의 **recover** 동 회복시키다

0180

haste
[heist]

명 서두름, 급함

Decisions made in **haste** may not benefit you in the end.
성급하게 내린 결정은 결국 당신에게 이익이 되지 않을 수도 있다.

파생 **hasty** 형 서두른, 성급한
유의 **hurry** 명 서두름
반의 **delay** 명 지연, 지체
숙어 **in haste** 서둘러, 급히

0181

professor
[prəfésər]

명 교수

His father is a retired physics **professor**.
그의 아버지는 은퇴한 물리학 교수이다.

0182

frequent
[fríːkwənt]

형 잦은, 빈번한

It was a note that I had written after one of the student's **frequent** absences. 학평 응용
그것은 그 학생의 잦은 결석 중 어느 한 결석 후에 내가 쓴 짧은 편지였다.

파생 **frequency** 명 잦음, 빈도
frequently 부 자주, 빈번히
반의 **infrequent** 형 드문

0183

landscape
[lǽndskèip]

명 풍경, 경치

Working in a print shop, he began to paint **landscapes** in a fresh new style. 학평 기출
인쇄소에서 일하면서 그는 신선하고 새로운 스타일로 풍경을 그리기 시작했다.

유의 **scenery** 명 풍경, 경치
view 명 경치, 전망

0184

sin
[sin]

명 죄
동 죄를 짓다

It's a **sin** to use public funds for your own good.
공적인 자금을 당신 이익을 위해 사용하는 것은 죄이다.

파생 **sinner** 명 죄인
유의 **crime** 명 죄, 범죄

0185 다의어

account
[əkáunt]

명 1. 계좌, 계정 2. 설명 3. (회계) 장부
동 설명하다

New regulations make it difficult to open a new bank **account**.
새로운 규제는 새로운 은행 계좌를 개설하는 것을 어렵게 만든다.

His **account** was not easy for me to believe.
그의 설명은 내가 믿기 쉽지 않았다.

He couldn't **account** for why the mission failed.
그는 왜 임무가 실패했는지에 대해 설명하지 못했다.

내신 UP

Q3.
밑줄 친 단어의 뜻으로 알맞은 것은?

How much money should I draw out of my account?

① 계좌 ② 설명 ③ 장부

0186

emphasize
[émfəsàiz]

동 강조하다

Traditional ways of building communities have **emphasized** debate. 학평 기출
공동체를 만드는 전통적인 방식은 토론을 강조해 왔다.

파생 **emphasis** 명 강조
유의 **highlight** 동 강조하다
stress 동 강조하다
반의 **understate** 동 축소해서 말하다

0187

request
[rikwést]

명 요청[요구], 부탁
동 요청[요구]하다

Her **request** for more technical support was refused.
더 많은 기술 지원에 대한 그녀의 요청은 거부되었다.

유의 **demand** 명 동 요구(하다)
ask for 요청하다
숙어 **make a request** 요청하다

0188

financial
[fainǽnʃəl]

형 금융의, 재정의

Our company will face a **financial** crisis if this situation doesn't change.
이러한 상황이 변하지 않으면 우리 회사는 재정 위기에 직면하게 될 것입니다.

파생 **finance** 명 재정
financially 부 재정적으로
유의 **fiscal** 형 재정(상)의, 회계의

0189

warrior
[wɔ́(:)riər]

명 전사, 무사

They lost many good **warriors** in the terrible war.
그들은 그 끔찍한 전쟁에서 많은 훌륭한 전사들을 잃었다.

유의 **fighter** 명 전사
soldier 명 전사, 병사

0190

communicate
[kəmjú:nəkèit]

동 1. 의사소통하다, 연락하다 2. (정보를) 전달하다

It can be tough to **communicate** with teenagers.
십 대들과 의사소통하는 것은 힘들 수 있다.

파생 **communication** 명 의사소통, 연락
communicative 형 의사전달의
유의 **converse** 동 대화하다
convey 동 전달하다

0191

major
[méidʒər]

형 1. 주요한 2. 대다수의
명 전공 (과목) 동 전공하다

Major state occasions almost always involve an impressive banquet. 학평 응용
주요 국가 행사는 거의 항상 인상적인 연회를 포함한다.

파생 **majority** 명 대다수
유의 **main** 형 주요한, 주된
considerable 형 다수[다량]의
반의 **minor** 형 사소한, 소수의 명 부전공 (과목)

0192 혼동어휘

reward
[riwɔ́:rd]

명 보상(금), 사례금
동 보상하다

This increased productivity leads to better work **rewards**, such as promotions or raises. 학평 기출
이러한 향상된 생산성은 승진이나 임금 인상과 같은 더 나은 업무 보상으로 이어진다.

내신 UP
Q4.
문맥상 알맞은 단어를 고르시오.
The police offered a(n) **[reward / award]** for any information about the robbery.

0193 혼동어휘

award
[əwɔ́:rd]

명 상, 상품
동 수여하다

She was nominated for the Best Supporting Actress **award**.
그녀는 최우수 여우 조연상 후보로 지명되었다.

0194

crop
[krɑp]

명 1. 농작물 2. 수확(량)

The **crop** was seriously damaged by a sudden cold wave.
농작물이 갑작스런 한파로 인해 심각하게 피해를 입었다.

유의 **harvest** 명 수확(량)

0195

emergency [iməːrdʒənsi]

명 비상(사태), 위급

It's critical to keep calm in an **emergency**.
비상 상황에서 침착함을 유지하는 것은 매우 중요하다.

파생 **emergent** 형 긴급한
유의 **crisis** 명 위기

0196

violate [váiəlèit]

동 1. 위반하다 2. 침해하다

Most factories in this area **violated** environmental laws.
이 지역의 대부분의 공장들이 환경법을 위반했다.

파생 **violation** 명 위반, 침해
유의 **break** 동 어기다
invade 동 침해하다
반의 **obey** 동 준수하다

0197

diplomatic [dìpləmǽtik]

형 1. 외교의 2. 외교에 능한

They are looking for a **diplomatic** solution.
그들은 외교적 해결책을 찾고 있다.

파생 **diplomat** 명 외교관
diplomacy 명 외교

고등 필수 숙어

0198

drop by[in]

잠깐 들르다

We will be happy to **drop by** and pick up the books. 학평 응용
우리는 기꺼이 방문하여 책을 가져가겠습니다.

0199

drop off

1. 깜박 잠이 들다 2. 줄어들다

She was so tired that she kept **dropping off** at her desk.
그녀는 너무 피곤해서 책상에서 계속 깜빡 잠이 들었다.

0200

drop out (of)

(~에서) 중퇴하다

One student considered **dropping out of** school. 학평 응용
한 학생이 학교에서 중퇴하는 것을 고려했다.

내신 UP

Q5.
다음 빈칸에 알맞은 숙어는?

Ms. Baker wants you to ________ her office with the paperwork you did.

① drop by
② drop off
③ drop out of

Daily Test 05

정답 p. 349

A 우리말은 영어로, 영어는 우리말로 쓰시오.

01 영구적인, 영원한 ______________

02 산; 산성의 ______________

03 정의하다, 규정하다 ______________

04 극심한, 강렬한 ______________

05 동정(심), 유감 ______________

06 농작물, 수확(량) ______________

07 주요한; 전공(하다) ______________

08 imitate ______________

09 landscape ______________

10 emphasize ______________

11 diplomatic ______________

12 translate ______________

13 warrior ______________

14 restore ______________

B 빈칸에 알맞은 단어를 쓰시오. (필요시 형태를 바꿀 것)

서술형

01 We c____________ a great amount of pork, beef, chicken and milk every year.
우리는 매년 많은 양의 돼지고기, 쇠고기, 닭고기, 우유를 소비한다.

02 Our i____________ relationships with friends and family members are very important.
친구와 가족과의 친밀한 관계는 매우 중요하다.

03 I started to d____________ ____________ during the show, so I turned off the TV and went to bed.
나는 쇼 도중에 깜빡 잠이 들기 시작해서 TV를 끄고 잠자리에 들었다.

C 각 단어의 유의어 혹은 반의어를 쓰시오.

01 동 violate 유의 b______________

02 동 inhale 반의 e______________

03 동 damage 유의 i______________

04 동 criticize 반의 p______________

05 명 haste 유의 h______________

06 형 physical 반의 m______________

내신에 더 강해지는 TEST DAY 01-05

A 각 영영풀이에 알맞은 단어를 <보기>에서 찾아 쓰시오.

<보기>	compare	evidence	remind	intense	fluent

01 strong or great, especially in quality or feeling ____________

02 to help somebody remember something important ____________

03 able to speak, read or write a language easily and well ____________

04 something that makes you believe that something is true ____________

05 to examine the difference between two or more things ____________

B 다음 빈칸에 공통으로 알맞은 단어를 고르시오.

01 • How do you ____________ for the show's success?
• You need to fill out these documents to open a(n) ____________.

① spot ② account ③ reward ④ profit

02 • We must learn to live in the ____________, not in the past.
• He is planning to ____________ her with an engagement ring.

① subject ② monitor ③ present ④ function

03 • She saw herself ____________ in the shop window.
• For a time, I ____________ on how to answer that question.

① reflected ② disappointed ③ relieved ④ projected

정답 p. 349

C

다음 중 짝 지어진 단어의 관계가 나머지와 다른 하나를 고르시오.

01 ① chance : opportunity ② diverse : various ③ frustrated : encouraged

02 ① physical : mental ② vast : huge ③ temporary : permanent

03 ① destiny : destination ② insist : insistence ③ fulfill : fulfillment

04 ① haste : hurry ② arrive : depart ③ attract : distract

05 ① control : restrain ② minimize : increase ③ interrupt : interfere

D

서술형

우리말과 같은 의미가 되도록 <보기>의 단어를 이용하여 문장을 완성하시오. (필요시 형태를 바꿀 것)

<보기>	count	require	inquire	damage	call

01 모든 승객은 법으로 안전벨트를 착용하도록 요구된다.

→ Every passenger is ______________ by law to wear a seat belt.

02 우리는 이 따뜻한 날씨가 지속되리라는 것을 믿을 수 없다.

→ We can't ______________ on this warm weather lasting.

03 저희는 손님들의 개인 소지품의 분실이나 손상에 대해 책임지지 않습니다.

→ We are not responsible for loss of or ______________ to guests' personal property.

VOCA CLEAR

DAY 06

시험에 더 강해지는 어휘

0201

affair
[əféər]

명 일, 사건, 문제

She likes to intervene in other people's **affairs**.
그녀는 다른 사람들의 일에 간섭하는 것을 좋아한다.

유의 **matter** 명 문제, 사건

0202

suppose
[səpóuz]

동 1. 가정하다 2. 추정[추측]하다

Suppose that you are being interviewed for a job.
당신이 구직 면접을 받고 있는 중이라고 가정해 보세요.

파생 **supposition** 명 추정[추측]
유의 **assume** 동 추정[추측]하다
presume 동 추정하다
숙어 **be supposed to-v** ~하기로 되어 있다

0203

fragile
[frǽdʒəl]

형 1. 부서지기 쉬운, 연약한 2. 취약한

Anything **fragile** should be wrapped carefully.
부서지기 쉬운 것은 무엇이든 주의 깊게 포장되어야 한다.

파생 **fragility** 명 부서지기 쉬움, 허약
유의 **delicate** 형 부서지기 쉬운, 여린
weak 형 약한

0204

statistic
[stətístik]

명 1. 통계, 통계 자료 2. ((-s)) 통계학

Statistics do not always contain meaningful information.
통계가 항상 의미 있는 정보를 포함하지는 않는다.

0205 다의어

develop
[divéləp]

동 1. 발달하다[시키다] 2. 개발하다 3. (병·문제가) 생기다 4. (필름을) 현상하다

They may **develop** undesirable character traits that seem to enhance their ability. 학평 응용
그들은 자신의 능력을 향상시킬 것 같은 바람직하지 못한 인격 특성을 발달시킬지도 모른다.

The engineer **developed** a new quality control system.
엔지니어는 새로운 품질 관리 시스템을 개발했다.

None of us expected the problem to **develop** that quickly.
아무도 문제가 그렇게 빨리 발생할 것을 예상하지 못했다.

내신 UP

Q1.
밑줄 친 단어의 뜻으로 알맞은 것은?

Cellphone cameras are continuing to develop and have already begun to replace digital cameras.

① 발달하다 ② 생기다 ③ 현상하다

0206

consider
[kənsídər]

동 1. 고려하다, 숙고하다 2. ~으로 여기다

She is **considering** whether to accept another job offer.
그녀는 또 다른 일자리 제안을 받아들일지 (말지) 고려 중이다.

파생 **consideration** 명 고려, 숙고
considerate 형 배려하는
유의 **ponder** 동 숙고하다
regard 동 ~으로 여기다

0207

distance
[dístəns]

명 1. 거리, 간격 2. 먼 곳, 원거리

Marathon runners get into shape by running shorter **distances.**
마라톤 선수들은 더 짧은 거리를 달림으로써 몸 상태를 좋게 유지한다.

어원 plus+

di (away) + st (stand: 서다) + ance (명사형 접미사) → 떨어져 서 있기 → 거리

파생 **distant** 형 먼
유의 **length** 명 거리, 길이
숙어 **from a distance** 멀리서

0208

selfish
[sélfiʃ]

형 이기적인, 자기 중심적인

It was **selfish** of the commander to leave all his men behind.
지휘관이 자신의 부하들을 모두 두고 간 것은 이기적이었다.

유의 **self-centered** 형 자기 중심적인
반의 **unselfish** 형 이기적이 아닌, 헌신적인

0209

recent
[ríːsnt]

형 최근의

It was one of the most exciting matches in **recent** years.
그것은 최근 몇 년간 가장 흥미진진한 시합 중 하나였다.

파생 **recently** 부 최근에
유의 **latest** 형 최근의, 최신의
up to date 최근의, 최신의

0210

failure
[féiljər]

명 1. 실패, 실패자[작] 2. 고장

What starts as a small win or a minor **failure** adds up to something much more. 학평 기출
작은 승리나 사소한 패배로 시작한 것은 쌓여서 훨씬 더 큰 무언가가 된다.

파생 **fail** 동 실패하다
반의 **success** 명 성공(작)

0211

convey
[kənvéi]

동 1. 나르다, 운반하다 2. (생각·감정 등을) 전하다

I don't know how we will **convey** the cargo to its destination.
나는 목적지까지 어떻게 화물을 옮길지 모르겠다.

유의 **transport** 동 나르다, 수송하다
communicate 동 (생각·감정 등을) 전하다

0212

enhance
[inhǽns]

동 (지위·가치 등을) 높이다, 향상시키다

The goal of this project is to **enhance** the global image of Korea.
이 프로젝트의 목표는 한국의 국제적 이미지를 향상시키는 것이다.

파생 **enhancement** 명 상승, 향상
유의 **improve** 동 향상시키다
반의 **diminish** 동 줄이다, 떨어뜨리다

0213 혼동어휘

constant
[kánstənt]

형 1. 끊임없는, 계속되는 2. 일정한, 변함없는

We were upset about her **constant** complaints.
우리는 그녀의 끊임없는 불평에 화가 났다.

내신 UP

Q2.
문맥상 알맞은 단어를 고르시오.

Terry's **[constant / instant]** careless behavior began to annoy me.

0214 혼동어휘

instant
[ínstənt]

형 즉시의, 즉각적인
명 순간

There is no **instant** solution to the problem of yellow dust.
황사 문제에 대한 즉각적인 해결책은 없다.

0215

desert
[dézərt]

명 사막
동 [dizə́rt] 버리다, 떠나다

It's almost impossible to walk across that **desert**.
그 사막을 걸어서 횡단하는 것은 거의 불가능하다.

파생 **deserted** 형 버려진, 황폐한
유의 **abandon** 동 버리다
leave 동 떠나다

0216

participate
[pɑːrtísəpèit]

동 참가[참여]하다

Ten toy companies will **participate** in the sale.
학평 기출
열 곳의 장난감 회사들이 이 판매에 참여할 것입니다.

파생 **participation** 명 참가[참여]
participant 명 참가자
유의 **take part** 참여하다
숙어 **participate in** ~에 참가하다

0217

courtesy
[kə́ːrtisi]

명 공손함, 정중함

He didn't even have the **courtesy** to tell me that he was sorry.
그는 내게 미안하다고 이야기할 예의조차 없었다.

파생 **courteous** 형 공손한, 정중한
유의 **politeness** 명 공손함
반의 **discourtesy** 명 무례, 실례
rudeness 명 무례함

0218

argue
[áːrgjuː]

동 1. 언쟁하다, 논쟁하다 2. 주장하다

We commonly **argue** about the fairness of taxation. 학평 기출
우리는 흔히 과세의 공정성에 대해 논쟁한다.

파생 **argument** 명 논쟁, 주장
유의 **contend** 동 논쟁하다, 주장하다
assert 동 주장하다

0219

personality
[pə̀rsənǽləti]

명 성격, 개성

An outgoing **personality** is required to work in the sales department.
영업부에서 일하려면 외향적인 성격이 필요하다.

파생 **personal** 형 개인의, 개인적인
유의 **character** 명 성격

0220

diligent
[dílidʒənt]

형 부지런한, 근면한

The **diligent** employees will get rewarded at the end of the year.
근면한 직원들은 연말에 보상을 받을 것이다.

파생 **diligence** 명 근면, 성실
유의 **industrious** 형 부지런한
반의 **lazy** 형 게으른

0221 다의어

object
[ábdʒikt]

명 1. 물건, 물체 2. 대상 3. 목적, 목표
동 [əbdʒékt] 반대하다

A few people reported witnessing a strange **object** in the sky.
몇몇 사람들이 하늘에서 낯선 물체를 목격했다고 보고했다.

The band is currently the **object** of much media attention.
그 밴드는 현재 많은 미디어의 관심의 대상이다.

They strongly **object** to the idea of animal testing.
그들은 동물 실험에 대해 강력히 반대한다.

내신 UP

Q3.
밑줄 친 단어의 뜻으로 알맞은 것은?

The scanner detected a metal object in a food waste bin.

① 물체 ② 대상 ③ 목표

0222

bond
[band]

동 1. 유대를 맺다 2. 접착[결합]시키다
명 1. 유대, 끈 2. 채권 3. 접착(제)

Through gossip, we **bond** with our friends, sharing interesting details. 학평 기출
가십을 통해서, 우리는 흥미로운 세부 사항을 공유하며 친구들과 유대를 맺는다.

유의 **bind** 동 묶다, 결속시키다
relationship 명 유대, 관계
숙어 **bond between A and B**
A와 B간의 유대

0223

delay
[diléi]

명 지연, 연기
동 연기하다, 지연시키다

Passengers will get a refund in the case of a **delay** that lasts more than two hours.
승객들은 2시간 이상 지속된 지연의 경우 환불받을 수 있다.

유의 **postpone** 동 연기하다
put off 연기하다
반의 **advance** 동 앞당기다
bring forward 앞당기다

0224

receive
[risíːv]

동 받다, 받아들이다

Ticket holders will **receive** a free drink coupon. 학평 기출
티켓 소지자는 무료 음료 쿠폰을 받게 됩니다.

어원 plus+
re (again) + ceive (take: 받다) → 다시 받다, 가져오다

파생 **reception** 명 접수처, 환영 연회
receipt 명 영수증, 수령
receptive 형 수용적인
유의 **get** 동 받다
반의 **send** 동 보내다

0225

mature
[mətjúər]

형 1. 성숙한, 다 자란 2. 익은, 숙성한
동 1. 성숙해지다 2. 숙성하다

The boy had a very **mature** attitude for his age.
소년은 나이에 비해 매우 성숙한 태도를 지니고 있었다.

파생 **maturity** 명 성숙함
유의 **grown-up** 형 다 큰, 성숙한
ripe 형 익은, 숙성한
반의 **immature** 형 미숙한
unripe 형 덜 익은, 설익은

0226

victim
[víktim]

명 피해자, 희생(자)

Anyone of us can be a **victim** of racial prejudice.
우리 중 누구라도 인종 편견의 피해자가 될 수 있다.

유의 **prey** 명 피해자, 희생자

0227

nevertheless
[nèvərðəlés]

부 그럼에도 불구하고

The hammer was heavy. **Nevertheless,** during the first day he drove in 37 nails. 학평 응용
망치는 무거웠다. 그럼에도 불구하고, 그는 첫날에 37개의 못을 박았다.

유의 **nonetheless** 부 그렇기는 하지만

0228

secretary
[sékrətèri]

명 1. 비서, 비서관 2. 장관

The rumor is that the CEO can do nothing without his **secretary**.
그 최고 경영자는 비서 없이는 아무것도 못한다는 소문이 있다.

유의 **assistant** 명 조수

0229

typical
[típikəl]

형 **전형적인, 대표적인**

This article is a **typical** example of fake news.
이 기사는 가짜 뉴스의 전형적인 예이다.

파생 **type** 명 유형
typically 부 전형적으로, 보통
유의 **representative** 형 전형적인, 대표하는

0230

bet
[bet]

동 **1. (내기 등에) 돈을 걸다 2. 틀림없다**
명 **내기, 내기 돈**

He **bet** $100 on the final score of the game.
그는 그 경기의 최종 스코어에 100달러를 걸었다.

유의 **gamble** 동 돈을 걸다
be certain 틀림없다

0231 혼동어휘

medication
[mèdəkéiʃən]

명 **약[약물] (치료)**

She is not taking any **medication** now.
그녀는 현재 어떤 약도 복용하고 있지 않다.

0232 혼동어휘

meditation
[mèditéiʃən]

명 **1. 명상 2. 심사숙고**

Meditation helps you calm your mind and focus on what you do.
명상은 당신의 마음을 가라앉히고 당신이 하는 일에 집중할 수 있도록 도와준다.

내신 UP

Q4.
문맥상 알맞은 단어를 고르시오.

He has been on **[meditation / medication]** because of high blood pressure.

0233

accept
[əksépt]

동 **1. 받아들이다, 수락하다 2. 인정하다**

Artists or children **accept** whatever is in front of them as their environment. 학평 응용
예술가나 어린 아이는 자신 앞에 있는 무엇이든 환경으로 받아들인다.

파생 **acceptance** 명 수락
유의 **take** 동 받아들이다
admit 동 인정하다
반의 **reject** 동 거부하다, 거절하다

0234

race
[reis]

명 **1. 경주, 경쟁 2. 인종**
동 **경주[경쟁]하다**

The **race** is no longer there to motivate them. 학평 기출
그 경주는 더 이상 그들에게 동기를 부여하는 것이 아니다.

파생 **racial** 형 인종의, 민족의
유의 **competition** 명 경쟁, 시합
숙어 **race against[with]** ~와 경주[경쟁]하다

0235

forbid
[fərbíd]

동 1. 금지하다 2. (~을) 못하게 하다

Smoking is **forbidden** in the school area.
학교 구역에서는 흡연이 금지된다.

유의 **prohibit** 동 금지하다
ban 동 금지하다
반의 **permit** 동 허가하다
allow 동 허용하다

0236

envelope
[énvəlòup]

명 봉투

After a long wait, an **envelope** was handed to the announcer. 학평 기출
오랜 기다림 후에, 봉투 하나가 아나운서에게 전해졌다.

0237

rough
[rʌf]

형 1. 거친, 험한 2. 대략적인 3. 힘든

The ground is too **rough** for you to ride a bike here.
네가 여기에서 자전거를 타기에는 바닥이 너무 거칠다.

파생 **roughly** 부 대략, 거의
유의 **uneven** 형 울퉁불퉁한
approximate 형 대략의
반의 **smooth** 형 매끄러운
accurate 형 정확한

고등 필수 숙어

0238

carry out

실행하다, 수행하다

Computers can only **carry out** instructions that humans give them. 학평 기출
컴퓨터는 인간이 지시한 명령만 수행할 수 있다.

0239

turn out

~인 것으로 드러나다, 밝혀지다

It **turned out** that the idea came from her employees.
그 아이디어는 그녀의 직원들에게서 나왔다는 것이 밝혀졌다.

0240

work out

1. 운동하다 2. (일이) 잘 풀리다

It is recommended to **work out** regularly to stay fit.
건강을 유지하기 위해 규칙적으로 운동하는 것을 권장한다.

내신 UP

Q5.
다음 빈칸에 알맞은 숙어는?

She __________ to be the best chess player in her age group.

① carried out
② turned out
③ worked out

Daily Test 06

정답 p. 350

A 우리말은 영어로, 영어는 우리말로 쓰시오.

01 성격, 개성 ____________

02 그럼에도 불구하고 ____________

03 통계, 통계 자료 ____________

04 참가[참여]하다 ____________

05 이기적인 ____________

06 전형적인, 대표적인 ____________

07 일, 사건, 문제 ____________

08 meditation ____________

09 courtesy ____________

10 enhance ____________

11 instant ____________

12 convey ____________

13 mature ____________

14 consider ____________

B 빈칸에 알맞은 단어를 쓰시오. (필요시 형태를 바꿀 것)

서술형

01 In r__________ times, people have spent more time indoors than ever before.
최근에, 사람들은 어느 때보다 실내에서 더 많은 시간을 보내고 있다.

02 Committee members may o__________ to being charged an additional service fee.
위원회 위원들은 추가 수수료가 부과되는 것에 반대할지도 모른다.

03 Drones are very effective to c__________ __________ rescue operations during fires.
드론은 화재 시 구조 작업을 수행하는 데 매우 효과적이다.

C 각 단어의 유의어 혹은 반의어를 쓰시오.

01 명 victim 유의 p__________

02 명 failure 반의 s__________

03 동 suppose 유의 a__________

04 동 forbid 반의 p__________

05 형 fragile 유의 d__________

06 동 accept 반의 r__________

VOCA CLEAR

DAY 07

시험에 더 강해지는 어휘

0241

cause
[kɔːz]

동 **초래하다, 야기하다**
명 **원인, 이유**

Every event that **causes** you to smile makes you feel happy. 학평 기출
너를 미소 짓게 하는 모든 일은 너를 행복하게 만든다.

유의 **bring about** 초래하다, 야기하다
reason 명 이유
반의 **effect** 명 결과
result 명 결과
숙어 **cause A to-v** A가 ~하게 하다

0242

necessity
[nəsésəti]

명 **1. 필요(성) 2. 필수품**

Doctors stress the **necessity** of washing your hands often.
의사들은 손을 자주 씻는 것의 필요성을 강조한다.

파생 **necessary** 형 필요한
necessarily 부 반드시, 꼭
유의 **essential** 명 필수[기본]적인 것

0243

diagnose
[dáiəgnòus]

동 **진단하다**

Blood tests are used to **diagnose** various diseases.
혈액 검사는 다양한 질병을 진단하는 데 사용된다.

파생 **diagnosis** 명 진단

0244

capable
[kéipəbl]

형 **~을 할 수 있는, 유능한**

The patient was not **capable** of writing his own name.
그 환자는 자신의 이름을 쓸 수 없었다.

파생 **capability** 명 능력
유의 **able** 형 ~할 수 있는
competent 형 유능한
반의 **incapable** 형 할 수 없는, 무능한
숙어 **be capable of** ~을 할 수 있다

0245

forecast
[fɔ́ːrkæ̀st]

명 **예측, 예보**
동 **예측하다, 예보하다**

According to the weather **forecast**, it will snow a lot on Thursday.
일기 예보에 따르면, 목요일에 많은 눈이 올 것이다.

어원 plus +

fore (before) + cast (throw: 던지다) → 먼저 던지다 → 예측하다

파생 **forecaster** 명 기상 요원, 예측하는 사람
유의 **prediction** 명 예측[예견]
predict 동 예측하다
foretell 동 예견하다

0246

situation

[sìtʃuéiʃən]

명 **상황, 처지**

What did they tell us not to do in a **situation** like this? 학평 응용

이런 상황에서 그들이 우리에게 무엇을 하지 말라고 말해 주었지?

파생 **situational** 형 상황에 따른

유의 **circumstances** 명 상황

conditions 명 상황

숙어 **in a situation** ~한 상황에서

0247

usual

[júːʒuəl]

형 **보통의, 평소의**

The picture was in its **usual** place on the wall.

그 그림은 벽에 평소 있던 위치에 있었다.

파생 **usually** 부 보통, 대개

유의 **ordinary** 형 보통의, 일상적인

반의 **unusual** 형 특이한, 드문

숙어 **as usual** 늘 그렇듯이

0248 혼동어휘

approve

[əprúːv]

동 **1. 승인하다 2. 찬성하다**

The FDA has **approved** the use of the new vaccine.

FDA는 새로운 백신 사용을 승인했다.

내신 UP

Q1.

문맥상 알맞은 단어를 고르시오.

Most parents don't usually **[approve / improve]** of children wearing makeup.

0249 혼동어휘

improve

[imprúːv]

동 **향상시키다, 개선하다**

Our main goal is to **improve** the working conditions in the factory.

우리의 주된 목표는 공장 내 노동 환경을 개선하는 것이다.

0250

mankind

[mæ̀nkáind]

명 **인류, (모든) 인간**

The novel describes a future in which **mankind** is dominated by artificial intelligence.

그 소설은 인류가 인공 지능에 지배되는 미래를 묘사한다.

0251

satisfy

[sǽtisfài]

동 **만족시키다, 충족시키다**

Satisfy your cat's hunting instincts with a unique electronic cat toy. 학평 응용

독특한 전자 고양이 장난감으로 여러분의 고양이의 사냥 본능을 충족시키세요.

파생 **satisfaction** 명 만족

satisfactory 형 만족스러운

유의 **content** 동 만족시키다

fulfill 동 충족시키다

반의 **dissatisfy** 동 불만을 느끼게 하다

0252

profession
[prəféʃən]

명 직업, 전문직

She is proud of her mother's **profession**.
그녀는 어머니의 직업을 자랑스러워한다.

파생 **professional** 형 직업의, 전문적인, 전문직의
유의 **career** 명 직업
occupation 명 직업

0253

greedy
[gríːdi]

형 탐욕스러운, 욕심 많은

What do you think makes people **greedy**?
무엇이 사람들을 탐욕스럽게 만든다고 생각하나요?

파생 **greed** 명 탐욕, 욕심
유의 **possessive** 형 소유욕이 강한
반의 **generous** 형 후한, 손이 큰

0254

avoid
[əvɔ́id]

동 1. 피하다 2. 막다

Be careful to **avoid** overgeneralizations. 학평 응용
지나친 일반화를 피하도록 유의해라.

파생 **avoidance** 명 회피, 방지
avoidable 형 피할 수 있는
유의 **escape** 동 피하다, 모면하다
prevent 동 막다
반의 **confront** 동 맞서다

0255 다의어

fine
[fáin]

형 1. 좋은 2. 고운, 미세한 3. (날씨가) 맑은
명 벌금 동 벌금을 부과하다

Either Monday or Tuesday is **fine** with me.
월요일이나 화요일이 저는 괜찮습니다.

These days, the **fine** dust problem is getting worse.
요즘 미세 먼지 문제가 악화되고 있다.

The **fine** for feeding pigeons in Singapore is $500.
싱가포르에서는 비둘기에게 먹이를 주면 벌금이 500달러이다.

내신 UP

Q2.
밑줄 친 단어의 뜻으로 알맞은 것은?

The beach is famous for its <u>fine</u> sand and beautiful views.

① 벌금 ② 고운 ③ 맑은

0256

alternative
[ɔːltə́ːrnətiv]

명 대안
형 대안의, 대체 가능한

I had no **alternative** but to trust her advice.
나는 그녀의 조언을 믿는 것 밖에는 다른 대안이 없었다.

파생 **alternate** 동 대체하다 형 교대의
숙어 **alternative to** ~의 대안

0257

solar
[sóulər]

형 태양의

The coal, natural gas, and oil we use today is **solar** energy from millions of years ago. 학평 응용
우리가 오늘날 사용하고 있는 석탄, 천연가스, 그리고 석유는 수백만 년 전의 태양 에너지이다.

반의 **lunar** 형 달의

0258

coordinate
[kouɔ́:rdəneit]

동 1. 조직화[편성]하다 2. 조정하다 3. 조화를 이루다

He helped me **coordinate** the project.
그는 내가 그 프로젝트를 편성하는 데 도움을 주었다.

파생 coordination 명 조직, 합동, 조화
유의 systemize 동 조직화하다
harmonize 동 조화를 이루다

0259

reject
[ridʒékt]

동 거절하다, 거부하다

If you never take the risk of being **rejected**, you can never have a friend. 학평 기출
거절당할 위험을 무릅쓰지 않는다면 결코 친구를 얻을 수 없다.

어원 plus +
re (back) + ject (throw: 던지다) → (수락하지 않고) 도로 던져버리다 → 거절하다, 거부하다

파생 rejection 명 거절
유의 refuse 동 거절하다, 거부하다
turn down 거절하다
반의 accept 동 받아들이다
allow 동 허용하다

0260

mention
[ménʃən]

동 언급하다, 말하다
명 언급

He wished no one would **mention** his name in the matter.
그는 그 문제로 그 누구도 자신의 이름을 언급하지 않기를 바랐다.

유의 refer to 언급하다
remark 명 동 언급(하다)
숙어 mention A to B
B에게 A를 언급하다

0261

barely
[bέərli]

부 1. 거의 ~ 않다 2. 간신히, 가까스로

The fog was so bad that we could **barely** see the road in front of us.
안개가 너무 짙어서 우리는 앞에 있는 도로를 거의 볼 수 없었다.

유의 hardly 부 거의 ~ 않다
scarcely 부 거의 ~ 않다
반의 easily 부 수월하게

0262

species
[spí:ʃi:z]

명 (생물 분류상의) 종(種)

No other **species** on Earth has the creativity we humans display. 학평 응용
지구상의 어떤 다른 종도 우리 인간이 보여주는 창의력을 가지고 있지 않다.

0263

evil
[í:vəl]

형 사악한
명 악(惡)

The **evil** dictator is responsible for the deaths of thousands.
그 사악한 독재자는 수천 명의 죽음에 책임이 있다.

유의 wicked 형 사악한
반의 good 형 착한 명 선(善)

0264

belief
[bilíːf]

명 **믿음, 신념**

Some people have a strong **belief** in the existence of UFOs.
일부 사람들은 UFO의 존재에 대한 강한 믿음을 가지고 있다.

파생 **believe** 동 믿다
유의 **faith** 명 믿음
trust 명 신뢰[신임]
반의 **disbelief** 명 불신
doubt 명 의심

0265 다의어

treat
[triːt]

동 **1. 다루다 2. 논의하다 3. 치료하다**
명 **한턱내기, 대접**

Most parents **treat** their children like babies even after they grow up.
대부분의 부모들은 아이들이 자란 후에도 아기처럼 대한다.

After the wound had been **treated,** the family sat around the table. 학평 기출
상처가 치료된 후, 가족들이 식탁에 둘러 앉았다.

Let's go out for dinner – my **treat.**
저녁 먹으러 가요. 제가 대접할게요.

내신 UP

Q3.
밑줄 친 단어의 뜻으로 알맞은 것은?

Nate treated my remark as a joke and didn't take it seriously.

① 다루다 ② 논의하다 ③ 치료하다

0266

ashamed
[əʃéimd]

형 **부끄러운, 창피한, 수치스러운**

She was deeply **ashamed** of her behavior last night.
그녀는 지난밤 자신의 행동이 몹시 부끄러웠다.

유의 **embarrassed** 형 창피한
반의 **proud** 형 자랑스러운
숙어 **be ashamed of** ~을 부끄러워하다

0267

relationship
[riléiʃənʃip]

명 **관계, 관련(성)**

Asians view harmony as essential to **relationship** improvement. 학평 응용
아시아인들은 조화를 관계 향상에 필수적이라고 간주한다.

파생 **relation** 명 관계, 관련(성)
relate 동 관련시키다

0268

install
[instɔ́ːl]

동 **설치하다, 설비하다**

Crime has decreased since the security cameras were **installed.**
보안 카메라가 설치된 이후로 범죄가 줄어들었다.

파생 **installation** 명 설치, 설비
유의 **set up** 설치하다
반의 **remove** 동 제거하다

0269

proof
[pru:f]

명 증거(물), 증명

Is there any scientific **proof** of the existence of life on other planets?
다른 행성에 생명체가 존재한다는 과학적 증거가 있나요?

파생 **prove** 동 증명하다
유의 **evidence** 명 증거
testimony 명 증거, 증언

0270

solid
[sálid]

형 1. 고체의, 단단한 2. 견고한 3. 확실한
명 고체

The new building was built on a **solid** foundation.
그 새로운 건물은 단단한 토대 위에 건설되었다.

파생 **solidify** 동 굳히다, 굳어지다
유의 **hard** 형 단단한
firm 형 단단한, 확실한

0271

grab
[græb]

동 붙잡다, 움켜잡다
명 움켜잡음

Just then, a nurse came running up and **grabbed** the old man. 학평 기출
바로 그때 간호사가 달려와 노인을 붙잡았다.

유의 **seize** 동 움켜잡다
grasp 동 움켜잡다
grip 동 움켜잡다, 꽉 잡다
반의 **release** 동 놓아주다, 풀어 주다

0272 혼동어휘

compassion
[kəmpǽʃən]

명 동정(심), 연민

Tom showed **compassion** for the lost cat.
Tom은 길 잃은 고양이에게 연민을 보였다.

0273 혼동어휘

passion
[pǽʃən]

명 열정, 격정

There lived a young king who had a great **passion** for hunting. 학평 기출
사냥에 대한 엄청난 열정을 가진 젊은 왕이 살았다.

내신 UP

Q4.
문맥상 알맞은 단어를 고르시오.

In this novel, the hero faces a cruel man with no **[compassion / passion]**.

0274

incredible
[inkrédəbl]

형 1. (믿기 힘들 만큼) 놀라운, 대단한 2. 믿을 수 없는

The speed of her recovery was **incredible**.
그녀의 회복 속도는 놀라웠다.

파생 **incredibly** 부 믿을 수 없을 정도로, 엄청나게
유의 **amazing** 형 놀라운
unbelievable 형 믿을 수 없는
반의 **credible** 형 믿을 수 있는

0275

splash
[splæʃ]

동 (물이) 튀다, (물을) 튀기다
명 첨벙하는 소리

Kids were playing in the fountain, **splashing** water.
아이들은 물을 튀기며 분수대에서 놀고 있었다.

유의 spatter 동 (물 등을) 튀기다

0276

moral
[mɔ́:rəl]

형 도덕(상)의, 도덕적인
명 교훈

Many people believe that we are losing traditional **moral** values.
많은 사람들은 우리가 전통적인 도덕적 가치들을 잃어가고 있다고 생각한다.

파생 morality 명 도덕(성)
유의 ethical 형 도덕[윤리]적인
virtuous 형 도덕적인
lesson 명 교훈
반의 immoral 형 비도덕적인

0277

invention
[invénʃən]

명 1. 발명, 발명품 2. 날조, 지어낸 이야기

The **invention** of the electric light bulb changed the way people lived.
전구의 발명은 사람들의 생활 방식을 바꿔 놓았다.

파생 invent 동 발명하다, 날조하다
inventive 형 창의적인, 독창적인
유의 creation 명 창조, 창작품

고등 필수 숙어

0278

apart from

~을 제외하고, ~ 외에는

Few mammals sing, **apart from** human beings.
인간을 제외하고 노래하는 포유류는 거의 없다.

내신 UP

Q5.
다음 빈칸에 알맞은 숙어는?

__________ his mother, nobody came to visit the patient today.

① Apart from
② Far from
③ Set apart from

0279

far from

1. ~에서 멀리 2. 결코 ~이 아닌

She moved to the countryside **far from** the city.
그녀는 도시에서 멀리 떨어진 시골로 이사했다.

0280

set ~ apart from

~을 …과 구별하다

There is something else that **set** them **apart from** the other smart people.
그들을 다른 똑똑한 사람들과 구별하는 다른 무언가가 있다.

Daily Test 07

정답 p. 350

A 우리말은 영어로, 영어는 우리말로 쓰시오.

01 관계, 관련(성) ____________

02 설치하다, 설비하다 ____________

03 믿음, 신념 ____________

04 대안(의), 대체 가능한 ____________

05 부끄러운, 수치스러운 ____________

06 승인하다, 찬성하다 ____________

07 동정(심), 연민 ____________

08 splash ____________

09 mankind ____________

10 necessity ____________

11 passion ____________

12 profession ____________

13 forecast ____________

14 diagnose ____________

B 빈칸에 알맞은 단어를 쓰시오. (필요시 형태를 바꿀 것)

서술형

01 Her passion for painting can be seen in her i____________ works of art.
그녀의 그림에 대한 열정은 그녀의 놀라운 예술 작품들을 통해 알 수 있다.

02 I have ever experienced a s____________ where I think “Am I dreaming now?”
나는 ‘내가 지금 꿈을 꾸고 있는 걸까?’라고 생각하는 상황을 경험한 적이 있다.

03 Besides his appearance, his unique voice s____________ him ____________ ____________ other rock singers.
그의 외모뿐만 아니라, 그의 독특한 음색이 그를 다른 록 가수들과 구별해 준다.

C 각 단어의 유의어 혹은 반의어를 쓰시오.

01 형 moral 유의 e____________

02 명 cause 반의 e____________

03 부 barely 유의 h____________

04 형 greedy 반의 g____________

05 동 avoid 유의 e____________

06 동 grab 반의 r____________

VOCA CLEAR

DAY 08

시험에 더 강해지는 어휘

0281

heal
[hiːl]

동 치유되다, 치료하다

It is worthwhile to give him or her the time and space needed to **heal.** 학평 기출

한 사람에게 치유되는 데 필요한 시간과 공간을 주는 것은 가치 있다.

파생 **healing** 명 치유, 치료
유의 **cure** 동 치료하다
remedy 동 치료하다
반의 **injure** 동 상처를 입히다

0282

legal
[líːgəl]

형 1. 법률(상)의 2. 합법적인

The lawyer started out on his **legal** career five years ago.

그 변호사는 5년 전에 법조계 일을 시작했다.

유의 **legitimate** 형 합법적인
반의 **illegal** 형 불법적인

0283

institution
[ìnstitjúːʃən]

명 1. 기관, 협회 2. 보호 시설

This university is an internationally respected educational **institution.**

이 대학은 국제적으로 높이 평가되는 교육 기관이다.

파생 **institute** 명 협회, 연구소 동 설립하다
유의 **organization** 명 조직

0284

burden
[bə́ːrdən]

명 짐, 부담
동 짐을 지우다, 부담시키다

Freed from her daily **burden,** she took a long walk in the park.

일상의 짐에서 벗어나 그녀는 공원에서 긴 산책을 했다.

유의 **load** 명 짐, 부담 동 부담을 지우다
숙어 **carry a burden** 부담을 지다
share the burden 부담을 나누다

0285

realize
[ríəlàiz]

동 1. 깨닫다 2. (꿈·목표 등을) 실현하다

We **realize** that cultures are not about being right or wrong. 학평 기출

우리는 문화란 옳고 그름에 관한 것이 아님을 깨닫는다.

파생 **realization** 명 깨달음, 실현
real 형 실제의, 진짜의
유의 **understand** 동 깨닫다, 알다
accomplish 동 이루다

0286

advertise

[ǽdvərtàiz]

동 광고하다, 알리다

Their new perfume has been **advertised** in all the major magazines.
그들의 새 향수는 모든 주요 잡지에 광고로 나갔다.

파생 **advertisement** 명 광고
유의 **publicize** 동 광고하다, 알리다
promote 동 홍보하다

0287

mighty

[máiti]

형 1. 강력한, 힘센 2. 굉장한, 대단한

In Celtic legend, Oscar was one of the **mightiest** warriors in the realm.
켈트족 전설에서 Oscar는 왕국에서 가장 강한 전사들 중 한 명이었다.

유의 **strong** 형 강한, 힘센
powerful 형 강력한
반의 **weak** 형 약한

0288

behave

[bihéiv]

동 1. 행동하다, 처신하다 2. 예의 바르게 행동하다

Adults **behaved** in similar ways regardless of whether they were on their own or not. 학평 응용
성인들은 혼자인지 아닌지에 관계없이 비슷한 방식으로 행동했다.

파생 **behavior** 명 행동, 태도
유의 **act** 동 행동하다
반의 **misbehave** 동 버릇없이 굴다

0289 혼동어휘

sight

[sait]

명 1. 시력, 보기 2. 시야, 광경

The disease has severely affected his **sight**.
그 병은 그의 시력에 심각한 영향을 끼쳤다.

내신 UP

Q1.
문맥상 알맞은 단어를 고르시오.

The aurora I watched from Iceland was truly a magical **[site / sight]**.

0290 혼동어휘

site

[sait]

명 위치, 장소, 부지

The city is looking for a suitable **site** for the new baseball stadium.
시는 새 야구장을 위한 적절한 부지를 찾는 중이다.

0291

prompt

[prɑmpt]

형 즉각적인, 신속한
동 촉발하다, 유도하다

A **prompt** response is required when there's an emergency.
긴급 상황이 발생하면 신속한 대응이 요구된다.

파생 **promptly** 부 지체 없이, 즉시
유의 **immediate** 형 즉각적인
provoke 동 촉발하다
숙어 **prompt A to-v**
A가 ~하게 하다

0292

opponent
[əpóunənt]

명 1. 상대, 적수 2. 반대자

The boxer has knocked out 15 **opponents** in 20 fights.
그 권투 선수는 20경기에서 15명의 상대를 쓰러뜨렸다.

파생 oppose 동 반대하다
유의 adversary 명 적수, 상대방
rival 명 경쟁 상대
반의 supporter 명 지지자

0293

tap
[tæp]

동 톡톡 두드리다
명 1. 톡톡 두드리기 2. 수도꼭지

Do not **tap** your pencil on your desk.
책상 위에 연필을 두드리지 마세요.

유의 pat 동 톡톡[가볍게] 치다

0294

hospitality
[hàspitǽləti]

명 환대, 친절한 대접

Handing over the money to Rangan, he continued, "Thanks for your **hospitality**."
학평 기출
그는 Rangan에게 돈을 건네주며 "환대해 주셔서 감사합니다."라고 말을 이었다.

파생 hospitable 형 환대하는, 친절한
유의 welcome 명 환대, 접대

0295

deal
[di:l]

동 다루다, 처리하다 ((with))
명 거래

To **deal** with this problem, the residents' association has decided on a day to recycle.
학평 기출
이 문제를 처리하기 위해 입주민 조합은 재활용하는 날을 정했다.

유의 treat 동 다루다
cope with 다루다, 처리하다
transaction 명 거래
숙어 deal with ~을 다루다, 처리하다

0296

oppress
[əprés]

동 압박하다, 억압하다

The country has **oppressed** our people and caused great hardship for many years.
그 나라는 오랫동안 우리 민족을 억압했고 큰 고난을 초래했다.

어원 plus+

op (against) + press (누르다) → ~에 대항해서 누르다 → 압박하다, 억압하다

파생 oppression 명 압박, 억압
oppressive 형 억압하는, 억압적인
유의 suppress 동 억압하다
overwhelm 동 제압하다
반의 liberate 동 자유롭게 하다

0297

ability
[əbíləti]

명 능력, 재능

Everyone has the **ability** to succeed in life.
누구나 인생에서 성공할 수 있는 능력이 있다.

파생 able 형 ~할 수 있는
유의 capability 명 능력, 재능
반의 inability 명 무능력

0298

invade
[invéid]

동 1. 침략하다, 침입하다 2. 침해하다

The small island in the Pacific Ocean was **invaded** by Japanese troops.
태평양에 있는 그 작은 섬은 일본군의 침공을 받았다.

파생 **invasion** 명 침략, 침입
invasive 형 침입하는
유의 **attack** 동 습격하다, 공격하다

0299 다의어

apply
[əplái]

동 1. 신청[지원]하다 2. 적용[응용]하다
3. (화장품 등을) 바르다

I had to **apply** for a visa to travel to India.
나는 인도를 여행하기 위해 비자를 신청해야 했다.

The new law will not be **applied** to this case.
이 사건에는 새로운 법이 적용되지 않을 것이다.

Apply this lotion to your face and neck.
이 로션을 얼굴과 목에 바르세요.

내신 UP

Q2.
밑줄 친 단어의 뜻으로 알맞은 것은?

Ron insisted that we should apply the rule strictly.

① 지원하다
② 적용하다
③ 바르다

0300

environment
[inváiərənmənt]

명 (자연) 환경, 주위(의 상황)

This effect is more noticeable when there is not much light in the **environment**. 학평 기출
이 현상은 주위에 빛이 많지 않을 때 더 두드러진다.

파생 **environmental** 형 환경의
유의 **surroundings** 명 환경
circumstances 명 환경, 상황

0301

visible
[vízəbl]

형 1. 눈에 보이는 2. 뚜렷한, 명백한

Personal blind spots are areas that are **visible** to others but not to you. 학평 기출
개인 사각지대는 다른 사람들에게는 보이지만 자신에게는 보이지 않는 영역이다.

유의 **observable** 형 볼 수 있는
obvious 형 명백한
반의 **invisible** 형 눈에 보이지 않는

0302

tense
[tens]

형 1. 긴장한, 긴장된 2. 팽팽한
동 긴장하다

The classroom was filled with **tense** silence during the test.
시험을 보는 동안 교실은 긴장된 침묵으로 가득 찼다.

파생 **tension** 명 긴장, 팽팽함
유의 **strained** 형 긴장한
anxious 형 불안한
반의 **relaxed** 형 긴장을 푼
calm 형 침착한, 차분한

0303

theory
[θí(:)əri]

명 이론, 학설

Dr. Foster has nothing to support her **theory**.
Foster 박사는 그녀의 이론을 뒷받침할 것이 아무것도 없다.

파생 **theoretical** 형 이론적인
숙어 **in theory** 이론적으로는

0304

counsel
[káunsəl]

동 1. (전문적인) 상담을 하다 2. 충고[조언]하다
명 1. 상담 2. 충고[조언]

He volunteered to **counsel** students from overseas.
그는 해외에서 온 학생들 상담에 자원했다.

파생 **counselor** 명 상담가
counseling 명 상담, 카운슬링
유의 **advise** 동 충고[조언]하다
advice 명 충고[조언]

0305 혼동어휘

respective
[rispéktiv]

형 각자의, 각각의

Your **respective** roles will be explained to you later.
여러분에게 추후 각자의 역할이 설명될 것입니다.

내신 UP

Q3.
문맥상 알맞은 단어를 고르시오.

Students paired up with their **[respectable / respective]** partners for the project.

0306 혼동어휘

respectable
[rispéktəbl]

형 존경할 만한, 훌륭한

The poor kid grew up to be a **respectable** politician.
그 불쌍한 아이는 자라서 훌륭한 정치가가 되었다.

0307 혼동어휘

respectful
[rispéktfəl]

형 공손한, 존경심을 보이는

If you are **respectful** to others, you will also be respected.
당신이 다른 사람들을 존중한다면, 당신도 존중받을 것이다.

0308

progress
[prágres]

동 1. 전진하다, 진행하다 2. 발전[진보]하다
명 1. 전진, 진행 2. 발전[진보]

The building's renovation project is **progressing** well.
그 건물의 보수 작업은 잘 진행되고 있다.

파생 **progressive** 형 점진적인, 진보적인
유의 **advance** 명 동 전진(하다)
develop 동 발전하다
반의 **regress** 동 퇴보하다
숙어 **be in progress** 진척 중이다

0309

correct
[kərékt]

형 1. 옳은, 정확한 2. 적절한
동 바로잡다, 정정하다

Many of the details of her argument were not **correct**.
그녀의 주장의 많은 세부 사항들이 정확하지 않았다.

파생 correction 명 정정, 수정
유의 right 형 옳은
accurate 형 정확한
proper 형 적절한
반의 incorrect 형 틀린

0310

prospect
[práspèkt]

명 1. 가능성 2. 전망, 예상

Doctors say there is little **prospect** of his recovery.
의사들은 그가 회복할 가능성이 거의 없다고 말한다.

어원 plus +
pro (forward) + spect (look) → 앞을 내다 봄 → 가능성, 전망

파생 prospective 형 장래의, 기대되는
유의 likelihood 명 가능성
outlook 명 전망

0311

informative
[infɔ́ːrmətiv]

형 정보를 주는, 유익한

The quiz show is both **informative** and entertaining.
그 퀴즈 쇼는 유익하기도 하고 재밌기도 하다.

파생 inform 동 알리다
information 명 정보
유의 instructive 형 유익한
반의 uninformative 형 정보를 주지 않는, 유익하지 않은

0312

disease
[dizíːz]

명 병, 질병

Health and the spread of **disease** are very closely linked to how we live. 학평 기출
건강과 질병의 확산은 우리가 사는 방식과 매우 밀접하게 연관되어 있다.

유의 illness 명 병, 질환
sickness 명 질병
숙어 catch[get] a disease 병에 걸리다

0313

circuit
[sə́ːrkit]

명 1. 순환, 순회 2. (전기) 회로

The moon's **circuit** of the earth takes about 29 days.
달이 지구 주위를 일주하는 데는 약 29일이 걸린다.

0314

refuse
[rifjúːz]

동 거절하다, 거부하다

They **refused** to work together after the argument.
그들은 언쟁 이후 함께 일하기를 거부했다.

파생 refusal 명 거절, 거부
유의 decline 동 거절하다
reject 동 거절하다, 거부하다
숙어 refuse to-v ~하기를 거부하다

0315

disturb
[distə́ːrb]

동 1. 방해하다 2. 어지럽히다, 혼란시키다

You should not **disturb** others when they are concentrating on their work.
다른 사람이 일에 집중할 때 방해해서는 안 된다.

파생 **disturbance** 명 방해, 교란
disturbing 형 불안하게 하는
유의 **interrupt** 동 방해하다
distract 동 어지럽히다, 혼란시키다

0316

negative
[négətiv]

형 1. 부정적인 2. 음성(반응)의

Negative comments can sometimes seem overwhelming and stressful. 학평 응용
부정적인 발언들은 때때로 부담스럽고 스트레스를 줄 수 있다.

파생 **negativity** 명 부정적 성향
negatively 부 부정적으로
반의 **positive** 형 긍정적인, 양성(반응)의

0317

conference
[kánfərəns]

명 회의, 회담, 협의

They are supposed to attend a **conference** in Paris.
그들은 파리에서 열리는 회의에 참석하도록 되어 있다.

파생 **confer** 동 수여하다, 협의[상의]하다
유의 **convention** 명 회의, 집회
숙어 **be in conference with** ~와 협의 중이다

고등 필수 숙어

0318

put on

1. ~을 입다 2. ~을 바르다

He **put on** his favorite jacket and went to dance.
그는 가장 좋아하는 재킷을 입고 춤추러 갔다.

내신 UP

Q4.
다음 빈칸에 알맞은 숙어는?

__________ the TV and choose which program you want to watch.

① Put on
② Try on
③ Turn on

0319

try on

~을 입어 보다, 써 보다

You should **try on** the sneakers to make sure they fit well.
이 운동화를 신어 보고 잘 맞는지 확인해 봐야 한다.

0320

turn on

(TV·전기 등을) 켜다

Press the power button to **turn on** the vacuum. 학평 기출
진공청소기를 켜기 위해서는 전원 버튼을 누르세요.

Daily Test 08

정답 p. 350

A 우리말은 영어로, 영어는 우리말로 쓰시오.

01 압박하다, 억압하다 ____________

02 이론, 학설 ____________

03 정보를 주는, 유익한 ____________

04 가능성, 전망, 예상 ____________

05 위치, 장소, 부지 ____________

06 즉각적인, 신속한 ____________

07 존경할 만한, 훌륭한 ____________

08 conference ____________

09 visible ____________

10 heal ____________

11 hospitality ____________

12 respective ____________

13 mighty ____________

14 burden ____________

B 빈칸에 알맞은 단어를 쓰시오. (필요시 형태를 바꿀 것)

서술형

01 Bullies are at a disadvantage when they a ____________ for jobs.
괴롭힘을 행한 사람들은 직장에 지원할 때 불이익을 받는다.

02 Looking at your smartphone's screen before bed can d ____________ your sleep.
잠자기 전에 스마트폰 화면을 보는 것은 수면을 방해할 수 있다.

03 Wash and p ____________ ____________ some ointment instead of scratching the mosquito bite.
모기 물린 자리를 긁는 대신 씻고 연고를 발라라.

C 각 단어의 유의어 혹은 반의어를 쓰시오.

01 형 correct 유의 a ____________

02 형 negative 반의 p ____________

03 동 progress 유의 a ____________

04 형 tense 반의 r ____________

05 동 invade 유의 a ____________

06 명 opponent 반의 s ____________

VOCA CLEAR

DAY 09

0321

analyze
[ǽnəlàiz]

동 분석하다, 분해하다

We need to **analyze** the situation from every angle.
우리는 그 상황을 모든 각도로 분석할 필요가 있다.

파생 analysis 명 분석
analyst 명 분석가, 애널리스트
analytic 형 분석의, 분석적인

0322

sort
[sɔːrt]

명 종류, 유형
동 분류하다

We all like to watch the same **sorts** of TV programs or movies. 학평 응용
우리 모두가 같은 종류의 TV 프로그램이나 영화를 보고 싶어 한다.

유의 kind 명 종류, 유형
type 명 종류, 유형
classify 동 분류하다
숙어 sort out 분류하다, 정리하다

0323

twilight
[twáilàit]

명 1. 황혼, 땅거미 2. 황혼기, 쇠퇴기

As the sun went down, **twilight** fell over the city and shoreline.
해가 지면서, 도시와 해안선에 땅거미가 내려앉았다.

유의 dusk 명 황혼, 땅거미
반의 dawn 명 새벽, 여명

0324

organic
[ɔːrgǽnik]

형 1. 유기농의 2. 유기(체)의

Organic food costs more in most cases.
대부분의 경우 유기농 식품은 돈이 더 든다.

파생 organically 부 유기농으로, 유기적으로
유의 natural 형 자연 그대로의
반의 inorganic 형 무기물의

0325 다의어

blow
[blou]

동 1. (바람이) 불다 2. 날리다 3. 폭파하다
명 충격, 강타

A fresh breeze is **blowing** from the north.
상쾌한 산들바람이 북쪽에서 불고 있다.

The warehouse was **blown** away from the gas explosion.
가스 폭발로 창고가 폭파되었다.

The election result was a terrible **blow** to the party.
선거 결과는 그 당에게 엄청난 충격이었다.

내신 UP

Q1.
밑줄 친 단어의 뜻으로 알맞은 것은?

Even a tiny movement would <u>blow</u> the dust off the shelf.

① 불다 ② 폭파하다 ③ 날리다

0326

warn
[wɔːrn]

동 경고하다, 주의를 주다

The tour guide **warned** us about pickpockets.
여행 가이드는 우리에게 소매치기에 대해 주의를 줬다.

파생 warning 명 경고, 주의
유의 alert 동 경고하다
caution 동 주의[경고]를 주다
숙어 warn A about[of] B
B에 대해서 A에게 경고하다

0327

spirit
[spírit]

명 1. 정신, 영혼 2. ((-s)) 기분

There is nothing more fundamental to the human **spirit** than the need to be mobile. 학평 기출
인간의 정신에는 이동하려는 욕구보다 더 근본적인 것은 없다.

파생 spiritual 형 정신의, 정신적인
유의 soul 명 정신, 영혼
반의 body 명 육체

0328

desperate
[déspərit]

형 1. 자포자기한, 절망적인 2. 필사적인

Many businesspeople are growing more and more **desperate** as the crisis continues.
많은 사업가들이 위기가 계속되면서 점점 더 절박해지고 있다.

파생 despair 명 동 절망(하다)
desperation 명 자포자기, 절망
유의 hopeless 형 절망적인
despairing 형 자포자기한, 절망적인

0329

via
[váiə]

전 1. ~을 경유해서 2. ~을 통해서[매개로]

We're flying to Australia **via** Hong Kong.
우리는 홍콩을 경유해서 호주로 비행 중이다.

유의 by way of ~을 경유해서
through 전 ~을 통해서

0330

influence
[ínfluəns]

명 영향(력)
동 영향을 끼치다

The **influence** of peers is much stronger than that of parents. 학평 기출
또래들의 영향이 부모의 영향보다 훨씬 더 강하다.

어원 plus+
in (into) + flu (flow) + ence (명사형 접미사) → 안으로 흘러 들어옴 → 영향

파생 influencer 명 영향력을 행사하는 사람
influential 형 영향력 있는
유의 effect 명 영향
affect 동 영향을 미치다
숙어 have (an) influence on
~에 영향을 주다

0331

genius
[dʒíːniəs]

명 천재(성)

She was a mathematical **genius** and studied physics at Harvard.
그녀는 수학 천재였으며 하버드 대학에서 물리학을 공부했다.

유의 prodigy 명 영재
brain 명 수재, 머리가 좋은 사람

0332

panic
[pǽnik]

명 극심한 공포, 공황 (상태)
동 겁에 질려 어쩔 줄 모르다

Having forgotten his lines on stage, he was in a **panic**.
무대에서 대사를 잊었을 때 그는 공황 상태가 되었다.

유의 **fear** 명 공포, 두려움
alarm 명 공포, 불안
frighten 동 무서워하다
숙어 **in (a) panic** 당황하여, 공황 상태인

0333 혼동어휘

literal
[lítərəl]

형 문자 그대로의

A **literal** translation sometimes changes the original intention.
직역은 때때로 본래의 의도를 바꾼다.

0334 혼동어휘

literary
[lítərèri]

형 문학의, 문학적인

The Booker Prize is one of the biggest **literary** awards.
부커상은 최고의 문학상 중 하나이다.

내신 UP

Q2.
문맥상 알맞은 단어를 고르시오.

Her story is incredible in the **[literary / literal]** sense of the word.

0335

identify
[aidéntifài]

동 1. 확인하다, 식별하다 2. 동일시하다

People find it difficult to correctly **identify** fruit-flavored drinks if the color is wrong.
학평 기출
사람들은 색이 잘못되면 과일맛 음료를 정확히 식별하기 어려워한다.

파생 **identification** 명 (신원) 확인, 식별
identity 명 신원, 정체, 동일함
유의 **distinguish** 동 식별하다
equate with ~와 동일시하다
숙어 **identify A with B** A를 B와 동일시하다

0336

column
[kɑ́ləm]

명 1. 기둥, 원주 2. 정기 기고란, 칼럼

Surprisingly, one single **column** supports the entire building.
놀랍게도, 하나의 기둥이 건물 전체를 지탱한다.

파생 **columnist** 명 정기 기고가, 칼럼니스트
유의 **pillar** 명 기둥
article 명 글, 기사

0337

stable
[stéibl]

형 1. 안정된 2. 침착한, 차분한
명 마구간

The price of potatoes has been **stable** since last September.
감자 가격은 지난 9월 이후로 안정적이었다.

파생 **stability** 명 안정(성)
stabilize 동 안정되다[시키다]
유의 **steady** 형 안정된
반의 **unstable** 형 불안정한

0338

flatter

[flǽtər]

동 **아첨하다, 비위 맞추다**

One of the easiest ways to **flatter** someone is to compliment his or her looks.
누군가에게 아첨하는 가장 쉬운 방법 중 하나는 그 사람의 외모를 칭찬하는 것이다.

파생 **flattery** 명 아첨, 아부
flattering 형 아첨하는, 으쓱하게 하는

0339

democracy

[dimɑ́krəsi]

명 **민주주의**

Democracy has been extremely hard to achieve throughout history.
민주주의는 역사적으로 이뤄 내기에 극도로 어려운 것이었다.

파생 **democratic** 형 민주주의의, 민주적인
반의 **tyranny** 명 독재

0340 다의어

current

[kə́:rənt]

형 **현재의, 지금의**
명 **1. 흐름, 기류, 해류 2. 경향, 추세**

Are you bored with your **current** exercise routine? 학평 기출
당신은 현재의 운동 일과에 지루함을 느끼시나요?

I had to swim against a strong **current**.
나는 강한 물살을 헤치고 헤엄쳐야 했다.

We didn't pay enough attention to the **current** of public opinion.
우리는 여론의 동향에 충분한 주의를 기울이지 못했다.

내신 UP

Q3.
밑줄 친 단어의 뜻으로 알맞은 것은?

Their new computer system seemed to be beyond the current technology.

① 현재의 ② 흐름 ③ 경향

0341

load

[loud]

명 **1. 짐 2. 부담**
동 **(짐을) 싣다, 적재하다**

The news that Joan passed the test took a **load** off my mind.
Joan이 시험에 합격했다는 소식이 내 마음의 짐을 덜어주었다.

유의 **burden** 명 짐, 부담
cargo 명 짐, 화물
반의 **unload** 동 (짐을) 내리다
숙어 **take a load off one's mind** 마음의 짐을 덜어주다

0342

frightening

[fráitəniŋ]

형 **무서운, 겁을 주는**

Going to the dentist can be **frightening** for anyone.
치과에 가는 것은 누구에게나 무서울 수 있다.

파생 **frighten** 동 겁먹게 하다
유의 **terrifying** 형 무서운, 겁나게 하는
반의 **comforting** 형 위안이 되는, 격려하는

0343

advance
[ədvǽns]

명 진보[발전], 전진
동 진보하다, 전진하다

We live in an age of rapid technological **advances.**
우리는 빠른 기술 발전의 시대에 살고 있다.

파생 **advancement** 명 진보[발전], 전진
유의 **progress** 명 진보, 전진, 진행 동 진보하다, 전진하다, 진행되다
숙어 **in advance** 미리, 사전에

0344

reveal
[riví:l]

동 밝히다, 폭로하다, 드러내다

Studies **reveal** that people who are engaged in service to others tend to be happier. 학평 기출
연구에 따르면 타인에게 도움이 되는 일을 하는 사람이 더 행복한 경향이 있다는 것을 보여준다.

파생 **revelation** 명 폭로, 드러냄
유의 **disclose** 동 밝히다, 폭로하다
expose 동 드러내다, 폭로하다
반의 **conceal** 동 숨기다, 감추다
hide 동 숨기다

0345 혼동어휘

cancer
[kǽnsər]

명 암

More people are surviving **cancer** these days.
요즘에는 더 많은 사람들이 암에서 살아남고 있다.

0346 혼동어휘

cancel
[kǽnsəl]

동 취소하다

We offer full refunds if you **cancel** at least 10 days in advance. 학평 응용
최소 10일 전에 취소하시면 전액 환불해 드립니다.

내신 UP

Q4.
문맥상 알맞은 단어를 고르시오.

I will **[cancer / cancel]** my order unless it is delivered by March 10.

0347

universal
[jù:nəvə́:rsəl]

형 1. 보편적인, 일반적인 2. 전 세계적인

It seems **universal** that kids love playing video games.
아이들이 비디오 게임하기를 좋아하는 것은 보편적인 것 같다.

파생 **universality** 명 보편성, 일반성
유의 **general** 형 보편적인, 일반적인
widespread 형 일반적인
global 형 전 세계적인
반의 **particular** 형 특정한
local 형 지역의

0348

imprison
[imprízən]

동 투옥하다, 감금하다

In 1919, their young leader was arrested and **imprisoned.**
1919년에 그들의 젊은 지도자는 체포되어 투옥되었다.

파생 **imprisonment** 명 투옥, 감금
유의 **jail** 동 투옥하다
반의 **release** 동 석방하다

0349

manage
[mǽnidʒ]

동 1. 관리하다, 경영하다 2. 간신히[용케] 해내다

We quickly learn that food is a good way to **manage** emotions. 학평 기출
우리는 음식이 감정을 관리하는 좋은 방법임을 빨리 알게 된다.

파생 **management** 명 관리, 경영
유의 **administer** 동 관리하다, 운영하다
숙어 **manage to-v** 간신히 ~하다

0350

profile
[próufail]

명 1. 인물 소개 2. 개요 3. 옆얼굴

There are short **profiles** of the players on the website.
그 웹사이트에는 선수들의 간단한 프로필이 있다.

유의 **outline** 명 개요
숙어 **in profile** 옆모습은

0351

endangered
[indéindʒərd]

형 멸종 위기에 처한, 위험에 처한

The swallowtail butterfly has become an **endangered** species.
제비꼬리나비는 멸종 위기종이 되었다.

파생 **endanger** 동 위험에 빠뜨리다, 위태롭게 하다
반의 **invulnerable** 형 안전한, 해칠 수 없는

0352

quit
[kwit]

동 그만두다, 중지하다

She has decided to **quit** taking sleeping pills.
그녀는 수면제 복용을 중지하기로 결심했다.

유의 **resign** 동 사직하다, 그만두다
stop 동 그만두다
반의 **continue** 동 계속하다

0353

replace
[ripléis]

동 1. 대체[대신]하다 2. 교체하다

Machines can't **replace** people in this profession.
이 직종에서는 기계가 사람을 대체할 수 없다.

어원 plus +

re (again) + place (놓다) → 다시 (다른 것으로) 놓다 → 대체하다, 교체하다

파생 **replacement** 명 대체, 교체
유의 **substitute** 동 대체하다
take the place of ~을 대신하다
숙어 **replace A with B** A를 B로 대체하다

0354

candidate
[kǽndidèit]

명 후보자, 지원자

There were no suitable **candidates** for the position.
그 자리에 적합한 후보자가 아무도 없었다.

유의 **applicant** 명 지원자

0355

eliminate
[ilímənèit]

동 제거하다, 없애다

We know we can't completely **eliminate** our biases. 학평 기출
우리는 우리의 편견을 완전히 없앨 수 없다는 것을 알고 있다.

파생 elimination 명 제거, 삭제
유의 remove 동 제거하다
get rid of ~을 제거하다

0356

trade
[treid]

명 무역, 거래
동 1. 무역하다 2. 교환하다

Trade between Korea and Vietnam has increased rapidly in recent years.
한국과 베트남 간의 무역이 최근 몇 년 사이에 빠르게 증가했다.

유의 commerce 명 무역, 교역
exchange 동 교환하다

0357

adequate
[ǽdəkwit]

형 적절한, 충분한

Above all, an **adequate** supply of food should be promised.
무엇보다도, 식량의 충분한 공급이 약속되어야 한다.

유의 reasonable 형 적정한
sufficient 형 충분한
반의 inadequate 형 부적절한, 불충분한

고등 필수 숙어

0358

check out

1. (호텔에서) 체크아웃하다(↔ check in)
2. 확인하다, 살펴보다

When he finished compiling the data, his boss came to **check out** the numbers. 학평 응용
그가 데이터 수집을 마치자, 그의 상사가 숫자를 확인하러 왔다.

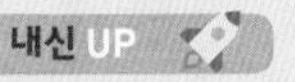

Q5.
다음 빈칸에 알맞은 숙어는?

You can __________ liars by the nervous way they act.

① check out
② pick out
③ pick up

0359

pick out

1. 고르다 2. 알아내다, 분간하다

This app will **pick out** the best photos for you.
이 응용 프로그램은 당신을 위해 최고의 사진을 골라줄 것이다.

0360

pick up

1. ~을 집다 2. ~을 차로 태우러 가다

They sent a driver to **pick up** the guests from the airport.
그들은 공항에서 손님을 차로 태우러 운전사를 보냈다.

Daily Test 09

정답 p. 351

A 우리말은 영어로, 영어는 우리말로 쓰시오.

01 문학의, 문학적인 ____________

02 제거하다, 없애다 ____________

03 민주주의 ____________

04 현재의; 흐름, 경향 ____________

05 식별하다, 동일시하다 ____________

06 멸종 위기에 처한 ____________

07 아첨하다, 비위 맞추다 ____________

08 replace ____________

09 profile ____________

10 analyze ____________

11 adequate ____________

12 candidate ____________

13 frightening ____________

14 desperate ____________

B 빈칸에 알맞은 단어를 쓰시오. (필요시 형태를 바꿀 것)

서술형

01 Younger farmers are interested in o____________ farming for several reasons.
젊은 농부들은 여러 가지 이유로 유기 농업에 관심을 갖는다.

02 I think that the government has to provide the u____________ healthcare for its citizens.
나는 정부가 시민들에게 보편적인 의료 서비스를 제공해야 한다고 생각한다.

03 As the road is closed when it snows, climbers should c____________ ____________ the weather forecast in advance.
눈이 오면 도로가 폐쇄되므로, 등산객들은 미리 일기 예보를 확인해야 한다.

C 각 단어의 유의어 혹은 반의어를 쓰시오.

01 명 influence 유의 e____________

02 동 reveal 반의 c____________

03 동 sort 유의 c____________

04 동 imprison 반의 r____________

05 형 stable 유의 s____________

06 명 twilight 반의 d____________

VOCA CLEAR

DAY 10

0361

comprehend
[kɑ̀mprihénd]

동 이해하다

I couldn't **comprehend** his intentions.
나는 그의 의도를 이해할 수 없었다.

시험에 더 강해지는 어휘

파생 **comprehension** 명 이해(력)
comprehensive 형 포괄적인
유의 **understand** 동 이해하다
grasp 동 이해하다

0362

humid
[hjú:mid]

형 습한, 습기 찬

It's quite hot and **humid** here in the summer.
여름에 이곳은 상당히 덥고 습하다.

파생 **humidity** 명 습기, 습도
유의 **moist** 형 습한, 축축한
damp 형 습기 찬, 축축한
반의 **dry** 형 건조한

0363

journey
[dʒə́:rni]

명 (특히 멀리 가는) 여행, 여정

They made many friends on the **journey** to Greece.
그들은 그리스로 가는 여행 중에 친구들을 많이 사귀었다.

유의 **trip** 명 여행
숙어 **go on a journey** 여행을 떠나다

0364 다의어

balance
[bǽləns]

명 1. 균형 2. (은행) 잔고
동 균형을 이루다

It is important to keep your work and life in **balance**.
일과 삶의 균형을 맞추는 것은 중요하다.

He checked the **balance** of his current account.
그는 자신의 현재 계좌 잔고를 확인했다.

Meditation helps **balance** mind and body.
명상은 마음과 몸이 균형을 이루도록 돕는다.

Q1.
밑줄 친 단어의 뜻으로 알맞은 것은?

She nearly lost her balance as the bus suddenly moved forward.

① 균형 ② 잔고 ③ 균형을 이루다

0365

seldom
[séldəm]

부 좀처럼 ~ 않는, 드물게

It is important to remember that fossils **seldom** tell the entire story. 학평 응용
화석들이 좀처럼 완전한 이야기를 전달하지 않는다는 것을 기억하는 것이 중요하다.

유의 **rarely** 부 좀처럼 ~ 않는, 드물게
hardly 부 거의 ~ 않다
반의 **often** 부 자주, 흔히

0366

nationality
[næʃənǽləti]

명 1. 국적 2. 국민(임), 국민성

The form asked for my name, age, and **nationality**.
그 양식은 이름, 나이, 국적을 요구했다.

파생 **national** 형 국가의

0367

conceal
[kənsíːl]

동 숨기다, 감추다

Evil people are able to **conceal** their bad intentions behind a friendly smile. 학평 응용
사악한 사람들은 다정한 미소 뒤에 나쁜 의도를 숨길 수 있다.

유의 **hide** 동 숨기다, 감추다
반의 **reveal** 동 드러내다
disclose 동 밝히다, 드러내다
숙어 **conceal A from B**
A를 B에게 숨기다

0368

intelligence
[intélidʒəns]

명 1. 지능 2. 정보 (기관)

A child's **intelligence** develops rapidly between the ages of four and five.
아이의 지능은 4, 5세 사이에 빠르게 발달한다.

파생 **intelligent** 형 지적인, 총명한
유의 **intellect** 명 지적 능력

0369 혼동어휘

historic
[histɔ́(ː)rik]

형 역사적으로 중요한, 역사적인

You'll be awed by the **historic** ruins in Rome.
당신은 역사적인 로마의 유적에 경외심을 느끼게 될 것이다.

내신 UP

Q2.
문맥상 알맞은 단어를 고르시오.

Her books mix **[historic / historical]** fact and fantasy.

0370 혼동어휘

historical
[histɔ́(ː)rikəl]

형 역사(상)의, 역사와 관련된

Her early life was strongly influenced by her father's **historical** knowledge. 학평 기출
그녀의 어린 시절은 아버지의 역사적 지식에 강하게 영향을 받았다.

0371

assist
[əsíst]

동 돕다, 원조하다
명 ((스포츠)) 어시스트

The army arrived to **assist** in the search for survivors.
생존자 수색을 돕기 위해 군대가 도착했다.

파생 **assistance** 명 도움, 원조
assistant 명 조수, 보조자
유의 **aid** 동 돕다
support 동 원조[후원]하다

0372

sue
[suː]

동 1. 고소하다, 소송을 제기하다 2. 청하다

They **sued** the company for failing to protect their private information.
그들은 자신들의 개인 정보를 보호하지 못했다며 회사를 고소했다.

0373

dictate
[díkteit]

동 1. 받아쓰게 하다 2. 명령하다, 지시하다

Before my grandfather died, he **dictated** his will to a lawyer.
할아버지는 돌아가시기 전에 변호사에게 유언장을 받아쓰게 하셨다.

어원 plus +

dict (say: 말하다) + ate (동사형 접미사) → (받아쓰도록, 따르도록) 말하다

파생 **dictation** 명 받아쓰기
유의 **order** 동 명령하다
direct 동 지시하다
숙어 **dictate to** ~에게 받아쓰게 하다, ~에게 강요하다

0374

breeze
[briːz]

명 산들바람, 미풍
동 산들바람이 불다

The flowers were gently swaying in the **breeze**.
꽃들이 산들바람에 부드럽게 흔들리고 있었다.

0375

passive
[pǽsiv]

형 소극적인, 수동적인

They may be **passive** spectators of entertainment provided by television. 학평 기출
그들은 TV로 제공되는 오락의 수동적인 구경꾼일 수 있다.

파생 **passively** 부 소극적으로, 수동적으로
유의 **inactive** 형 수동적인
반의 **active** 형 적극적인

0376

rely
[rilái]

동 의지하다, 믿다

This is the principle that horoscopes **rely** on.
학평 기출
이것이 별자리 운세가 의존하는 원리이다.

파생 **reliable** 형 믿을 수 있는
유의 **depend** 동 의지하다
숙어 **rely on** ~에 의지하다

0377

phenomenon
[finάmənὰn]

명 현상

Climate change is a global **phenomenon** everyone is experiencing.
기후 변화는 모두가 경험하고 있는 전 지구적 현상이다.

복수 **phenomena**
파생 **phenomenal** 형 자연 현상의, 놀랄 만한

0378

hire
[haiər]

동 고용하다, 채용하다

Those people were temporarily **hired** to serve the guests.
저 사람들은 손님 접대를 위해 임시로 고용되었다.

유의 **employ** 동 고용하다
반의 **dismiss** 동 해고하다
fire 동 해고하다

0379

urgent
[ə́ːrdʒənt]

형 긴급한, 다급한

There is an **urgent** need for qualified nurses.
자격을 갖춘 간호사들이 긴급히 필요하다.

파생 **urgency** 명 긴급, 화급
urge 동 촉구하다, 강권하다
유의 **pressing** 형 긴급한

0380 혼동어휘

access
[ǽksès]

명 접근(권)
동 1. 접근하다 2. (컴퓨터에) 접속하다

No one but Paul had **access** to his garage.
Paul을 제외하고는 아무도 그의 차고에 접근할 수 없었다.

내신 UP

Q3.
문맥상 알맞은 단어를 고르시오.

She asked me about the password needed to **[access / assess]** my tablet PC.

0381 혼동어휘

assess
[əsés]

동 평가하다, 산정하다

It takes only a few seconds for anyone to **assess** another individual. 학평 응용
누군가가 다른 사람을 평가하는 데는 단지 몇 초가 걸릴 뿐이다.

0382

sorrowful
[sɑ́rəfəl]

형 슬픈, 비탄에 잠긴

Ray's **sorrowful** voice impressed the audiences at the audition.
오디션에서 Ray의 슬픈 목소리는 청중들을 감동시켰다.

파생 **sorrow** 명 슬픔
유의 **sad** 형 슬픈
woeful 형 슬픈, 비통한
반의 **cheerful** 형 즐거운

0383

length
[leŋkθ]

명 1. 길이 2. (계속되는) 시간, 기간

Here the word "near" means an arm's **length** away. 학평 기출
여기서 'near'라는 단어는 팔 하나 만큼의 길이를 의미한다.

파생 **lengthen** 동 길어지다, 연장하다
숙어 **at length** 길게, 상세히

0384

scold
[skould]

동 **꾸짖다, 야단치다**

The gardener **scolded** the child for picking flowers.
정원사는 꽃을 꺾은 것 때문에 아이를 꾸짖었다.

반의 **praise** 동 칭찬하다
숙어 **scold A for B**
A를 B 때문에 꾸짖다

0385

painkiller
[péinkìlər]

명 **진통제**

The company began to produce **painkillers** for children.
그 회사는 어린이용 진통제를 생산하기 시작했다.

0386

confident
[kɑ́nfidənt]

형 **1. 자신감 있는 2. 확신하는**

People who are **confident** in themselves often seem to be more attractive.
스스로에게 자신감이 있는 사람들은 종종 더 매력적으로 보여진다.

파생 **confidence** 명 자신(감), 확신
유의 **self-assured** 형 자신감 있는
convinced 형 확신하는
반의 **unsure** 형 확신하지 못하는

0387

refund
[rí:fʌnd]

명 **환불, 반환**
동 [rifʌ́nd] **환불하다, 반환하다**

The customer angrily requested a **refund** for his food.
그 고객은 화가 나서 음식에 대한 환불을 요청했다.

숙어 **get a refund** 환불 받다

0388

sympathy
[símpəθi]

명 **1. 동정(심), 연민 2. 공감**

I have no **sympathy** for Tony; he deserves the punishment.
나는 Tony에게 어떠한 연민도 없다; 그는 처벌받을 만하다.

어원 plus +

sym (together) + path (feel) + y(명사형 접미사) → 함께 느낌 → 공감, 동정

파생 **sympathize** 동 동정하다, 공감하다
sympathetic 형 공감하는
유의 **compassion** 명 동정(심), 연민
숙어 **feel sympathy for**
~에게 연민을 느끼다

0389

decide
[disáid]

동 **결정하다, 결심하다**

Her family did not approve when she **decided** to become an artist. 학평 기출
그녀가 화가가 되려고 결심했을 때 그녀의 가족은 찬성하지 않았다.

파생 **decision** 명 결정
decisive 형 결정적인, 단호한
유의 **determine** 동 결정하다
resolve 동 결심하다

0390

detail
[ditéil]

명 1. 세부 사항 2. ((-s)) 상세한 설명

The brain needs time to process the **details** of a new invention. 학평 응용
뇌는 새로운 발명의 세부 사항들을 처리할 시간이 필요하다.

파생 **detailed** 형 상세한
숙어 **in detail** 상세하게

0391 다의어

engage
[ingéidʒ]

동 1. 관여[참여]하다 2. (주의·관심을) 사로잡다 3. 약혼하다

Every aspect of human language has evolved to **engage** in conversation and social life. 학평 기출
인간 언어의 모든 측면은 대화와 사회 생활에 관여하도록 진화해 왔다.

He is very good at **engaging** the attention of the general public.
그는 일반 대중의 관심을 끄는 데 아주 능숙하다.

The heiress is **engaged** to her childhood friend.
상속녀는 어린 시절의 친구와 약혼했다.

내신 UP

Q4.
밑줄 친 단어의 뜻으로 알맞은 것은?

The celebrity couple naturally engages the public wherever they go.

① 관여하다
② 사로잡다
③ 약혼하다

0392

injured
[índʒərd]

형 1. 다친, 부상을 입은 2. 기분이 상한

The **injured** driver was taken to the hospital right away.
다친 운전자는 즉시 병원으로 실려갔다.

파생 **injure** 동 부상을 입다[입히다]
유의 **wounded** 형 부상을 입은
hurt 형 다친, 기분이 상한
반의 **uninjured** 형 다치지 않은

0393

fascinate
[fǽsənèit]

동 매혹하다, 마음을 사로잡다

The paintings of Rene Magritte **fascinate** me.
Rene Magritte의 그림은 나를 매료시킨다.

파생 **fascination** 명 매혹, 매력
fascinated 형 매혹[매료]된
유의 **attract** 동 매혹하다, (주의·관심 등을) 끌다
숙어 **be fascinated by** ~에 매혹되다

0394

trait
[treit]

명 특성, 특징

Successful investors seem to share common **traits.**
성공한 투자자들은 공통적인 특성을 지니는 것 같다.

유의 **characteristic** 명 특성, 특징
feature 명 특성, 특징

0395

litter
[lítər]

명 쓰레기
동 버리다, 어지럽히다

Participants will be transported by bus to clean up **litter**. 학평 기출
참가자들은 쓰레기 청소를 위해 버스를 타고 이동할 것이다.

유의 **garbage** 명 쓰레기
trash 명 쓰레기
rubbish 명 쓰레기
mess up 어지럽히다

0396

graduate
[grǽdʒəwət]

동 졸업하다
명 졸업자, 학사

After **graduating** from Cresco High School, she studied nursing. 학평 기출
Cresco 고등학교를 졸업한 후, 그녀는 간호학을 공부했다.

파생 **graduation** 명 졸업(식)
숙어 **graduate from** ~을 졸업하다

0397

various
[vέ(:)əriəs]

형 다양한, 여러 가지의

The animals no longer needed **various** brain functions in order to survive. 학평 응용
동물들은 더 이상 생존하기 위해 다양한 뇌 기능이 필요하지 않았다.

파생 **vary** 동 서로 다르다
variety 명 다양성, 각양각색
유의 **diverse** 형 다양한

고등 필수 숙어

0398

pass by

(~ 옆을) 지나가다, 지나치다

After I was sure he had **passed by**, I ran to the front door. 학평 기출
그가 지나간 것을 확인한 후, 나는 현관문으로 달려갔다.

Q5.
다음 빈칸에 알맞은 숙어는?

The school bus ___________ without stopping.

① passed by
② stood by
③ stopped by

0399

stand by

1. 대기하다 2. (방관·좌시하며) 가만히 있다

The stunt men **stood by** to receive instructions from the director.
스턴트맨들은 감독의 지시를 받기 위해 대기했다.

0400

stop by

(잠시) 들르다

A man from another state **stopped by** the store. 학평 기출
또 다른 주에서 온 남자가 가게에 들렀다.

Daily Test 10

정답 p. 351

A 우리말은 영어로, 영어는 우리말로 쓰시오.

01 평가하다, 산정하다 ____________

02 다양한, 여러 가지의 ____________

03 동정(심), 연민, 공감 ____________

04 국적, 국민(임) ____________

05 산들바람(이 불다), 미풍 ____________

06 환불(하다), 반환(하다) ____________

07 숨기다, 감추다 ____________

08 litter ____________

09 comprehend ____________

10 historical ____________

11 confident ____________

12 trait ____________

13 fascinate ____________

14 urgent ____________

B 빈칸에 알맞은 단어를 쓰시오. (필요시 형태를 바꿀 것)

서술형

01 People are concerned about the recent social p____________.
사람들은 최근의 사회 현상에 대해 염려하고 있다.

02 Even in prison, he continued to e____________ in the independence movement.
그는 교도소에 있을 때조차도, 독립 운동에 계속 관여했다.

03 She s____________ ____________ a nearby drugstore to buy painkillers.
그녀는 근처 약국에 들러 진통제를 구입했다.

C 각 단어의 유의어 혹은 반의어를 쓰시오.

01 동 dictate 유의 o____________

02 동 hire 반의 d____________

03 부 seldom 유의 r____________

04 동 scold 반의 p____________

05 형 injured 유의 w____________

06 형 humid 반의 d____________

내신에 더 강해지는 TEST DAY 06-10

A 각 영영풀이에 알맞은 단어를 <보기>에서 찾아 쓰시오.

<보기>	forecast	adequate	mature	sympathy	opponent

01 the feeling of being sorry for somebody ____________

02 to say what you think will happen in the future ____________

03 a person that you are playing or fighting against ____________

04 good enough or large enough for a particular purpose ____________

05 (of a person, a tree or an animal) fully grown and developed ____________

B 다음 빈칸에 공통으로 알맞은 단어를 고르시오.

01 • The bird used a warm air ____________ to soar high into the sky.
• You can maintain your ____________ weight through exercise.

① blow ② constant ③ balance ④ current

02 • The ____________ of the game is to improve children's math skills.
• No one could ____________ when the boss suggested the idea.

① object ② cause ③ prospect ④ influence

03 • The town was covered with a(n) ____________ layer of volcanic ash.
• This apartment is ____________ for two people, but not for more.

① fragile ② stable ③ fine ④ instant

정답 p. 351

C

다음 중 짝 지어진 단어의 관계가 나머지와 <u>다른</u> 하나를 고르시오.

01 ① forbid : permit ② delay : postpone ③ diligent : industrious

02 ① conceal : reveal ② heal : remedy ③ scold : praise

03 ① prison : imprison ② satisfy : dissatisfy ③ moral : immoral

04 ① prove : proof ② argue : argument ③ phenomenon : phenomena

05 ① hire : employ ② refuse : accept ③ progress : advance

D

우리말과 같은 의미가 되도록 <보기>의 단어를 이용하여 문장을 완성하시오. (필요시 형태를 바꿀 것)

<보기>	approve	apart from	participate	turn	nevertheless

01 그 일은 우리가 생각한 것보다 훨씬 더 어려운 것으로 드러났다.

→ The job ______________ out to be much harder than we thought.

02 대부분의 사람들은 공공장소에서의 흡연을 더 이상 찬성하지 않는다.

→ Most people no longer ______________ of smoking in public places.

03 그것은 어려운 경주이다. 그럼에도 불구하고 매년 약 천 명의 달리기 선수들이 참가한다.

→ It's a difficult race. ______________, about 1,000 runners ______________ every year.

VOCA CLEAR

DAY 11

시험에 더 강해지는 어휘

0401

academic
[ækədémik]

형 학업[학교]의, 학문의, 학구적인

People often confuse **academic** ability with intelligence.
사람들은 종종 학업 능력과 지능을 혼동한다.

파생 **academy** 명 학교, 교육 기관

0402

treasure
[tréʒər]

명 1. 보물 2. 매우 귀중한 것
동 소중히 하다

The museum is full of the greatest **treasures** of the world.
그 박물관은 전 세계의 가장 위대한 보물들로 가득 차 있다.

유의 **cherish** 동 소중히 하다

0403

willing
[wíliŋ]

형 기꺼이 ~하는, 자발적인

A person who is **willing** to take risks takes more chances on a motorcycle. 학평 기출
위험을 기꺼이 감수하는 사람은 오토바이를 탈 가능성이 더 높다.

파생 **willingness** 명 기꺼이 하기
willingly 부 기꺼이
반의 **unwilling** 형 마지못해 하는
숙어 **be willing to-v** 기꺼이 ~하다

0404

compromise
[kámprəmàiz]

동 타협하다, 절충하다
명 타협, 절충

It is our rule not to **compromise** with terrorists.
테러리스트들과 타협하지 않는 것이 우리의 규칙이다.

어원 plus+

com (together) + promise (약속하다) → 함께 약속하다 → 타협하다

유의 **negotiate** 동 협상하다
숙어 **compromise with[on]** ~와[~에 대해] 타협하다

0405

support
[səpɔ́ːrt]

동 1. 지지[지원]하다 2. 부양하다 3. 떠받치다
명 1. 지지[지원], 후원 2. 부양

These ideas have been **supported** by research on learning and development. 학평 응용
이러한 생각은 학습과 발달에 대한 연구에 의해 지지받아 왔다.

파생 **supporter** 명 지지자
supportive 형 지지[지원]하는
유의 **back** 동 지지하다, 후원하다
provide for ~을 부양하다

0406

fault
[fɔːlt]

명 1. 잘못, 과실 2. 결점

Which of the two drivers was at **fault** in the car crash?
두 운전자 중 어느 쪽이 그 자동차 사고에서 잘못했나요?

파생 **faulty** 형 결점이 있는, 그릇된
유의 **mistake** 명 잘못
flaw 명 결점, 흠
shortcoming 명 결점, 단점
숙어 **at fault** 잘못이 있는

0407

justify
[dʒʌ́stifài]

동 정당화하다

Nothing can **justify** such a rude behavior.
어떤 것도 그런 무례한 행동을 정당화할 수 없다.

파생 **justification** 명 정당화, 정당한 이유[사유]
유의 **warrant** 동 정당화하다

0408 다의어

faint
[feint]

동 기절하다
형 1. 희미한 2. 기절할 듯한

A few soldiers **fainted** in the hot sun.
뜨거운 태양 아래에서 군인 몇 명이 기절했다.

I heard a **faint** sound in the distance.
나는 멀리서 희미한 소리를 들었다.

내신 UP

Q1.
밑줄 친 단어의 뜻으로 알맞은 것은?

The only thing he could depend on was the faint light from the lantern.

① 기절할 듯한 ② 희미한

0409

radical
[rǽdikəl]

형 급진적인, 과격한
명 급진주의자

Protesters call for **radical** changes in education.
시위자들은 교육 제도에 있어서 급진적인 변화를 요구한다.

파생 **radicalism** 명 급진주의
유의 **extreme** 형 과격한, 극단적인
revolutionary 형 혁명적인
반의 **conservative** 형 보수적인 명 보수주의자

0410

convince
[kənvíns]

동 1. 확신시키다, 납득시키다 2. 설득하다

I was not fully **convinced** of how the outcome would be. 학평 응용
나는 결과가 어떨지에 대해 완전히 확신이 들지 않았다.

파생 **convincing** 형 설득력 있는
유의 **assure** 동 납득시키다
persuade 동 설득하다

0411

beast
[biːst]

명 짐승, 야수

Unicorns and dragons are **beasts** that appear in myths.
유니콘과 용은 신화에 등장하는 짐승이다.

유의 **animal** 명 짐승, 동물

0412

explain
[ikspléin]

동 1. 설명하다 2. 이유를 대다, 해명하다

The doctor **explained** the risks of the treatment to the patient.
의사는 환자에게 그 치료의 위험성을 설명했다.

파생 **explanation** 명 설명, 해명
유의 **account for** 설명하다
describe 동 (말로) 설명하다

0413

debate
[dibéit]

명 토론, 논의
동 토론하다, 논의하다

Their **debate** drew a great deal of media attention.
그들의 토론은 미디어의 큰 관심을 끌어냈다.

유의 **discussion** 명 토론
argument 명 논의, 논쟁
discuss 동 토론하다
argue 동 논의하다
숙어 **debate on[about]** ~에 대해 토론하다

0414 혼동어휘

considerable
[kənsídərəbl]

형 상당한, 꽤 많은

A **considerable** amount of sugar is needed to make this candy sweet.
상당한 양의 설탕이 이 사탕을 달콤하게 하는 데 필요하다.

0415 혼동어휘

considerate
[kənsídərit]

형 사려 깊은, 배려하는

It was **considerate** of you to fix my car for free.
제 차를 무료로 수리해 주시다니 사려 깊으세요.

내신 UP

Q2.
문맥상 알맞은 단어를 고르시오.

He has **[considerate / considerable]** expertise in stock investments.

0416

gather
[gǽðər]

동 모이다[모으다]

Everybody **gathered** around me and started congratulating me for my victory. 학평 기출
모든 사람이 내 주변에 모여 내 승리를 축하해 주기 시작했다.

파생 **gathering** 명 모임, 수집
유의 **assemble** 동 모이다[모으다]
collect 동 모으다
반의 **scatter** 동 흩어지다, 분산시키다

0417

poll
[poul]

명 1. 여론 조사 2. 투표
동 1. 여론 조사를 하다 2. 표를 얻다

A recent **poll** found that 80% of people support the policy.
최신 여론 조사에 따르면 80퍼센트의 사람들이 그 정책을 지지한다.

유의 **survey** 명 동 조사(하다)
vote 명 투표

0418

harmonize
[há:rmənàiz]

동 1. 조화를 이루다, 어울리다 2. 화음을 넣다

The wooden table **harmonizes** with the overall interior of this room.
그 나무 탁자는 이 방의 전반적인 인테리어와 조화를 이룬다.

파생 **harmony** 명 조화, 화음
유의 **coordinate** 동 조화시키다
match 동 어울리다
숙어 **harmonize with**
~와 조화를 이루다, 어울리다

0419

scholarship
[skálərʃip]

명 1. 장학금 2. 학문

I'm aiming to get a full **scholarship** next semester.
나는 다음 학기에 전액 장학금을 받는 것을 목표로 하고 있다.

0420

demand
[dimǽnd]

동 요구하다
명 1. 요구 2. 수요

It's obvious that the workers should **demand** higher wages.
노동자들이 더 높은 임금을 요구해야 하는 것이 분명하다.

파생 **demanding** 형 요구가 지나친
유의 **request** 명 동 요구(하다)
call for ~을 요구하다
반의 **supply** 명 동 공급(하다)
숙어 **on demand** 요구만 있으면 (언제든지)

0421 다의어

article
[á:rtikl]

명 1. 글, 기사 2. 물품 3. (조약·계약 등의) 조항

If you read a funny **article**, save the link in your bookmarks. 학평 기출
재미있는 기사를 읽으면 링크를 즐겨찾기에 저장하세요.

The shop sells household **articles** such as utensils and small appliances.
그 가게는 식기류와 소형 가전제품과 같은 가정용품을 판매한다.

Could you explain the key **articles** of the agreement?
합의서의 주요 조항을 설명해 주시겠어요?

내신 UP

Q3.
밑줄 친 단어의 뜻으로 알맞은 것은?

The magazine published an article on the dangers of being overweight.

① 물품 ② 기사 ③ 조항

0422

remarkable
[rimá:rkəbl]

형 주목할 만한, 놀랄 만한

The development of his company was **remarkable**.
그의 회사의 발전은 주목할 만한 것이었다.

파생 **remark** 명 주목
유의 **outstanding** 형 눈에 띄는
exceptional 형 특별한
반의 **ordinary** 형 평범한
unremarkable 형 평범한

0423

force
[fɔːrs]

동 강요하다, ~하게 하다
명 힘, 물리력

Technological development often **forces** change. 학평 기출
기술 발전은 종종 변화를 강요한다.

파생 **forceful** 형 강력한, 강제적인
유의 **compel** 동 강요하다
power 명 힘
숙어 **force A to-v**
A가 ~하도록 강요하다

0424

aspect
[ǽspekt]

명 1. 측면, 면 2. 양상, 모습

Although individual preferences vary, touch is an important **aspect** of many products. 학평 기출
개인의 선호는 다양하지만, 촉감은 많은 제품의 중요한 측면이다.

어원 plus +
a (toward, at) + spect (look) → ~쪽을 바라봄 → 측면, 면

유의 **side** 명 측면, 부분
feature 명 용모, 모습

0425

favorable
[féivərəbl]

형 1. 호의적인 2. 유리한

Reviews for his latest movie are generally **favorable.**
그의 최신 영화에 대한 평은 대체적으로 호의적이다.

파생 **favor** 명 호의, 친절
유의 **approving** 형 좋다고 여기는
advantageous 형 유리한
반의 **unfavorable** 형 호의적이 아닌, 불리한

0426

otherwise
[ʌ́ðərwàiz]

부 (만약) 그렇지 않으면

You'd better go now. **Otherwise** you'll miss the bus.
당신은 지금 가는 게 좋겠어요. 그렇지 않으면 버스를 놓칠 거예요.

유의 **or else** 그렇지 않으면

0427

sequence
[síːkwəns]

명 1. (일련의) 연속 2. 순서, 차례

The strange **sequence** of events made the crew nervous.
이상한 연속적인 사건들이 승무원들을 긴장시켰다.

파생 **sequential** 형 순차적인
유의 **succession** 명 연속
order 명 순서
숙어 **in sequence** 차례대로, 다음으로

0428

relax
[rilǽks]

동 쉬다, 긴장을 풀다

Just sit down and try to **relax** for half an hour.
그냥 앉아서 30분 동안 쉬도록 해라.

파생 **relaxation** 명 휴식, 기분 전환
relaxed 형 편안한, 느긋한
유의 **unwind** 동 긴장을 풀다

0429

neutral
[njú:trəl]

형 1. 중립의, 중립적인 2. (전기) 중성의

Doubt causes you to see positive and **neutral** experiences negatively. 학평 응용
의심은 긍정적이고 중립적인 경험들을 부정적으로 보게 한다.

파생 **neutralize** 동 중립화하다, 중화하다
neutrality 명 중립 (상태)
유의 **impartial** 형 공정한, 치우지지 않는
반의 **biased** 형 편향된

0430

mechanic
[məkǽnik]

명 정비사, 기계공

All the **mechanics** in this factory should wear safety gear.
이 공장의 모든 정비사들은 안전 장비를 착용해야 한다.

파생 **mechanism** 명 기계 장치
mechanical 명 기계의, 기계적인
유의 **technician** 명 기술자
repairman 명 수리공

0431 혼동어휘

intend
[inténd]

동 의도하다, ~할 작정이다

The mayor **intends** to stand for re-election next year.
그 시장은 내년에 재선에 출마할 작정이다.

내신 UP

Q4.
문맥상 알맞은 단어를 고르시오.

The court decided that he entered the building with **[intend / intent]** to steal.

0432 혼동어휘

intent
[intént]

명 의도
형 몰두하는, 열중하는

It was never my **intent** or purpose to hurt her.
그녀를 다치게 한 것은 결코 내 의도나 고의가 아니었다.

0433

occur
[əkɔ́:r]

동 1. 발생하다, 일어나다 2. (생각이) 떠오르다

When the point of impact **occurs**, this energy is released as sound waves. 학평 기출
충돌점이 발생하면, 이 에너지는 음파로 방출된다.

파생 **occurrence** 명 발생, 출현
유의 **happen** 동 발생하다
take place 일어나다
숙어 **occur to** ~에게 (생각이) 떠오르다

0434

cattle
[kǽtl]

명 ((복수 취급)) 소

None of us knew the leaves were harmful to **cattle**.
우리 중 누구도 그 잎이 소에게 해롭다는 것을 몰랐다.

0435

movement

[múːvmənt]

명 1. 움직임 2. (정치적·사회적) 운동

A very slow **movement** was detected inside the house.

집 안에서 아주 느린 움직임이 탐지되었다.

파생 **move** 동 움직이다, 옮기다

유의 **motion** 명 움직임

campaign 명 (정치적·사회적) 운동, 캠페인

0436

punish

[pʌ́niʃ]

동 처벌하다, 벌주다

He was **punished** for breaking the school regulations.

그는 학교 규정을 어겨 처벌받았다.

파생 **punishment** 명 처벌

유의 **discipline** 동 벌하다, 징계하다

반의 **praise** 동 칭찬하다

0437

dominant

[dɑ́mənənt]

형 지배적인, 우위를 차지하는

As the **dominant** species, humans are responsible for protecting nature.

지배적인 종으로서, 인간은 자연을 보호하는 데 책임이 있다.

파생 **dominate** 동 지배하다

domination 명 지배, 우세

유의 **governing** 형 지배하는

main 형 주요한, 주된

고등 필수 숙어

0438

fill out

~에 기입[작성]하다

Give me your email address, and I'll send you some documents to **fill out.** 학평 기출

이메일 주소를 알려 주세요, 그러면 작성할 몇 가지 서류들을 보내드리겠습니다.

0439

give out

1. ~을 나누어주다 2. 내다, 발산하다

The store **gave out** free gifts to attract people.

가게는 사람들을 끌기 위해 사은품을 나누어주었다.

0440

hand out

~을 나누어주다, 배부하다

His new part-time job is **handing out** advertisement flyers.

그의 새 아르바이트 업무는 광고 전단지를 나눠주는 것이다.

내신 UP

Q5.
다음 빈칸에 알맞은 숙어는?

I was told to __________ the form and submit it with my picture.

① fill out
② give out
③ hand out

Daily Test 11

정답 p. 352

A 우리말은 영어로, 영어는 우리말로 쓰시오.

01 여론 조사(를 하다), 투표 ______________

02 장학금, 학문 ______________

03 정당화하다 ______________

04 보물; 소중히 하다 ______________

05 잘못, 과실, 결점 ______________

06 사려 깊은, 배려하는 ______________

07 의도; 몰두하는 ______________

08 aspect ______________

09 neutral ______________

10 convince ______________

11 beast ______________

12 remarkable ______________

13 sequence ______________

14 dominant ______________

B 빈칸에 알맞은 단어를 쓰시오. (필요시 형태를 바꿀 것)

서술형

01 I'd better make a shopping list. O______________, I will waste my time.
나는 쇼핑 목록을 작성하는 게 좋겠다. 그렇지 않으면 시간을 낭비하게 될 것이다.

02 She f______________ while working in the garden and was taken to the hospital.
그녀는 정원에서 일하다가 기절해서 병원으로 옮겨졌다.

03 They will h______________ ______________ food and clothing to the earthquake victims.
그들은 지진 피해자들에게 음식과 의복을 나눠줄 예정이다.

C 각 단어의 유의어 혹은 반의어를 쓰시오.

01 명 debate 유의 d______________

02 동 demand 반의 s______________

03 형 favorable 유의 a______________

04 동 punish 반의 p______________

05 동 occur 유의 h______________

06 형 radical 반의 c______________

VOCA CLEAR
DAY 12

시험에 더 강해지는 어휘

0441

drag
[dræg]

동 1. 끌다, 끌고 가다 2. ((컴퓨터)) 드래그하다

The bed was so big that three men had to **drag** it.
그 침대는 매우 커서 남자 셋이 끌어야 했다.

유의 **pull** 동 끌다, 당기다
haul 동 (힘들여) 끌다

0442

celebrate
[séləbrèit]

동 1. 기념하다, 축하하다 2. 찬양하다, 기리다

The rest of team members are ready to **celebrate** their victory.
나머지 팀 멤버들은 승리를 축하할 준비가 되어 있다.

파생 **celebration** 명 기념[축하] 행사
celebrity 명 유명 인사
유의 **commemorate** 동 기념하다
congratulate 동 축하하다

0443

process
[prάses]

명 과정, 처리
동 처리하다, 가공하다

There is little you can do to speed this **process** up. 학평 기출
이 과정을 빨라지게 하기 위해 여러분이 할 수 있는 것은 거의 없다.

어원 plus+
pro (forward) + cess (go) → 앞으로 나아가는 것 → 과정

파생 **proceed** 동 (계속) 진행하다
procedure 명 과정, 절차
숙어 **be processed into** ~으로 가공되다

0444

administration
[ədmìnistréiʃən]

명 1. 관리, 행정 (업무), 행정부 2. 집행

The college wasted a lot of money through poor **administration**.
그 대학은 엉터리 행정으로 많은 돈을 낭비했다.

파생 **administer** 동 관리하다, 집행하다
유의 **management** 명 관리, 경영

0445

impressive
[imprésiv]

형 인상적인, 감명 깊은

The soprano's debut performance was very **impressive**.
그 소프라노의 데뷔 공연은 매우 인상적이었다.

파생 **impress** 동 깊은 인상을 주다
impression 명 인상, 감명
유의 **magnificent** 형 감명 깊은
반의 **unimpressive** 형 인상적이 아닌

0446

violent
[váiələnt]

형 1. 폭력적인, 난폭한 2. 격렬한, 맹렬한

Violent crime has increased by 15 percent in the last 5 years.
잔혹 범죄가 지난 5년간 15퍼센트 증가했다.

파생 **violence** 명 폭력, 격렬함
유의 **brutal** 형 난폭한, 잔인한
fierce 형 격렬한, 맹렬한
반의 **gentle** 형 온화한, 순한

0447 혼동어휘

sew
[sou]

동 바느질하다, 꿰매다

It'll take more than 10 minutes to **sew** these buttons on.
이 단추들을 꿰매는 데 10분 이상 걸릴 것이다.

내신 UP

Q1.
문맥상 알맞은 단어를 고르시오.

These pants are quite difficult to **[saw / sew]** because the fabric is tough.

0448 혼동어휘

saw
[sɔː]

명 톱
동 톱질하다

The carpenter balanced the chair using the **saw**.
목수는 톱을 사용해서 의자의 균형을 맞추었다.

0449 혼동어휘

sow
[sau]

동 (씨를) 뿌리다, 심다

The elderly lady plans to **sow** sunflower seeds in this garden.
노부인은 이 정원에 해바라기 씨를 뿌릴 계획이다.

0450

mobile
[móubəl]

형 이동식의, 움직임이 자유로운

The equipment is not **mobile** due to its size and weight.
그 장비는 크기와 무게 때문에 움직일 수 없다.

파생 **mobilize** 동 동원되다
mobility 명 이동성, 기동성
유의 **movable** 형 이동할 수 있는
반의 **immobile** 형 움직일 수 없는

0451

company
[kʌ́mpəni]

명 1. 회사 2. 동료, 일행 3. 동반, 동석

We request you to create the logo that best suits our **company**'s core vision. 학평 기출
저희 회사의 핵심 비전을 가장 잘 반영한 로고를 제작해 주시기를 요청합니다.

유의 **corporation** 명 회사
firm 명 회사
숙어 **in company with** ~와 함께

0452

reality
[ri(:)ǽləti]

명 현실, 실제, 사실

Her dream of being an astronaut became a **reality**.
우주 비행사가 되겠다는 그녀의 꿈은 현실이 되었다.

파생 real 형 현실의, 실제의
유의 actuality 명 현실, 실제
반의 fantasy 명 환상, 허상
숙어 in reality 사실은, 실제로는

0453

apparent
[əpǽrənt]

형 1. 분명한, 명백한 2. 외관상의, 겉보기의

The urgency of innovation was **apparent**. 학평 기출
혁신의 다급함은 명백했다.

파생 apparently 부 명백히, 보기에
유의 obvious 형 분명한, 명백한
evident 형 분명한
seeming 형 외관상의, 겉보기의
반의 obscure 형 불분명한

0454

undergo
[ʌ̀ndərgóu]

동 겪다[받다], 경험하다

He had to **undergo** three tests to get the job.
그는 일자리를 얻기 위해 세 번의 테스트를 받아야 했다.

유의 experience 동 경험하다
go through 겪다

0455

fee
[fiː]

명 1. 수수료 2. 요금

Customers pay a monthly **fee** for the service.
고객들은 그 서비스에 대해 매월 수수료를 지불한다.

유의 charge 명 요금

0456

collective
[kəléktiv]

형 집단의, 공동의

To conserve the natural environment is our **collective** responsibility.
자연 환경을 보존하는 것은 우리 공동의 책임이다.

파생 collect 동 모으다, 수집하다
collection 명 수집(품)
유의 common 형 공동의
반의 individual 형 개인의, 개별의

0457

advise
[ədváiz]

동 충고하다, 조언하다

Doctors **advise** students not to skip breakfast.
의사들은 학생들에게 아침밥을 거르지 말라고 조언한다.

파생 advice 명 조언, 충고
adviser 명 조언자, 고문
유의 recommend 동 권고하다
숙어 advise A to-v
A에게 ~하도록 조언하다

0458

notice
[nóutis]

동 1. 알아차리다 2. 주목하다
명 1. 통지(서) 2. 주목 3. 게시물

Shirley **noticed** a truck parked in front of the house across the street. 학평 기출
Shirley는 트럭 한 대가 길 건너편 집 앞에 주차된 것을 알아차렸다.

파생 **notify** 동 알리다, 통지하다
notification 명 통지(서)
noticeable 형 눈에 띄는, 주목할 만한

0459

territory
[térito̍ːri]

명 1. 지역, 영토 2. 영역

Invading another country's **territory** will likely lead to war.
다른 국가의 영토를 침범하는 것은 전쟁으로 이어질 수 있다.

파생 **territorial** 형 영토의
유의 **district** 명 지역, 구역
region 명 지역, 영역

0460 다의어

figure
[fígjər]

명 1. 숫자, ((-s)) 수치 2. 모습, 형상 3. 몸매 4. 인물 5. 도표, 도형
동 1. 생각하다, 판단하다 2. 계산하다

The labor union is asking for a double-**figure** pay raise.
노동조합은 두 자릿수 임금 인상을 요구하고 있다.

They were watching the tall **figure** approaching in the dark.
그들은 어둠 속에서 다가오는 키 큰 형상을 지켜보고 있었다.

I **figured** I'd just get a replacement battery. 학평 기출
나는 그저 교체용 배터리를 사야겠다고 생각했다.

내신 UP

Q2.
밑줄 친 단어의 뜻으로 알맞은 것은?

Walter is a leading figure in the electronic vehicle industry.

① 숫자 ② 도표 ③ 인물

0461

escape
[iskéip]

동 탈출하다, 달아나다
명 탈출, 도망

I had to jump off the building to **escape** the fire.
나는 불길을 피하기 위해 건물에서 뛰어내려야 했다.

파생 **escapable** 형 도망칠 수 있는
유의 **flee** 동 달아나다
get away 벗어나다
숙어 **escape from** ~에서 달아나다

0462

casual
[kǽʒuəl]

형 1. 무심한 2. 평상시의 3. 우연한

My **casual** comment about her work upset her.
그녀의 작품에 대해 내가 무심코 한 말이 그녀를 화나게 했다.

파생 **casually** 부 무심코, 우연히
유의 **indifferent** 형 무관심한
accidental 형 우연한

0463

handle
[hǽndl]

동 다루다, 처리하다
명 손잡이

This horse is quite difficult to **handle**.
이 말은 다루기에 상당히 어렵다.

파생 handling 명 처리, 취급
유의 deal with 처리하다
manage 동 다루다, 처리하다

0464

risk
[risk]

명 위험(성), 손해 가능성
동 위태롭게 하다, 감행하다

Anything of value requires that we take a **risk** of failure. 학평 기출
가치 있는 것은 어떤 것이든 우리가 실패할 위험을 감수할 것을 요구한다.

파생 risky 형 위험한, 무모한
유의 danger 명 위험
venture 동 감행하다
숙어 take a risk 위험을 감수하다

0465 혼동어휘

personal
[pə́rsənəl]

형 1. 개인의, 개인적인 2. 사적인

We can't consider everyone's **personal** preference.
우리는 모든 사람들의 개인적 선호를 고려할 수는 없다.

내신 UP

Q3.
문맥상 알맞은 단어를 고르시오.
Jonathan always tries not to mix **[personnel / personal]** emotions with business.

0466 혼동어휘

personnel
[pə̀ːrsənél]

명 1. (총)인원, (전) 직원 2. 인사과

We need more police, fire, and emergency medical **personnel**.
우리는 더 많은 경찰, 소방, 응급 의료 직원들이 필요하다.

0467

arrange
[əréindʒ]

동 1. 정리하다, 배열하다 2. 준비하다 3. 편곡하다

The books are **arranged** alphabetically by name of the author.
책들은 저자의 이름에 따라 알파벳순으로 배열되어 있다.

파생 arrangement 명 정리, 배열, 준비
유의 organize 동 정리하다, 준비하다
반의 disarrange 동 어지럽히다

0468

device
[diváis]

명 장치, 기기

The above graph shows Americans' average daily Internet usage time by **device**. 학평 기출
위 그래프는 미국인들의 하루 평균 인터넷 사용 시간을 기기별로 보여준다.

파생 devise 동 고안하다, 창안하다
유의 instrument 명 도구, 기구

0469

review
[rivjúː]

명 1. (재)검토 2. 논평 3. 복습
동 1. 재검토하다 2. 논평하다 3. 복습하다

A thorough **review** of the policy is required.
그 정책에 대한 철저한 검토가 필요하다.

파생 reviewer 명 검토자, 논평가
유의 examine 동 검토하다

0470

hasten
[héisən]

동 1. 서두르다 2. 재촉하다, 앞당기다

Volunteers **hastened** to find homes for the abandoned dogs.
자원봉사자들이 유기견을 위한 거처를 찾기 위해 서둘렀다.

파생 haste 명 서두름, 급함
유의 hurry 동 서두르다
반의 slow down 늦추다

0471

depth
[depθ]

명 1. 깊이 2. 심도

Do you know how to measure the **depth** of the ocean?
바다의 깊이를 어떻게 재는지 알고 있습니까?

파생 deep 형 깊은
deepen 동 깊게 하다
숙어 in depth 상세히, 심도 있게

0472

oval
[óuvəl]

형 타원형의, 계란형의
명 타원형, 계란형

They bought an **oval** wooden table for the dining room.
그들은 식당에 놓을 타원형의 나무 탁자를 샀다.

0473

perceive
[pərsíːv]

동 인지[감지]하다, 알아차리다

Color can impact how you **perceive** weight. 학평 기출
색상은 당신이 무게를 인식하는 방식에 영향을 줄 수 있다.

어원 plus+

per (thoroughly: 철저히) + ceive (grasp: 파악하다) → 철저히 파악하다 → 인지하다, 알아차리다

파생 perception 명 지각, 인식
perceptive 형 지각의, 통찰력 있는
유의 recognize 동 인지하다
notice 동 알아차리다

0474

ecosystem
[ékousìstəm]

명 생태계

Hydropower dams have an impact on aquatic **ecosystems**. 학평 기출
수력 발전 댐은 수생 생태계에 영향을 미친다.

0475

borrow
[bɑ́rou]

동 (물건·돈 등을) 빌리다

You can **borrow** magazines from the local library.
지역 도서관에서 잡지를 빌릴 수 있다.

반의 lend 동 빌려주다
숙어 borrow A from B A를 B에게서 빌리다

0476

ideal
[aidí(:)əl]

형 이상적인, 완벽한
명 이상

Most of us set bedroom temperatures higher than are **ideal** for good sleep. 학평 기출
우리들 대부분은 침실 온도를 숙면에 이상적인 온도보다 높게 설정한다.

파생 idealize 동 이상화하다
idealistic 형 이상(주의)적인
유의 perfect 형 이상적인, 완벽한
반의 real 명 형 현실(적인)

0477

civilization
[sìvəlizéiʃən]

명 문명 (세계)

He read an article on ancient **civilizations.**
그는 고대 문명에 대한 글을 읽었다.

파생 civilize 동 문명화하다

고등 필수 숙어

0478

get rid of

~을 제거하다, 처리하다

If you want to focus, **get rid of** distractions such as the TV, the Internet, and e-mail. 학평 응용
집중하고 싶다면 TV, 인터넷, 이메일과 같은 방해 요소를 제거하라.

내신 UP 

Q4.
다음 빈칸에 알맞은 숙어는?

My family likes dogs, so I can ________ your dog while you are away.

① get rid of
② get in the way of
③ take care of

0479

get in the way of

~을 방해하다, ~의 방해가 되다

Competition can **get in the way of** creativity and innovation.
경쟁이 창의성과 혁신을 방해할 수 있다.

0480

take care of

~을 돌보다

She suggested that nurses should **take care of** passengers during flights. 학평 기출
그녀는 비행하는 동안 간호사가 승객들을 돌봐야 한다고 제안했다.

Daily Test 12

정답 p. 352

A 우리말은 영어로, 영어는 우리말로 쓰시오.

01 수수료, 요금 ________
02 문명 (세계) ________
03 톱; 톱질하다 ________
04 장치, 기기 ________
05 생태계 ________
06 탈출하다, 달아나다 ________
07 (씨를) 뿌리다, 심다 ________
08 perceive ________
09 celebrate ________
10 personnel ________
11 collective ________
12 administration ________
13 process ________
14 territory ________

B 빈칸에 알맞은 단어를 쓰시오. (필요시 형태를 바꿀 것)

서술형

01 The writer requires a lot of p________ space and doesn't like anyone invading it.
그 작가는 많은 개인 공간을 필요로 하고 누구도 그것을 침해하는 것을 좋아하지 않는다.

02 He h________ to deliver all of his packages so that he could end his shift early.
그는 근무를 일찍 끝낼 수 있도록 짐을 모두 배달하는 것을 서둘렀다.

03 Many people g________ ________ ________ unwanted items by selling them at flea markets.
많은 사람들은 벼룩시장에서 불필요한 물건을 판매해서 그것들을 처리한다.

C 각 단어의 유의어 혹은 반의어를 쓰시오.

01 동 undergo 유의 e________
02 동 arrange 반의 d________
03 동 drag 유의 p________
04 형 apparent 반의 o________
05 형 violent 유의 f________
06 명 reality 반의 f________

VOCA CLEAR

DAY 13

시험에 더 강해지는 어휘

0481

supply
[səplái]

동 공급하다
명 1. 공급 2. ((-s)) 보급품

One such emergency involved a leak in the pipe **supplying** water. 학평 기출
그러한 비상사태 중 하나는 물을 공급하는 파이프가 새는 경우를 포함했다.

파생 **supplier** 명 공급자
유의 **provide** 동 공급하다
숙어 **supply A to B** A를 B에게 공급하다
supply B with A B에게 A를 공급하다

0482

official
[əfíʃəl]

형 공식적인
명 공무원, 관리

The minister is on an **official** visit to Austria.
장관은 오스트리아를 공식 방문 중이다.

파생 **office** 명 사무실, 공직
officially 부 공식적으로
반의 **unofficial** 형 비공식적인

0483 다의어

term
[təːrm]

명 1. 용어, 말 2. 기간 3. 학기 4. ((-s)) 조건 5. ((-s)) 관계, 사이

Keep in mind to talk to yourself in positive **terms.** 학평 기출
스스로에게 긍정적인 말로 이야기할 것을 명심하라.

No president can resolve everything during his or her **term** in office.
어떤 대통령도 임기 동안 모든 것을 해결할 수 없다.

I will take a year off after this **term.**
나는 이번 학기 후에 1년간 휴학할 예정이다.

내신 UP

Q1.
밑줄 친 단어의 뜻으로 알맞은 것은?

One of the employees refused to accept the new payment terms.

① 용어 ② 조건 ③ 관계

0484

humble
[hʌ́mbl]

형 1. 겸손한 2. 미천한, 변변치 않은

You need to have a **humble** attitude in order to be respected.
당신은 존경받기 위해 겸손한 태도를 가져야 한다.

파생 **humbly** 부 겸허하게
유의 **modest** 형 겸손한
반의 **arrogant** 형 오만한

0485

suit
[s(j)uːt]

명 1. 정장, 한 벌 2. 소송
동 잘 맞다, 어울리다

He wore a black **suit** to the business meeting.
그는 업무 미팅에 검은색 정장을 입었다.

파생 **suitable** 형 적합한, 적절한
유의 **lawsuit** 명 고소, 소송
go with 어울리다

0486

horror
[hɔ́(:)rər]

명 공포, 무서움

People watched in **horror** as the building went up in flames.
사람들은 공포에 질려 그 건물이 화염에 불타고 있는 모습을 지켜봤다.

파생 **horrify** 동 소름 끼치게 하다
horrible 형 무서운, 소름 끼치는
유의 **terror** 명 공포, 두려움
숙어 **in horror** 무서워서, 오싹하여

0487

bite
[bait]

동 물다, 물어뜯다
명 한 입

The children were badly **bitten** by mosquitoes.
아이들이 모기에 심하게 물렸다.

0488

erupt
[irʌ́pt]

동 분출하다, 폭발하다

Scientists are unable to predict exactly when a volcano will **erupt**.
과학자들은 화산이 언제 폭발할지 정확히 예측할 수 없다.

어원 plus+
e (out) + rupt (break) → (갑자기) 밖으로 터져 나오다 → 분출하다

파생 **eruption** 명 분출, 폭발
유의 **explode** 동 폭발하다
burst 동 터지다, 폭발하다

0489

peak
[pi:k]

명 1. 산봉우리 2. 정점, 절정
동 절정에 이르다

The **peaks** are still covered with snow.
그 산봉우리들은 여전히 눈으로 덮여 있다.

유의 **top** 명 꼭대기, 정상

0490

select
[silékt]

동 선택하다, 선발하다
형 엄선된

He **selected** three of the cutest lambs from his farm. 학평 기출
그는 그의 농장에서 가장 귀여운 양 세 마리를 선택했다.

파생 **selection** 명 선택, 선발
selective 형 선택[선별]적인
유의 **choose** 동 선택하다
pick 동 선택하다, 고르다

0491

fatigue
[fətí:g]

명 피로, 피곤

In the end, you get a headache, **fatigue** or depression – or even disease. 학평 기출
결국엔 두통, 피로, 우울증, 심지어는 질병까지 얻게 된다.

유의 **tiredness** 명 피로
exhaustion 명 탈진

0492

symbol
[símbəl]

명 1. 상징, 상징물 2. 기호, 부호

It's like the ancient **symbol** depicting a snake or dragon eating its own tail. 학평 응용
그것은 자신의 꼬리를 먹는 뱀이나 용을 그린 고대 상징물과도 같다.

파생 **symbolize** 동 상징하다
symbolic 형 상징적인
유의 **emblem** 명 상징
sign 명 기호, 부호
숙어 **a symbol of** ~의 상징

0493 혼동어휘

expand
[ikspǽnd]

동 확대[확장]하다, 팽창시키다

The company is focusing on **expanding** its operations.
그 회사는 사업 확장에 집중하고 있다.

0494 혼동어휘

expend
[ikspénd]

동 (시간·노력·돈 등을) 들이다, 소비하다

Goals motivate people to **expend** time and effort.
목표는 사람들로 하여금 시간과 노력을 들이도록 동기를 부여한다.

내신 UP

Q2.
문맥상 알맞은 단어를 고르시오.

The calories you take in must equal the calories you **[expend / expand]**.

0495

responsible
[rispánsəbl]

형 책임이 있는, 책임감 있는

Parents are **responsible** for providing their children with the basic necessities of life. 학평 응용
부모는 자신의 아이들에게 기본적 생필품을 제공할 책임이 있다.

파생 **responsibility** 명 책임
유의 **accountable** 형 책임이 있는
liable 형 책임 있는
반의 **irresponsible** 형 무책임한
숙어 **be responsible for**
~에 책임이 있다

0496

contrary
[kántreri]

형 반대되는, 반대의
명 반대되는 것

Contrary to the weather forecast, it rained all day.
일기 예보와는 반대로 하루 종일 비가 왔다.

유의 **opposite** 형 반대의
숙어 **contrary to** ~와 반대로
on the contrary 그 반대로, 오히려

0497

vacuum
[vǽkjuəm]

명 진공 (상태)
동 진공청소기로 청소하다

Sound does not travel in a **vacuum**.
소리는 진공 상태에서 이동하지 않는다.

파생 **vacuous** 형 텅 빈, 공허한
유의 **void** 명 빈 공간

0498

controversial
[kὰntrəvə́ːrʃəl]

형 논란이 많은, 논쟁의 여지가 있는

Euthanasia is a highly **controversial** issue.
안락사는 매우 논란이 많은 문제이다.

파생 **controversy** 명 논란
유의 **arguable** 형 논쟁의 소지가 있는
disputable 형 논란의 여지가 있는

0499

gender
[dʒéndər]

명 성, 성별

We live in a society where **gender** roles are not as strict as in prior generations. 학평 기출
우리는 이전 세대만큼 성 역할이 엄격하지 않은 사회에 살고 있다.

0500

experience
[ikspí(ː)əriəns]

동 겪다, 경험하다
명 경험

You may **experience** some dizziness after taking the medicine.
약을 복용한 후 약간의 어지러움을 경험할 수도 있다.

파생 **experienced** 형 경험 있는, 노련한
유의 **undergo** 동 겪다, 경험하다

0501 다의어

due
[djuː]

형 1. (~하기로) 예정된 2. 지불 기일이 된
3. ~으로 인한, ~ 때문에 ((to))

Tony is **due** to arrive tonight.
Tony는 오늘 밤에 도착할 예정이다.

The final payment for the cruise tour is **due** on December 2.
크루즈 여행에 대한 마지막 지불 기일은 12월 2일이다.

My hands were trembling **due** to anxiety. 학평 기출
내 손은 염려 때문에 떨리고 있었다.

내신 UP

Q3.
밑줄 친 단어의 뜻으로 알맞은 것은?

We're not sure if the accident was due to the carelessness of the driver.

① 예정된
② 지불 기일이 된
③ ~으로 인한

0502

prohibit
[prouhíbit]

동 1. 금지하다 2. ~하지 못하게 하다

The import of these products is strictly **prohibited** by law.
이 제품들의 수입은 법으로 엄격히 금지되어 있다.

파생 **prohibition** 명 금시
유의 **forbid** 동 금지하다
prevent 동 ~하지 못하게 하다
반의 **permit** 동 허가하다
숙어 **prohibit A from B**
A가 B하는 것을 금지하다

0503

calculate
[kǽlkjəlèit]

동 1. 계산하다, 산출하다 2. 추정하다

Use the formula to **calculate** the volume of the container.
용기의 부피를 계산하기 위해 공식을 이용해라.

파생 calculation 명 계산
calculator 명 계산기
유의 estimate 동 추정하다
반의 miscalculate 동 잘못 계산하다

0504

odor
[óudər]

명 냄새, 악취

There was an unpleasant **odor** coming from the factory all week.
한 주 내내 공장에서 불쾌한 냄새가 났다.

파생 odorless 형 무취의
유의 smell 명 냄새

0505 혼동어휘

industrial
[indʌ́striəl]

형 산업의, 공업의

Farm and **industrial** jobs had slowly dried up, and nothing had replaced them. 학평 기출
농장과 산업 일자리들이 서서히 고갈되었고, 아무것도 그것들을 대체하지 못했다.

내신 UP

Q4.
문맥상 알맞은 단어를 고르시오.

These cleaning products are for **[industrial / industrious]** use only.

0506 혼동어휘

industrious
[indʌ́striəs]

형 부지런한, 근면한

Most of the students at the college were serious and **industrious**.
그 대학의 학생들 대부분은 진중하고 부지런했다.

0507

assure
[əʃúər]

동 보증[보장]하다, 장담하다

We can **assure** you that she's perfectly safe.
그녀가 매우 안전하다는 것을 장담할 수 있습니다.

파생 assurance 명 보장
assured 형 보증된
유의 ensure 동 보장하다
guarantee 동 보장하다

0508

simplicity
[simplísəti]

명 단순함, 간단함

Simplicity is a necessary virtue when you write an objective article.
단순함은 객관적인 기사를 쓸 때 필수적인 미덕이다.

파생 simple 형 단순한
반의 complexity 명 복잡함

0509

distinguish
[distíŋgwiʃ]

동 구별하다, 식별하다

I found it hard to **distinguish** between friend and enemy.
나는 친구와 적을 구별하는 것이 어렵다는 것을 알게 되었다.

유의 differentiate 동 구별하다
숙어 distinguish A from B A와 B를 구별하다

0510

lately
[léitli]

부 최근에, 요즈음

There have been many impressive fantasy movies **lately**.
최근에 인상적인 판타지 영화들이 많았다.

파생 late 형 늦은 부 늦게
유의 recently 부 최근에

0511

alien
[éiljən]

형 1. 낯선, 생경한 2. 외국의, 외래의
명 1. 체류 외국인 2. 외계인

When I first went to Cambodia, it all felt very **alien** to me.
캄보디아에 처음 갔을 때 모든 것이 내게 무척 낯설게 느껴졌다.

유의 unfamiliar 형 낯선, 생소한
foreign 형 외국의
반의 familiar 형 친숙한

0512

recall
[rikɔ́ːl]

동 1. 기억해 내다 2. 회수[리콜]하다
명 1. 기억(해 냄) 2. 회수

I can clearly **recall** where I saw them.
나는 어디서 그들을 봤는지 정확하게 기억해 낼 수 있다.

유의 recollect 동 기억해 내다
remember 동 기억나다
evoke 동 (기억을) 떠올리다

0513

astronaut
[ǽstrənɔ̀ːt]

명 우주 비행사

They finally succeeded in sending **astronauts** into space.
그들은 마침내 우주 비행사들을 우주로 보내는 데 성공했다.

어원 plus+
astro (star) + naut (sailor: 선원) → 별 사이를 항해하는 선원 → 우주 비행사

유의 spaceman 명 우주 비행사

0514

majority
[mədʒɔ́(ː)rəti]

명 대다수, 과반수

The third sign showed the **majority** of guests reused their towels. 학평 기출
세 번째 표지판은 대다수의 손님들이 수건을 재사용했다는 것을 보여 주었다.

파생 major 형 대다수의, 주요한
반의 minority 명 소수
숙어 a majority of 다수의

0515

grip
[grip]

명 꽉 잡음, 움켜쥠
동 꽉 잡다, 움켜잡다

The streets were crowded, so she kept a tight **grip** on her bag.
거리가 붐벼서 그녀는 가방을 꽉 잡고 있었다.

유의 **grasp** 명 움켜잡기 동 움켜잡다
seize 동 꽉 잡다
반의 **release** 동 놓아주다

0516

mental
[méntəl]

형 정신의, 마음의

Thoughts such as "I'm a failure" can be **mental** traps not rooted in truth. 학평 응용
'나는 실패자야'와 같은 생각들은 사실에 뿌리를 두고 있지 않은 정신적 덫이 될 수 있다.

파생 **mentality** 명 사고방식, 심리
mentally 부 정신적으로
반의 **physical** 형 육체의

0517

illustrate
[íləstrèit]

동 1. (실례·도해를 써서) 설명하다 2. 삽화를 넣다

This video clip **illustrates** how the new service will work.
이 영상은 새로운 서비스가 어떻게 작동될 것인지를 설명한다.

파생 **illustration** 명 삽화
illustrator 명 삽화가
유의 **explain** 동 설명하다
describe 동 묘사하다

고등 필수 숙어

0518

call off

취소하다, 중지하다

He had to **call off** the camping trip because of the weather.
그는 날씨 때문에 캠핑 여행을 취소해야 했다.

Q5.
다음 빈칸에 알맞은 숙어는?

To save electricity, we have to ___________ the lights when we leave the room.

① call off
② put off
③ turn off

0519

put off

~을 연기하다, 늦추다

You can't **put** the decision **off** any longer.
너는 그 결정을 더 이상 미룰 수 없다.

0520

turn off

(전기 등을) 끄다, 잠그다

Some students **turn off** the TV when doing their homework. 학평 응용
몇몇 학생들은 숙제를 할 때 TV를 끈다.

Daily Test 13

정답 p. 352

A 우리말은 영어로, 영어는 우리말로 쓰시오.

01 냄새, 악취 ____________
02 정신의, 마음의 ____________
03 우주 비행사 ____________
04 피로, 피곤 ____________
05 산업의, 공업의 ____________
06 구별하다, 식별하다 ____________
07 선택하다; 엄선된 ____________
08 bite ____________
09 suit ____________
10 official ____________
11 controversial ____________
12 expand ____________
13 erupt ____________
14 vacuum ____________

B 빈칸에 알맞은 단어를 쓰시오. (필요시 형태를 바꿀 것)

서술형

01 We can c____________ the surface area of Mars by using the formula.
우리는 공식을 사용하여 화성의 표면적을 계산할 수 있다.

02 Today Koreans e____________ much more on food delivery than people in other countries.
오늘날 한국 사람들은 다른 나라의 사람들보다 음식 배달에 훨씬 더 많은 돈을 소비한다.

03 They had to c____________ ____________ their performance because of the spread of the infectious disease.
전염병의 확산으로 인해 그들은 공연을 취소해야 했다.

C 각 단어의 유의어 혹은 반의어를 쓰시오.

01 부 lately 유의 r____________
02 동 prohibit 반의 p____________
03 형 humble 유의 m____________
04 명 majority 반의 m____________
05 형 contrary 유의 o____________
06 명 simplicity 반의 c____________

VOCA CLEAR

DAY 14

0521

attach
[ətǽtʃ]

동 **붙이다, 첨부하다**

Attach a recent photograph to your application form.
지원서에 최근 사진을 붙이세요.

시험에 더 강해지는 어휘

파생 **attachment** 명 부착, 애착, 첨부 (문서)
유의 **add** 동 추가하다, 덧붙이다
반의 **detach** 동 떼다, 분리하다

0522

impact
[ímpækt]

명 **영향, 충격**
동 [impǽkt] **영향[충격]을 주다**

Her **impact** on pop culture and fashion will never be forgotten.
대중문화와 패션에 미친 그녀의 영향은 결코 잊혀지지 않을 것이다.

유의 **effect** 명 영향
affect 동 영향을 주다
influence 명 동 영향(을 미치다)
숙어 **have an impact on** ~에 영향을 주다

0523

evident
[évidənt]

형 **분명한, 명백한**

It is **evident** that they have no experience in this type of work.
그들이 이런 종류의 일에 경험이 전혀 없는 것이 분명하다.

파생 **evidence** 명 증거(물)
evidently 부 분명히
유의 **obvious** 형 분명한, 명백한
clear 형 분명한, 명백한

0524 다의어

tear
[teər]

동 **찢다, 찢어지다**
명 [tiər] **1. 눈물 2. 찢어진 곳**

She **tore** open the envelope to pull out the winner's name. 학평 기출
그녀는 봉투를 찢어 열고 우승자의 이름을 꺼냈다.

He laughed until a **tear** ran down his face.
그는 얼굴에 눈물이 흘러내릴 때까지 웃어 댔다.

내신 UP

Q1.
밑줄 친 단어의 뜻으로 알맞은 것은?

The letter the young soldier wrote to his wife in 1940 moves its readers to tears.

① 찢다 ② 눈물

0525

priority
[praiɔ́(:)rəti]

명 **우선 사항, 우선(권)**

It's our first **priority** to capture the criminal alive.
그 범인을 생포하는 것이 우리의 최우선 사항이다.

파생 **prioritize** 동 우선순위를 매기다
prior 형 우선하는, 사전의

0526

generous
[dʒénərəs]

형 관대한, 너그러운, 후한

Roberta was **generous** with her money, often paying for the meals of others.
Roberta는 돈에 후해서, 자주 다른 사람들의 식사비를 지불했다.

파생 **generosity** 명 관대
generously 부 관대하게
유의 **beneficent** 형 인정 많은
lavish 형 후한, 아끼지 않는
반의 **mean** 형 인색한, 째째한

0527 혼동어휘

ethic
[éθik]

명 윤리

His strong work **ethic** earned him the trust of his team.
그는 강한 직업 윤리로 팀의 신뢰를 얻었다.

내신 UP

Q2.
알맞은 단어를 고르시오.

The nations passed the law to protect **[ethic / ethnic]** minorities.

0528 혼동어휘

ethnic
[éθnik]

형 인종의, 민족의, 종족의

It is our priority to stop **ethnic** violence.
민족간 폭력을 멈추는 것이 우리의 우선 사항이다.

0529

rob
[rɑb]

동 훔치다, 강탈하다

He was **robbed** of his laptop in an instant.
그는 순식간에 노트북을 도둑맞았다.

파생 **robbery** 명 강도 (사건)
robber 명 강도
유의 **steal** 동 훔치다
deprive 동 빼앗다
숙어 **rob A of B**
A에게서 B를 훔치다

0530

creature
[kríːtʃər]

명 1. 생물 2. 사람

A few of these wonderful **creatures** can sometimes make us sick. 학평 기출
이 멋진 생물들 중 일부는 때때로 우리를 아프게 할 수도 있다.

파생 **create** 동 창조하다
유의 **living thing** 살아 있는 것
being 명 존재(물), 생물

0531

encounter
[inkáuntər]

동 1. 우연히 만나다 2. 직면하다
명 (뜻밖의) 만남, 접촉

He **encountered** a friend from high school on his way home.
그는 집에 오는 길에 우연히 고등학교 시절의 친구를 만났다.

유의 **come across** 우연히 만나다
run into 우연히 마주치다
confront 동 직면하다

0532

bomb
[bɑm]

명 폭탄
동 폭파하다, 폭격하다

The **bomb** went off at 9:30 in the morning.
아침 9시 반에 폭탄이 터졌다.

유의 explosive 명 폭발물, 폭약
blow up 폭파하다

0533

maintain
[meintéin]

동 1. 유지하다, 지속하다 2. 주장하다 3. 부양하다

She has **maintained** her position as the world's top golfer.
그녀는 세계 정상 골퍼로서의 자신의 자리를 유지했다.

어원 plus+

main (hand) + tain (hold) → 손으로 잡고 있다 → 유지하다, 지속하다

파생 maintenance 명 유지, 지속, 주장, 부양
유의 sustain 동 지속하다
insist 동 주장하다
support 동 부양하다

0534

tutor
[tjúːtər]

명 개인 교사, 가정 교사
동 개인 지도를 하다

Educated by private **tutors** at home, she enjoyed reading and writing early on. 학평 기출
가정에서 개인 교사들에 의해 교육을 받아서 그녀는 일찍이 독서와 글쓰기를 즐겼다.

파생 tutorial 형 개인[개별] 지도의

0535

vital
[váitəl]

형 1. 필수적인, 매우 중요한 2. 생명의, 활기찬

Public transportation has been **vital** to our freedom for two centuries. 학평 응용
대중교통은 2세기 동안 우리의 자유에 필수적이었다.

파생 vitality 명 생명력, 활력
유의 essential 형 필수적인
crucial 형 중대한
energetic 형 활동적인

0536

department
[dipάːrtmənt]

명 부문, 부(部), 학과

There are no openings in the marketing **department**.
마케팅 부서에는 빈자리가 없다.

유의 division 명 부(部)
section 명 부서

0537

allowance
[əláuəns]

명 1. 용돈, 수당 2. 허용량

The monthly **allowance** for each child is $80.
각 아이들의 한 달 용돈은 80달러이다.

파생 allow 동 허락하다
유의 pocket money 용돈

0538

miracle
[mírəkl]

명 **기적, 기적 같은 일**

It is a pure **miracle** that Walter survived the crash.
Walter가 그 사고에서 살아남은 것은 순전한 기적이다.

파생 **miraculous** 형 기적적인
유의 **wonder** 명 경이(로움)
marvel 명 경이(로움)

0539

focus
[fóukəs]

동 **집중하다, 초점을 맞추다**
명 **초점, 주목**

Instead of competing with AI, they could **focus** on servicing or using it. 학평 응용
AI와 경쟁하는 대신, 그들은 AI를 정비하거나 활용하는 것에 집중할 수 있었다.

유의 **concentrate** 동 집중하다
숙어 **focus on** ~에 집중하다
out of focus 초점을 벗어난

0540 다의어

rate
[reit]

명 **1. 비율 2. 요금 3. 속도**
동 **평가하다, 등급을 매기다**

The **rate** of recycling in the region has doubled in five years.
이 지역의 재활용 비율은 5년 만에 두 배가 되었다.

The disease is spreading at a rapid **rate**.
그 질병은 빠른 속도로 확산되고 있다.

This airport is **rated** as the best in the world.
이 공항은 세계에서 최고로 평가받는다.

내신 UP

Q3.
밑줄 친 단어의 뜻으로 알맞은 것은?

This is an area where the rate of unemployment is high.

① 비율 ② 요금 ③ 속도

0541

curious
[kjú(:)əriəs]

형 **궁금해 하는, 호기심이 많은**

Something mysterious happened in his **curious**, fully engaged mind. 학평 기출
뭔가 불가사의한 일이 호기심 많고 완전히 몰두한 그의 마음속에서 일어났다.

파생 **curiosity** 명 호기심
유의 **interested** 형 흥미 있어 하는
inquisitive 형 호기심 많은
숙어 **be curious about**
~에 대해 궁금해 하다

0542

biography
[baiágrəfi]

명 **전기, 일대기**

He wrote a **biography** of Albert Einstein in 2007.
그는 2007년에 Albert Einstein의 전기를 썼다.

파생 **biographer** 명 전기 작가

0543

assemble
[əsémbl]

동 1. 모이다[모으다] 2. 조립하다

A large crowd **assembled** outside the auditorium to watch her leave.
많은 군중이 그녀가 떠나는 것을 보기 위해 공연장 밖에 모였다.

파생 **assembly** 명 집회, 의회
유의 **gather** 동 모이다[모으다]
put together 조립하다
반의 **scatter** 동 흩어지다[흩어지게 하다]
disassemble 동 분해하다

0544

scent
[sent]

명 향기, 냄새

The **scent** of the perfume is so strong that some people don't like it.
그 향수의 향기가 너무 강해서 어떤 사람들은 좋아하지 않는다.

유의 **fragrance** 명 향기
smell 명 냄새

0545

entire
[intáiər]

형 전체의, 완전한

Now the **entire** ballroom was standing, clapping. 학평 기출
이제 강연장에 있는 모두가 일어서서 박수를 치고 있었다.

파생 **entirely** 부 전부, 완전히
유의 **whole** 형 전체의
complete 형 완전한
반의 **partial** 형 부분적인, 불완전한

0546 혼동어휘

peel
[piːl]

동 껍질을 벗기다
명 껍질

She **peeled** two potatoes and sliced them up. 학평 응용
그녀는 감자 두 개를 깎아 얇게 썰었다.

내신 UP

Q4.
알맞은 단어를 고르시오.

New skin grows, and the damaged skin **[peels / pills]** off.

0547 혼동어휘

pill
[pil]

명 알약

He has to take **pills** to control his blood pressure.
그는 혈압을 조절하기 위해 약을 복용해야 한다.

0548

sacrifice
[sǽkrəfàis]

동 1. 희생하다 2. 제물로 바치다
명 1. 희생 2. 제물

She is willing to **sacrifice** anything for her children.
그녀는 자신의 아이들을 위해 무엇이든 기꺼이 희생할 것이다.

숙어 **sacrifice A for B**
B를 위해 A를 희생하다
make sacrifices
희생을 치르다

0549

locate
[lóukeit]

동 1. ~에 위치시키다[두다] 2. (위치를) 찾아내다

His kingdom was **located** at the foot of the Himalayas. 학평 기출
그의 왕국은 히말라야 산기슭에 위치해 있었다.

파생 **location** 명 장소
유의 **situate** 동 위치시키다
find 동 찾아내다

0550

ancestor
[ǽnsestər]

명 조상, 선조

Our **ancestors** listened to and respected the warnings of the sea. 학평 응용
우리의 조상들은 바다의 경고를 경청하고 존중했다.

어원 plus +
an (before) + cest (go) + or (명사형 접미사) → 앞에 간 사람 → 선조, 조상

파생 **ancestral** 형 조상의
유의 **forefather** 명 조상, 선조
반의 **descendant** 명 후손, 자손

0551

nod
[nɑd]

동 끄덕이다
명 끄덕임

The members **nodded** in agreement with him.
회원들은 그에게 동의하며 고개를 끄덕였다.

숙어 **nod off** 졸다
give a nod 동의하다

0552

stunning
[stʌ́niŋ]

형 굉장히 멋진, 깜짝 놀랄

The **stunning** view of the valley took our breath away.
그 계곡의 놀라운 경치는 숨이 멎을 정도였다.

파생 **stun** 동 깜짝 놀라게 하다
유의 **remarkable** 형 놀랄 만한
astonishing 형 놀라운

0553

depress
[diprés]

동 1. 우울하게 하다 2. 침체시키다, 하락시키다

Returning to work after the weekend can **depress** people.
주말 이후 직장에 복귀하는 것은 사람들을 우울하게 할 수 있다.

파생 **depression** 명 우울, 불황
유의 **discourage** 동 낙담시키다
let down 실망시키다
반의 **cheer up** 기운을 북돋우다, 응원하다

0554

iceberg
[áisbəːrg]

명 빙산

The *Titanic* struck an **iceberg** and sank in 1912.
타이타닉호는 1912년에 빙산에 부딪혀 침몰했다.

숙어 **the tip of the iceberg**
빙산의 일각

0555

tragic
[trǽdʒik]

형 **비극적인, 비극의**

The firefighter was killed in a **tragic** accident.
그 소방관은 비극적인 사고로 목숨을 잃었다.

파생 **tragedy** 명 비극
tragically 부 비극적으로

0556

educate
[édʒukèit]

동 **교육하다, 가르치다**

The goal is to **educate** kids about the dangers of smoking.
목표는 아이들에게 흡연의 위험성에 대해 가르치는 것이다.

어원 plus+
e (out) + duc (lead: 이끌다) + ate (동사형 접미사) → (능력을) 밖으로 이끌어내다 → 교육하다

파생 **education** 명 교육
educator 명 교육자, 교사
유의 **teach** 동 가르치다

0557

wound
[wu:nd]

명 **상처, 부상**
동 **상처를 입히다**

A while later his **wound** had been treated. 학평 응용
얼마 후 그의 상처는 치료되었다.

파생 **wounded** 형 부상을 입은
유의 **injury** 명 부상
injure 동 부상을 입히다
hurt 동 다치게 하다

고등 필수 숙어

0558

pile up

쌓이다, 쌓다

Even though problems were **piling up**, he pretended everything was fine.
문제가 쌓여 가고 있음에도 불구하고, 그는 모든 것이 괜찮은 척했다.

Q5.
다음 빈칸에 알맞은 숙어는?

The woman __________ all night taking care of her sick child.

① piled up
② set up
③ stayed up

0559

set up

1. 세우다, 설립하다 2. 설치하다

She was working to **set up** an aid center for poor women. 학평 응용
그녀는 가난한 여성들을 위한 지원 센터를 세우기 위해 일하고 있었다.

0560

stay up

자지 않고 깨어 있다

William **stayed up** after the family had gone to bed, then read until the morning. 학평 기출
William은 가족이 잠자리에 든 후에도 안 자고 아침까지 책을 읽었다.

Daily Test 14

정답 p. 353

A 우리말은 영어로, 영어는 우리말로 쓰시오.

01 전기, 일대기 ____________

02 빙산 ____________

03 부문, 부, 학과 ____________

04 비극적인, 비극의 ____________

05 인종의, 민족의 ____________

06 우선 사항, 우선(권) ____________

07 껍질을 벗기다; 껍질 ____________

08 creature ____________

09 allowance ____________

10 assemble ____________

11 miracle ____________

12 bomb ____________

13 encounter ____________

14 evident ____________

B 빈칸에 알맞은 단어를 쓰시오. (필요시 형태를 바꿀 것)

서술형

01 We want economic growth, but not at the s____________ of the environment.
우리는 경제 성장을 원하지만 환경을 희생해서는 아니다.

02 A group of c____________ teenagers gathered to see what was happening.
호기심 많은 한 무리의 십 대들이 무슨 일이 일어나고 있는지 보기 위해 모였다.

03 The city announced a plan to s____________ ____________ a new local television station.
시는 새로운 지역 방송국을 설립할 계획을 발표했다.

C 각 단어의 유의어 혹은 반의어를 쓰시오.

01 동 focus 유의 c____________

02 명 ancestor 반의 d____________

03 명 impact 유의 e____________

04 동 attach 반의 d____________

05 형 vital 유의 e____________

06 형 entire 반의 p____________

VOCA CLEAR

DAY 15

시험에 더 강해지는 어휘

0561

fuel
[fjú(:)əl]

명 연료
동 연료를 공급하다

Global warming may be caused by burning fossil **fuels**.
지구 온난화는 화석 연료를 태우는 것에 의해 야기될 수 있다.

0562

produce
[prədjúːs]

동 1. 생산하다 2. (결과를) 야기하다 3. (새끼를) 낳다

Finding different ways to **produce** sounds is an important stage of musical exploration. 학평 기출
소리를 만들어 내는 여러 가지 방법을 찾는 것은 음악적 탐구의 중요한 단계이다.

파생 product 명 제품
productive 형 생산적인
유의 manufacture 동 생산하다
generate 동 (결과를) 일으키다

0563

budget
[bʌ́dʒit]

명 예산(안)
동 예산을 세우다

The annual **budget** for next year has not been set yet.
내년도 연간 예산은 아직 정해지지 않았다.

숙어 make a budget 예산을 세우다
on a budget 한정된 예산으로

0564

automatic
[ɔ̀ːtəmǽtik]

형 1. 자동의 2. 무의식적인

Schools must have an **automatic** fire detection system.
학교는 자동 화재 감지 시스템이 있어야 한다.

파생 automate 동 자동화하다
automatically 부 자동으로
유의 instinctive 형 무의식적인
반의 manual 형 수동의

0565

yell
[jel]

동 소리치다, 외치다

I rolled down the window and **yelled** out to her. 학평 응용
나는 차의 창문을 내리고 그녀에게 소리쳤다.

유의 scream 동 소리치다
반의 whisper 동 속삭이다
숙어 yell out (큰 소리로) 고함치다

0566

therapy

[θérəpi]

명 치료, 요법

Music **therapy** can help people improve their mental health.
음악 치료는 사람들이 정신 건강을 증진하는 데 도움을 줄 수 있다.

파생 **therapist** 명 치료사
유의 **remedy** 명 치료, 요법
treatment 명 치료

0567

motion

[móuʃən]

명 1. 운동, 움직임 2. 동작

The **motion** of the ship made everyone seasick.
배의 움직임은 모든 사람들이 뱃멀미를 하게 했다.

파생 **move** 동 움직이다
유의 **movement** 명 움직임
숙어 **in motion** 움직이고 (있는)

0568 혼동어휘

imaginable

[imǽdʒinəbl]

형 상상할 수 있는

The town is the most beautiful place **imaginable**.
그 마을은 상상할 수 있는 가장 아름다운 곳이다.

0569 혼동어휘

imaginary

[imǽdʒinèri]

형 상상의, 가상의

The story happens in an **imaginary** world called Narnia.
그 이야기는 Narnia라고 불리는 상상의 세계에서 일어난다.

0570 혼동어휘

imaginative

[imǽdʒənətiv]

형 상상력이 풍부한, 창의적인

The designer is famous for her **imaginative** use of colors.
그 디자이너는 창의적인 색의 사용으로 유명하다.

내신 UP

Q1.
문맥상 알맞은 단어를 고르시오.

It is common for children to create their own world and to have **[imaginary / imaginative]** friends.

0571

cooperate

[kouɑ́pərèit]

동 협력하다, 협조하다

They learn how to compete and **cooperate** with others. 학평 응용
그들은 다른 이들과 경쟁하고 협력하는 법을 배운다.

파생 **cooperation** 명 협력, 협조
유의 **collaborate** 동 협력하다
숙어 **cooperate with[on]**
~와[~에 대해] 협력하다

0572

stem
[stem]

명 줄기
동 생기다, 유래하다 ((from))

The plant's **stem** can store water.
식물의 줄기는 물을 저장할 수 있다.

유의 **stalk** 명 줄기
숙어 **stem from** ~에서 생기다[유래하다]

0573

inclined
[inkláind]

형 1. ~하는 경향이 있는, ~하고 싶은 2. 기운, 경사진

People are innately **inclined** to look for causes of events. 학평 기출
사람들은 선천적으로 사건의 원인을 찾는 경향이 있다.

어원 plus +
in (towards) + clin (bend) + ed (형용사형 접미사) → ~쪽으로 굽은[기울어진] → ~하고 싶은, 경사진

파생 **incline** 동 ~쪽으로 기울다
유의 **likely** 형 ~할 것 같은
반의 **disinclined** 형 꺼리는
숙어 **be inclined to-v** ~하는 경향이 있다

0574

fasten
[fǽsən]

동 1. 꽉 매다, 고정시키다 2. 잠그다, 걸다

Please keep your seat belt **fastened** while the light is on.
등이 켜져 있는 동안 안전벨트를 꼭 매고 계십시오.

유의 **tie** 동 묶다, 매다
반의 **unfasten** 동 끄르다, 풀다

0575

display
[displéi]

동 전시[진열]하다, 내보이다
명 전시

The young artists just wanted an opportunity to **display** their works.
젊은 작가들은 그저 자신들의 작품들을 전시할 기회를 원했다.

유의 **exhibit** 동 전시하다, 보이다
show 동 보여주다
숙어 **on display** 전시된

0576

dairy
[dέəri]

형 1. 유제품의 2. 낙농업의
명 유제품, 낙농업

Dairy products are made by processing milk.
유제품은 우유를 가공해서 만들어진다.

0577

circumstance
[sə́ːrkəmstæ̀ns]

명 ((-s)) 상황, 사정, 환경

You should not trust him under the **circumstances**.
너는 그 상황에서는 그를 믿어서는 안 된다.

유의 **situation** 명 상황, 환경
conditions 명 상황, 사정
숙어 **under the circumstances** 그런 사정으로 볼 때, 그 상황에서는

0578

margin
[mɑ́:rdʒin]

명 1. 여백 2. 가장자리, 끝 3. 이윤[이익] 폭

Someone made a couple of notes in the **margin**.
누군가 여백에 몇 개의 메모를 해 놓았다.

파생 **marginal** 형 주변부의, 가장자리의
유의 **edge** 명 가장자리
verge 명 가장자리, 끝

0579 다의어

even
[í:vən]

부 1. ~조차(도), 심지어 2. (비교급 강조) 훨씬
형 1. 평평한, 고른 2. 일정한, 균등한 3. 짝수의

Force your face to smile **even** when you are stressed or feel unhappy. 학평 기출
스트레스를 받거나 불행하다고 느낄 때조차도 얼굴을 웃게 하라.

The weather today is **even** colder than yesterday.
오늘 날씨는 어제보다 훨씬 더 춥다.

Make sure that the floor is completely **even**.
바닥이 완전히 평평하도록 해라.

내신 UP

Q2.
밑줄 친 단어의 뜻으로 알맞은 것은?

This new vehicle helps the driver maintain an even speed.

① 심지어 ② 일정한 ③ 평평한

0580

pursue
[pərs(j)ú:]

동 1. 추구하다 2. 뒤쫓다, 추적하다

We are working together to **pursue** a common goal.
우리는 공동의 목표를 추구하기 위해 함께 일하고 있다.

파생 **pursuit** 명 추구, 추적
유의 **seek** 동 추구하다
chase 동 뒤쫓다

0581

gain
[gein]

동 얻다, 획득하다
명 얻는 것, 이익

She **gained** star status in Hollywood, playing many roles as the heroine of the film. 학평 기출
그녀는 영화의 여주인공으로 많은 역할을 하면서 할리우드에서 스타의 지위를 얻었다.

유의 **obtain** 동 얻다
profit 명 이익, 수익
반의 **lose** 동 잃다
loss 명 손실

0582

fortunate
[fɔ́:rtʃənit]

형 운이 좋은, 다행인

I feel **fortunate** to have such friendly neighbors.
나는 그렇게 좋은 이웃들이 있어서 다행이라고 생각한다.

파생 **fortune** 명 운
fortunately 부 다행히도
유의 **lucky** 형 운이 좋은, 행운의
반의 **unfortunate** 형 운이 나쁜, 불행한

0583

beard
[biərd]

명 턱수염

In ancient Greece, a **beard** was a symbol of wisdom.
고대 그리스에서는 턱수염이 지혜의 상징이었다.

0584

waste
[weist]

동 낭비하다
명 1. 낭비 2. 쓰레기, 폐기물

Don't **waste** time worrying about things that will never happen.
절대 일어나지 않을 일을 걱정하는 데 시간을 낭비하지 마라.

파생 **wasteful** 형 낭비하는
유의 **garbage** 명 쓰레기
반의 **conserve** 동 아끼다
숙어 **waste A on B** A를 B에 낭비하다

0585

adventure
[ədvéntʃər]

명 모험(심)

Come and join us for an escape **adventure**!
오셔서 탈출 모험을 즐기세요!

파생 **adventurer** 명 모험가
adventurous 형 모험을 좋아하는, 모험으로 가득한

0586 혼동어휘

odd
[ɑd]

형 1. 이상한, 특이한 2. 홀수의

Sometimes her **odd** behavior irritates us.
때때로 그녀의 이상한 행동은 우리를 짜증 나게 한다.

내신 UP

Q3.
문맥상 알맞은 단어를 고르시오.

Do you want to **[odd / add]** your name to the list?

0587 혼동어휘

add
[æd]

동 1. 추가하다, 덧붙이다 2. (수·양을) 더하다

Leonardo da Vinci collaborated with other people to **add** the finer details. 학평 응용
레오나르도 다빈치는 세세한 부분을 추가하기 위해 다른 사람들과 협력했다.

0588

opposite
[ɑ́pəzit]

형 1. 반대편의, 마주 보고 있는 2. (정)반대의
명 반대(되는 것) 전 ~의 맞은편에

Different cultures can exhibit **opposite** attitudes toward a given species. 학평 기출
각기 다른 문화는 주어진 종에 대한 상반되는 태도를 보일 수 있다.

파생 **oppose** 동 반대하다
opposition 명 반대
유의 **contrary** 형 (정)반대의
across from ~의 맞은편에
반의 **same** 형 (똑)같은

0589

pulse
[pʌls]

명 맥박

The nurse felt his wrist, checking for a **pulse**.
간호사는 그의 손목을 더듬어 맥박을 확인했다.

유의 **heartbeat** 명 심장 박동
숙어 **take one's pulse** ~의 맥박을 재다

0590

transfer
[trǽnsfər]

동 1. 옮기다, 이동하다 2. 환승하다
명 1. 이동 2. 환승

The more you **transfer**, the more time you will need for your journey.
더 많이 환승할수록 당신의 여정을 위해 더 많은 시간이 필요할 것이다.

어원 plus +

trans (across) + fer (carry) → 이쪽에서 저쪽으로 나르다 → 옮기다

파생 **transferable** 형 이동 가능한
유의 **move** 동 옮기다
transport 동 이동시키다
숙어 **transfer to** ~로 옮기다

0591

senior
[síːnjər]

명 1. 연장자 2. 졸업반 학생
형 상급의, 선배의

Parkside Pool will host special one-day water exercise classes for **senior** customers. 학평 기출
Parkside Pool이 노인 고객들을 위한 특별한 일일 수중 운동 강좌를 열 것입니다.

유의 **the elder** 명 연장자
반의 **junior** 명 연소자, 후배 형 하급의, 후배의

0592

slight
[slait]

형 약간의, 미미한

Sarah is so sensitive that she can notice even a **slight** change in her best friend's mood.
Sarah는 너무 예민해서 가장 친한 친구의 기분에 약간의 변화조차도 알아챌 수 있다.

파생 **slightly** 부 약간
유의 **minor** 형 작은, 사소한
trivial 형 사소한

0593

phrase
[freiz]

명 구(절), 문구, 관용구

The **phrase** "black and white" is commonly used in the field of photography.
'흑백'이라는 어구는 사진 분야에서 흔히 사용된다.

파생 **phrasal** 형 구로 된

0594

dig
[dig]

동 파다, 파내다

Criticizing your boss in public is like **digging** your own grave.
당신의 상관을 공개적으로 비판하는 것은 스스로 자신의 무덤을 파는 것과 같은 일이다.

숙어 **dig out** ~을 파내다

0595

instrument

[ínstrəmənt]

명 1. 기구 2. 악기

There is usually a correct way of holding and playing musical **instruments.** 학평 응용

대체로 악기를 잡고 연주하는 정확한 방법이 있다.

파생 **instrumental** 형 악기(용)의

유의 **tool** 명 도구

0596

neglect

[niglékt]

동 무시하다, 소홀히 하다
명 무시, 태만

He never **neglects** his duties as a police officer.

그는 경찰관으로서 그의 임무를 절대로 소홀히 하지 않는다.

파생 **negligence** 명 부주의, 태만

유의 **ignore** 동 무시하다
disregard 명 동 무시(하다)

반의 **attend** 동 주의를 기울이다

0597

absolute

[ǽbsəlùːt]

형 1. 완전한 2. 절대적인

In reality, freedom cannot be **absolute**; no one can be completely free.

실제로 자유는 절대적일 수 없다. 즉, 누구도 완전히 자유로울 수 없다.

파생 **absolutely** 부 전적으로, 틀림없이

유의 **complete** 형 완전한

반의 **partial** 형 불완전한
relative 형 상대적인

고등 필수 숙어

0598

have ~ in common

(~을) 공통으로 지니다

High-achieving people all **have** one thing **in common.** 학평 응용

성취도가 높은 사람들에게는 한 가지 공통점이 있다.

0599

have difficulty v-ing

~하기 어렵다, ~하는 데 애를 먹다

They **had** no **difficulty** apply**ing** what they had learned.

그들은 배운 것을 적용하는 데 어려움이 없었다.

0600

have to do with

~와 관련이 있다, ~에 관한 것이다

Dreams **have to do with** the feelings you've experienced.

꿈은 당신이 경험한 감정과 관련이 있다.

내신 UP

Q4.
다음 빈칸에 알맞은 숙어는?

His goal of becoming a psychologist ________ his childhood.

① has difficulty quitting
② has to do with
③ has in common

Daily Test 15

정답 p. 353

A 우리말은 영어로, 영어는 우리말로 쓰시오.

01 약간의, 미미한 ______________

02 기구, 악기 ______________

03 상상할 수 있는 ______________

04 협조하다, 협력하다 ______________

05 구(절), 문구, 관용구 ______________

06 이상한, 특이한, 홀수의 ______________

07 파다, 파내다 ______________

08 beard ______________

09 budget ______________

10 margin ______________

11 pulse ______________

12 therapy ______________

13 dairy ______________

14 absolute ______________

B 빈칸에 알맞은 단어를 쓰시오. (필요시 형태를 바꿀 것)

서술형

01 The heat t__________ from the hot objects to the cold objects.
열은 뜨거운 물체에서 차가운 물체로 이동한다.

02 According to a recent survey, a lot of students w__________ time on their smartphones.
최근 설문 조사에 따르면, 많은 학생들이 스마트폰에 시간을 낭비한다고 한다.

03 Some children h__________ __________ focusing and are easily distracted.
어떤 아이들은 집중하기 어렵고 쉽게 산만해진다.

C 각 단어의 유의어 혹은 반의어를 쓰시오.

01 동 display 유의 e______________

02 명 gain 반의 l______________

03 동 yell 유의 s______________

04 형 automatic 반의 m______________

05 형 fortunate 유의 l______________

06 동 neglect 반의 a______________

내신에 더 강해지는 TEST DAY 11-15

A 각 영영풀이에 알맞은 단어를 <보기>에서 찾아 쓰시오.

<보기>	convince	priority	notice	due	vital

01 expected (to happen, arrive, etc.) at a particular time ______________

02 a sheet of paper giving written or printed information ______________

03 to make somebody/yourself believe that something is true ______________

04 necessary or essential for something to succeed or exit ______________

05 something important and should be dealt with first ______________

B 다음 빈칸에 공통으로 알맞은 단어를 고르시오.

01 • According to the official ___________, unemployment peaked in May.
• I could see some ___________ in the distance, but I couldn't make out who they were.

① astronauts ② aspects ③ displays ④ figures

02 • A vest is a(n) ___________ of clothing without sleeves.
• I read an interesting ___________ by a scientist on the subject of aging.

① term ② article ③ review ④ phrase

03 • The ___________ for advertising on their website are ridiculously high.
• Today everyone ___________ climate change as the number one issue.

① rates ② demands ③ notices ④ supports

정답 p. 353

C

다음 중 짝 지어진 단어의 관계가 나머지와 다른 하나를 고르시오.

01 ① reality : fantasy ② lately : recently ③ evident : obvious

02 ① gain : loss ② absolute : relative ③ undergo : experience

03 ① device : devise ② fault : faulty ③ harmony : harmonize

04 ① force : compel ② neutral : biased ③ ancestor : descendant

05 ① maintain : sustain ② assemble : scatter ③ compromise : negotiate

D

우리말과 같은 의미가 되도록 <보기>의 단어를 이용하여 문장을 완성하시오. (필요시 형태를 바꿀 것)

<보기>	put	due	budget	considerate	considerable

01 내년도 연간 예산은 아직 정해지지 않았다.

→ The annual ______________ for next year has not been set yet.

02 그 질병에 대한 치료법을 발견하는 데 상당한 발전이 이뤄졌다.

→ ______________ progress has been made in finding a cure for the disease.

03 극심한 교통 체증으로 인해 회의가 한 시간 연기되었다.

→ ______________ to the severe traffic jam, the conference was ______________ off for an hour.

VOCA CLEAR

DAY 16

0601

afford
[əfɔ́ːrd]

동 ~할[살] 여유가 되다

No matter what you can **afford**, save great wine for special occasions. 학평 기출
당신이 무엇이든 살 여유가 되더라도, 특별한 경우를 위해 훌륭한 와인을 아껴 두어라.

시험에 더 강해지는 어휘

파생 **affordable** 형 부담 가능한
숙어 **cannot afford to-v** ~할 여유가 없다

0602

fever
[fíːvər]

명 1. 열, 발열 2. 열기, 열광

The patient may get the chills as the **fever** rises.
환자는 열이 오를수록 오한이 날 수 있다.

파생 **feverish** 형 열이 나는, 과열된

0603

myth
[miθ]

명 1. 신화 2. 근거 없는 믿음, 통념

Many societies have their own **myths**.
많은 사회는 그들만의 신화가 있다.

파생 **mythology** 명 신화(학)
유의 **legend** 명 전설

0604 다의어

charge
[tʃɑːrdʒ]

동 1. 요금을 청구하다 2. (책임을) 맡기다 3. 비난하다, 고발하다 4. 충전하다
명 1. 요금 2. 책임, 의무 3. 비난, 고발 4. 충전

The fees they **charged** were more than we expected.
그들이 청구했던 요금은 우리가 예상했던 것 이상이었다.

He was **charged** with looking after James.
그는 James를 돌보는 임무를 부여받았다.

There is no admission **charge** to attend.
참석하는 데 입장료는 없습니다.

내신 UP

Q1.
밑줄 친 단어의 뜻으로 알맞은 것은?
The CEO put Steve in <u>charge</u> of advertising and finance.
① 요금 ② 책임 ③ 비난

0605

obstacle
[ɑ́bstəkl]

명 장애(물), 방해(물)

One **obstacle** to such a trip to other planets is that it would take years. 학평 기출
그러한 타 행성으로의 여행의 한 가지 장애물은 그것이 몇 년이 걸릴 것이라는 것이다.

유의 **hindrance** 명 장애(물), 방해
barrier 명 장애물, 장벽

0606

aim
[eim]

명 1. 목표, 목적 2. 겨냥, 조준
동 목표로 하다

Our **aim** is to rescue as many people as possible.
우리 목표는 가능한 한 많은 사람들을 구조하는 것이다.

유의 **objective** 명 목표, 목적
target 명 동 목표(로 삼다)
숙어 **aim at** ~을 목표로 하다

0607

sudden
[sʌ́dən]

형 갑작스러운, 불시의

It gives us time to respond to any **sudden** moves by other cars. 학평 응용
그것은 우리에게 다른 차들의 갑작스러운 움직임에 대해 반응할 시간을 준다.

파생 **suddenly** 부 갑자기
유의 **unexpected** 형 갑작스러운, 예기치 않은
숙어 **all of a sudden** 갑자기

0608

union
[júːnjən]

명 1. 조합, 협회 2. 연합, 연방

The company didn't allow its workers to form a **union.**
회사는 직원들이 조합을 설립하는 것을 허용하지 않았다.

어원 plus+
uni (one) + (i)on (명사형 접미사) → 하나가 됨 → 조합, 연합

유의 **association** 명 조합, 협회

0609

native
[néitiv]

형 1. 태어난 곳의 2. 타고난 3. 토박이의
명 1. ~ 출신자 ((of)) 2. 원주민, 토착민

His work is not well known in his **native** country of Sweden.
그의 작품은 모국인 스웨덴에서는 잘 알려져 있지 않다.

유의 **innate** 형 타고난
local 형 현지의, 그 고장의
반의 **acquired** 형 후천적인

0610

quote
[kwout]

동 1. 인용하다 2. 예로 들다
명 인용문

He **quoted** a line from *Romeo and Juliet*.
그는 '로미오와 줄리엣'의 한 구절을 인용했다.

파생 **quotation** 명 인용(구), 글귀
유의 **cite** 동 인용하다, 예를 들다

0611

population
[pɑ̀pjəléiʃən]

명 인구, 주민 (수)

These systems could only be maintained at low **population** levels. 학평 응용
이 시스템은 낮은 인구 수준에서만 유지될 수 있었다.

파생 **populational** 형 인구의, 주민의
유의 **resident** 명 주민

0612

survive
[sərváiv]

동 1. 살아남다, 생존하다 2. 견뎌 내다

Most garment workers are paid barely enough to **survive**. 학평 기출
대부분의 의류 노동자들은 간신히 연명할 수 있을 정도의 급여를 받는다.

파생 **survival** 명 생존
survivor 명 생존자
유의 **live** 동 생존하다, 살다
endure 동 견뎌 내다

0613

reason
[rí:zən]

명 1. 이유, 근거 2. 이성
동 추론하다

Social lies are told for psychological **reasons**. 학평 기출
심리적 이유로 사회적 거짓말을 한다.

파생 **reasonable** 형 이성적인
유의 **cause** 명 이유, 근거
반의 **emotion** 명 감정
숙어 **give a reason** 이유를 제시하다

0614 혼동어휘

aboard
[əbɔ́:rd]

전 (비행기·기차 등에) 타고
부 타고, 탑승하여

Debbie was welcomed **aboard** the plane by the pilot. 학평 응용
Debbie는 조종사에게 비행기에 탑승한 것을 환영받았다.

내신 UP

Q2.
문맥상 알맞은 단어를 고르시오.

On his third day **[aboard / abroad]** the ship, he started to feel comfortable.

0615 혼동어휘

abroad
[əbrɔ́:d]

부 해외에(서), 해외로

We try to travel **abroad** at least once a year.
우리는 적어도 1년에 한 번 해외여행을 하려고 한다.

0616

recommend
[rèkəménd]

동 1. 추천하다 2. 권장[권고]하다

The travel agent **recommended** a newly renovated resort at our destination.
여행사 직원은 우리의 목적지에 새로 단장한 리조트를 추천했다.

파생 **recommendation** 명 추천, 권장
유의 **suggest** 동 추천하다
advise 동 권고하다
숙어 **recommend A to B**
B에게 A를 권하다

0617

livestock
[láivstɑ̀k]

명 가축(류)

The methods of raising **livestock** vary from farmer to farmer.
가축을 기르는 방법은 농부마다 다르다.

0618

chase
[tʃeis]

동 뒤쫓다, 추격하다
명 추격, 추적

The dogs jumped the fence frequently and **chased** the farmer's lambs. 학평 응용
그 개들은 종종 담장을 뛰어넘어 농부의 양들을 쫓았다.

유의 pursue 동 뒤쫓다
pursuit 명 추격
숙어 chase after ~을 쫓다

0619

marine
[məríːn]

형 바다의, 해양의
명 해병

Humans are a big threat to the **marine** ecosystem.
인간은 해양 생태계에 큰 위협이다.

유의 aquatic 형 수중의, 수생의

0620

deadline
[dédlàin]

명 마감 시간, 최종 기한

Tomorrow is the **deadline** for the project proposal.
내일이 프로젝트 제안서 마감일이다.

유의 time limit 시한, 기한

0621

prove
[pruːv]

동 1. 입증하다, 증명하다 2. (~임이) 판명되다

Scientists follow a system designed to **prove** if their ideas are true or false. 학평 기출
과학자들은 그들의 생각이 사실인지 거짓인지 증명하도록 고안된 체계를 따른다.

파생 proof 명 증명, 증거
유의 demonstrate 동 입증하다
turn out 판명되다
반의 disprove 동 틀렸음을 입증하다

0622

evaluate
[ivǽljuèit]

동 (가치·품질 등을) 평가하다, 감정하다

I want you to **evaluate** employee performance on a scale from A to E.
저는 당신이 직원 성과를 A에서 E까지의 등급으로 평가해 주시길 바랍니다.

어원 plus+
e (out) + val(u) (worth) + ate (동사형 접미사) → 가치를 밖으로 보여주다 → 평가하다

파생 evaluation 명 평가
유의 assess 동 평가하다
estimate 동 평가하다, 추정하다

0623

barn
[bɑːrn]

명 헛간, 창고

The farmer built a new **barn** behind his house.
농부는 집 뒤에 새 헛간을 지었다.

0624

domestic
[dəméstik]

형 1. 국내의 2. 가정의

The new law protects **domestic** industries from foreign companies.
새로운 법은 외국 회사들로부터 국내 산업을 보호한다.

유의 **national** 형 국가의
household 형 가정의
반의 **international** 형 국제적인

0625 혼동어휘

lay
[lei]

동 1. 놓다, 두다 2. (알을) 낳다

Mourners **laid** flowers on the sidewalk where the accident took place.
조문객들이 사고가 난 보도에 꽃을 놓았다.

내신 UP

Q3.
문맥상 알맞은 단어를 고르시오.

If you **[lie / lay]** your head on the pillow, you will fall asleep.

0626 혼동어휘

lie
[lai]

동 1. 눕다, 누워 있다 2. 놓여 있다, (어떤 상태로) 있다 3. 거짓말하다
명 거짓말

They like to **lie** on the grass, enjoying the sun.
그들은 햇빛을 즐기며 잔디 위에 누워 있는 것을 좋아한다.

0627

grateful
[gréitfəl]

형 감사하는, 고마워하는

Those who are **grateful** are often happier and healthier.
고마워하는 사람들은 종종 더 행복하고 더 건강하다.

파생 **gratefully** 부 감사하여, 기꺼이
유의 **thankful** 형 감사하는
숙어 **be grateful (to A) for B** (A에게) B에 대해 감사하다

0628

stumble
[stʌmbl]

동 1. 비틀거리다, 넘어질 뻔하다 2. 말을 더듬다

As Amy stepped back from the woman, she **stumbled** and fell. 학평 기출
Amy가 그 여자에게서 뒤로 물러나면서 비틀거리다가 넘어졌다.

파생 **stumblingly** 부 비틀거리며, 더듬거리며

0629

trust
[trʌst]

명 신뢰, 신임
동 믿다, 신뢰하다

He did everything he could do to earn her **trust** again.
그는 그녀의 신뢰를 다시 얻기 위해 할 수 있는 모든 것을 했다.

파생 **trustworthy** 형 신뢰할 수 있는
유의 **faith** 명 신뢰, 믿음
반의 **distrust** 명 동 불신(하다)

0630

detect
[ditékt]

동 탐지하다, 발견하다

Some tests are designed to **detect** the disease earlier.
그 질병을 더 일찍 탐지하기 위해 몇 가지 테스트가 고안되었다.

파생 **detection** 명 탐지, 발견
detective 명 형사, 탐정
유의 **discover** 동 발견하다

0631

signature
[sígnətʃər]

명 1. 서명 2. 특징

Daniel's **signature** was very indistinct and hard to identify.
Daniel의 서명은 아주 불분명하고 알아보기 힘들었다.

파생 **sign** 동 서명하다
유의 **autograph** 명 (유명인의) 서명

0632

obvious
[ɑ́bviəs]

형 명백한, 분명한

It was **obvious** from her voice that she was upset.
그녀의 목소리로 보아 그녀가 불쾌했다는 것은 명백했다.

파생 **obviously** 부 명백히
유의 **clear** 형 분명한
evident 형 명백한
반의 **obscure** 형 모호한

0633 다의어

issue
[íʃuː]

명 1. 문제(점), 쟁점 2. 발행(물)
동 1. 공표[발표]하다 2. 발행[발부]하다

Helping refugees should not become a political **issue**.
난민을 돕는 것이 정치적 쟁점이 되어서는 안 된다.

You'll soon receive the April **issue** of *Winston Magazine*. 기출 응용
당신은 곧 Winston Magazine 4월 호를 받을 것입니다.

The company **issued** a statement about yesterday's accident.
그 회사는 어제 사건에 대한 성명을 발표했다.

내신 UP

Q4.
밑줄 친 단어의 뜻으로 알맞은 것은?

The US government refused to issue him a visa.

① 발행물
② 공표하다
③ 발부하다

0634

disagree
[dìsəgríː]

동 1. 의견이 다르다 2. 일치하지 않다

Experts **disagree** about how and why dinosaurs went extinct.
전문가들은 공룡이 어떻게 그리고 왜 멸종되었는지에 대해 의견이 다르다.

파생 **disagreement** 명 의견 충돌, 불일치
유의 **differ** 동 (의견이) 다르다
반의 **agree** 동 동의하다
숙어 **disagree with[on]**
~와[~에] 의견이 다르다

0635

electronic
[ilektránik]

형 전자의 명 ((-s)) 전자 공학, 전자 장치

No **electronic** devices are allowed in the facility.
이 시설 내에서는 어떠한 전자 장비도 허용되지 않는다.

파생 electron 명 전자

0636

offer
[ɔ́(:)fər]

동 1. 제안하다 2. 제공하다
명 1. 제안 2. 제공

It **offers** you the opportunity to express emotions and attitudes properly. 학평 응용
그것은 당신에게 감정과 태도를 적절하게 표현할 기회를 제공한다.

유의 suggest 동 제안하다
provide 동 제공하다
숙어 offer A B[offer B to A]
A에게 B를 제공하다

0637

pioneer
[pàiəníər]

명 개척자, 선구자
동 개척하다

If the **pioneer** survives, everyone else will follow suit. 학평 기출
만약 그 선두 주자가 살아남으면, 다른 모두가 그대로 따를 것이다.

유의 pathfinder 명 개척자, 길잡이

고등 필수 숙어

0638

get along with

~와 잘 지내다

She is friendly, so she **gets along with** others well.
그녀는 친절해서 다른 사람들과 잘 지낸다.

0639

get away with

1. ~을 잘 해내다 2. 교묘히 모면하다

Nobody can **get away with** cheating.
어느 누구도 부정행위를 하고 빠져나갈 수는 없다.

0640

get[keep] in touch with

~와 연락하고 지내다

People can **get in touch with** others more easily due to the Internet.
사람들은 인터넷 덕분에 다른 사람들과 더 쉽게 연락할 수 있다.

내신 UP

Q5.
다음 빈칸에 알맞은 숙어는?

The children thought they ___________ it, but everyone knew about their lie.

① got along with
② got away with
③ got in touch with

Daily Test 16

정답 p. 354

A 우리말은 영어로, 영어는 우리말로 쓰시오.

01 헛간, 창고 ______________

02 장애(물), 방해(물) ______________

03 국내의, 가정의 ______________

04 개척자, 선구자 ______________

05 해외에(서), 해외로 ______________

06 추천하다, 권장하다 ______________

07 신화, 근거 없는 믿음 ______________

08 stumble ______________

09 grateful ______________

10 quote ______________

11 evaluate ______________

12 signature ______________

13 afford ______________

14 deadline ______________

B 빈칸에 알맞은 단어를 쓰시오. (필요시 형태를 바꿀 것)

서술형

01 The director put Molly in c____________ of the music for his new movie.
감독은 Molly에게 자신의 새 영화 음악의 책임을 맡겼다.

02 City officials d____________ about where to build a new nursing home.
시 공무원들은 새 요양원을 지을 장소에 대해 의견이 일치하지 않는다.

03 She has a hard time getting a____________ ____________ others because of her personality.
그녀는 성격 때문에 다른 사람들과 잘 지내는 데 어려움을 겪는다.

C 각 단어의 유의어 혹은 반의어를 쓰시오.

01 형 sudden 유의 u______________

02 형 native 반의 a______________

03 명 reason 유의 c______________

04 동 prove 반의 d______________

05 동 chase 유의 p______________

06 형 obvious 반의 o______________

VOCA CLEAR

DAY 17

시험에 더 강해지는 어휘

0641

initial
[iníʃəl]

형 처음의, 초기의
명 머리글자(이니셜)

My **initial** surprise was soon replaced by delight.
나의 처음의 놀라움은 곧 기쁨으로 바뀌었다.

파생 initiate 동 시작하다
initially 부 처음에, 시초에
유의 first 형 처음의
반의 final 형 마지막의

0642

await
[əwéit]

동 기다리다

Danger **awaits** in the icy cold water. 학평 기출
얼음같이 차가운 물에는 위험이 기다리고 있다.

유의 wait for ~을 기다리다

0643

flood
[flʌd]

명 홍수
동 범람하다, 물에 잠기게 하다

The **flood** was so serious that we couldn't drive through the town.
홍수가 너무 심해서 차를 몰고 시내를 통과할 수 없었다.

파생 flooded 형 물에 잠긴
유의 overflow 명 동 범람(하다)

0644 다의어

order
[ɔ́ːrdər]

명 1. 주문 2. 명령 3. 순서 4. 질서
동 1. 주문하다 2. 명령하다

You can place your **order** by telephone or on the mobile app.
전화나 모바일 앱으로 주문하실 수 있습니다.

The first duty of a soldier is to obey **orders**.
군인의 첫 번째 의무는 명령에 복종하는 것이다.

Connect the letters in the correct **order**.
철자를 올바른 순서로 연결해라.

내신 UP

Q1.
밑줄 친 단어의 뜻으로 알맞은 것은?

Do not shoot until I give the order.

① 주문 ② 순서 ③ 명령

0645

advantage
[ədvǽntidʒ]

명 유리한 점, 이점, 장점

This gives you a chance to use product placement to your **advantage**. 학평 기출
이것은 제품 배치를 당신에게 유리하게 사용할 기회를 준다.

파생 advantageous 형 유리한, 이로운
반의 disadvantage 명 불리한 점, 단점
숙어 take advantage of ~을 이용하다

0646

discuss
[diskʌ́s]

동 토론하다, 논의하다

There are some matters that all of us need to **discuss** as a team.
우리 모두가 한 팀으로서 논의해야 할 문제들이 있다.

파생 **discussion** 명 토론, 논의
유의 **debate** 동 토론[논쟁]하다
숙어 **discuss A with B**
B와 A를 논의하다

0647 혼동어휘

custom
[kʌ́stəm]

명 1. 관습, 풍습 2. 습관

It is a Korean **custom** to offer food to the people who come for the funeral.
장례식에 오는 사람들에게 음식을 제공하는 것은 한국의 관습이다.

내신 UP

Q2.
문맥상 알맞은 단어를 고르시오.

The **[custom / customs]** officers searched through our bags and luggage.

0648 혼동어휘

customs
[kʌ́stəmz]

명 1. 세관 2. 관세

It took us some time to get through **customs**.
우리는 세관을 통과하는 데 시간이 좀 걸렸다.

0649

active
[ǽktiv]

형 활동적인, 적극적인

Chewing gives mammals the energy needed to be **active.** 학평 기출
씹기는 포유류에게 활동하는 데 필요한 에너지를 준다.

파생 **activity** 명 활기, 활동
activate 동 활성화시키다
반의 **inactive** 형 활동하지 않는, 소극적인
passive 형 수동적인, 소극적인

0650

vegetarian
[vèdʒitɛ́(:)əriən]

명 채식주의자
형 채식의

As a **vegetarian,** she eats no meat at all, including chicken and fish.
채식주의자로서, 그녀는 닭고기와 생선을 포함하여 어떠한 고기도 먹지 않는다.

0651

sufficient
[səfíʃənt]

형 충분한

Training for only a month will not be **sufficient** to do this job.
한 달만 훈련하는 것은 이 일을 하는 데 충분하지 않을 것이다.

파생 **sufficiency** 명 충분, 충족
유의 **enough** 형 충분한
반의 **insufficient** 형 불충분한

0652

trend
[trend]

명 경향, 추세, 유행

Working from home is expected to be a long-lasting business **trend**.
재택근무는 오랫동안 지속되는 업무 추세가 될 것으로 예상된다.

파생 trendy 형 최신 유행의
유의 tendency 명 동향, 추세

0653

foresee
[fɔːrsíː]

동 예견하다, 예지하다

It is difficult to **foresee** whether her plan will be successful.
그녀의 계획이 성공적일지 예견하기가 어렵다.

어원 plus+
fore (before) + see (보다) → 미리 보다 → 예견하다

파생 foresight 명 예지력, 선견지명
foreseeable 형 예견할 수 있는
유의 predict 동 예언하다
forecast 동 예측하다

0654

muscle
[mʌsl]

명 1. 근육 2. 힘

They feared that building large **muscles** would cause players to lose flexibility. 학평 기출
그들은 큰 근육을 키우는 것이 선수들로 하여금 유연성을 잃도록 할 것이라고 두려워했다.

파생 muscular 형 근육의, 근육질의

0655

faithful
[féiθfəl]

형 충실한, 신의 있는

Despite the rumors, he remained **faithful** to his superiors.
소문에도 불구하고, 그는 자신의 상관에게 충실했다.

파생 faith 명 신념, 믿음
faithfulness 명 충실함, 성실
유의 loyal 형 충실한
반의 unfaithful 형 불충실한

0656

ruin
[rú(ː)in]

동 망치다, 파괴하다
명 1. 붕괴, 파괴 2. ((-s)) 폐허, 유적

Your laziness will **ruin** your career and future.
게으름이 당신의 경력과 미래를 망칠 것이다.

유의 destroy 동 파괴하다
반의 restore 동 복구하다

0657

sentence
[séntəns]

동 선고하다
명 1. 문장 2. 형벌, 선고

The young man was **sentenced** to life in prison.
젊은 남자는 무기 징역을 선고받았다.

유의 punishment 명 형벌
숙어 sentence A to B
A에게 B의 형을 선고하다

0658

stream
[striːm]

명 1. 개울, 시내 2. 흐름

This street used to be a **stream** where we could see various fish.
이 거리는 한때 다양한 물고기를 볼 수 있었던 개울이었다.

유의 **flow** 명 흐름
current 명 흐름

0659

persist
[pərsíst]

동 1. (집요하게) 계속하다 2. 고집하다

They have decided to **persist** with their campaign.
그들은 캠페인을 계속하기로 결정했다.

파생 **persistence** 명 고집, 지속됨
persistent 형 끈질긴, 끊임없는
유의 **continue** 동 계속하다
반의 **stop** 동 멈추다, 중단하다

0660

extreme
[ikstríːm]

형 극도의, 극단적인
명 극단

They grow well in sandy soil with little water and **extreme** hot temperatures. 학평 기출
그것들은 수분이 거의 없는 모래 토양과 극히 높은 온도에서 잘 자란다.

파생 **extremely** 부 극도로, 매우
유의 **intense** 형 극심한
drastic 형 극단적인
반의 **moderate** 형 적당한, 중도의

0661 다의어

appreciate
[əpríːʃièit]

동 1. 고마워하다 2. 감상하다 3. 인식하다, 알아보다

I'd **appreciate** it if you would cooperate.
협조해 주시면 감사하겠습니다.

You don't have to major in music to **appreciate** great songs.
훌륭한 노래들을 감상하기 위해 음악을 전공할 필요는 없다.

His presentation made them **appreciate** the value of the new product.
그의 발표는 그들이 신제품의 가치를 알아보게 만들었다.

내신 UP

Q3.
밑줄 친 단어의 뜻으로 알맞은 것은?

I couldn't appreciate how close John and Ted were at that time.

① 고마워하다
② 감상하다
③ 인식하다

0662

challenge
[tʃǽlindʒ]

명 도전, 시험
동 1. 도전하다 2. 이의를 제기하다

You will learn from those **challenges** and grow to achieve great heights. 학평 기출
너는 그러한 도전들로부터 배우게 되고 성장하여 대단히 높은 수준까지 성취하게 될 것이다.

파생 **challenging** 형 도전적인
유의 **defy** 동 도전하다
dispute 동 이의를 제기하다

0663

establish

[istǽbliʃ]

동 1. 설립하다, 수립하다 2. (법률 등을) 제정하다

Trade routes were **established**, and spices were traded. 학평 기출

교역로가 개설되었고 향신료가 거래되었다.

파생 **establishment** 명 설립, 수립

유의 **found** 동 설립하다

set up 설립하다, 수립하다

0664

dirt

[dəːrt]

명 1. 먼지, 때 2. 흙

The biker's boots are covered in **dirt**.

오토바이 운전자의 부츠는 먼지로 뒤덮여 있다.

파생 **dirty** 형 더러운

유의 **dust** 명 먼지

soil 명 흙

0665 혼동어휘

terrible

[térəbl]

형 끔찍한, 심한, 지독한

I felt a **terrible** pain in my ankle after I fell down the stairs.

나는 계단에서 넘어진 후에 발목에 심한 통증을 느꼈다.

내신 UP

Q4.

문맥상 알맞은 단어를 고르시오.

The polluted sea water was **[terrible / terrific]** for marine life.

0666 혼동어휘

terrific

[tərífik]

형 아주 멋진, 훌륭한

The owner assured them that the carpet was a **terrific** choice for the living room.

주인은 그들에게 그 카펫이 거실을 위한 훌륭한 선택이라고 장담했다.

0667

specialize

[spéʃəlàiz]

동 전문으로 하다, 전공하다

This restaurant **specializes** in Greek food.

이 식당은 그리스 요리를 전문으로 합니다.

파생 **specialization** 명 전문화, 전문 과목

special 형 특별한

숙어 **specialize in** ~을 전문으로 하다

0668

purpose

[pə́ːrpəs]

명 목적, 의도

The campaign's main **purpose** is to raise money for flood victims.

캠페인의 주된 목적은 수해 이재민을 위한 돈을 모금하는 것이다.

유의 **object** 명 목적

intention 명 목적, 의도

숙어 **on purpose** 고의로

0669

exact
[igzǽkt]

형 정확한, 정밀한

The **exact** weight of the baby at birth was 3.2 kg.
태어났을 때 아기의 정확한 몸무게는 3.2킬로그램이었다.

파생 exactly 부 정확히, 바로
유의 precise 형 정확한, 정밀한

0670

jury
[dʒú(:)əri]

명 배심원(단)

The **jury** found a 35-year-old man guilty of identity theft.
배심원단은 35세 남성에게 신원 도용에 대해 유죄를 선고했다.

0671

collapse
[kəlǽps]

동 1. 붕괴되다, 무너지다 2. 망하다, 실패하다
명 붕괴

Many people lost their jobs when the coal industry in a nearby town **collapsed.** 학평 기출
인근 도시에서 석탄 산업이 무너지면서 많은 사람들이 일자리를 잃었다.

유의 give way 무너지다
반의 hold up 견디다

0672

patient
[péiʃənt]

명 환자
형 참을성 있는

These **patients** began to receive treatment with a new drug.
이 환자들은 새로운 약으로 치료를 받기 시작했다.

파생 patience 명 인내(심)
patiently 부 참을성 있게
반의 impatient 형 참을성 없는
숙어 be patient with ~에게 참을성을 가지고 대하다

0673

broadcast
[brɔ́:dkæ̀st]

동 방송하다, 널리 알리다
명 방송

The concert will be **broadcast** live tomorrow evening.
콘서트는 내일 저녁 생방송으로 방송될 것이다.

어원 plus+
broad (넓게, 멀리) + cast (throw: 던지다) → 넓게, 멀리 던지다 → 널리 알리다, 방송하다

파생 broadcasting 명 방송, 방송업(계)
유의 transmit 동 방송하다

0674

namely
[néimli]

부 즉, 다시 말해

We dedicate this song to our heroes, **namely** the firefighters.
우리는 이 노래를 우리의 영웅들, 즉 소방관들에게 바칩니다.

유의 that is to say 즉, 다시 말해서
in other words 다시 말해서

0675

grant
[grænt]

동 1. 승인하다 2. 인정하다 3. 수여하다
명 보조금, 지원금

I'm sorry to say that I cannot **grant** your request.
당신의 요청을 승인할 수 없다고 말씀드리게 되어 유감입니다.

유의 **admit** 동 인정하다
award 동 수여하다
숙어 **take A for granted**
A를 당연하게 여기다

0676

disposable
[dispóuzəbl]

형 일회용의, 쓰고 버릴 수 있는

Companies are reducing the use of **disposable** items.
기업들은 일회용 제품 사용을 줄이고 있다.

파생 **dispose** 동 처분[처리]하다
disposal 명 처분, 폐기
유의 **expendable** 형 소모성의

0677

leisure
[líːʒər]

명 여가, 한가한 시간

Having enough time for **leisure** is crucial for everyone.
여가를 위한 충분한 시간을 갖는 것은 모든 사람들에게 중요하다.

파생 **leisurely** 형 한가한, 느긋한
유의 **recreation** 명 휴양, 오락
relaxation 명 휴양, 휴식
반의 **work** 명 일, 노동

고등 필수 숙어

0678

go for

1. 찬성하다, ~의 편을 들다 (↔ go against)
2. ~을 좋아하다

Many people **went for** his idea of a tax cut.
많은 사람들이 그의 감세 아이디어를 찬성했다.

0679

long for

~을 갈망하다, ~을 열망하다

All of the athletes were **longing for** a day off from their training.
모든 운동선수들은 하루의 훈련 휴무를 갈망하고 있었다.

0680

stand for

~을 상징하다, 의미하다

UFO **stands for** "unidentified flying object."
UFO는 '미확인 비행 물체'를 의미한다.

내신 UP

Q5.
다음 빈칸에 알맞은 숙어는?

As people grow older, they tend to __________ the good old days.

① go for
② long for
③ stand for

Daily Test 17

정답 p. 354

A 우리말은 영어로, 영어는 우리말로 쓰시오.

01 아주 멋진, 훌륭한 ____________

02 충실한, 신의 있는 ____________

03 정확한, 정밀한 ____________

04 관습, 풍습, 습관 ____________

05 즉, 다시 말해 ____________

06 경향, 추세, 유행 ____________

07 예견하다, 예지하다 ____________

08 establish ____________

09 disposable ____________

10 grant ____________

11 sentence ____________

12 persist ____________

13 flood ____________

14 challenge ____________

B 빈칸에 알맞은 단어를 쓰시오. (필요시 형태를 바꿀 것)

서술형

01 A tunnel c____________ during the earthquake, trapping several motorists.
지진으로 터널이 무너져 몇몇 운전자들이 갇혔다.

02 If you go over the limit, you have to pay duty when you go through c____________.
한도를 넘으면 세관을 통과할 때 관세를 내야 한다.

03 PPL s____________ ____________ "product placement," which is a common practice in dramas.
PPL은 '제품 배치'를 의미하는데, 그것은 드라마에서 흔한 관행이다.

C 각 단어의 유의어 혹은 반의어를 쓰시오.

01 명 purpose 유의 i____________

02 형 initial 반의 f____________

03 형 sufficient 유의 e____________

04 형 extreme 반의 m____________

05 동 ruin 유의 d____________

06 형 patient 반의 i____________

VOCA CLEAR

DAY 18

0681

alarm
[əláːrm]

동 놀라게 하다
명 1. 놀람, 불안 2. 경보(기)

The villagers were **alarmed** when a child went missing.
한 아이가 실종되자 마을 사람들은 놀랐다.

시험에 더 강해지는 어휘

파생 **alarming** 형 불안하게 하는, 놀라운, 무서운
유의 **anxiety** 명 불안
frighten 동 겁먹게 하다
숙어 **in[with] alarm** 놀라서

0682

delete
[dilíːt]

동 삭제하다

The manager **deleted** all the negative comments about their service.
관리자는 그들의 서비스에 대한 모든 부정적인 의견을 삭제했다.

파생 **deletion** 명 삭제
유의 **remove** 동 삭제[제거]하다

0683

smooth
[smuːð]

형 매끄러운, 부드러운
동 매끄럽게 하다

Mirrors and other **smooth**, shiny surfaces reflect light. 학평 기출
거울과 다른 매끄럽고 광택이 나는 표면들은 빛을 반사한다.

파생 **smoothly** 부 매끄럽게
유의 **even** 형 평평한, 반반한
반의 **rough** 형 거친
uneven 형 울퉁불퉁한

0684

indicate
[índikèit]

동 1. 나타내다, 암시하다 2. 가리키다

The survey **indicates** that 89% of people trust the vaccine.
조사는 89%의 사람들이 그 백신을 신뢰하고 있음을 나타낸다.

어원 plus+

in (in, to) + dic (say) + ate (동사형 접미사) → ~에 대고 말하다 → 가리키다, 나타내다

파생 **indication** 명 지시, 표시, 암시
유의 **show** 동 나타내다
suggest 동 암시하다

0685

glacier
[gléiʃər]

명 빙하

Glaciers in the region are melting at an alarming rate.
그 지역의 빙하들이 놀랄만한 속도로 녹고 있다.

파생 **glacial** 형 빙하의

0686

sweat
[swet]

명 1. 땀 2. 노력, 수고
동 땀을 흘리다

Sweat dripped down my face as I ran down the street.
거리를 뛰어 내려갈 때 내 얼굴로 땀이 흘러내렸다.

파생 sweaty 형 땀에 젖은
유의 perspiration 명 땀
perspire 동 땀을 흘리다

0687

shoot
[ʃuːt]

동 1. (총 등을) 쏘다 2. 촬영하다
명 사격, 발사

Vision is like **shooting** at a moving target. 학평 기출
비전은 움직이는 목표물을 쏘아 맞히는 것과 같다.

파생 shot 명 발사, 발포
shooting 명 발사, 촬영
유의 fire 동 발사하다

0688 다의어

bill
[bil]

명 1. 청구서, 계산서 2. 지폐 3. 법안

She always pays her rent and **bills** on time.
그녀는 항상 집세와 청구 비용을 제때에 지불한다.

Did you see that twenty-dollar **bill** on the counter? 학평 기출
카운터에 있던 20달러짜리 지폐를 봤나요?

Congress passed a **bill** authorizing medical use of the drug.
의회는 그 약을 의약적인 용도로 사용하는 것을 허가하는 법안을 통과시켰다.

내신 UP

Q1.
밑줄 친 단어의 뜻으로 알맞은 것은?

The waitress brought the bill to their table.

① 계산서 ② 지폐 ③ 법안

0689

tag
[tæg]

명 꼬리표, 가격표
동 꼬리표를 붙이다

Those products have no price **tags** attached.
저 상품들은 가격표가 붙어 있지 않다.

유의 label 명 표[상표], 꼬리표
tab 명 색인표, 식별표

0690

bitter
[bítər]

형 1. 맛이 쓴 2. 고통스러운 3. 신랄한

Coffee leaves a **bitter** taste in your mouth.
커피는 입안에 쓴맛을 남긴다.

파생 bitterly 부 몹시, 심하게
유의 painful 형 고통스러운
반의 sweet 형 달콤한, 단

0691

remark
[rimáːrk]

동 언급하다, 논평하다
명 1. 발언, 논평 2. 주목

Critics **remarked** that the design was not original.
비평가들은 디자인이 독창적이지 않다고 논평했다.

파생 remarkable 형 주목할 만한, 놀라운
유의 comment 명 동 논평(하다)

0692

boast
[boust]

동 자랑하다, 뽐내다

He **boasted** that he could beat anyone at chess.
그는 체스에서는 어느 누구라도 이길 수 있다고 뽐냈다.

파생 **boastful** 형 자랑하는
유의 **show off** 과시하다

0693

intuition
[ìntjuːíʃən]

명 직관(력), 직감

It's not wise to depend on **intuition** alone.
직관에만 의존하는 것은 현명하지 않다.

파생 **intuitive** 형 직관적인
유의 **instinct** 명 직감, 본능

0694 혼동어휘

adapt
[ədǽpt]

동 1. 적응하다 2. 조정하다 3. 각색하다

He couldn't **adapt** to the environment of the new school easily.
그는 새 학교의 환경에 쉽게 적응하지 못했다.

내신 UP

Q2.
문맥상 알맞은 단어를 고르시오.

They decided to **[adapt / adopt]** Terry's suggestion to move the office to London.

0695 혼동어휘

adopt
[ədάpt]

동 1. 입양하다 2. (정책 등을) 채택하다

Consider **adopting** a pet with medical needs, or even a senior one. 학평 기출
의료적 도움이 필요하거나 심지어 나이 든 반려동물을 입양하는 것을 고려해 주세요.

0696

normal
[nɔ́ːrməl]

형 보통의, 정상적인

The internal pressure you place on yourself to achieve is **normal** and useful. 학평 기출
성취하기 위해 스스로에게 가하는 내적인 압박은 정상적이고 유용하다.

파생 **normalize** 동 정상화하다
유의 **usual** 형 보통의
ordinary 형 보통의
반의 **unusual** 형 드문, 특이한
abnormal 형 비정상적인

0697

craft
[kræft]

명 1. 공예, 기술 2. 선박, 비행기
동 정교하게 만들다

Doing this job well requires **craft** and ingenuity.
이 일을 잘 하려면 기술과 독창성이 필요하다.

파생 **craftsman** 명 장인
유의 **art** 명 기술, 기예
skill 명 기술

0698

mixture
[míkstʃər]

명 혼합(물)

Add some salt and sugar to the **mixture** of flour and eggs.
밀가루와 계란의 혼합물에 소금과 설탕을 넣으세요.

파생 **mix** 동 섞다, 혼합하다
유의 **blend** 명 혼합(물)
compound 명 혼합물

0699

collaborate
[kəlǽbərèit]

동 협력하다, 공동으로 작업하다

The two parties will agree to **collaborate** on healthcare issues.
두 당은 의료 문제에 대해 협력하기로 합의할 것이다.

파생 **collaboration** 명 협력, 공동 작업
collaborative 형 공동의
유의 **cooperate** 동 협력하다

0700

perform
[pərfɔ́ːrm]

동 1. 수행하다 2. 공연하다

The researchers had participants **perform** stressful tasks. 학평 기출
연구자들은 참가자들에게 스트레스가 많은 일을 수행하게 했다.

파생 **performance** 명 수행, 성과, 공연
performer 명 연주자, 연기자
유의 **carry out** 수행하다

0701

nonsense
[nɑ́nsèns]

명 터무니없는 생각, 허튼소리

Does she still believe the **nonsense** about the ghost?
그녀는 유령에 대한 터무니없는 생각을 아직도 믿니?

0702

vague
[veig]

형 1. 모호한 2. 희미한

The president intentionally gave a **vague** answer.
의장은 의도적으로 모호한 답변을 했다.

유의 **obscure** 형 모호한
indistinct 형 희미한
반의 **clear** 형 분명한
distinct 형 뚜렷한, 분명한

0703

interpret
[intə́ːrprit]

동 해석하다, 통역하다

Emoticons may end up being **interpreted** very differently by different users. 학평 기출
이모티콘은 각각 다른 사용자들에게 매우 다르게 해석될지도 모른다.

파생 **interpretation** 명 해석, 통역
interpreter 명 통역가
유의 **translate** 동 번역[통역]하다

0704

decline
[dikláin]

동 1. 감소하다, 쇠퇴하다 2. 거절하다
명 감소[하락], 쇠퇴

It's great that the unemployment rate has begun to **decline** rapidly.
실업률이 급격히 감소하기 시작해서 다행이다.

유의 **decrease** 명 동 감소(하다)
refuse 동 거절하다
반의 **increase** 명 동 증가(하다)
accept 동 수락하다
숙어 **in decline** 쇠퇴하여

0705

outcome
[áutkʌ̀m]

명 결과

Good decisions do not always guarantee good **outcomes**.
좋은 결정이 항상 좋은 결과를 보장하지는 않는다.

어원 plus +
out (밖으로) + come (오다) → 밖으로 나온 것 → 결과, 성과

유의 **result** 명 결과

0706

specific
[spisífik]

형 1. 구체적인, 명확한 2. 특정한

They discussed the **specific** action steps they can take. 학평 응용
그들은 자신들이 취할 수 있는 구체적인 행동 단계를 논의했다.

파생 **specification** 명 상술, 명세(서)
유의 **detailed** 형 상세한
particular 형 특정한
반의 **vague** 형 모호한

0707 다의어

promote
[prəmóut]

동 1. 장려하다, 촉진하다 2. 승진시키다 3. 홍보하다

The concert **promoted** interest in modern music.
그 공연은 현대 음악에 대한 관심을 촉진했다.

The manager was **promoted** and transferred to a different location. 학평 기출
그 매니저는 승진하여 다른 지점으로 옮겼다.

He agreed to do the interview in order to **promote** his restaurant.
그는 식당을 홍보하기 위해 인터뷰를 하기로 동의했다.

내신 UP
Q3.
밑줄 친 단어의 뜻으로 알맞은 것은?
She worked hard and was soon promoted.
① 장려하다
② 홍보하다
③ 승진시키다

0708

record
[rékərd]

명 1. 기록 2. 음반
동 [rikɔ́:rd] 1. 기록하다 2. 녹음[녹화]하다

It was one of the hottest Mays on **record**.
기록상 가장 더운 5월 중 하루였다.

유의 **note** 동 기록하다 명 ((-s)) 기록
document 동 기록하다
숙어 **on (the) record** 기록상의
keep a record 기록해 두다

0709

judge
[dʒʌdʒ]

동 1. 판단하다[여기다] 2. 재판하다, 심판하다
명 1. 판사 2. (경기·토론의) 심판

The restaurant was **judged** one of the best in the city by food critics.
그 식당은 음식 평론가들에 의해 그 도시에서 최고의 식당 중 하나로 여겨졌다.

파생 **judgment** 명 판단, 심판, 재판
숙어 **judging from** ~로 판단하건대

0710

resident
[rézidənt]

명 거주자, 주민
형 거주하는

Residents are putting their recycling out at any time. 학평 기출
입주민들은 아무 때나 자신들의 재활용품을 내놓습니다.

파생 **reside** 동 거주하다
residence 명 거주, 주거(지)
유의 **inhabitant** 명 주민
dweller 명 거주자

0711 혼동어휘

insult
[insʌ́lt]

동 모욕하다
명 모욕

He **insulted** the actress by asking a stupid question.
그는 멍청한 질문으로 여배우를 모욕했다.

내신 UP
Q4.
문맥상 알맞은 단어를 고르시오.
They are looking for ways to **[insult / insert]** another condition into the contract.

0712 혼동어휘

insert
[insə́ːrt]

동 삽입하다, 끼워 넣다

Insert coins into the slot and press a button to select the drink you want.
동전을 홈에 넣고 원하는 음료를 선택하기 위해 버튼을 누르시오.

0713

certain
[sə́ːrtən]

형 1. 확신하는, 확실한 2. 어떤, 어느 정도의

No one can be **certain** whether the economy will recover soon.
경제가 곧 회복될지 아무도 확신할 수 없다.

파생 **certainty** 명 확실성
유의 **sure** 형 확신하는, 확실한
반의 **uncertain** 형 불확실한

0714

fossil
[fásl]

명 화석

The recent **fossil** record captures little of that diversity. 학평 응용
최근의 화석 기록은 그 다양성을 거의 담아내지 못한다.

파생 **fossilize** 동 화석화하다[되다]

0715

highlight
[háilàit]

동 강조하다, 강조 표시를 하다
명 가장 중요한 부분

Then later, you read the chapter again, focusing on the **highlighted** material. 학평 기출
그리고 나서 나중에 당신은 강조 표시가 된 자료에 집중하면서 그 장을 다시 읽는다.

유의 emphasize 동 강조하다
underline 동 강조하다, 밑줄을 긋다

0716

fundamental
[fʌ̀ndəméntl]

형 1. 근본[본질]적인 2. 핵심적인, 필수적인

They know their new product has **fundamental** flaws.
그들은 새로운 상품이 근본적인 결함을 가지고 있음을 알고 있다.

파생 fundamentally 부 근본적으로
유의 essential 형 근본[본질]적인
necessary 형 필수적인

0717

cottage
[kátidʒ]

명 오두막집

The old man has a tiny but beautiful **cottage** by the lake.
노인은 호수 옆에 작지만 아름다운 오두막집 한 채를 가지고 있다.

유의 cabin 명 오두막집

고등 필수 숙어

0718

ask after

~의 안부를 묻다

I met my friends today, and they **asked after** you.
오늘 내 친구들을 만났는데, 그들은 네 안부를 물었어.

0719

run after

~을 뒤쫓다

The police officer **ran after** the thieves.
경찰관이 도둑을 쫓았다.

0720

take after

~를 닮다

Children **take after** their parents in terms of both appearance and personality.
아이들은 외모와 성격 면에서 부모를 닮는다.

내신 UP

Q5.
다음 빈칸에 알맞은 숙어는?

I tried to stop my dog from ________ my neighbor's cat, but it was useless.

① asking after
② running after
③ taking after

Daily Test 18

정답 p. 354

A 우리말은 영어로, 영어는 우리말로 쓰시오.

01 모호한, 희미한 ____________

02 직관(력), 직감 ____________

03 화석 ____________

04 모욕(하다) ____________

05 거주자, 주민 ____________

06 적응하다, 조정하다 ____________

07 삽입하다, 끼워 넣다 ____________

08 fundamental ____________

09 collaborate ____________

10 perform ____________

11 outcome ____________

12 bill ____________

13 boast ____________

14 normal ____________

B 빈칸에 알맞은 단어를 쓰시오. (필요시 형태를 바꿀 것)

서술형

01 Diana gave no s____________ reason for her decision not to play golf again.
Diana는 다시는 골프를 치지 않기로 결정한 구체적인 이유를 밝히지 않았다.

02 G____________ are important for the stability of the global climate.
빙하는 지구 기후의 안정에 중요하다.

03 He seems to t____________ ____________ his parents in that he is a talented actor.
그는 재능 있는 연기자라는 점에서 부모님을 닮은 것 같다.

C 각 단어의 유의어 혹은 반의어를 쓰시오.

01 동 interpret 유의 t____________

02 형 smooth 반의 r____________

03 동 shoot 유의 f____________

04 동 decline 반의 i____________

05 명 mixture 유의 b____________

06 형 bitter 반의 s____________

VOCA CLEAR

DAY 19

시험에 더 강해지는 어휘

0721

structure
[strʌ́ktʃər]

명 구조(물), 조직
동 구조화하다, 조직하다

The brain **structure** is composed of three parts.
뇌 구조는 세 개의 부분으로 구성되어 있다.

파생 **structural** 형 구조의
유의 **construction** 명 구조(물)
organize 동 구조화하다, 조직하다

0722

arrogant
[ǽrəgənt]

형 거만한, 오만한

He entered the room in an **arrogant** manner.
그는 거만한 태도로 방에 들어갔다.

파생 **arrogance** 명 거만함, 오만
반의 **modest** 형 겸손한
humble 형 겸손한

0723

freeze
[friːz]

동 얼다[얼리다]
명 동결

Freezing fruits and vegetables is the easiest way of preservation.
과일과 야채를 얼리는 것은 가장 쉬운 보존 방법이다.

파생 **freezing** 형 어는, 몹시 추운
frozen 형 냉동된, 얼어붙은
반의 **melt** 동 녹다[녹이다]
숙어 **freeze to death** 얼어 죽다

0724

republic
[ripʌ́blik]

명 공화국

Ireland officially became a **republic** in 1949.
아일랜드는 1949년에 공식적으로 공화국이 되었다.

0725

concentrate
[kɑ́nsəntrèit]

동 1. 집중하다, 전념하다 2. 농축하다

You need to **concentrate** on this work now.
너는 지금 이 일에 집중해야 한다.

어원 plus+
con (together) + centr (center) + ate (동사형 접미사)
→ 중심부에 함께 모으다 → 집중하다

파생 **concentration** 명 집중
concentrated 형 집중적인, 농축된
유의 **focus** 동 집중하다
반의 **distract** 동 산만하게 하다
숙어 **concentrate on** ~에 집중하다

0726

tip
[tip]

명 1. (뾰족한) 끝 2. 조언 3. 팁, 봉사료

I have her name on the **tip** of my tongue.
나는 그녀의 이름이 혀끝에서 맴돈다.

유의 **end** 명 끝
hint 명 조언
숙어 **leave a tip** 팁을 남기다

0727

chaos
[kéiɑ̀s]

명 혼돈, 혼란

The whole town was in **chaos** because of the fire and blackouts.
화재와 정전으로 인해 온 마을이 혼란에 빠져 있었다.

파생 **chaotic** 형 혼돈[혼란] 상태인
유의 **disorder** 명 혼란, 무질서
반의 **order** 명 질서

0728 혼동어휘

raise
[reiz]

동 1. 들어 올리다 2. 모금하다 3. 기르다, 키우다

They danced in circles with their arms **raised** over their heads. 학평 기출
그들은 팔을 머리 위로 올린 채 원을 그리며 춤을 췄다.

내신 UP

Q1.
문맥상 알맞은 단어를 고르시오.

The city is **[raising / rising]** money for the repair of the cathedral.

0729 혼동어휘

rise
[raiz]

동 1. 오르다, 상승하다 2. 증가하다 3. (해·달이) 뜨다
명 1. 오름, 상승 2. 증가

The stock price has been **rising** steadily.
주식 가격이 꾸준히 오르고 있다.

0730

guilty
[gílti]

형 1. 유죄의 2. 죄책감을 느끼는

He claimed that he wasn't **guilty** of the robbery.
그는 자신이 도난 사건에 대해 죄가 없다고 주장했다.

파생 **guilt** 명 유죄, 죄책감
반의 **innocent** 형 무죄인

0731

portrait
[pɔ́:rtrit]

명 1. 초상(화), 인물 사진 2. 묘사

She painted **portraits** of the children of her friends and family. 학평 기출
그녀는 친구들과 가족의 아이들 초상화를 그렸다.

파생 **portray** 동 초상화를 그리다, 묘사하다
유의 **description** 명 묘사

0732

agony
[ǽgəni]

명 극심한 고통, 고뇌

Mothers often talk about the **agony** of childbirth.
어머니들은 종종 출산의 고통에 대해 이야기한다.

유의 **pain** 명 고통
torment 명 고통, 고뇌
숙어 **in agony** 몹시 괴로워하여

0733

predict
[pridíkt]

동 예측하다, 예언하다

The hurricane is **predicted** to reach the coast tomorrow afternoon.
허리케인이 내일 오후 해안에 도달할 것으로 예측된다.

어원 plus+
pre (before) + dict (say) → 미리 말하다 → 예언하다

파생 **prediction** 명 예측[예언]
predictable 형 예측[예언]할 수 있는
유의 **forecast** 동 예측하다
foretell 동 예언하다

0734

household
[háushòuld]

명 가정, 가구
형 가정(용)의

Nowadays, many **households** consider their pets members of the family.
요즘, 많은 가정들은 애완동물을 가족의 일원으로 여긴다.

유의 **family** 명 가정, 가구 형 가정의

0735

lively
[láivli]

형 활기 넘치는, 활발한

The band is famous for its **lively** performances.
그 밴드는 활기찬 공연으로 유명하다.

파생 **live** 형 생생한, 실황의
liveliness 명 활기, 생동감
유의 **active** 형 활기찬
energetic 형 활기에 찬

0736

loss
[lɔ(:)s]

명 상실, 손실[손해]

He had never realized that animals could also feel the pain of loss. 학평 응용
그는 동물도 상실의 고통을 느낄 수 있다는 것을 전혀 몰랐었다.

파생 **lose** 동 잃다, 잃어버리다
반의 **gain** 명 획득, 이익
profit 명 이익

0737

manufacture
[mæ̀njəfǽktʃər]

동 제조[제작]하다, 생산하다
명 제조, 생산, ((-s)) 제품

These garments are **manufactured** using toxic chemicals. 학평 응용
이 의류는 유해한 화학 물질을 이용해 제작된다.

파생 **manufacturer** 명 제조업자
유의 **produce** 동 생산하다
production 명 제조, 생산

0738

mark
[mɑːrk]

동 표시하다, 나타내다
명 표시, 자국[흔적]

Can you **mark** the spot on this map?
그 장소를 이 지도에 표시해 주시겠어요?

파생 marker 명 표시
marked 형 두드러진
유의 spot 명 얼룩

0739

convention
[kənvénʃən]

명 1. (대규모) 집회, 대회 2. 관습

The hotel was fully booked because of the **convention**.
그 호텔은 대회로 인해 예약이 꽉 찼다.

파생 conventional 형 관습적인
유의 assembly 명 집회
custom 명 관습

0740 다의어

interest
[íntərəst]

명 1. 관심, 흥미 2. 이자, 이익
동 ~의 관심을 끌다

Students work to get good grades even when they have no **interest** in their studies. 학평 기출
학생들은 공부에 관심이 없을 때조차도 좋은 성적을 얻기 위해 공부한다.

There are steps you can take to pay less **interest** on your loan.
대출 이자를 덜 내기 위해 취할 수 있는 조치들이 있다.

내신 UP

Q2.
밑줄 친 단어의 뜻으로 알맞은 것은?

Innovative devices interest early adopters.

① 관심 ② 이익 ③ 관심을 끌다

0741

register
[rédʒistər]

동 등록하다, 기재하다
명 등록(부), 명부

Businesses can now **register** for a booth at the 2021 Job Fair. 학평 기출
사업체들은 지금 2021 채용 박람회 부스를 등록할 수 있다.

파생 registration 명 등록, 신고
유의 enroll 동 등록하다
sign up ~에 등록[신청]하다
숙어 register for ~에 등록하다

0742

unique
[juːníːk]

형 1. 유일한, 독특한 2. 특별한, 별난

Ariana's **unique** voice appeals to a wide range of music lovers.
Ariana의 독특한 목소리는 다양한 음악 애호가들에게 매력적으로 다가간다.

유의 distinctive 형 독특한
반의 common 형 흔한, 평범한

0743

press
[pres]

동 1. 누르다 2. 압박하다, 강요하다
명 신문, 언론, 출판물

Every time the rat **pressed** this bar, it was presented with food. 학평 기출
쥐가 이 막대를 누를 때마다 음식이 주어졌다.

파생 **pressure** 명 압력, 압박
유의 **push** 동 누르다, 강요하다
숙어 **press down** 억누르다

0744

internal
[intə́:rnəl]

형 내부의, 내면의

Imagination can be an entirely private process of **internal** consciousness. 학평 기출
상상력은 전적으로 내면 의식의 사적인 과정일 수 있다.

파생 **internally** 부 내부로, 내적으로
반의 **external** 형 외부의, 외면의

0745 혼동어휘

status
[stéitəs]

명 1. 지위, 신분 2. 상태

The mayor worked to improve the social **status** of women all his life.
그 시장은 평생 여성의 사회적 지위 향상을 위해 일했다.

내신 UP

Q3.
문맥상 알맞은 단어를 고르시오.

Josh did everything he could to improve his social **[statue / status]**.

0746 혼동어휘

state
[steit]

명 1. 상태 2. 국가 3. (미국의) 주
동 말하다, 진술하다

Chocolate is likely to induce a positive emotional **state**.
초콜릿은 긍정적인 감정 상태를 유발하는 것 같다.

0747 혼동어휘

statue
[stǽtʃu:]

명 조각상

The **statue** Rodin carved will stay in this art museum until next year.
Rodin이 조각한 그 조각상은 내년까지 이 미술관에 있을 것입니다.

0748

dedicate
[dédəkèit]

동 1. 전념[헌신]하다 2. 헌정하다, 바치다

I decided to **dedicate** myself to studying genetic engineering.
나는 유전 공학을 공부하는 데 전념하기로 결심했다.

파생 **dedication** 명 전념[헌신]
유의 **devote** 동 전념[헌신]하다
숙어 **be dedicated to** ~에 전념[헌신]하다

0749

pharmacy
[fá:rməsi]

명 1. 약국 2. 약학

The eye drops are available at **pharmacies** without a prescription.
그 안약은 처방전 없이 약국에서 구할 수 있다.

파생 **pharmacist** 명 약사

0750

connect
[kənékt]

동 연결하다

The transportation industry **connects** people, places, and possibilities. 학평 응용
교통 산업은 사람, 장소, 가능성들을 연결해 준다.

파생 **connection** 명 연결
유의 **link** 동 연결하다
반의 **disconnect** 동 연결을 끊다
숙어 **connect A to B** A를 B에 연결하다

0751

seek
[si:k]

동 1. 찾다, 추구하다 2. 시도하다

His family was advised to **seek** legal advice.
그의 가족은 법률적인 조언을 구하라는 조언을 받았다.

유의 **search for** 찾다, 추구하다
pursue 동 추구하다
attempt 동 시도하다

0752

trap
[træp]

명 덫, 함정
동 가두다

Successful people typically avoid the **trap** of negative self-talk. 학평 응용
성공적인 사람들은 대개 부정적인 자기 대화의 덫을 피한다.

숙어 **be trapped in** ~에 갇히다

0753

intolerable
[intálərəbl]

형 참을 수 없는

The dust from the factory is making our lives **intolerable**.
공장에서 나오는 먼지는 우리의 생활을 참을 수 없게 만들고 있다.

유의 **unbearable** 형 참을 수 없는
반의 **tolerable** 형 참을 수 있는

0754

barrier
[bǽriər]

명 장벽, 장애물

Barriers have been erected all along the parade route.
모든 행진 경로를 따라 장벽이 세워졌다.

유의 **obstacle** 명 장애물

0755

collide
[kəláid]

동 충돌하다, 부딪치다

The two cars **collided** in the dense fog.
차량 두 대가 짙은 안개 속에서 충돌했다.

파생 collision 명 충돌 (사고)
유의 clash 동 충돌하다, 부딪치다

0756

indeed
[indí:d]

부 정말, 참으로

Indeed, language changes our lives. 학평 기출
정말로, 언어는 우리의 삶을 변화시킨다.

유의 certainly 부 확실히
really 부 정말

0757

witness
[wítnis]

명 1. 목격자 2. 증인
동 1. 목격하다 2. 증언하다

Police are looking for **witnesses** to the accident.
경찰은 그 사건의 목격자들을 찾고 있다.

유의 observer 명 목격자
observe 동 목격하다
testify 동 증언하다
숙어 witness to ~의 목격자

고등 필수 숙어

0758

due to

~ 때문에, ~에 기인하는

It is suspected that her headache is **due to** constant stress.
그녀의 두통은 지속적인 스트레스 때문인 것으로 추측된다.

내신 UP

Q4.
다음 빈칸에 알맞지 않은 숙어는?

They decided to cancel the garden party ___________ expectations of bad weather.

① due to
② owing to
③ as to

0759

owing to

~ 덕분에, ~ 때문에

Our lives changed completely, mostly **owing to** scientific and technological innovations. 학평 기출
우리의 삶은 주로 과학적이고 기술적인 혁신 때문에 완전히 바뀌었다.

0760

thanks to

~ 덕분에

Thanks to their small size, LEDs can be used in various small devices. 학평 기출
작은 크기 덕분에 LED는 다양한 소형 장치에 사용될 수 있다.

Daily Test 19

정답 p. 355

A 우리말은 영어로, 영어는 우리말로 쓰시오.

01 장벽, 장애물 ________

02 극심한 고통, 고뇌 ________

03 약국, 약학 ________

04 혼돈, 혼란 ________

05 공화국 ________

06 지위, 신분, 상태 ________

07 활기 넘치는, 활발한 ________

08 convention ________

09 intolerable ________

10 witness ________

11 concentrate ________

12 portrait ________

13 manufacture ________

14 predict ________

B 빈칸에 알맞은 단어를 쓰시오. (필요시 형태를 바꿀 것)

서술형

01 According to the new policy, pet owners have to r________ their dogs.
새로운 정책에 따르면, 애완동물 주인들은 그들의 개를 등록해야 한다.

02 They intended to r________ money for Lou Gehrig's disease patients.
그들은 루게릭병 환자들을 위한 기금을 모으려고 했다.

03 The police had to release the murder suspect o________ ________ lack of evidence.
경찰은 증거 부족으로 인해 살인 용의자를 풀어 주어야 했다.

C 각 단어의 유의어 혹은 반의어를 쓰시오.

01 형 unique 유의 d________

02 형 guilty 반의 i________

03 명 structure 유의 c________

04 동 freeze 반의 m________

05 동 dedicate 유의 d________

06 형 internal 반의 e________

VOCA CLEAR

DAY 20

0761

habitat
[hǽbitæ̀t]

명 서식지, 거주지

Polar bears are losing their **habitats** because of global warming.
북극곰들이 지구 온난화 때문에 서식지를 잃어 가고 있다.

시험에 더 강해지는 어휘

파생 habitation 명 거주(지)

0762

gloomy
[glúːmi]

형 우울한, 울적한

At that time our future seemed very **gloomy**.
그 당시에 우리의 미래는 매우 암울해 보였다.

유의 depressing 형 우울한
melancholy 형 우울한
반의 cheerful 형 발랄한, 쾌활한

0763 다의어

withdraw
[wiðdrɔ́ː]

동 1. 철수하다 2. 철회하다 3. (예금 등을) 인출하다

The troops began to **withdraw** from the northern region.
그 군대는 북쪽 지역에서 철수하기 시작했다.

Some artists **withdrew** their support for the campaign.
몇몇 예술가들은 그 캠페인에 대한 지지를 철회했다.

With this account, you can **withdraw** up to $500 a day.
이 계좌로 하루에 500달러까지 인출할 수 있다.

내신 UP 

Q1.
밑줄 친 단어의 뜻으로 알맞은 것은?

You can withdraw cash without fees at any of our branches.

① 인출하다
② 철회하다
③ 철수하다

0764

reduce
[ridjúːs]

동 줄이다[줄다]

Smiling **reduces** the intensity of the stress response in the body. 학평 기출
미소 짓는 것은 신체의 스트레스 반응의 강도를 줄여준다.

파생 reduction 명 감소
유의 decrease 동 줄이다[줄다]
lower 동 낮추다[내리다]
반의 increase 동 늘리다[늘다]

0765

hostility
[hɑstíləti]

명 적의, 적개심

For twenty years the **hostility** grew, spreading to their families and the community. 학평 기출
20년 동안 적개심은 커져 그들의 가족과 지역 사회로 퍼졌다.

파생 hostile 형 적대적인
반의 friendliness 명 호의, 친선

0766

contrast
[kántræst]

명 대조, 대비
동 [kəntrǽst] 대조를 이루다, 대조[대비]하다

The **contrast** between an ideal and reality frustrated him.
이상과 현실 사이의 대비가 그를 좌절시켰다.

유의 difference 명 차이
dissimilarity 명 차이점
반의 similarity 명 유사점, 닮은 점
숙어 in contrast with[to]
~와 대조적으로

0767

direct
[dirékt]

동 1. 감독하다, 지도하다 2. (길을) 가리키다
형 직접적인, 직행의

The movies **directed** by Bong Joon-ho are recognized as masterpieces.
봉준호 감독이 감독한 영화들은 걸작으로 인정받는다.

파생 director 명 감독
direction 명 지시, 방향
유의 manage 동 관리[감독]하다
straight 형 직접의, 직진하는
반의 indirect 형 간접적인, 우회하는

0768

element
[éləmənt]

명 1. 요소, 성분 2. 원소

The first sentence contains the most essential **elements** of the story. 학평 기출
첫 번째 문장은 이야기의 가장 본질적인 요소들을 담고 있다.

파생 elementary 형 기본적인, 초급의
유의 component 명 구성 요소, 성분
ingredient 명 구성 요소, 성분

0769

randomly
[rǽndəmli]

부 무작위로

The boys were **randomly** separated into two groups. 학평 응용
그 소년들은 무작위로 두 그룹으로 나뉘었다.

파생 random 형 무작위의, 임의의

0770

valuable
[vǽljuəbl]

형 소중한, 값비싼

Traveling abroad can be a **valuable** experience.
해외 여행은 소중한 경험이 될 수 있다.

어원 plus+

val(u) (value) + able(~ 할 수 있는) → 가치를 줄 수 있는 → 소중한

파생 value 명 가치 동 소중히 하다
valuables 명 귀중품
유의 precious 형 귀중한, 값비싼
invaluable 형 매우 귀중한
반의 worthless 형 무가치한
valueless 형 무가치한

0771

ash
[æʃ]

명 재

Ash from the volcano has spread to the neighboring islands.
그 화산재는 인근 섬들로 퍼졌다.

0772

justice
[dʒʌ́stis]

명 1. 정의, 공정 2. 정당(성) 3. 사법, 재판(관)

People have been fighting for **justice**.
사람들은 정의를 위해 싸워 왔다.

파생 **just** 형 공정한
유의 **fairness** 명 공정(성)
반의 **injustice** 명 부정, 불공평

0773 혼동어휘

mass
[mæs]

명 1. 큰 덩어리 2. 다량, 다수 3. ((-s)) 대중
형 1. 많은, 대량의 2. 대중의

A **mass** of snow was rapidly sliding down the mountain.
눈 덩어리가 산에서 빠르게 미끄러져 내려가고 있었다.

내신 UP

Q2.
문맥상 알맞은 단어를 고르시오.

Email has made **[mass / mess]** mailings possible at the touch of a button.

0774 혼동어휘

mess
[mes]

명 엉망인 상태
동 엉망으로 만들다

The volunteers were busy cleaning up the **mess** after the parade.
자원봉사자들은 퍼레이드 이후의 난장판을 치우느라 바빴다.

0775

complain
[kəmpléin]

동 불평하다, 항의하다

Andrew Carnegie heard his sister **complain** about her two sons. 학평 기출
Andrew Carnegie는 그의 누이가 자신의 두 아들에 대해 불평하는 것을 들었다.

파생 **complaint** 명 불평, 항의
유의 **protest** 동 항의하다
숙어 **complain to A about B**
A에게 B에 대해 불평하다

0776

dawn
[dɔːn]

명 1. 새벽, 동틀 녘 2. 시초, 서광
동 날이 밝다

Rabbits are the most active at **dawn** and dusk.
토끼는 새벽과 황혼 녘에 가장 활동적이다.

유의 **daybreak** 명 새벽
반의 **dusk** 명 황혼 (녘)
숙어 **at dawn** 동틀 녘에

0777

proper
[prápər]

형 적절한, 알맞은

For a long-distance walk, you need **proper** hiking boots.
장거리를 걸으려면 적당한 등산화가 필요하다.

유의 **suitable** 형 적절한, 알맞은
appropriate 형 적절한
반의 **improper** 형 부적절한, 잘못된

0778

restrict
[ristríkt]

동 **제한하다, 한정하다**

We **restrict** the number of students per class to ten.
우리는 교실당 학생 수를 10명으로 제한합니다.

파생 **restriction** 명 제한, 제약
restrictive 형 제한하는
유의 **limit** 동 제한하다

0779

aware
[əwέər]

형 **알고 있는, 인식하는**

Everybody should be **aware** of the risks involved.
모든 사람들은 관련된 위험을 알고 있어야 한다.

파생 **awareness** 명 의식, 인식
유의 **conscious** 형 의식하고 있는
반의 **unaware** 형 알지 못하는
숙어 **be aware of** ~을 알고 있다

0780

Mediterranean
[meditəréiniən]

형 **지중해의**
명 **((the)) 지중해**

Morocco has a typical **Mediterranean** climate, with hot summers and mild winters.
모로코는 더운 여름과 온화한 겨울이 있는 전형적인 지중해성 기후이다.

0781 다의어

feature
[fíːtʃər]

명 **1. 특징 2. 얼굴 생김새, 이목구비 3. 특집 기사**
동 **1. 특징으로 삼다 2. 특종으로 다루다**

Longer battery life is the most wanted **feature** in a smartphone. 학평 응용
더 긴 배터리 수명이 스마트폰에서 가장 원하는 특징이다.

Her most attractive **feature** is her big blue eyes.
그녀의 가장 매력적인 이목구비는 커다란 파란색 눈이다.

This article **features** different methods of voice phishing.
이 기사는 다양한 보이스 피싱 방법을 특집으로 다루고 있다.

내신 UP

Q3.
밑줄 친 단어의 뜻으로 알맞은 것은?

Limitless creativity is a key feature of the company's innovative projects.

① 특징
② 얼굴 생김새
③ 특집 기사

0782

search
[səːrtʃ]

동 **찾다, 검색하다**
명 **수색, 검색**

They kept **searching** for answers on the Internet. 학평 응용
그들은 계속 인터넷에서 답을 검색했다.

파생 **searchable** 형 찾을 수 있는, 검색 가능한
유의 **seek** 동 찾다
숙어 **search for** ~을 찾다

0783

common
[kámən]

형 1. 흔한, 보통의 2. 공통의, 공동의

The most **common** symptoms of the disease are headaches and a cough.
그 질병의 가장 흔한 증상들은 두통과 기침이다.

파생 **commonly** 부 흔히, 보통
유의 **collective** 형 공동의, 공통의
반의 **uncommon** 형 드문, 비범한

0784

scoop
[sku:p]

명 1. 숟갈, 스쿠프 2. 한 숟갈(의 양)
동 (국자·숟가락 등으로) 푸다

You can use an ice cream **scoop** to shape the dough into balls.
반죽을 공 모양으로 만들기 위해 아이스크림 스쿠프를 사용할 수 있다.

0785

hesitate
[hézitèit]

동 주저하다, 망설이다

The shoes sold out while I **hesitated** to push the "buy" button.
내가 '구매' 버튼 누르기를 주저하는 동안 그 신발은 매진되었다.

파생 **hesitation** 명 주저, 망설임
숙어 **hesitate to-v** ~하기를 주저하다, 망설이다

0786

merchant
[mə́:rtʃənt]

명 상인, 무역상

A **merchant** in a small town had identical twin sons. 학평 기출
어느 작은 마을의 한 상인에게 일란성 쌍둥이 아들들이 있었다.

유의 **trader** 명 상인, 무역업자

0787

protect
[prətékt]

동 보호하다, 지키다

The hard shell of a nut **protects** the seed inside it.
견과류의 단단한 껍데기는 안에 있는 씨앗을 보호해 준다.

어원 plus+

pro (before) + tect (cover: 덮다, 가리다) → 앞에서 가려주다 → 보호하다

파생 **protection** 명 보호
protective 형 보호하는
유의 **preserve** 동 보호하다, 지키다
defend 동 지키다, 방어하다
숙어 **protect A from B**
B로부터 A를 지키다

0788

subjective
[səbdʒéktiv]

형 주관적인, 주관의

Taste in art is a **subjective** matter.
예술에 대한 취향은 주관적인 문제이다.

반의 **objective** 형 객관적인

0789

host
[houst]

명 주최자, 진행자
동 주최하다

The beautiful city of Yeosu is the **host** of this event.
아름다운 도시 여수가 이 행사의 주최측이다.

유의 **hold** 동 개최하다, 열다
반의 **guest** 명 손님

0790

employ
[implɔ́i]

동 1. 고용하다 2. (기술·방법 등을) 이용하다

The company should have **employed** more researchers.
회사는 더 많은 연구원을 고용했어야 했다.

파생 **employment** 명 고용
employer 명 고용주
employee 명 직원, 종업원
유의 **hire** 동 고용하다
반의 **dismiss** 동 해고하다

0791 혼동어휘

inferior
[infí(:)əriər]

형 열등한, 낮은, 하급의
명 아랫사람, 하급자

His later work was vastly **inferior** to his early work.
그의 후기 작품은 초기작보다 매우 열등했다.

내신 UP

Q4.
문맥상 알맞은 단어를 고르시오.

Feeling **[superior / inferior]** to others can make you arrogant and stubborn.

0792 혼동어휘

superior
[su(:)pí(:)əriər]

형 뛰어난, 우월한, 상급의
명 윗사람, 상급자

The dancers gave a **superior** performance that evening.
그날 저녁 무용수들은 뛰어난 공연을 선사했다.

0793

tend
[tend]

동 (~하는) 경향이 있다, ~하기 쉽다

Animals **tend** to eat with their stomachs, and humans with their brains. 학평 기출
동물들은 배로, 인간들은 뇌로 먹는 경향이 있다.

파생 **tendency** 명 경향, 기질
유의 **be apt** (~하는) 경향이 있다
be liable ~하기 쉽다
숙어 **tend to-v** ~하는 경향이 있다

0794

preference
[préfərəns]

명 선호(도), 선호하는 것

Some people have a strong **preference** for tea.
어떤 사람들은 차에 대해 강한 선호가 있다.

파생 **prefer** 동 선호하다
숙어 **in preference to** ~에 우선해서

0795

chore
[tʃɔːr]

명 허드렛일, 하기 싫은 일, ((-s)) 집안일

She felt washing dishes every day was a real **chore**.
그녀는 매일 설거지를 하는 것이 정말 귀찮다고 느꼈다.

0796

insight
[ínsàit]

명 통찰(력), 간파, 이해

With a flash of **insight**, she found the solution to the problem.
번뜩이는 통찰력으로, 그녀는 그 문제에 대한 해결책을 찾았다.

어원 plus +

in (안에) + sight (보기) → 내면을 들여다 보기 → 통찰

파생 **insightful** 형 통찰력 있는
유의 **perception** 명 통찰력
understanding 명 이해

0797

medical
[médikəl]

형 의학의, 의료의

She organized 14 **medical** units to send to battlefields throughout Europe. 학평 기출
그녀는 유럽 전역의 전쟁터로 보낼 14개의 의료 부대를 조직했다.

파생 **medicine** 명 의학, 의료, 약

고등 필수 숙어

0798

break up with

~와 결별하다, 갈라서다

It was wise of him to **break up with** her.
그가 그녀와 헤어지는 것은 현명했다.

0799

come up with

~을 생각해 내다, 떠올리다

He thought about the question and **came up with** an interesting way to answer it. 학평 응용
그는 그 질문에 대해 생각하고 그것에 답하는 흥미로운 방법을 생각해 냈다.

0800

keep up with

1. ~에 뒤지지 않다 2. ~와 계속 연락하고 지내다

She had a hard time **keeping up with** them because her pony was smaller. 학평 응용
그녀는 자신의 조랑말이 더 작기 때문에 그들을 따라가는 데 어려움을 겪었다.

Q5.
다음 빈칸에 알맞은 숙어는?

We __________ a plan to make our city greener by building more parks.

① broke up with
② came up with
③ kept up with

Daily Test 20

정답 p. 355

A 우리말은 영어로, 영어는 우리말로 쓰시오.

01 상인, 무역상 ____________

02 적절한, 알맞은 ____________

03 재 ____________

04 무작위로 ____________

05 감독하다; 직접적인 ____________

06 제한하다, 한정하다 ____________

07 열등한, 하급의 ____________

08 medical ____________

09 preference ____________

10 habitat ____________

11 common ____________

12 aware ____________

13 hostility ____________

14 withdraw ____________

B 빈칸에 알맞은 단어를 쓰시오. (필요시 형태를 바꿀 것)

서술형

01 It is interesting to c__________ the different perceptions of holidays that men and women have in Korea.
한국에서 남녀가 가지는 명절에 대한 서로 다른 인식을 대조하는 것은 흥미롭다.

02 He gets an allowance for doing household c__________ and looking after his little brother.
그는 집안일과 남동생을 돌보는 대가로 용돈을 받는다.

03 Some students have difficulty k__________ __________ __________ the pace of the classes.
일부 학생들은 수업 속도를 따라가는 데 어려움을 겪는다.

C 각 단어의 유의어 혹은 반의어를 쓰시오.

01 동 employ 유의 h__________

02 명 dawn 반의 d__________

03 동 reduce 유의 d__________

04 형 valuable 반의 w__________

05 형 gloomy 유의 d__________

06 형 gloomy 반의 c__________

내신에 더 강해지는 TEST DAY 16-20

A 각 영영풀이에 알맞은 단어를 <보기>에서 찾아 쓰시오.

<보기>	randomly	pioneer	custom	collide	withdraw

01 to crash into each other violently ______________

02 without any plan, aim, or regular pattern ______________

03 to move back or away from a place or situation ______________

04 a person who is the first to study and develop a particular area ______________

05 an accepted way of behaving or doing things in a society ______________

B 다음 빈칸에 공통으로 알맞은 단어를 고르시오.

01 · We ____________ public awareness of the risks of illegal drugs.
· The appeal for the flood victims ____________ over three million dollars.
① rose ② raised ③ interested ④ promoted

02 · The guests will be ____________ for the rooms and the damage.
· She has ____________ me with looking after her twin daughters.
① granted ② registered ③ appreciated ④ charged

03 · We have an in-depth ____________ on the Italian fashion industry.
· The most distinctive ____________ of Australian beef is that the cattle are fed mostly grass.
① feature ② purpose ③ element ④ advantage

정답 p. 355

C

다음 중 짝 지어진 단어의 관계가 나머지와 다른 하나를 고르시오.

01 ① obstacle : barrier ② faithful : loyal ③ domestic : foreign

02 ① resident : inhabitant ② obvious : obscure ③ subjective : objective

03 ① survive : survival ② protect : protective ③ detect : detection

04 ① native : acquired ② guilty : innocent ③ establish : found

05 ① evaluate : assess ② arrogant : humble ③ valuable : invaluable

D

서술형

우리말과 같은 의미가 되도록 <보기>의 단어를 이용하여 문장을 완성하시오. (필요시 형태를 바꿀 것)

<보기>	insight	keep	aim	adapt	adopt	come

01 이민자의 자녀들은 외국 문화에 쉽게 적응하는 경향이 있다.

→ The children of immigrants tend to easily ______________ to an alien culture.

02 그 항공사는 시차증 문제에 대한 새로운 해결책을 생각해 냈다.

→ The airline has ______________ up with a novel solution to the problem of jet lag.

03 연구의 목적은 의사와 환자 간의 관계에 대한 더 나은 이해를 얻고자 하는 것이다.

→ The ______________ of the research is to gain a better ______________ into the doctor-patient relationship.

VOCA CLEAR

DAY 21

시험에 더 강해지는 어휘

0801

claim
[kleim]

동 주장하다, 요구하다
명 주장, 요구, 청구

They **claimed** that the economic situation would get worse next year.
그들은 경제 상황이 내년에 더 안 좋아질 것이라고 주장했다.

유의 assert 동 주장하다
demand 명 동 요구(하다)

0802

formal
[fɔ́:rməl]

형 1. 공식적인, 정식의 2. 격식을 차린

The return of the painting is a **formal** agreement between the two countries.
그 그림의 반환은 두 나라간의 정식 합의이다.

파생 formally 부 정식으로
유의 official 형 공식적인
반의 informal 형 비공식의, 약식의
casual 형 약식의

0803

standard
[stǽndərd]

명 표준, 기준, 수준
형 일반적인, 표준의

It has long been the industry **standard** for quality creative paper products. 학평 응용
그것은 오랫동안 양질의 창의적인 종이 제품에 있어서 업계의 표준이었다.

파생 standardize 동 표준화하다
유의 criterion 명 기준
level 명 수준, 정도
normal 형 표준의, 보통의

0804

audience
[ɔ́:diəns]

명 청중, 관중, 시청자

For the first time, she spoke in front of an **audience**.
처음으로 그녀는 관중 앞에서 연설했다.

어원 plus +
aud(i) (hear) + ence (명사형 접미사) → 듣는 사람 → 청중

유의 spectator 명 관중
viewer 명 시청자

0805

collect
[kəlékt]

동 수집하다, 모으다

Companies are forced to **collect** as much data as possible from consumers. 학평 응용
기업들은 소비자들로부터 가능한 한 많은 데이터를 수집하도록 강요 받는다.

파생 collection 명 수집(품)
collective 형 집단의, 공동의
유의 gather 동 모으다
accumulate 동 모으다, 축적하다
반의 scatter 동 흩어지게 하다

0806

guard
[gɑːrd]

명 경비(원), 경호(원)
동 지키다, 보호하다

Your safe will be protected by the **guard** 24 hours a day.
당신의 금고는 하루 24시간 경비원이 보호할 것이다.

유의 **secure** 동 지키다
protect 동 보호하다
숙어 **stand guard** 경비를 서다

0807

assume
[əsjúːm]

동 1. 가정하다, 추정하다 2. (책임 등을) 떠맡다

Never **assume** anyone's guilty without any evidence.
어떤 증거 없이는 그 누구도 유죄라고 추정하지 마라.

파생 **assumption** 명 가정
assumptive 형 가정의, 추정의
유의 **suppose** 동 가정하다
presume 동 추정하다
take on 떠맡다

0808 혼동어휘

command
[kəmǽnd]

명 1. 명령 2. 지휘(권)
동 1. 명령하다 2. 지휘하다

The soldiers were strictly trained to obey the general's **command**.
병사들은 장군의 명령에 따르도록 엄격하게 훈련받았다.

내신 UP

Q1.
문맥상 알맞은 단어를 고르시오.

There were plenty of **[commands / comments]** about his attitude during the team project.

0809 혼동어휘

comment
[kάment]

명 의견, 논평
동 의견을 말하다, 논평하다

Parents should guard against comparative **comments** that routinely favor one child over another. 학평 응용
부모들은 일상적으로 한 아이를 다른 아이보다 편애하는 비교의 발언에 대해 경계해야 한다.

0810

brief
[briːf]

형 짧은, 간결한
동 보고하다

The Pope is making a **brief** visit to the country.
교황은 그 나라를 짧게 방문할 예정이다.

파생 **briefing** 명 브리핑, 요약 보고
유의 **short** 형 짧은
concise 형 간결한
inform 동 고하다, 알리다
숙어 **in brief** 간단히 말해서

0811

architect
[άːrkitèkt]

명 건축가, 설계자

This building was designed by an Italian **architect**.
이 건물은 이탈리아인 건축가에 의해 설계되었다.

파생 **architecture** 명 건축(학)

0812

core
[kɔːr]

명 1. 핵심 2. 중심부
형 핵심의, 가장 중요한

The **core** of his argument is not based on facts.
그의 주장의 핵심은 사실에 기반하지 않는다.

유의 center 명 중심
heart 명 핵심, 중심
essential 형 가장 중요한
숙어 at the core of ~의 핵심에

0813

complicated
[kάmpləkèitid]

형 복잡한

The app is so **complicated** that I can't understand how to use it.
그 앱은 너무 복잡해서 사용법을 이해할 수가 없다.

파생 complicate 동 복잡하게 하다
유의 complex 형 복잡한
반의 simple 형 간단한
plain 형 단순한, 간단한

0814

sneeze
[sniːz]

동 재채기하다
명 재채기

An allergy to cats makes her **sneeze** a lot.
고양이 알러지 때문에 그녀는 재채기를 자주 한다.

파생 sneezy 형 재채기가 나는

0815

remain
[riméin]

동 남아 있다, 여전히 ~이다
명 남은 것, ((-s)) 유적

The true potential of new technologies may **remain** unrealized. 학평 기출
새로운 과학 기술의 진정한 잠재력은 실현되지 않은 채로 남아 있을 수 있다.

어원 plus +
re (back) + main (stay) → 뒤에 남다 → 남아 있다

파생 remainder 명 나머지
remaining 형 남아 있는, 남은
유의 stay 동 그대로 있다[남다]

0816

psychology
[saikάlədʒi]

명 심리, 심리학

Psychology is about understanding how people think and behave.
심리학은 사람들이 어떻게 생각하고 행동하는지를 이해하는 것이다.

파생 psychologist 명 심리학자
psychological 형 심리적인

0817

demonstrate
[démənstrèit]

동 1. (증거·실례를 통해) 보여 주다, 증명하다
2. 시위하다

She **demonstrated** that Ted's theory was wrong.
그녀는 Ted의 이론이 틀렸음을 증명했다.

파생 demonstration 명 증명, 시위
유의 show 동 보여 주다
prove 동 증명하다
숙어 demonstrate against ~에 대한 반대 시위를 하다

0818

occasion
[əkéiʒən]

명 1. (특정한) 때, 경우 2. 행사

He has complained on several **occasions** for the same reason.
그는 여러 번 같은 이유로 불평했다.

파생 **occasional** 형 가끔의
유의 **moment** 명 때
event 명 행사
숙어 **on occasion** 때때로

0819 다의어

deliver
[dilívər]

동 1. 배달하다, 전하다 2. 연설을 하다 3. 분만하다

She wanted to **deliver** the message to budding young scientists. 학평 기출
그녀는 그 메시지를 신진 과학자들에게 전하고 싶었다.

He successfully **delivered** an opening speech at the conference.
그는 회의에서 성공적으로 개회사를 했다.

The woman is expected to **deliver** twins on Christmas Eve.
그 여자는 크리스마스 이브에 쌍둥이를 출산할 예정이다.

내신 UP

Q2.
밑줄 친 단어의 뜻으로 알맞은 것은?

He was asked to deliver the baby care products by next Monday.

① 배달하다
② 연설을 하다
③ 분만하다

0820

essential
[isénʃəl]

형 필수의, 본질적인

Social connections are **essential** for our survival and well-being. 학평 응용
사회적 관계는 우리의 생존과 행복을 위해 필수적이다.

파생 **essence** 명 본질
유의 **necessary** 형 필수적인
fundamental 형 본질적인
반의 **optional** 형 선택적인
inessential 형 없어도 되는

0821

ignore
[ignɔ́ːr]

동 무시하다, (사람을) 못 본 체하다

You should not **ignore** safety guidelines when swimming in the sea.
바다에서 수영할 때 안전 지침을 무시해서는 안 된다.

파생 **ignorance** 명 무지, 무식
ignorant 형 무지한, 무식한
유의 **disregard** 동 무시하다
neglect 동 등한시하다
반의 **pay attention to** ~에 유의하다

0822

disorder
[disɔ́ːrdər]

명 무질서, 혼란, 장애[질병]

There is a better opportunity than ever for an individual to survive serious **disorders**. 학평 기출
개인이 심각한 질병에서 살아남을 가능성이 이전보다 더 높다.

파생 **disorderly** 형 무질서한
유의 **confusion** 명 혼란
disease 명 질병
반의 **order** 명 질서

0823

celebrity
[səlébrəti]

명 1. 유명 인사 2. 명성

She is one of the best-dressed **celebrities** these days.
그녀는 현재 가장 옷을 잘입는 유명인들 중 한 명이다.

파생 **celebrated** 형 유명한, 저명한
유의 **figure** 명 명사, 거물
fame 명 명성
반의 **nobody** 명 보잘것없는 사람

0824 혼동어휘

flash
[flæʃ]

동 번쩍이다
명 번쩍임, 플래시

The lightning **flashed**, and the thunder roared.
번개가 번쩍이고 천둥이 울렸다.

내신 UP

Q3.
문맥상 알맞은 단어를 고르시오.

Visitors should turn off the **[flash / flesh]** on their cameras in galleries.

0825 혼동어휘

flesh
[fleʃ]

명 살, 고기, 과육

The cook cut the melon in half and scooped out the **flesh**.
요리사는 멜론을 반으로 잘라서 과육을 떠냈다.

0826

destined
[déstind]

형 1. ~할 운명의, 예정된 2. ~행(行)의

Little did they know that the school was **destined** to close down by the end of the year.
그들은 그 학교가 연말쯤 폐교될 예정이라는 것을 거의 알지 못했다.

파생 **destiny** 명 운명
destination 명 목적지
유의 **fated** 형 운명인
bound 형 ~행(行)의
숙어 **be destined to-v**
~할 운명이다
destined for ~행(行)인

0827

volume
[válju:m]

명 1. 용량, 부피 2. 음량

Do you know how to measure the **volume** of water in this cube?
이 정육면체 안의 물의 용량을 어떻게 측정하는지 알고 있나요?

유의 **capacity** 명 용량
quantity 명 양, 분량

0828

surround
[səráund]

동 둘러싸다, 에워싸다

Each person is **surrounded** by five others who are doing nothing. 학평 기출
각 사람은 아무것도 하고 있는 않은 다섯 명의 다른 사람들에게 둘러 싸여 있다.

파생 **surrounding** 형 주위의
surroundings 명 주변, 환경
유의 **enclose** 동 에워싸다
숙어 **be surrounded by[with]** ~로 둘러싸이다

0829

irritated
[íritèitid]

형 **짜증 난, 화난**

I was **irritated** by her bad attitude.
나는 그녀의 안 좋은 태도에 짜증이 났다.

파생 **irritate** 동 짜증 나게 하다
유의 **annoyed** 형 짜증 난
숙어 **be irritated at[by]** ~에 짜증이 나다

0830

repair
[ripéər]

동 **1. 수리하다 2. 회복하다**
명 **1. 수리 2. 회복**

The garage has the capacity to **repair** four vehicles at the same time.
차량 정비소는 동시에 네 대의 차량을 수리할 수 있는 수용력을 가지고 있다.

파생 **repairable** 형 수리 가능한
유의 **fix** 동 수리하다
mend 동 수리[수선]하다
restore 동 회복하다
반의 **damage** 동 훼손하다

0831

lung
[lʌŋ]

명 **폐, 허파**

Smoking is the main cause of **lung** cancer.
흡연은 폐암의 주 원인이다.

0832

marvelous
[mɑ́ːrvələs]

형 **경이로운, 놀라운**

That basketball player's shooting range and accuracy are **marvelous.**
저 농구 선수의 슛의 거리와 정확도는 경이롭다.

파생 **marvel** 명 경이, 놀라운 일 동 경이로워하다
유의 **amazing** 형 놀라운
remarkable 형 놀랄 만한

0833 다의어

resort
[rizɔ́ːrt]

명 **1. 휴양지, 리조트 2. 의지, 호소**
동 **의지하다, 호소하다**

Most **resorts** in the Maldives have private pools.
몰디브에 있는 대부분의 리조트에는 개인 수영장이 있다.

They are determined to solve the problem without **resorting** to violence.
그들은 폭력에 의지하지 않고 문제를 해결하기로 각오하고 있다.

내신 UP

Q4.
밑줄 친 단어의 뜻으로 알맞은 것은?

This is an excellent resort for families with young children.

① 의지 ② 휴양지

0834

appear
[əpíər]

동 **1. 나타나다 2. ~처럼 보이다, ~인 것 같다**

Today car-sharing movements have **appeared** all over the world. 학평 기출
오늘날 차량 공유 운동은 전 세계적으로 나타나고 있다.

파생 **appearance** 명 출현, 외모
apparent 형 ~처럼 보이는, 분명한
유의 **emerge** 동 나타나다
seem 동 ~처럼 보이다
반의 **disappear** 동 사라지다

0835

puzzle
[pʌzl]

동 당혹스럽게 하다
명 퍼즐, 수수께끼

The question of what zebras can gain from having stripes has **puzzled** scientists. 학평 기출
줄무늬를 지님으로써 얼룩말이 얻을 수 있는 것이 무엇인지에 대한 질문은 과학자들을 당혹스럽게 했다.

파생 **puzzled** 형 당혹스러운
유의 **confuse** 동 당황하게 하다
숙어 **puzzle out** 답을 찾다, 풀다

0836

loose
[luːs]

형 풀린, 헐거운[헐렁한]

Loose clothing is out of fashion now.
헐렁한 옷은 이제 유행이 아니다.

파생 **loosen** 동 풀다, 느슨하게 하다
반의 **tight** 형 꽉 끼는

0837

electricity
[ilektrísəti]

명 전기

The use of **electricity** has changed everything in our lives.
전기의 사용은 우리 삶의 모든 것을 바꾸었다.

파생 **electrician** 명 전기 기술자
electric 형 전기의

고등 필수 숙어

0838

check up

확인하다, 알아보다

She stopped to **check up** on the baby sleeping in his crib.
그녀는 아기 침대에서 자고 있는 아기를 확인하기 위해 멈췄다.

0839

hang up

1. ~을 걸다 2. 전화를 끊다

He **hung up** the poster in the main hallway so that everyone will see it.
그는 포스터를 모든 사람이 볼 수 있도록 중앙 복도에 걸었다.

0840

hold up

1. 지연시키다 2. 버티다, 지탱하다

Arguing with the driver will **hold up** the bus and annoy the other passengers.
운전기사와 말다툼을 하는 것은 버스를 지연시키고 다른 승객들을 짜증 나게 할 것이다.

Q5.
다음 빈칸에 알맞은 숙어는?

The flight was ________ for several hours due to the storm.

① checked up
② hung up
③ held up

Daily Test 21

정답 p. 356

A 우리말은 영어로, 영어는 우리말로 쓰시오.

01 심리, 심리학	______	**08** disorder	______
02 유명 인사, 명성	______	**09** surround	______
03 재채기(하다)	______	**10** flesh	______
04 경이로운, 놀라운	______	**11** audience	______
05 건축가, 설계자	______	**12** brief	______
06 수집하다, 모으다	______	**13** destined	______
07 복잡한	______	**14** command	______

B 빈칸에 알맞은 단어를 쓰시오. (필요시 형태를 바꿀 것)

서술형

01 They c______ that they were not economic migrants but political refugees.
그들은 자신들이 경제적 이주민이 아니라 정치적 난민이라고 주장했다.

02 The rock band wants to d______ a message of hope to people through their songs.
그 록 밴드는 자신들의 노래를 통해 사람들에게 희망의 메시지를 전달하기를 원한다.

03 Tax inspectors c______ ______ and make sure people pay all their tax.
세무 조사관들은 사람들이 그들의 모든 세금을 납부하는지 확인한다.

C 각 단어의 유의어 혹은 반의어를 쓰시오.

01 동 ignore	유의 d______	**02** 형 loose	반의 t______
03 동 puzzle	유의 c______	**04** 동 appear	반의 d______
05 형 essential	유의 n______	**06** 동 repair	반의 d______

VOCA CLEAR

DAY 22

시험에 더 강해지는 어휘

0841

consist
[kənsíst]

동 1. 구성되다 2. (~에) 있다, 존재하다

The team **consists** of the top players in the league.
그 팀은 리그 최고의 선수들로 구성되어 있다.

파생 consistency 명 일관성
consistent 형 일관된
숙어 consist of ~로 구성되다
consist in ~에 있다

0842

medium
[míːdiəm]

형 중간의
명 1. 매체 2. 수단

Most people choose the **medium** size when given a choice.
대부분의 사람들은 선택지가 주어지면 중간 사이즈를 고를 것이다.

복수 media[mediums]
유의 average 형 평균의
middle 형 중간의
means 명 수단

0843

defect
[díːfekt]

명 결함, 결점

This truck is known to have a structural **defect**.
이 트럭은 구조적 결함이 있는 것으로 알려졌다.

파생 defective 형 결함이 있는
유의 flaw 명 결함, 결점
fault 명 결함, 결점

0844 다의어

strike
[straik]

동 (세게) 치다, 때리다, 부딪치다
명 1. 치기, 공격 2. 파업

He **struck** his head on the corner of the shelf and fell to the floor.
그는 선반 모서리에 머리를 부딪쳐서 바닥에 쓰러졌다.

The bus drivers are on **strike** demanding a raise in salary.
버스 운전사들이 임금 인상을 요구하며 파업 중이다.

내신 UP 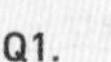

Q1.
밑줄 친 단어의 뜻으로 알맞은 것은?
Peace activists argue that a military strike will only cause another war.
① 세게 치다 ② 공격 ③ 파업

0845

practical
[prǽktikəl]

형 1. 실용적인 2. 실제적인

We hope to give our students a **practical** education. 학평 응용
우리는 학생들에게 실용적인 교육을 제공하기를 바란다.

파생 practice 명 실행, 연습
유의 useful 형 유용한, 실용적인
realistic 형 실제적인
반의 impractical 형 비실용적인
theoretical 형 이론적인

0846

ensure
[inʃúər]

동 확실하게 하다, 보증하다

We tried to **ensure** that our product was delivered within 24 hours.
우리는 우리 제품이 24시간 내로 배달되도록 보장하려고 노력했다.

유의 **make sure** 확실히 하다
guarantee 동 보증하다

0847 혼동어휘

tide
[taid]

명 1. 조수, 조류 2. 흐름

It's important to know the strength and direction of the **tide**.
조수의 세기와 방향을 아는 것은 중요하다.

내신 UP

Q2.
문맥상 알맞은 단어를 고르시오.

He said he cleaned his room, but it doesn't look **[tide / tidy]**.

0848 혼동어휘

tidy
[táidi]

형 잘 정돈된, 단정한

To keep your room **tidy**, you need to make your bed every morning.
방을 잘 정돈된 상태로 유지하려면 매일 아침 침대를 정돈해야 한다.

0849

disappear
[dìsəpíər]

동 사라지다

Everything went well until the day a twenty-dollar bill **disappeared**. 학평 기출
20달러짜리 지폐가 사라진 그날까지는 모든 일이 잘 풀렸다.

파생 **disappearance** 명 사라짐
유의 **vanish** 동 사라지다
반의 **appear** 동 나타나다
show up 나타나다

0850

technical
[téknikəl]

형 1. (과학) 기술의 2. 전문적인

This website is not available right now due to a **technical** problem.
이 웹사이트는 기술적인 문제로 인해 지금 당장은 이용할 수 없다.

파생 **technique** 명 기술, 기법
유의 **technological** 형 (과학) 기술의
specialized 형 전문적인

0851

bandage
[bǽndidʒ]

명 붕대
동 붕대를 감다

She had a **bandage** on her leg for a few weeks.
그녀는 몇 주 동안 다리에 붕대를 하고 있었다.

파생 **band** 명 동 띠(를 두르다)
숙어 **put a bandage** 붕대를 감다

0852

flat

[flæt]

형 1. 평평한, 납작한 2. 바람이 빠진, 펑크 난

There are people who believe the Earth is **flat**. 학평 기출

지구가 평평하다고 믿는 사람들이 있다.

유의 even 형 평평한
level 형 평평한, 평탄한
반의 uneven 형 울퉁불퉁한

0853

sip

[sip]

동 조금씩 마시다
명 한 모금

Sipping water may help you get rid of hiccups.

물을 조금씩 마시는 것이 딸꾹질을 없애는 데 도움을 줄 수 있다.

숙어 take a sip 한 모금 마시다

0854

infect

[infékt]

동 감염[전염]시키다, 오염시키다

The eggs were **infected** with salmonella bacteria.

그 달걀들은 살모넬라균에 감염되었다.

파생 infection 명 감염, 전염병
infectious 형 전염성의
유의 contaminate 동 오염시키다
반의 purify 동 정화하다
숙어 be infected with ~에 감염되다

0855

nest

[nest]

명 둥지, 보금자리
동 둥지[보금자리]를 짓다

Cuckoos are known for laying their eggs in the **nests** of other birds.

뻐꾸기는 다른 새의 둥지에 알을 낳는 것으로 알려져 있다.

0856

prevent

[privént]

동 막다, 예방하다

Fact-checking **prevents** misinformation from shaping our thoughts. 학평 응용

사실 확인은 잘못된 정보가 우리의 생각을 형성하는 것을 막아준다.

어원 plus +

pre (before) + vent (come) → 전에, 미리 오다 → 막다

파생 prevention 명 예방, 방지
유의 hinder 동 막다, 방해하다
stop 동 막다
반의 allow 동 허가하다
숙어 prevent A from v-ing A가 ~하는 것을 막다

0857

crash

[kræʃ]

명 1. 충돌 (사고), 추락 (사고) 2. 요란한 소리, 굉음
동 충돌하다, 추락하다

We overestimate the risk of being the victims of a plane **crash**. 학평 기출

우리는 비행기 추락 사고의 희생자가 될 위험을 과대평가한다.

유의 collision 명 충돌
bang 명 쾅[쿵/탁] 하는 소리
smash 명 동 충돌(하다)
collide 동 충돌하다

0858

feed
[fiːd]

동 젖[음식]을 먹이다, 먹이를 주다

Animals that were **fed** by humans did not need the skills required by their wild ancestors. 학평 기출
인간이 먹이를 주는 동물들은 그것들의 야생 조상들이 필요로 했던 기술들을 필요로 하지 않았다.

유의 **nourish** 동 영양분을 주다
숙어 **feed on[upon]** ~을 먹고 살다

0859

reputation
[rèpjətéiʃən]

명 평판, 명성

She soon gained a **reputation** as a first-class screenwriter.
그녀는 곧 일류 시나리오 작가로 명성을 얻었다.

파생 **repute** 동 ~라고 평하다 명 평판, 명성
reputational 형 평판의, 명성이 있는
유의 **fame** 명 명성
celebrity 명 명성

0860 다의어

regard
[rigɑ́ːrd]

동 1. (~으로) 여기다[간주하다] 2. 존중[중시]하다
명 1. 고려(할 점) 2. 존경

He doesn't seem to **regard** me as a close friend.
그는 나를 가까운 친구로 여기지 않는 것 같다.

She is highly **regarded** as a great negotiator.
그녀는 위대한 협상가로 매우 존경받았다.

The road was built without **regard** for the safety of residents.
도로는 주민들의 안전에 대한 고려 없이 지어졌다.

내신 UP

Q3.
밑줄 친 단어의 뜻으로 알맞은 것은?

This painting is generally <u>regarded</u> as the artist's masterpiece.

① 여기다 ② 존중하다 ③ 존경

0861

appropriate
[əpróupriət]

형 적절한, 알맞은

Ideas about how much disclosure is **appropriate** vary among cultures. 학평 기출
얼마나 많은 것을 공개하는 것이 적절한지에 관한 생각은 문화마다 다르다.

유의 **proper** 형 적절한
suitable 형 적절한, 알맞은
반의 **inappropriate** 형 부적절한

0862

angle
[æŋgl]

명 1. 각도, 각 2. 관점, 시각

The wall of this room was leaning at an **angle** of 45 degrees.
이 방의 벽은 45도의 각도로 기울어져 있었다.

파생 **angular** 형 각이 진, 모난

0863

confirm
[kənfə́ːrm]

동 1. 확인하다 2. 승인[확정]하다 3. 확실하게 하다

Will you please **confirm** your reservation by tomorrow?
부디 내일까지 예약을 확인해 주시겠습니까?

파생 confirmation 명 확인
유의 affirm 동 확인하다
make sure 확실히 하다

0864

vehicle
[víːikl]

명 1. 탈것, 차량 2. 매개, 수단

There is much disagreement concerning the safety of autonomous **vehicles**.
자율 주행 차량의 안전성에 대해서는 많은 이견이 있다.

유의 automobile 명 차량
medium 명 매개, 수단

0865 혼동어휘

intellectual
[ìntəléktʃuəl]

형 1. 지능의, 지적인 2. 교육을 많이 받은

After the accident, he had the **intellectual** capacity of a three-year-old.
그 사고 이후 그는 3살 아이의 지적 능력을 갖게 되었다.

0866 혼동어휘

intelligent
[intélidʒənt]

형 1. 총명한, 똑똑한 2. 지능이 있는

Many of the leaders in the media industry are **intelligent**, capable, and honest. 학평 응용
미디어 산업의 많은 리더들은 똑똑하고, 유능하고, 정직하다.

내신 UP

Q4.
문맥상 알맞은 단어를 고르시오.

Reading more books will enhance kids' **[intellectual / intelligent]** powers.

0867

regulate
[régjəlèit]

동 1. 조절하다 2. 규제하다

The drug **regulates** the flow of blood to the brain.
그 약은 뇌로 가는 혈류를 조절한다.

파생 regulation 명 규제
유의 adjust 동 조절하다
control 동 통제하다
반의 deregulate 동 규제를 해제하다

0868

legend
[lédʒənd]

명 전설, 전설적인 인물

A **legend** said the sword couldn't be pulled out by anyone.
전설에 따르면 그 검은 아무도 뽑을 수 없었다고 한다.

파생 legendary 형 전설적인
유의 myth 명 신화

0869

telescope
[téləskòup]

명 망원경

Surprisingly, some planets can be seen without a **telescope**.
놀랍게도, 몇몇 행성들은 망원경 없이 볼 수 있다.

어원 plus+

tele (far off) + scope (watcher: 보는 기계) → 먼 영역까지 보는 기계 → 망원경

0870

rush
[rʌʃ]

동 1. 돌진하다 2. 재촉하다
명 1. 돌진 2. 혼잡, 분주함

Dorothy dropped the phone and **rushed** to the kitchen. 학평 응용
Dorothy는 전화기를 떨어뜨리고 부엌으로 급히 달려갔다.

유의 **dash** 명 동 돌진(하다)
hasten 동 재촉하다
숙어 **rush out** 뛰쳐나가다
rush into 급하게 ~하다

0871

helpless
[hélplis]

형 무력한, 속수무책인

This leaves kids feeling **helpless** when they make mistakes. 학평 기출
이것은 아이들이 실수했을 때 무력하게 느끼게 한다.

파생 **helplessness** 명 무기력함
helplessly 부 어찌할 수 없이
유의 **powerless** 형 무력한

0872

arrest
[ərést]

동 체포하다, 구속하다
명 체포

The police **arrested** the actor for drinking and driving.
경찰은 그 배우를 음주 운전으로 체포했다.

유의 **apprehend** 동 체포하다
반의 **release** 동 풀어주다, 석방하다
숙어 **arrest A for B**
B로 인해 A를 체포하다
under arrest 체포되어

0873

semester
[siméstər]

명 학기

She decided to take the next **semester** off because of her illness.
그녀는 병 때문에 다음 학기를 휴학하기로 결정했다.

유의 **term** 명 학기

0874

splendid
[spléndid]

형 화려한, 훌륭한, 멋진

The new building is surrounded with **splendid** sculptures.
그 새로운 건물은 화려한 조형물들로 둘러싸여 있다.

유의 **excellent** 형 훌륭한
magnificent 형 훌륭한
impressive 형 인상적인

0875

bounce
[bauns]

동 (공 등이) 튀어 오르다, 튀다

A solid ball made of clay would not **bounce** at all. 학평 기출
점토로 만든 단단한 공은 전혀 튀어 오르지 않을 것이다.

파생 **bouncy** 형 잘 튀는
유의 **bound** 동 (공 등이) 튀어 오르다

0876

tailor
[téilər]

명 재단사
동 (양복을) 짓다, 옷을 맞추다

The suit for his wedding was made by a master **tailor**.
그의 결혼식을 위한 양복은 양복 명장에 의해 만들어졌다.

파생 **tailored** 형 맞춤의

0877

eventual
[ivéntʃuəl]

형 최종적인, 궁극의

It is not easy to predict the **eventual** results of this local election.
이번 지방 선거의 최종 결과를 예측하는 것은 쉽지 않다.

파생 **eventually** 부 최종적으로, 결국
유의 **final** 형 최종적인, 마지막의
ultimate 형 최종적인, 궁극의

고등 필수 숙어

0878

break through

1. 돌파하다 2. 극복하다

Some women **broke through** barriers to achieve their dreams.
어떤 여성들은 꿈을 이루기 위해 장벽을 돌파했다.

0879

go through

1. ~을 거치다, 겪다 2. ~을 조사하다

Friendships sometimes **go through** growing pains. 학평 응용
우정은 때로 성장통을 겪는다.

0880

look through

1. 살펴보다, 검토하다 2. ~을 못 본 척하다

She **looked through** the files to find the information.
그녀는 정보를 찾기 위해 파일을 살펴봤다.

내신 UP

Q5.
다음 빈칸에 알맞은 숙어는?

If a friend is __________ an emotional or situational crisis, be a good listener.

① breaking through
② going through
③ looking through

Daily Test 22

정답 p. 356

A 우리말은 영어로, 영어는 우리말로 쓰시오.

01 망원경 ____________
02 평판, 명성 ____________
03 사라지다 ____________
04 최종적인, 궁극의 ____________
05 조절하다, 규제하다 ____________
06 잘 정돈된, 단정한 ____________
07 탈것, 차량 ____________
08 semester ____________
09 angle ____________
10 bandage ____________
11 medium ____________
12 splendid ____________
13 bounce ____________
14 technical ____________

B 빈칸에 알맞은 단어를 쓰시오. (필요시 형태를 바꿀 것)

서술형

01 The Korean FDA has c____________ that sodium nitrite was discovered in the ham.
한국 식약청은 햄에서 아질산나트륨이 발견되었음을 확인했다.

02 He r____________ inside to wake up people sleeping in the burning apartments.
그는 불타고 있는 아파트 안에서 자고 있는 사람들을 깨우기 위해 안으로 돌진했다.

03 She had to g____________ ____________ almost all the files to find the information she needed.
그녀는 필요한 정보를 찾기 위해 거의 모든 파일을 조사해야 했다.

C 각 단어의 유의어 혹은 반의어를 쓰시오.

01 명 defect 유의 f____________
02 동 prevent 반의 a____________
03 동 ensure 유의 g____________
04 동 arrest 반의 r____________
05 형 flat 유의 e____________
06 형 practical 반의 i____________

0881

belong
[bilɔ́(:)ŋ]

동 **속하다, 소유이다**

The lion and tiger **belong** to the cat family.
사자와 호랑이는 고양잇과 동물에 속한다.

> 시험에 더 강해지는 어휘

파생 **belonging** 명 부속물, 속성
belongings 명 소유물, 재산
숙어 **belong to** ~에 속하다

0882

float
[flout]

동 **(물 위에) 뜨다, (물 위·공중에서) 떠다니다**

I saw this plastic **floating** on the water.
나는 이 플라스틱이 물 위에 뜨는 것을 보았다.

파생 **afloat** 형 (물에) 뜬
유의 **drift** 동 떠다니다
반의 **sink** 동 가라앉다

0883 다의어

still
[stil]

부 **1. 아직(도), 여전히 2. 그런데도 3. (비교급 강조) 더욱**
형 **정지한**

There are **still** millions of people who equate success with money and power. 학평 응용
여전히 성공을 돈과 권력과 동일시하는 사람들이 수백만 명 있다.

She seems to be insecure, but I **still** believe she can do it.
그녀가 불안정해 보이지만, 그런데도 나는 그녀가 그것을 해낼 것이라고 믿는다.

The photographer asked me to be as **still** as possible.
사진사는 내게 가능한 한 가만히 있을 것을 요구했다.

> 내신 UP

Q1.
밑줄 친 단어의 뜻으로 알맞은 것은?

When he looked out the window, the stranger was standing still in the shadows.

① 아직도
② 그런데도
③ 정지한

0884

research
[risə́:rtʃ]

명 **연구, 조사**
동 **연구하다, 조사하다**

Remember, **research** is supposed to produce new knowledge. 학평 기출
연구란 새로운 지식을 생산해야 한다는 것을 기억하라.

파생 **researcher** 명 연구자
유의 **investigation** 명 연구, 조사
investigate 동 연구[조사]하다
examine 동 조사하다

0885

equipment
[ikwípmənt]

명 **장비, 용품, 설비**

Great **equipment** is not enough to guarantee safety.
훌륭한 장비라고 해서 안전을 보장해 주기에 충분하지 않다.

파생 **equip** 동 장비를 갖추다
유의 **gear** 명 장비, 기어

0886

annoy
[ənɔ́i]

동 짜증 나게 하다, 귀찮게 하다

His endless joking began to **annoy** her.
그의 끝없는 농담은 그녀를 짜증 나게 하기 시작했다.

파생 annoying 형 짜증스러운
annoyed 형 짜증이 난
유의 irritate 동 짜증 나게 하다
bother 동 귀찮게 하다

0887

stare
[stɛər]

동 응시하다, 빤히 쳐다보다
명 응시

Babies will apparently **stare** longer at the things they like more. 학평 응용
아기들은 분명 그들이 더 좋아하는 것을 더 오래 쳐다볼 것이다.

유의 gaze 명 동 응시(하다)
숙어 stare at ~을 응시하다

0888

weed
[wiːd]

명 잡초
동 잡초를 뽑다

To make your garden plants grow well, you need to remove the **weeds** first.
정원 식물들이 잘 자라게 하기 위해서는 먼저 잡초를 제거해야 한다.

숙어 weed out 제거하다

0889

outgoing
[áutgòuiŋ]

형 외향적인, 사교적인

Having an **outgoing** personality doesn't necessarily mean you will be a good leader.
외향적인 성격을 가졌다고 해서 반드시 좋은 지도자가 될 수 있는 것은 아니다.

유의 extroverted 형 외향적인
sociable 형 사교적인
반의 introverted 형 내향적인
reserved 형 내성적인

0890

recognize
[rékəgnàiz]

동 1. 알아보다, 인지하다 2. 인정하다

People sometimes don't **recognize** talent when they see it. 학평 기출
사람들은 때때로 재능을 볼 때, 그것을 알아차리지 못한다.

어원 plus +

re (again) + cogn (know) + ize (동사형 접미사) → 다시 알다 → 알아보다, 인지하다

파생 recognition 명 인지, 인정
유의 identify 동 알아보다
accept 동 인정하다
숙어 recognize A as B
A를 B라고 인지[인정]하다

0891

nutrient
[njúːtriənt]

명 영양소, 영양분

A healthy diet should provide all your essential **nutrients**.
건강한 식단은 필수 영양소를 모두 공급해야 한다.

파생 nutrition 명 영양물, 영양 (섭취)
nutritious 형 영양분이 많은

0892

cave
[keiv]

명 동굴, 굴

The **cave** we'll explore tomorrow is known to be full of bats.
우리가 내일 탐사할 동굴은 박쥐들로 가득한 것으로 알려져 있다.

0893

genuine
[dʒénjuin]

형 진짜의, 진실한

A **genuine** smile will impact the muscles and wrinkles around the eyes. 학평 기출
진짜 미소는 눈가의 근육과 주름에 영향을 준다.

유의 **real** 형 진짜의
sincere 형 진실된
반의 **fake** 형 가짜의
insincere 형 진실되지 못한

0894

erase
[iréis]

동 지우다, 없애다

Nothing can **erase** the memory of that terrible day.
어떤 것도 그 끔찍했던 날의 기억을 지울 수 없다.

파생 **eraser** 명 지우개
유의 **delete** 동 지우다, 삭제하다
remove 동 없애다, 제거하다

0895 혼동어휘

quality
[kwáləti]

명 1. 질, 품질 2. 특성 3. (사람의) 자질, 재능
형 양질의, 고급의

The **quality** of the camera has been improved in the new version of the phone.
새로운 버전의 전화기에서는 카메라의 화질이 향상되었다.

내신 UP 

Q2.
문맥상 알맞은 단어를 고르시오.

A great **[quality / quantity]** of clothing was stolen from the shop.

0896 혼동어휘

quantity
[kwántəti]

명 1. 양, 수량 2. 다량

Add 50 grams of butter and the same **quantity** of sugar.
버터 50그램과 같은 양의 설탕을 추가하세요.

0897

devote
[divóut]

동 (시간·노력 등을) 바치다, 쏟다

She **devoted** much of her time to assisting orphans from France and Belgium. 학평 기출
그녀는 프랑스와 벨기에의 고아들을 지원하는 데 많은 시간을 바쳤다.

파생 **devotion** 명 헌신
유의 **dedicate** 동 바치다, 전념하다
숙어 **devote A to B** A를 B에 바치다
devote oneself to
~에 전념하다

0898

mode
[moud]

명 **방식, 양식**

Taking a picture in manual **mode** will allow you to be more creative.
수동 모드로 사진을 찍는 것은 당신이 더 창의적일 수 있게 해 줄 것이다.

유의 **method** 명 방법, 방식
manner 명 방식, 방법

0899 다의어

track
[træk]

명 **1. 길 2. 발자국, 자국 3. 경주로, 트랙**
동 **추적하다**

There was only one **track** that led to the top of the mountain.
그 산의 정상까지 이어지는 단 하나의 길이 있었다.

Children followed the **tracks** of the rabbit in the snow.
아이들은 눈 위에 나 있는 토끼의 발자국을 따라갔다.

The researchers are **tracking** a group of reindeer.
연구원들은 순록 무리를 추적하고 있다.

내신 UP

Q3.
밑줄 친 단어의 뜻으로 알맞은 것은?
The criminal must have known how to cover his tracks at the scene.
① 길 ② 발자국 ③ 경주로

0900

permit
[pərmít]

동 **허락[허용]하다**
명 [pə́ːrmit] **허가(증)**

Electronic devices are not **permitted** in the examination room.
전자 기기는 시험장 내에서 허용되지 않는다.

파생 **permission** 명 허락, 허가
유의 **allow** 동 허락하다
license 동 허가하다 명 면허(증)
반의 **forbid** 동 금지하다
ban 동 금지하다

0901

independent
[ìndipéndənt]

형 **1. 독립된, 독립적인 2. 자립심이 강한**

The country became fully **independent** from France in 1960.
그 나라는 1960년 프랑스로부터 완전히 독립했다.

파생 **independence** 명 독립
유의 **separate** 형 독립된, 분리된
반의 **dependent** 형 의존적인

0902

benefit
[bénəfit]

명 **1. 이익, 이득, 혜택 2. 보조금**
동 **~에게 이롭다, 이익을 얻다**

The discovery of oil brought many **benefits** to the area.
석유의 발견은 그 지역에 많은 이득을 가져다주었다.

파생 **beneficial** 형 이로운, 유익한
유의 **advantage** 명 이점
profit 명 동 이익(을 얻다)

0903

agency
[éidʒənsi]

명 1. 대리점, 대행사 2. 기관, 단체

The travel **agency** demanded a copy of her passport.
여행사는 그녀의 여권의 복사본을 요구했다.

파생 **agent** 명 대리인
유의 **branch** 명 지사, 분점
organization 명 조직, 단체

0904

flexible
[fléksəbl]

형 1. 유연한, 구부리기 쉬운 2. 융통성 있는

The material is so **flexible** that we can use it for a variety of products.
그 재료는 너무나 유연해서 다양한 제품에 쓸 수 있다.

파생 **flexibility** 명 유연성, 융통성
유의 **elastic** 형 휘기 쉬운, 융통성이 있는
반의 **inflexible** 형 유연성이 없는, 융통성 없는
rigid 형 뻣뻣한, 융통성 없는

0905 혼동어휘

attribute
[ətríbjùːt]

동 ~의 탓[덕분]으로 돌리다
명 [ǽtribjùːt] 속성, 자질

Before the modern scientific era, creativity was **attributed** to a superhuman force. 학평 기출
근대 과학의 시대 이전에, 창의성은 초인적인 힘에 기인한 것으로 여겨졌다.

내신 UP 

Q4.
문맥상 알맞은 단어를 고르시오.

Using air conditioners can **[contribute / distribute]** to global warming.

0906 혼동어휘

contribute
[kəntríbjuːt]

동 1. 기여[공헌]하다 2. ~의 원인이 되다 3. 기부하다

She wanted to find a way to help Lisa **contribute** and feel important. 학평 기출
그녀는 Lisa가 기여를 하고 중요하다고 느낄 수 있도록 도울 방법을 찾고 싶었다.

0907 혼동어휘

distribute
[distríbju(ː)t]

동 1. 나누어 주다, 분배하다 2. 분포시키다

How will you **distribute** those pamphlets to the parents?
그 팸플릿들을 어떻게 부모님들에게 나누어 주실 거죠?

0908

dine
[dain]

동 (잘 차린) 식사를 하다, 만찬을 들다

Did you **dine** with your staff last night?
어젯밤에 당신 직원들과 식사했나요?

파생 **dinner** 명 저녁 식사
유의 **eat** 동 식사를 하다
숙어 **dine out** 외식을 하다

0909

anger
[ǽŋgər]

명 화, 분노
동 화나게 하다

Children often express their **anger** by slamming the door.
아이들은 종종 문을 쾅 닫음으로써 자신들의 화를 표현한다.

파생 **angry** 형 화난, 분노한
유의 **fury** 명 분노
annoy 동 화나게 하다
숙어 **in anger** 화가 나서

0910

overwhelm
[òuvərhwélm]

동 압도하다

We were totally **overwhelmed** by the scenery.
우리는 그 풍경에 완전히 압도되었다.

어원 plus+
over (above) + whelm (내리덮치다) → 위에서 덮치다 → 압도하다

파생 **overwhelming** 형 압도적인, 굉장한
overwhelmed 형 압도된
유의 **overcome** 동 압도하다

0911

strategy
[strǽtidʒi]

명 1. 전략 2. 계략, 술수

It is uncertain whether his **strategy** will work or not.
그의 전략이 효과가 있을지 없을지는 확실하지 않다.

파생 **strategic** 형 전략적인
유의 **plan** 명 계획, 계략
tactics 명 전술

0912

classic
[klǽsik]

형 1. 일류의, 최고의 2. 전형적인
명 고전, 명작

A **classic** study of human nature was just published.
인간 본성에 대한 최고의 연구가 막 출간되었다.

파생 **classical** 형 고전주의의
유의 **outstanding** 형 뛰어난
typical 형 전형적인

0913

blink
[bliŋk]

동 깜박거리다
명 깜박거림

While the robotic vacuum is charging, the battery indicator light **blinks** red. 학평 기출
로봇 청소기가 충전되는 동안 배터리 표시등이 빨간색으로 깜박거린다.

숙어 **in the blink of an eye** 눈 깜박할 사이에, 순식간에

0914

ceiling
[sí:liŋ]

명 천장

The high **ceiling** makes the room look larger than it actually is.
높은 천장은 방을 실제보다 더 넓어 보이게 만든다.

반의 **floor** 명 바닥

0915

everlasting
[èvərlǽstiŋ]

형 영원한, 변치 않는

This flower symbolizes **everlasting** love between two people.
이 꽃은 두 사람 사이의 변치 않는 사랑을 상징한다.

유의 **eternal** 형 영원한, 불멸의
endless 형 무한한, 끝없는
반의 **temporary** 형 일시적인

0916

economic
[ìːkənɑ́mik]

형 경제의, 경제학의 명 ((-s)) 경제학

No signs of **economic** recovery have been found yet.
경제 회복에 대한 어떤 신호도 아직 발견되지 않았다.

파생 **economy** 명 경제
economical 형 경제적인
유의 **financial** 형 금융[재정]의

0917

community
[kəmjúːnəti]

명 1. 지역 사회, 주민 2. 공동체

It takes an entire **community** to save animals' lives. 학평 기출
동물들의 생명을 구하는 데에는 지역 사회 전체가 필요하다.

유의 **society** 명 지역 사회, 공동체
population 명 주민

고등 필수 숙어

0918

make up for

~을 보상하다, 만회하다

The extra payment was given to **make up for** the damage they caused.
그들이 야기한 피해를 보상하기 위해 추가 지급이 제공되었다.

내신 UP

Q5.
다음 빈칸에 알맞은 숙어는?

He is doing his best to ________ his mistake.

① make up for
② sign up for
③ stand up for

0919

sign up for

~을 신청하다, 등록하다

To **sign up for** the event, email your name and phone number. 학평 기출
이벤트에 등록하려면 이름과 전화번호를 이메일로 보내주세요.

0920

stand up for

~을 옹호하다, 지지하다

We tried to **stand up for** what we believe in.
우리는 우리가 믿는 것을 지지하려고 노력했다.

Daily Test 23

정답 p. 356

A 우리말은 영어로, 영어는 우리말로 쓰시오.

01 압도하다 ____________

02 전략, 계략, 술수 ____________

03 양, 수량, 다량 ____________

04 영양소, 영양분 ____________

05 장비, 용품, 설비 ____________

06 잡초(를 뽑다) ____________

07 이익(을 얻다), 혜택 ____________

08 genuine ____________

09 economic ____________

10 devote ____________

11 everlasting ____________

12 distribute ____________

13 blink ____________

14 track ____________

B 빈칸에 알맞은 단어를 쓰시오. (필요시 형태를 바꿀 것)

서술형

01 It is known that Ulleungdo and Dokdo were created by volcanic activity and b____________ to Korea.
울릉도와 독도는 화산 활동으로 생성되었으며 한국에 속해 있다고 알려져 있다.

02 He worked harder than any other person on his team, and his boss r____________ his efforts.
그는 그의 팀에서 다른 어떤 사람보다 더 열심히 일했고, 그의 상사는 그의 노력을 인정해 주었다.

03 You don't have to enter your resident registration number to s____________ ____________ ____________ this Internet site.
당신은 이 인터넷 사이트에 등록하기 위해 주민등록번호를 입력할 필요가 없습니다.

C 각 단어의 유의어 혹은 반의어를 쓰시오.

01 동 stare 유의 g____________

02 동 float 반의 s____________

03 형 flexible 유의 e____________

04 형 outgoing 반의 i____________

05 동 erase 유의 d____________

06 명 ceiling 반의 f____________

VOCA CLEAR

DAY 24

0921

military
[mílitèri]

형 군(대)의, 군사의
명 군대, 군사, 군인

The dictator controlled the people through **military** force.
그 독재자는 군사력으로 사람들을 통제했다.

시험에 더 강해지는 어휘

유의 **army** 명 형 군대(의)
armed forces 군대
반의 **civilian** 명 민간인

0922

method
[méθəd]

명 방법, 방식

There are many **methods** for finding answers to the mysteries of the universe. 학평 기출
우주의 불가사의한 것들에 관한 답을 찾는 많은 방법이 있다.

파생 **methodical** 형 체계적인
유의 **means** 명 방법, 수단
way 명 방법, 방식

0923

behavior
[bihéivjər]

명 행동, 품행, 태도

Product placement in stores influences the buying **behavior** of shoppers. 학평 응용
상점 내 제품 배치는 쇼핑객들의 구매 행동에 영향을 미친다.

파생 **behave** 동 행동하다
유의 **action** 명 행동, 행위
conduct 명 행동, 품행

0924 다의어

property
[prápərti]

명 1. 재산, 소유물 2. 부동산, 토지 3. 특성, 속성

These buildings are government **property**.
이 건물들은 정부 소유물이다.

He owns several **properties** downtown.
그는 시내에 부동산을 여러 채 소유하고 있다.

Some of the herbs have **properties** that are beneficial to your health.
일부 허브는 건강에 이로운 성질을 가지고 있다.

내신 UP

Q1.
밑줄 친 단어의 뜻으로 알맞은 것은?

This unknown material has similar properties to rubber.

① 재산 ② 부동산 ③ 특성

0925

clinic
[klínik]

명 (개인) 병원, 진료소

More than 2,000 people visited the free **clinic**.
2천 명이 넘는 사람들이 무료 진료소를 방문했다.

파생 **clinical** 형 병상의, 임상의
유의 **doctor's office** 개인 병원, 진료소

0926

allow
[əláu]

동 허락하다, 허용하다

Allow children to explore ways of handling the instruments. 학평 응용
아이들에게 악기를 다루는 방법을 탐구하도록 허락하라.

파생 allowance 명 허가, 용돈
유의 permit 동 허락[허용]하다
반의 forbid 동 금지하다
숙어 allow A to-v
A가 ~하는 것을 허락하다

0927 혼동어휘

region
[ríːdʒən]

명 1. 지역, 지방 2. 영역

This poisonous plant is found throughout the Amazon **region**.
이 독성이 있는 식물은 아마존 지역 도처에서 발견된다.

내신 UP
Q2.
문맥상 알맞은 단어를 고르시오.
Snow is expected throughout **[regions / religions]** tomorrow morning.

0928 혼동어휘

religion
[rilídʒən]

명 종교, 신앙

Religion had been the cause of many wars in the past.
종교는 과거에 수많은 전쟁의 원인이었다.

0929

significant
[signífikənt]

형 1. 중요한 2. (양·정도가) 상당한

The new manager had to put **significant** time and effort into maintenance of the machines. 학평 기출
새 매니저는 기계 정비에 상당한 시간과 노력을 들여야 했다.

파생 significance 명 중요성
significantly 부 상당히
유의 important 형 중요한
considerable 형 상당한
반의 insignificant 형 중요하지 않은

0930

delicate
[délәkit]

형 1. 연약한 2. 섬세한, 정교한

Lucy was a **delicate** child, so she had to be protected by her parents.
Lucy는 연약한 아이여서 부모님의 보호를 받아야 했다.

유의 fragile 형 연약한
fine 형 섬세한
반의 strong 형 튼튼한

0931

estimate
[éstәmeit]

동 1. 추정하다, 견적하다 2. 평가하다
명 [éstәmit] 1. 추정, 견적(서) 2. 평가

We should **estimate** the cost needed for the task.
우리는 그 일에 필요한 비용을 추정해야 한다.

파생 estimation 명 추정, 판단, 평가
estimated 형 견적의, 추정의
유의 assess 동 재다, 평가하다
rate 동 평가하다, 어림잡다
evaluate 동 평가하다

0932

cure
[kjuər]

동 1. 치료하다, (병을) 고치다 2. 해결하다
명 1. 치료(법) 2. 해결(책)

The doctor said he could **cure** my headaches completely.
의사 선생님이 내 두통을 완전하게 치료해 줄 수 있다고 말했다.

유의 **heal** 동 치료하다
treat 동 치료하다
remedy 명 치료(법), 구제책
treatment 명 치료

0933

regular
[régjələr]

형 1. 규칙적인, 정기적인 2. 보통의

Regular exercise is essential for good health.
규칙적인 운동은 건강에 필수적이다.

유의 **ordinary** 형 보통의
반의 **irregular** 형 불규칙적인
숙어 **on a regular basis**
정기적으로

0934

athlete
[ǽθli:t]

명 운동선수

Some coaches get the most out of their **athletes**, while others don't. 학평 응용
어떤 코치들은 운동선수들로부터 최대한 끌어내는 반면, 다른 코치들은 그렇지 않다.

파생 **athletic** 형 운동선수의, 운동 경기의

0935

repetitive
[ripétitiv]

형 반복되는

Parents very often provide gentle, **repetitive** movements while feeding babies. 학평 응용
부모들은 아기에게 젖을 주는 동안 매우 자주 부드럽고 반복적인 움직임을 제공한다.

파생 **repeat** 동 반복하다
repetition 명 반복
유의 **repeated** 형 반복되는
recurrent 형 반복되는, 재발되는

0936

supervise
[sjú:pərvàiz]

동 감독하다, 관리하다

He was asked to **supervise** the kids playing in the pool.
그는 수영장에서 노는 아이들을 감독하라는 요청을 받았다.

어원 plus +

super (above) + vise (see) → 위에서 살펴보다 → 감독하다

파생 **supervision** 명 감독, 관리
supervisor 명 관리자
유의 **oversee** 동 감독하다
administer 동 관리하다

0937

minister
[mínistər]

명 1. 장관 2. 목사, 성직자

The **minister** rejected any proposal that could affect his own policies.
장관은 자신의 정책에 영향을 줄 수 있는 어떤 제안도 거절했다.

파생 **ministry** 명 (정부의) 부처, 성직(자)
유의 **priest** 명 성직자, 신부

0938

guarantee
[gæ̀rəntíː]

동 보장[보증]하다, 확실히 하다
명 보장[보증], 보증서

Some researchers mistakenly believe that a good hypothesis is one that is **guaranteed** to be right. 학평 기출
일부 연구자들은 좋은 가설이 옳다고 보장된 가설이라고 잘못 믿고 있다.

유의 **assure** 동 보증하다, 보장하다
make certain 확실히 하다
warranty 명 (품질) 보증서

0939

shame
[ʃeim]

명 1. 수치(심), 창피 2. 유감인 일

I couldn't say anything, but I was full of **shame** and regret for misunderstanding him. 학평 기출
나는 아무 말도 못했지만, 그를 오해한 것에 대한 수치심과 후회가 가득했다.

파생 **shameful** 형 부끄러운
유의 **embarrassment** 명 부끄러움
humiliation 명 창피, 굴욕
pity 명 유감스러운 일

0940 다의어

yield
[jiːld]

동 1. (결과를) 내다, 산출하다 2. 굴복하다, 양보하다
명 (농작물 등의) 산출량

The experiments **yielded** surprising results.
그 실험들은 놀라운 결과들을 냈다.

She resisted **yielding** to the temptation of having a waffle.
그녀는 와플을 먹고 싶은 유혹에 굴복하지 않았다.

Scientists have greatly increased the **yield** of crops.
과학자들은 곡물의 산출량을 크게 증가시켰다.

내신 UP

Q3.
밑줄 친 단어의 뜻으로 알맞은 것은?

These trees are expected to yield more fruit than last year thanks to the warm weather.

① 산출하다 ② 양보하다 ③ 산출량

0941

machinery
[məʃíːnəri]

명 1. 기계, 기계류 2. 기계 부품들

Some parts of the **machinery** need to be replaced soon.
그 기계의 몇몇 부품들은 곧 교체되어야 한다.

파생 **machine** 명 기계
유의 **gear** 명 기계, 장치
equipment 명 장비, 설비

0942

awkward
[ɔ́ːkwərd]

형 1. 어색한, 서투른 2. 불편한, 다루기 힘든

She couldn't stand the **awkward** silence in the room.
그녀는 방 안의 어색한 침묵을 견딜 수 없었다.

유의 **clumsy** 형 서투른, 어설픈
uncomfortable 형 불편한

0943

portion
[pɔ́:rʃən]

명 1. 부분, 일부 2. 몫, 1인분

We save a large **portion** of our income each month.
우리는 매달 수입의 큰 부분을 저축한다.

유의 **part** 명 부분, 일부
serving 명 1인분
숙어 **a portion of** 약간의, 일부의

0944

sparkle
[spá:rkl]

동 반짝이다
명 반짝임

They all saw her eyes **sparkle** with the hope of getting a promotion.
그들 모두가 그녀의 눈이 승진을 할 희망으로 반짝이는 것을 보았다.

파생 **sparkling** 형 반짝거리는
유의 **glitter** 동 반짝이다
shine 동 빛나다
twinkle 동 반짝거리다, 빛나다 명 반짝거림

0945

emotion
[imóuʃən]

명 감정, 정서

By saying yes all the time, you are building up **emotions** of inconvenience. 학평 기출
항상 승낙함으로써 여러분은 불편함이라는 감정을 쌓아가고 있다.

파생 **emotional** 형 감정의, 정서의
유의 **feeling** 명 감정
sentiment 명 감정, 정서

0946 혼동어휘

comparable
[kámpərəbl]

형 비교할 만한, 비슷한

The movie is **comparable** to Christopher Nolan's *The Dark Knight*.
그 영화는 Christopher Nolan 감독의 '다크 나이트'와 비교할 만하다.

내신 UP

Q4.
문맥상 알맞은 단어를 고르시오.

He succeeded in business with **[comparable / comparative]** ease.

0947 혼동어휘

comparative
[kəmpǽrətiv]

형 비교의, 비교를 통한, 비교적

The Chinese company has a **comparative** advantage in terms of cost.
그 중국 회사는 비용 면에서 비교 우위를 가지고 있다.

0948

worsen
[wə́:rsən]

동 악화시키다[되다]

Technology makes it much easier to **worsen** a situation with a quick response. 학평 기출
기술은 성급한 반응으로 상황을 악화시키는 것을 훨씬 더 쉽게 만든다.

파생 **worse** 형 더 나쁜, 더 악화된 부 더 나쁘게[심하게]
유의 **degenerate** 동 악화되다
반의 **improve** 동 개선하다, 증진하다

0949

usage
[jú:sidʒ]

명 1. (언어의) 용법, 어법 2. 사용(법)

The word “a” in common English **usage** means “one.”
영어의 일반적 용법에서 ‘a’는 ‘하나’를 의미한다.

파생 use 동 사용하다

0950

describe
[diskráib]

동 묘사하다, 설명하다

Describe the robber’s appearance in as much detail as possible.
그 강도의 외모를 가능한 한 구체적으로 묘사해 보세요.

어원 plus+
de (down) + scribe (write) → 적어 내려가다 → 묘사하다

파생 description 명 서술, 묘사
descriptive 형 묘사하는
유의 depict 동 묘사하다, 그리다
explain 동 설명하다
숙어 describe A as B
A를 B라고 묘사하다

0951

arouse
[əráuz]

동 1. 불러일으키다, 자극하다 2. (잠에서) 깨우다

The decision **aroused** anger among the fans.
그 결정은 팬들 사이에 분노를 일으켰다.

유의 prompt 동 불러일으키다, 촉발하다
awaken 동 깨우다

0952

origin
[ɔ́(:)ridʒin]

명 1. 기원, 유래 2. 출신

Many inventions were created long ago, so it can be difficult to know their **origins**. 학평 응용
많은 발명품들이 오래 전에 발명되어서 그 기원을 알기가 어려울 수 있다.

파생 original 형 원래의, 독창적인
originate 동 기원하다, 생기다
유의 root 명 기원
beginning 명 처음, 시작

0953

overweight
[òuvərwéit]

형 과체중의, 중량 초과의

My luggage was **overweight** by five kilograms, so I had to pay extra.
내 수화물은 5킬로그램 중량 초과여서 나는 추가 요금을 내야 했다.

유의 obese 형 비만의
반의 underweight 형 체중 미달의

0954

tax
[tæks]

명 세금
동 세금을 부과하다

When you buy something, the sales **tax** is included in its price.
당신이 무언가를 살 때, 판매세가 가격에 포함된다.

파생 taxation 명 조세, 과세 제도

0955

council
[káunsəl]

명 1. (지방 자치 단체의) 의회 2. 위원회, 협의회

Two new members of the city **council** were elected yesterday.
두 명의 새로운 시 의회 의원들이 어제 선출되었다.

유의 **committee** 명 위원회
board 명 위원회

0956

idle
[áidl]

형 게으른, 나태한
동 빈둥거리다

He is an **idle** man who sits in front of the TV all day.
그는 온종일 TV 앞에 앉아 있는 게으른 사람이다.

유의 **lazy** 형 게으른
반의 **diligent** 형 부지런한
industrious 형 부지런한

0957

furthermore
[fə́ːrðərmɔ̀ːr]

부 뿐만 아니라, 더욱이

Furthermore, we are not told how these women were selected. 학평 기출
더욱이, 우리는 이 여성들이 어떻게 선정되었는지를 듣지 못했다.

유의 **besides** 부 뿐만 아니라
moreover 부 더욱이
in addition 게다가

고등 필수 숙어

0958

base on

~을 근거로 하다

The movie is **based on** a story called *St. Benno and the Frog.* 학평 응용
그 영화는 St. Benno and the Frog라고 하는 이야기를 근거로 하고 있다.

내신 UP 

Q5.
다음 빈칸에 알맞은 숙어는?

Scientists are ________ finding a new way to kill cancer cells.

① based on
② building on
③ working on

0959

build on

~을 기반으로 하다

This theory was **built on** data from eight research studies.
이 이론은 8개 연구의 데이터를 기반으로 했다.

0960

work on

1. 애쓰다, 공들이다 2. 착수하다

He will **work on** getting in shape before the big match.
그는 큰 경기 전에 몸을 만들기 위해 애쓸 것이다.

Daily Test 24

정답 p. 357

A 우리말은 영어로, 영어는 우리말로 쓰시오.

01 반복되는 ____________

02 세금(을 부과하다) ____________

03 반짝이다; 반짝임 ____________

04 방법, 방식 ____________

05 운동선수 ____________

06 어색한, 서투른 ____________

07 비교의, 비교를 통한 ____________

08 machinery ____________

09 supervise ____________

10 region ____________

11 minister ____________

12 property ____________

13 yield ____________

14 furthermore ____________

B 빈칸에 알맞은 단어를 쓰시오. (필요시 형태를 바꿀 것)

서술형

01 Wealth and success as an actor can't g__________ your happiness.
부와 배우로서의 성공이 당신의 행복을 보장해 줄 수는 없다.

02 You need to e__________ the amount of wood you will use to build your new house.
너는 새 집을 짓는 데 사용할 목재의 양을 추정할 필요가 있다.

03 Everything related to time is b__________ __________ the rising and setting of the sun.
시간과 관련된 모든 것은 해가 뜨고 지는 것을 근거로 한다.

C 각 단어의 유의어 혹은 반의어를 쓰시오.

01 형 regular 유의 o__________

02 동 worsen 반의 i__________

03 형 delicate 유의 f__________

04 동 allow 반의 f__________

05 동 cure 유의 h__________

06 형 idle 반의 d__________

VOCA CLEAR

DAY 25

시험에 더 강해지는 어휘

0961

export
[ékspɔːrt]

명 수출(품)
동 [ekspɔ́ːrt] 수출하다

Wool is one of the chief **exports** of Australia.
양모는 호주의 주된 수출품 중 하나이다.

반의 **import** 명 동 수입(하다)

0962

prepare
[pripέər]

동 준비하다, 대비하다

When you head off into the wilderness, it is important to **prepare** for the environment. 학평 기출
미지의 땅으로 향할 때에는, 그 환경에 대해 준비하는 것이 중요하다.

파생 **preparation** 명 준비, 대비
유의 **get ready** 준비하다
arrange 동 준비하다
숙어 **prepare A for B**
B를 위해 A를 준비하다

0963

voluntary
[vάləntèri]

형 1. 자원봉사의 2. 자발적인

Participation in the after-school program is **voluntary**.
방과후 프로그램에 참여하는 것은 자발적이다.

파생 **volunteer** 동 자원봉사하다
명 자원봉사자
voluntarily 부 자발적으로
반의 **compulsory** 형 강제적인, 의무적인

0964 다의어

fair
[fεər]

형 1. 공평한, 공정한 2. 상당한 3. (날씨가) 맑은
명 박람회

A referee must be **fair** to both sides.
심판은 양쪽 편에 공평해야 한다.

There's a **fair** chance she will win the match.
그녀가 경기를 이길 상당한 가능성이 있다.

Come and enjoy the Springfield High School Book **Fair**. 학평 기출
Springfield 고등학교의 책 박람회에 오셔서 즐기세요.

내신 UP

Q1.
밑줄 친 단어의 뜻으로 알맞은 것은?
What do you think is the fairest solution to the current problem?
① 공정한 ② 상당한 ③ 맑은

0965

appetite
[ǽpətàit]

명 1. 식욕 2. 욕구

Eating nuts may help you control your **appetite**.
견과류를 먹는 것은 식욕 조절에 도움을 준다.

파생 **appetizer** 명 식욕을 돋우는 것, 전채
유의 **desire** 명 욕망, 욕구
숙어 **lose one's appetite**
식욕을 잃다

0966

cabin
[kǽbin]

명 1. 오두막집 2. (배·비행기의) 선실[객실]

The old **cabin** is equipped with the latest cooking facilities.
그 오래된 오두막집은 최신의 취사 시설이 갖춰져 있다.

유의 **hut** 명 오두막
cottage 명 오두막집, 작은 집

0967

separate
[sépərèit]

동 분리하다[되다]
형 [sépərit] 분리된, 별개의

It **separates** traffic moving in opposite directions. 학평 응용
그것은 반대 방향으로 움직이는 교통량을 분리한다.

파생 **separation** 명 분리, 구분
separately 부 별도로, 각기
유의 **divide** 동 나누다, 가르다
반의 **unite** 동 통합하다
숙어 **separate A from B**
B에서 A를 분리하다

0968

patriot
[péitriət]

명 애국자

My grandfather was a great **patriot** who fought for the independence of his country.
우리 할아버지는 조국의 독립을 위해 싸웠던 훌륭한 애국자셨다.

파생 **patriotic** 형 애국적인

0969

dismiss
[dismís]

동 1. 묵살[일축]하다 2. 해고하다 3. 해산시키다

You must not **dismiss** Harry's advice on the matter.
당신은 그 문제에 대한 Harry의 조언을 묵살해서는 안 된다.

어원 plus+

dis (away) + miss (send) → 떨어진 곳으로 보내다 → 해고하다, 해산시키다

파생 **dismissal** 명 해고, 해산
유의 **fire** 동 해고하다
lay off ~를 해고하다
disperse 동 해산시키다
반의 **employ** 동 고용하다
hire 동 고용하다

0970

hatch
[hætʃ]

동 부화하다[되다]

It'll take a week for all the eggs to **hatch**.
모든 알이 부화되는 데에는 일주일이 걸릴 것이다.

0971

slim
[slim]

형 1. 날씬한, 호리호리한 2. 얇은

It seems that everyone wants to have a **slim** figure.
모두가 날씬한 몸매를 갖고 싶어 하는 것 같다.

유의 **slender** 형 날씬한
thin 형 얇은
반의 **chubby** 형 통통한

0972

browse
[brauz]

동 1. 둘러보다 2. 대강 읽다 3. (인터넷을) 검색하다

He **browsed** through the store but didn't buy anything.
그는 가게 전체를 둘러 보았지만 아무것도 사지 않았다.

파생 **browser** 명 브라우저(인터넷 검색 프로그램)
유의 **look around** 둘러보다
skim 동 훑어보다

0973 혼동어휘

successful
[səksésfəl]

형 성공한, 성공적인

She invented a **successful** hair care product and sold it across the country. 학평 기출
그녀는 성공적인 모발 관리 제품을 발명하여 전국에 판매했다.

내신 UP

Q2.
문맥상 알맞은 단어를 고르시오.

She has been absent from school for five **[successful / successive]** days.

0974 혼동어휘

successive
[səksésiv]

형 연속적인, 연이은

The team's sixteen **successive** losses forced the coach to resign.
팀의 16연패는 코치가 사임하게 만들었다.

0975

fame
[feim]

명 명성

The movie brought her **fame** and riches she couldn't even imagine.
그 영화는 그녀가 상상조차 할 수 없는 명성과 부를 가져다 주었다.

파생 **famed** 형 유명한
famous 형 유명한
유의 **reputation** 명 명성, 평판
반의 **disgrace** 명 불명예

0976

eager
[íːgər]

형 열망하는, 열성적인

They were all **eager** to see the newborn puppies.
그들은 모두 갓 태어난 강아지들을 보기를 열망했다.

유의 **keen** 형 열망하는
enthusiastic 형 열광적인
반의 **uninterested** 형 무관심한
숙어 **be eager to-v** ~하기를 열망하다

0977

broaden
[brɔ́ːdən]

동 넓히다, 넓어지다

Each adventure is a chance to learn something and **broaden** your horizons. 학평 기출
각각의 모험은 무엇인가를 배우고 당신의 지평을 넓힐 기회이다.

파생 **broad** 형 넓은
유의 **widen** 동 넓히다
expand 동 넓히다, 확장하다
반의 **narrow** 동 좁히다, 좁아지다

0978

renew
[rinjú:]

동 1. 재개하다 2. 갱신하다

In the morning, the enemy **renewed** their attack.
오전에 적들이 공격을 재개했다.

파생 **renewal** 명 재개, 갱신
renewable 형 갱신 가능한
유의 **restart** 동 다시 시작하다

0979

impulse
[ímpʌls]

명 1. 충동 2. 충격, 자극

He felt a sudden **impulse** to stand up and sing in front of everyone.
그는 모두의 앞에서 일어나서 노래하고 싶은 갑작스런 충동을 느꼈다.

파생 **impulsive** 형 충동적인
유의 **urge** 명 충동
숙어 **on impulse** 충동적으로

0980 다의어

express
[iksprés]

동 표현하다, 나타내다
명 급행열차 형 급행의, 신속한

Dance is a means of **expressing** the social identity of a group. 학평 응용
춤은 어떤 집단의 사회적 정체성을 표현하는 수단이다.

She sent the letter by **express** delivery.
그녀는 편지를 빠른 우편으로 보냈다.

They caught the 9:30 **express** to London.
그들은 런던행 9시 30분 급행열차를 탔다.

내신 UP

Q3.
밑줄 친 단어의 뜻으로 알맞은 것은?

He is not afraid to express his feelings and opinions no matter who he is talking to.

① 급행의
② 급행열차
③ 표현하다

0981

thoughtful
[θɔ́:tfəl]

형 1. 사려 깊은 2. 생각에 잠긴

He is a very **thoughtful** person who cares a lot about his friends.
그는 그의 친구들을 많이 신경쓰는 매우 사려 깊은 사람이다.

파생 **thought** 명 생각, 사고
유의 **considerate** 형 사려 깊은
반의 **inconsiderate** 형 사려 깊지 못한

0982

stitch
[stitʃ]

명 (한) 바늘, (한) 땀
동 바느질하다, 꿰매다

The cut didn't look serious, but it needed 10 **stitches**.
베인 상처는 심해 보이지 않았지만, 열 바늘을 꿰매야 했다.

유의 **sew** 동 바느질하다
숙어 **stitch up** ~을 꿰매다

0983

nuclear
[njúːkliər]

형 원자력의, 핵의

The biggest problem is the disposal of **nuclear** waste.
가장 큰 문제는 핵 폐기물의 처리이다.

0984

disaster
[dizǽstər]

명 재난, 재해

The real **disaster** will never mirror any one of the mock disasters. 학평 응용
실제 재난은 모의 재난들 중 어느 하나라도 그대로 반영하지 않을 것이다.

어원 plus+

dis (away) + aster (star) → (정상적인 모습에서) 떨어져 있는 별 (불길한 징조) → 재난, 재해

파생 **disastrous** 형 재난의, 비참한
유의 **catastrophe** 명 재난, 참사

0985

announce
[ənáuns]

동 발표하다, 알리다

Further tax cuts will be **announced** tonight.
추가 감세가 오늘 밤에 발표될 것이다.

파생 **announcement** 명 발표, 성명
유의 **declare** 동 공표하다
proclaim 동 공표하다
숙어 **announce A to B**
A를 B에게 알리다

0986

lyric
[lírik]

명 1. ((-s)) 가사 2. 서정시
형 서정적인

The **lyrics** of this song reflect the songwriter's experience of losing a loved one.
이 노래의 가사는 사랑하는 이를 잃은 작사가의 경험을 반영한다.

파생 **lyrical** 형 서정적인
유의 **emotional** 형 정서의, 감정의

0987

conscious
[kɑ́nʃəs]

형 1. 의식하는, 자각하는 2. 의식이 있는

By highlighting that reality, we become **conscious** of current limitations. 학평 기출
그 현실을 강조함으로써, 우리는 현재의 한계를 의식하게 된다.

파생 **consciousness** 명 의식, 자각
유의 **aware of** 의식하고 있는
반의 **unconscious** 형 의식하지 못하는, 의식이 없는
숙어 **be conscious of** ~을 의식하다

0988

glance
[glæns]

동 흘긋 보다
명 흘긋 봄

Feeling bored, she kept **glancing** at a clock.
지루함을 느낀 그녀는 계속해서 시계를 흘긋 보았다.

유의 **glimpse** 동 흘긋 보다 명 흘긋 봄
반의 **gaze** 동 응시하다
숙어 **glance at** ~을 흘긋 보다
at a glance 한눈에, 언뜻 보면

0989

illegal
[ilíːgəl]

형 불법의

It is **illegal** for people under 17 to drive a car in this country.
이 나라에서는 17세 이하의 사람이 운전하는 것은 불법이다.

파생 **illegally** 부 불법적으로
유의 **illegitimate** 형 불법의
반의 **legal** 형 합법적인

0990

observation
[àbzəːrvéiʃən]

명 1. 관찰, 관측 2. (관찰에 따른) 의견

Were **observations** recorded during or after the experiment? 학평 기출
관찰들이 실험 중에 혹은 후에 기록되었나요?

파생 **observe** 동 관찰하다, 목격하다
유의 **monitoring** 명 관찰, 감시

0991

multiple
[mʌ́ltəpl]

형 1. 다수의, 많은, 다양한 2. 배수의
명 ((수학)) 배수

Multiple enemy planes appeared from behind the mountain.
다수의 적기들이 산 뒤에서 나타났다.

파생 **multiply** 동 곱하다, 증가하다[시키다]
유의 **numerous** 형 다수의
숙어 **multiple of** ~의 배수

0992 혼동어휘

altitude
[ǽltitjùːd]

명 (해발) 고도, 고지

The helicopter lowered its **altitude** as it prepared to land.
헬리콥터가 착륙할 준비가 되자 고도를 낮췄다.

내신 UP

Q4.
문맥상 알맞은 단어를 고르시오.

It is better to have a healthy, positive **[altitude / attitude]**.

0993 혼동어휘

attitude
[ǽtitjùːd]

명 태도, 자세

Within cultures, individual **attitudes** can vary dramatically. 학평 기출
문화 내에서 개인의 태도는 극적으로 다를 수 있다.

0994

burst
[bəːrst]

동 1. 터지다, 터뜨리다 2. 갑자기 ~하다
명 파열, 폭발

The heavy rain **burst** the dam and flooded nearby towns.
폭우는 댐을 터뜨려 주변 마을들을 침수시켰다.

유의 **explode** 동 터지다, 터뜨리다
blow up 터지다, 터뜨리다
숙어 **burst out v-ing** 갑자기 ~하기 시작하다

0995

coast
[koust]

명 해안, 연안

They were warned to leave the **coast** because of the hurricane.
그들은 허리케인 때문에 해안을 벗어나라는 경고를 받았다.

파생 **coastal** 형 해안의, 연안의
유의 **seashore** 명 해안, 해변

0996

invest
[invést]

동 투자하다

The company plans to **invest** in the production of electric vehicles.
그 회사는 전기 자동차 생산에 투자할 계획이다.

파생 **investment** 명 투자
숙어 **invest in** ~에 투자하다

0997

limitation
[lìmətéiʃən]

명 1. 제한, 한정 2. 규제, 제약 3. 한계

It is the **limitations** that help me free my creative imagination. 학평 기출
나의 창조적 상상력을 자유롭게 하도록 도와주는 것은 바로 한계이다.

파생 **limit** 명 동 제한(하다)
유의 **restriction** 명 제한, 규제
restraint 명 제한, 규제

고등 필수 숙어

0998

go after

뒤쫓다, 추구하다

His self-confidence enabled him to achieve anything he **went after**. 학평 응용
그의 자신감은 그가 추구하는 모든 것을 성취하게 해 주었다.

0999

look after

~을 돌보다, 보살펴 주다

Some male animals **look after** their offspring.
어떤 수컷 동물들은 새끼를 돌본다.

1000

name after

~의 이름을 따서 짓다

An airport in her hometown was **named after** her father.
그녀의 고향에 있는 공항은 그녀 아버지의 이름을 따서 명명되었다.

내신 UP

Q5.
다음 빈칸에 알맞은 숙어는?

The journalist is determined to __________ the truth behind the issue.

① go after
② look after
③ name after

Daily Test 25

정답 p. 357

A 우리말은 영어로, 영어는 우리말로 쓰시오.

01 넓히다, 넓어지다 ____________

02 부화하다[되다] ____________

03 투자하다 ____________

04 연속적인, 연이은 ____________

05 식욕, 욕구 ____________

06 분리하다[되다] ____________

07 (해발) 고도, 고지 ____________

08 observation ____________

09 conscious ____________

10 eager ____________

11 announce ____________

12 express ____________

13 glance ____________

14 renew ____________

B 빈칸에 알맞은 단어를 쓰시오. (필요시 형태를 바꿀 것)

서술형

01 It is i____________ for ordinary people to possess guns without permission in Korea.
한국에서는 일반인이 허가 없이 총을 소지하는 것은 불법이다.

02 These days natural d____________ seem to happen more often due to climate change.
요즈음 자연재해들이 기후 변화 때문에 더 자주 발생하는 것 같다.

03 I have great respect for the way she l____________ ____________ the elderly in the nursing home.
나는 그녀가 요양원에서 노인들을 돌보는 방식에 대해 매우 존경한다.

C 각 단어의 유의어 혹은 반의어를 쓰시오.

01 명 impulse 유의 u____________

02 형 voluntary 반의 c____________

03 형 slim 유의 s____________

04 동 dismiss 반의 e____________

05 명 fame 유의 r____________

06 명 export 반의 i____________

내신에 더 강해지는 TEST DAY 21-25

A 각 영영풀이에 알맞은 단어를 <보기>에서 찾아 쓰시오.

<보기>	strategy	claim	reputation	awkward	eager

01 to state that something is true or is a fact ____________

02 causing difficulty or uncomfortable feelings ____________

03 a plan that is intended to achieve a particular purpose ____________

04 very excited about something that you want to do ____________

05 an opinion about someone/something by people in general ____________

B 다음 빈칸에 공통으로 알맞은 단어를 고르시오.

01 • Oil has the ____________ of floating on water.
• A sign indicates that this land is now private ____________.

① benefit ② property ③ quality ④ medium

02 • I had not seen her for 20 years, but I ____________ her immediately.
• These qualifications are officially ____________ throughout the EU.

① regarded ② confirmed ③ permitted ④ recognized

03 • The average milk ____________ per cow has increased steadily.
• The project is expected to ____________ good results in the future.

① nutrient ② export ③ yield ④ guarantee

정답 p. 357

C

다음 중 짝 지어진 단어의 관계가 나머지와 다른 하나를 고르시오.

01 ① ignore : disregard ② genuine : fake ③ everlasting : temporary

02 ① finance : financial ② benefit : beneficial ③ dismiss : dismissal

03 ① defect : fault ② complicated : simple ③ splendid : excellent

04 ① loose : tight ② disappear : vanish ③ float : sink

05 ① import : export ② assume : presume ③ thoughtful : considerate

D

우리말과 같은 의미가 되도록 <보기>의 단어를 이용하여 문장을 완성하시오. (필요시 형태를 바꿀 것)

<보기>	look	remain	attribute	distribute	successful	successive

01 그 다리는 연속 3일 동안 폐쇄된 채로 있다.

→ The bridge has ______________ closed for three ______________ days.

02 나는 그에게 어젯밤 일에 대해 말하려고 했으나 그는 나를 못 본 척했다.

→ I tried to tell him about last night, but he just ______________ through me.

03 그녀의 선생님들은 그녀의 학습 장애를 정서적 문제들 때문으로 여긴다.

→ Her teachers ______________ her learning difficulties to emotional problems.

VOCA CLEAR

DAY 26

시험에 더 강해지는 어휘

1001

melt
[melt]

동 녹다[녹이다]

Two-thirds of the ice in the glacier in the Alps is expected to **melt** by 2100.
알프스 빙하의 얼음 3분의 2가 2100년까지 녹을 것으로 예상된다.

유의 **dissolve** 동 녹다, 용해되다
반의 **freeze** 동 얼다[얼리다]

1002

logic
[lάdʒik]

명 1. 논리(학) 2. 타당성

His calculations based on that **logic** are still in use today. 학평 기출
저 논리에 기초한 그의 계산은 오늘날에도 여전히 사용된다.

파생 **logical** 형 논리적인, 타당한
유의 **reason** 명 논리, 이성

1003

volcanic
[vαlkǽnik]

형 화산의, 화산 작용에 의한

Jeju Island was created by **volcanic** activity.
제주도는 화산 활동에 의해 만들어졌다.

파생 **volcano** 명 화산

1004

ease
[iːz]

명 1. 쉬움 2. 편안함, 안락함
동 편안하게 하다, (고통 등을) 덜어 주다

If you ask him to name three sports, most likely he will be able to answer with **ease**. 학평 응용
그에게 스포츠 이름 세 가지를 말하라고 하면, 그는 필시 쉽게 대답할 수 있을 것이다.

파생 **easy** 형 쉬운
유의 **comfort** 명 편안함
relieve 동 (고통 등을) 덜어 주다
반의 **difficulty** 명 어려움
hardship 명 고난
숙어 **with ease** 쉽게

1005

symptom
[símptəm]

명 1. 증상 2. 징후, 조짐

Fever and headache are typical **symptoms** of the disease.
열과 두통은 그 병의 전형적인 증상이다.

어원 plus+

sym (together) + ptom (fall) → (병이 떨어질 때) 함께 떨어지는 것 → 증상

유의 **sign** 명 징후
indication 명 표시, 징후

1006

plot
[plɑt]

명 1. 줄거리, 구성 2. 음모
동 음모를 꾸미다

It's hard to follow the **plot** of her novel.
그녀의 소설 줄거리를 이해하기가 어렵다.

유의 **storyline** 명 줄거리
conspiracy 명 음모
conspire 동 음모를 꾸미다

1007 다의어

bear
[bɛər]

동 1. 참다, 견디다 2. (아이를) 낳다, (열매를) 맺다

She **bore** all her suffering with incredible patience.
그녀는 놀라운 인내심으로 모든 고난을 견뎠다.

Most animals **bear** their young in the spring.
대부분의 동물들은 봄에 새끼를 낳는다.

내신 UP

Q1.
밑줄 친 단어의 뜻으로 알맞은 것은?

The ice of this frozen lake might not be thick enough to bear your weight.

① 낳다 ② 맺다 ③ 견디다

1008

addicted
[ədíktid]

형 중독된, 푹 빠진

Many people are **addicted** to social media nowadays.
요즘 많은 사람들이 소셜미디어에 중독된다.

파생 **addict** 명 중독자
addiction 명 중독
숙어 **be addicted to**
~에 중독되다

1009

bunch
[bʌntʃ]

명 다발, 묶음

He gave me a **bunch** of flowers as an apology.
그는 사과의 표시로 나에게 꽃다발을 주었다.

유의 **bundle** 명 다발, 묶음

1010

enable
[inéibl]

동 ~할 수 있게 하다, 가능하게 하다

Their criticism **enabled** me to view myself objectively.
그들의 비판은 내가 스스로를 객관적으로 볼 수 있게 해 주었다.

파생 **able** 형 ~할 수 있는
유의 **allow** 동 가능하게 하다
permit 동 가능하게 하다
반의 **disable** 동 무능력하게 하다
forbid 동 못하게 하다, 금지하다

1011

shortcut
[ʃɔ́:rtkʌ̀t]

명 1. 지름길 2. 손쉬운 방법

He showed me a **shortcut** to the subway station.
그는 내게 지하철 역까지 가는 지름길을 가르쳐 주었다.

숙어 **take a shortcut**
지름길로 가다

1012

charm
[tʃɑːrm]

명 매력
동 매혹하다

You should not use your **charm** to take advantage of people.
사람들을 이용하기 위해 자신의 매력을 사용해서는 안 된다.

파생 **charming** 형 매력적인
유의 **appeal** 명 매력, 매혹
attract 동 매혹하다
fascinate 동 매혹하다

1013

motivate
[móutəvèit]

동 동기를 부여하다, 자극하다

What really works to **motivate** people to achieve their goals? 학평 기출
사람들이 그들의 목표를 달성하도록 동기를 부여하는 데 실제로 효과가 있는 것이 무엇일까?

파생 **motivation** 명 동기 부여, 자극
유의 **stimulate** 동 자극[격려]하다
inspire 동 고무[격려]하다
반의 **demotivate** 동 의욕을 꺾다

1014 혼동어휘

affect
[əfékt]

동 영향을 미치다

Every human being is **affected** by unconscious biases. 학평 기출
모든 인간은 무의식적인 편견에 의해 영향을 받는다.

내신 UP

Q2.
문맥상 알맞은 단어를 고르시오.

The manager's attitude has a strong **[effect / affect]** on the rest of the department.

1015 혼동어휘

effect
[ifékt]

명 영향, 효과, 결과

Her encouragement didn't have any **effect** on Tom's mood.
그녀의 격려는 Tom의 기분에 아무런 영향을 미치지 못했다.

1016

identical
[aidéntikəl]

형 동일한, 똑같은

In theory, clones are genetically **identical** to the original.
이론적으로, 복제 생물들은 유전적으로 원본과 동일하다.

파생 **identity** 명 동일함, 신원
유의 **same** 형 동일한, 똑같은
반의 **different** 형 다른, 별개의
unlike 형 서로 다른

1017

summarize
[sʌ́məràiz]

동 요약하다

The teacher made his students **summarize** the article in less than 600 words.
교사는 학생들에게 그 기사를 600단어 이하로 요약하도록 했다.

파생 **summary** 명 요약
유의 **sum up** 요약하다

1018

pillar
[pílər]

명 기둥

Eight massive stone **pillars** support the roof.
8개의 거대한 돌 기둥들이 지붕을 떠받친다.

유의 column 명 기둥

1019

contain
[kəntéin]

동 1. 포함하다, 함유하다
2. (감정 등을) 억누르다, 억제하다

Many of the manufactured products made today **contain** many chemicals. 학평 기출
오늘날 만들어진 제조 식품 중 다수가 많은 화학 물질을 함유하고 있다.

어원 plus +
con (together) + tain (hold) → 같이 담다 → 포함하다

파생 container 명 그릇, 용기
유의 include 동 포함하다
hold 동 담다, 포함하다
restrain 동 억누르다
반의 exclude 동 배제하다

1020

immune
[imjúːn]

형 면역성의, 면역의

Interestingly, most people in this area are **immune** to the virus.
흥미롭게도, 이 지역에 있는 대부분의 사람들은 그 바이러스에 면역이 되어 있다.

파생 immunity 명 면역력, 면제
숙어 be immune to
~에 면역이 되다

1021

throughout
[θru(ː)áut]

전 ~ 내내, ~ 동안 죽

Dragons appear in many tales **throughout** human history. 학평 기출
용은 인류의 역사 내내 많은 이야기에 등장한다.

1022

trace
[treis]

명 흔적, 자취
동 추적하다

The airplane disappeared without a **trace**.
그 비행기는 흔적도 없이 사라졌다.

파생 traceable 형 추적할 수 있는
유의 track 명 흔적, 자취 동 추적하다
숙어 without a trace
흔적도 없이

1023

gaze
[geiz]

동 응시하다, 빤히 쳐다보다
명 응시, 시선

Embarrassed, they **gazed** at each other across the table.
당황한 채, 그들은 테이블 너머로 서로를 응시했다.

유의 stare 명 동 응시(하다)
반의 glance 동 흘긋 보다
명 흘긋 봄

1024

companion
[kəmpǽnjən]

명 동반자, 동행, 친구

Dogs are regarded as the best **companions** for human beings.
개는 인간에게 최고의 동반자로 여겨진다.

파생 companionship 명 동료애
유의 partner 명 동반자
friend 명 친구
반의 enemy 명 적
opponent 명 적수, 반대자

1025 다의어

measure
[méʒər]

동 1. 측정하다, 재다 2. 판단[평가]하다
명 1. 치수, 크기 2. ((-s)) 조치, 대책 3. 척도, 기준

This device **measures** the level of radiation in the air.
이 장치는 공기 중 방사능 수치를 측정한다.

Regular tests are used to **measure** students' progress.
정기 시험은 학생들의 발달을 평가하기 위해 사용된다.

They will introduce **measures** to reduce noise levels in the factory.
그들은 공장 내 소음 수준을 줄이기 위한 조치를 도입할 것이다.

내신 UP

Q3.
밑줄 친 단어의 뜻으로 알맞은 것은?

Repeat purchase rate is one measure of a product's popularity.

① 측정하다 ② 척도 ③ 대책

1026

crucial
[krúːʃəl]

형 중대[중요]한, 결정적인

She played a **crucial** role in catching the bank robber.
그녀는 그 은행 강도를 잡는 데 결정적인 역할을 했다.

유의 critical 형 중대한, 결정적인
decisive 형 결정적인
반의 minor 형 중요하지 않은
unimportant 형 중요하지 않은

1027

react
[riǽkt]

동 1. 반응하다 2. 반작용하다

Each country **reacted** differently to the event.
그 사건에 대해 각국은 다르게 반응했다.

파생 reaction 명 반응, 반작용
유의 respond 동 반응하다
숙어 react to ~에 반응하다

1028

propose
[prəpóuz]

동 1. 제안하다 2. 청혼하다

They will **propose** a variety of ideas for developing employment opportunities. 학평 응용
그들은 고용 기회를 만들기 위한 다양한 아이디어를 제안할 것이다.

어원 plus +

pro (forward) + pos(e) (place: 놓다) → 앞에 (의견을) 놓다 → 제안하다

파생 proposal 명 제안, 청혼
유의 suggest 동 제안하다

1029

steep
[stiːp]

형 1. 가파른, 비탈진 2. 급격한

The mountain is too **steep** and dangerous to climb.
그 산은 등반하기에 너무 가파르고 위험하다.

파생 **steeply** 부 가파르게
유의 **sharp** 형 가파른, 급격한
반의 **gradual** 형 완만한, 점진적인

1030

frost
[frɔ(ː)st]

명 서리, 성에

The grass was covered with **frost** in the early morning.
이른 아침에 잔디가 서리로 덮여 있었다.

파생 **frosty** 형 서리가 내리는

1031

discourage
[diskə́ːridʒ]

동 1. 의욕을 꺾다, 낙담시키다 2. 막다[말리다], 단념시키다

It must have **discouraged** him and negatively affected his performance. 학평 기출
그것은 그를 낙담시키고 그의 업무 수행에 부정적인 영향을 미쳤음에 틀림없다.

파생 **discouragement** 명 낙심
discouraged 형 낙담한
유의 **prevent** 동 막다
반의 **encourage** 동 격려하다
숙어 **discourage A from v-ing** A가 ~하지 못하게 하다

1032 혼동어휘

flavor
[fléivər]

명 1. 맛, 풍미 2. 양념, 향신료
동 맛을 내다

Add a little more vanilla to give the **flavor** a boost.
맛을 돋우기 위해 바닐라를 조금 더 넣으세요.

내신 UP

Q4.
문맥상 알맞은 단어를 고르시오.

What allows us to appreciate the **[favor / flavor]** of food is our smell.

1033 혼동어휘

favor
[féivər]

명 1. 호의, 친절 2. 부탁
동 호의를 보이다, 찬성하다

He is likely to feel pressure to return the **favor**.
그는 호의에 보답해야 한다는 압박감을 느낄 것 같다.

1034

extraordinary
[ikstrɔ́ːrdənèri]

형 1. 비범한, 대단한 2. 기이한

She certainly has **extraordinary** talents as a violinist.
그녀는 확실히 바이올리니스트로서 비범한 재능을 가지고 있다.

유의 **exceptional** 형 비범한
amazing 형 놀라운
반의 **ordinary** 형 평범한

1035

border

[bɔ́ːrdər]

명 국경, 경계
동 (국경·경계를) 접하다

The train crosses the **border** between France and Spain.
기차는 프랑스와 스페인 사이의 국경을 넘어간다.

유의 **boundary** 명 경계
숙어 **border on** ~에 접하다, 가깝다

1036

transport

[trǽnspɔ̀ːrt]

동 수송하다, 운반하다
명 수송

Participants will be **transported** by bus to clean up litter. 학평 기출
참가자들은 쓰레기를 치우기 위해 버스를 타고 이동할 것이다.

파생 **transportation** 명 수송, 교통
유의 **carry** 동 운반하다
convey 동 운반하다

1037

durable

[djú(ː)ərəbl]

형 내구성이 있는

The automobile company is famous for its **durable** engines.
그 자동차 회사는 내구성 있는 엔진으로 유명하다.

파생 **durability** 명 내구성
유의 **lasting** 형 내구력 있는
strong 형 강한, 튼튼한
반의 **fragile** 형 부서지기 쉬운

고등 필수 숙어

1038

speak for

~을 대변하다

We try to **speak for** the needy, not against the rich.
우리는 부자에게 반대하는 것이 아니라, 가난한 사람을 대변하려는 것이다.

내신 UP

Q5.
다음 빈칸에 알맞은 숙어는?

The local residents ___________ more crosswalks around the elementary school.

① spoke for
② called for
③ cared for

1039

call for

요구하다, 청하다

It would have been easy to **call for** a vote in order to ease economic pressures. 학평 응용
경제적 압력을 완화하기 위해 투표를 요청하는 것이 쉬웠을 것이다.

1040

care for

1. ~을 돌보다 2. 좋아하다

She thanked the nurses who had **cared for** her son.
그녀는 아들을 돌봐 준 간호사들에게 감사했다.

Daily Test 26

정답 p. 358

A 우리말은 영어로, 영어는 우리말로 쓰시오.

01 동일한, 똑같은 ____________

02 서리, 성에 ____________

03 녹다[녹이다] ____________

04 영향, 효과, 결과 ____________

05 중독된, 푹 빠진 ____________

06 증상, 징후, 조짐 ____________

07 수송(하다), 운반하다 ____________

08 favor ____________

09 extraordinary ____________

10 pillar ____________

11 trace ____________

12 companion ____________

13 bear ____________

14 immune ____________

B 빈칸에 알맞은 단어를 쓰시오. (필요시 형태를 바꿀 것)

서술형

01 Trading has been adversely a____________ by the downturn in consumer spending.

상거래는 소비 지출의 감소로 인해 악영향을 받아 왔다.

02 Sweet potatoes c____________ less unhealthy cholesterol, but they have much more healthy fiber.

고구마는 건강에 해로운 콜레스테롤을 적게 함유하고 있지만 건강에 좋은 섬유질은 훨씬 더 많이 갖고 있다.

03 Because children's voices are too weak, they need adults to s____________ ____________ them.

아이들의 목소리는 너무 약하기 때문에, 그들을 대변해 줄 어른이 필요하다.

C 각 단어의 유의어 혹은 반의어를 쓰시오.

01 형 crucial 유의 c____________

02 형 durable 반의 f____________

03 동 motivate 유의 s____________

04 동 enable 반의 d____________

05 형 steep 유의 s____________

06 명 ease 반의 d____________

VOCA CLEAR

DAY 27

시험에 더 강해지는 어휘

1041

alive

[əláiv]

형 1. 살아 있는 2. 활기찬, 생기 넘치는

No one knows whether the journalist is dead or **alive**.
그 누구도 그 기자가 살아 있는지 죽었는지 모른다.

유의 **living** 형 살아 있는
energetic 형 활기찬
반의 **dead** 형 죽은

1042

emperor

[émpərər]

명 황제

The death of the **emperor** was a great opportunity for the rebel forces.
황제의 죽음은 반란군들에게 엄청난 기회였다.

1043

complete

[kəmplí:t]

형 1. 완전한, 완벽한 2. 완료된
동 완료하다, 끝마치다

Very few of us have a **complete** photo record of our life. 학평 기출
우리 중 인생의 완전한 사진 기록이 있는 사람은 거의 없다.

파생 **completion** 명 완성
유의 **entire** 형 완전한
perfect 형 완벽한
finish 동 완료하다, 끝마치다
반의 **incomplete** 형 불완전한

1044

pottery

[pátəri]

명 도자기, 도예

The art gallery is known for its vast collection of medieval **pottery**.
그 미술관은 방대한 중세 도자기 소장품으로 유명하다.

유의 **china** 명 도자기
ceramic 명 도자기

1045

category

[kǽtəgɔ̀:ri]

명 범주, 부문

It can make us assume everything or everyone in one **category** is similar. 학평 기출
그것은 우리가 하나의 범주 안에 있는 모든 것이나 모든 사람이 비슷하다고 가정하게 만들 수 있다.

파생 **categorize** 동 분류하다
유의 **class** 명 부류, 종류
division 명 부문

1046

despair
[dispέər]

명 절망
동 절망하다

She was in **despair** when she couldn't find her son Jack.
그녀는 자신의 아들 Jack을 찾을 수 없었을 때, 절망에 빠졌다.

파생 **desperation** 명 절망
desperate 형 절망적인
숙어 **in despair** 절망하여

1047

firm
[fəːrm]

형 단단한, 확고한
명 회사

Make sure you put the vase on a **firm** surface.
반드시 꽃병을 단단한 표면에 놓으세요.

유의 **hard** 형 단단한
steady 형 확고한, 안정된
company 명 회사
반의 **soft** 형 부드러운

1048 혼동어휘

exclude
[iksklúːd]

동 제외하다, 배제하다

We cannot **exclude** the possibility of a direct attack.
우리는 그들의 직접 공격에 대한 가능성을 배제할 수 없다.

1049 혼동어휘

include
[inklúːd]

동 포함하다, (~에) 포함시키다

This two-day festival **includes** music performances and art exhibitions. 학평 기출
이 이틀에 걸친 축제는 음악 공연과 예술 전시회를 포함한다.

1050 혼동어휘

conclude
[kənklúːd]

동 결론을 내리다, 끝내다

The conference will **conclude** tomorrow evening.
회담은 내일 저녁에 끝날 예정이다.

내신 UP

Q1.
문맥상 알맞은 단어를 고르시오.

The judge decided to **[include / exclude / conclude]** evidence which had been unfairly attained.

1051

immediate
[imíːdiət]

형 1. 즉각적인 2. 당면한 3. 직접적인

Humans received satisfaction from eating more food than was needed for **immediate** purposes. 학평 기출
인간은 즉각적인 목적에 필요한 것보다 더 많은 음식을 먹음으로써 만족감을 얻었다.

유의 **instant** 형 즉각의
prompt 형 즉각적인
direct 형 직접적인
반의 **gradual** 형 점진적인
indirect 형 간접적인

1052

chop
[tʃɑp]

동 잘게 자르다[썰다]

The first thing you need to do is to **chop** the carrot into small pieces.
가장 먼저 해야 하는 일은 당근을 잘게 써는 것이다.

1053

recycle
[riːsáikl]

동 재활용하다

It is estimated only 3% of mobile phones are **recycled**, wasting precious resources.
휴대폰의 3%만이 재활용되어 귀중한 자원을 낭비하는 것으로 추정된다.

어원 plus+

re (again) + cycle (순환하다) → 다시 순환시키다 → 재활용하다

파생 recycling 명 재활용(품)
유의 reuse 동 재사용하다

1054

poison
[pɔ́izən]

명 독, 독약
동 독을 넣다, 독살하다

These mushrooms contain a deadly **poison**.
이 버섯들에는 치명적인 독이 들어 있다.

파생 poisonous 형 독성이 있는
유의 toxin 명 독소

1055

overnight
[óuvərnàit]

형 하룻밤 동안의, 야간의
부 하룻밤 사이에

After an **overnight** rain, the sky appeared clear.
밤새 내린 비로 하늘이 맑아졌다.

1056

acknowledge
[əknɑ́lidʒ]

동 1. 인정하다, 승인하다 2. 감사를 표하다

Did he at least **acknowledge** his mistake and apologize to you?
그가 최소한 실수를 인정하고 당신에게 사과했나요?

파생 acknowledgment 명 인정, 감사
유의 admit 동 인정하다
appreciate 동 감사하다
반의 deny 동 부인[부정]하다

1057

fire
[fáiər]

명 1. 화재, 불 2. 발사
동 1. 해고하다 2. 발사하다

The roaring **fire** was spreading through the whole building. 학평 기출
맹렬한 불길이 건물 전체로 번지고 있었다.

파생 fiery 형 불의, 불 같은
유의 blaze 명 (대형) 화재
dismiss 동 해고하다
launch 동 발사하다

1058

material
[mətí(:)əriəl]

명 1. 재료, 물질 2. 자료
형 물질의, 물질적인

Grant Wood grew up on a farm and drew with whatever **materials** could be spared. 학평 기출
Grant Wood는 농장에서 자랐고, 마련할 수 있는 어떤 재료로든 그림을 그렸다.

유의 substance 명 물질
physical 형 물질적인
반의 spiritual 형 정신적인

1059

donate
[dóuneit]

동 기부하다, 기증하다

He **donates** a considerable amount of money to several orphanages every year.
그는 매년 상당한 금액의 돈을 여러 고아원들에 기부한다.

파생 donation 명 기부
유의 contribute 동 기부하다

1060 다의어

relative
[rélətiv]

형 상대적인, 비교상의
명 친척

Consider the **relative** advantages of driving there or going by train.
그곳까지 운전해 가는 것과 기차로 가는 것의 상대적인 이점들을 고려하라.

Most of her **relatives** attended the wedding.
그녀의 친척들 대부분이 결혼식에 참석했다.

내신 UP

Q2.
밑줄 친 단어의 뜻으로 알맞은 것은?

The human resources manager compared the relative strengths of each applicant.

① 상대적인 ② 친척

1061

excess
[ékses]

명 1. 지나침, 과잉 2. 초과(량)
형 초과한

An **excess** of stress is harmful to your health.
스트레스 과잉은 당신의 건강에 해롭다.

파생 excessive 형 지나친, 과도한
유의 surplus 명 형 과잉(의)
반의 lack 명 부족, 결핍 형 부족한
숙어 in excess of ~을 초과하여

1062

instruct
[instrʌ́kt]

동 지시하다, 가르치다

They've been **instructed** to wait here until the teacher arrives.
그들은 선생님이 도착할 때까지 여기서 기다리도록 지시받았다.

파생 instruction 명 지시 (사항)
instructor 명 교사, 지도자
instructive 형 교육적인
유의 direct 동 지시하다
숙어 instruct A to-v
A에게 ~하라고 지시하다

1063

jail
[dʒeil]

명 교도소, 감옥
동 투옥하다

He spent 10 months in **jail** for drunk driving.
그는 음주 운전으로 감옥에서 10개월을 보냈다.

유의 **prison** 명 감옥
imprison 동 투옥시키다
숙어 **be in jail** 수감 중이다

1064

occupation
[àkjəpéiʃən]

명 1. 직업 2. 점유, 거주 3. 점령

Please fill in your name, age, address, and **occupation**.
당신의 이름, 나이, 주소, 그리고 직업을 기입하세요.

파생 **occupy** 동 차지하다, 종사하다
occupational 형 직업의
유의 **job** 명 직업
residence 명 거주

1065 혼동어휘

spill
[spil]

동 엎지르다, 흘리다
명 엎질러짐, 유출

Be careful not to **spill** coffee on your desk.
책상에 커피를 엎지르지 않도록 주의하라.

내신 UP

Q3.
문맥상 알맞은 단어를 고르시오.

The rock band decided to **[split / spill]** up after the concert in Seoul.

1066 혼동어휘

split
[split]

동 나누다[나뉘다], 분열되다[시키다]
명 틈, 분열

The path **split** into two: one was smooth, and the other had obstacles. 학평 응용
길은 다음과 같이 둘로 나뉘었다. 하나는 평탄했고 다른 길은 장애물들이 있었다.

1067

probable
[prɑ́bəbl]

형 그럴 듯한, 충분히 가능한

It is **probable** that the chef didn't have technical training.
그 요리사가 기술적인 교육을 받지 않았을 가능성이 충분히 있다.

파생 **probably** 부 아마도
probability 명 그럴듯함, 가능성
유의 **likely** 형 그럴듯한
반의 **improbable** 형 일어날 것 같지 않은

1068

swear
[swɛər]

동 1. 맹세하다 2. 욕을 하다

She **swears** that she told no one about the case.
그녀는 사건에 대해 누구에게도 말하지 않았다고 맹세한다.

유의 **vow** 동 맹세하다
promise 동 맹세하다
curse 동 욕하다
숙어 **swear to-v** ~할 것을 맹세하다

1069

anxious
[ǽŋkʃəs]

형 1. 불안해하는, 걱정하는 2. 열망하는

Whenever we feel **anxious**, we turn to food to make ourselves feel better. 학평 기출
불안할 때마다 우리는 스스로를 더 기분 좋게 만들기 위해 음식에 의지한다.

유의 **worried** 형 걱정하는
concerned 형 걱정하는
eager 형 열망하는
숙어 **be anxious to-v** ~을 하고 싶어 하다

1070

grain
[grein]

명 곡식, 낟알, 곡물

The country's **grain** exports have been increasing in recent years.
그 나라의 곡물 수출은 최근 몇 년간 증가하고 있다.

1071

dreadful
[drédfəl]

형 1. 두려운, 무시무시한 2. 끔찍한, 지독한

The **dreadful** thunder kept us awake all night long.
무시무시한 천둥이 우리를 밤새 깨어 있게 했다.

파생 **dread** 동 두려워하다 명 두려움
유의 **fearful** 형 두려운
terrible 형 끔찍한
awful 형 지독한

1072

testify
[téstəfài]

동 증언하다, 증명하다

He won't **testify** in the court due to fear for his personal safety.
그는 신변 안전에 대한 두려움 때문에 법정에서 증언하지 않을 것이다.

숙어 **testify against** ~에 불리한 증언을 하다
testify to ~을 증명하다

1073

manipulate
[mənípjulèit]

동 1. (사물을) 다루다 2. 조종하다, 조작하다

The wheelchair is designed to be easy to **manipulate**.
그 휠체어는 다루기 쉽게 디자인되었다.

어원 plus +
mani (hand) + pul (drive) + ate (동사형 접미사) → 손으로 몰다, 운전하다 → 다루다, 조종하다

파생 **manipulation** 명 조종, 조작
manipulative 형 조종하는
유의 **handle** 동 다루다

1074

solution
[səljúːʃən]

명 1. 해결책, 해답 2. 용액, 용해

I will offer you a **solution** that will keep your lambs safe. 학평 기출
당신의 양들을 안전하게 지켜줄 해결책을 하나 제안하겠습니다.

파생 **solve** 동 해결하다
유의 **answer** 명 해결책, 해답

1075

owe
[ou]

동 1. (~에게) 빚지고 있다 2. (~의) 덕분이다

The company still **owes** millions of dollars to banks.
그 회사는 아직 은행에 수백 만 달러를 빚지고 있다.

숙어 **owe A to B** B에게 A를 빚지다

1076

commercial
[kəmə́ːrʃəl]

형 1. 상업의 2. 영리적인, 상업적인
명 광고 방송

It grows communities and expands social and **commercial** networks. 학평 응용
그것은 지역사회를 성장시키고 사회적, 상업적 네트워크를 확장시킨다.

파생 **commerce** 명 상업
유의 **advertisement** 명 광고

1077

bark
[bɑ́ːrk]

동 (개 등이) 짖다
명 짖는 소리

Excessive **barking** by dogs disrupts those who are sick or who have small children. 학평 기출
개가 과도하게 짖는 것은 아픈 사람들이나 어린 아이들이 있는 사람들을 방해한다.

숙어 **bark at** ~에게 짖어대다

고등 필수 숙어

1078

get out of

~에서 나오다, 도망치다

The tiger **got out of** its cage and ran away.
호랑이가 우리에서 나와 도망쳤다.

1079

let go of

(손에 쥐고 있는 것을) 놓다, 놓아주다

The boy **let go of** the balloon, and it flew away.
소년이 풍선을 놓자 그것은 날아갔다.

1080

run out of

1. ~을 다 써 버리다 2. ~로부터 달아나다

The problem is that we're **running out of** natural resources.
문제는 우리가 천연자원을 다 써 버리고 있다는 것이다.

내신 UP

Q4.
다음 빈칸에 알맞은 숙어는?

The children __________ their parents' hands and ran to the clown.

① got out of
② let go of
③ ran out of

Daily Test 27

정답 p. 358

A 우리말은 영어로, 영어는 우리말로 쓰시오.

01 엎지르다, 흘리다 ____________
02 지시하다, 가르치다 ____________
03 두려운, 끔찍한 ____________
04 맹세하다, 욕을 하다 ____________
05 절망(하다) ____________
06 제외하다, 배제하다 ____________
07 증언하다, 증명하다 ____________
08 manipulate ____________
09 relative ____________
10 occupation ____________
11 firm ____________
12 conclude ____________
13 probable ____________
14 chop ____________

B 빈칸에 알맞은 단어를 쓰시오. (필요시 형태를 바꿀 것)

서술형

01 The reported side effects of the vaccine i____________ muscle pain, fatigue, and dizziness.
백신의 보고된 부작용으로는 근육통, 피로, 현기증을 포함한다.

02 They must come up with a s____________ that their shareholders will find acceptable.
그들은 그들의 주주들이 받아들일 해결책을 제시해야 한다.

03 The runner had almost r____________ ____________ ____________ energy and strength when the finish line came into sight.
결승선이 시야에 들어왔을 때 그 주자는 기력과 체력이 거의 바닥나 있었다.

C 각 단어의 유의어 혹은 반의어를 쓰시오.

01 명 jail 유의 p____________
02 형 material 반의 s____________
03 동 recycle 유의 r____________
04 형 alive 반의 d____________
05 동 donate 유의 c____________
06 명 excess 반의 l____________

VOCA CLEAR

DAY 28

시험에 더 강해지는 어휘

1081

publish
[pʌ́bliʃ]

동 1. 출판[발행]하다 2. 발표[공표]하다

The first edition of *Harry Potter and the Philosopher's Stone* was **published** in 1997.
'해리 포터와 마법사의 돌'의 초판은 1997년에 출간되었다.

파생 **publication** 명 출판, 발행
publisher 명 출판인, 출판사
유의 **issue** 동 출판[발행]하다
announce 동 발표하다

1082

policy
[pɑ́lisi]

명 정책, 방침

It is our **policy** that all new employees must gain experience in all departments. 학평 응용
모든 신입 직원이 모든 부서에서 경험을 얻어야 한다는 것이 우리의 방침이다.

1083

similar
[símələr]

형 비슷한, 유사한

Why doesn't the modern American accent sound **similar** to a British accent? 학평 기출
왜 현대 미국의 억양은 영국의 억양과 비슷하게 들리지 않는가?

파생 **similarity** 명 유사점
유의 **alike** 형 비슷한
반의 **different** 형 다른
dissimilar 형 같지 않은, 다른

1084 다의어

block
[blɑk]

명 1. (단단한) 사각형 덩어리 2. 구역, 블록
동 1. 막다, 차단하다 2. 방해하다

The wall was made of massive **blocks** of stone.
그 벽은 거대한 돌 덩어리로 만들어졌다.

There's a small amusement park just two **blocks** away.
단 두 블록 떨어진 곳에 작은 놀이공원이 있다.

A fallen tree is completely **blocking** the road.
쓰러진 나무가 완전히 길을 막고 있다.

내신 UP

Q1.
밑줄 친 단어의 뜻으로 알맞은 것은?

He takes his dog for a walk around the block three times a day.

① 사각형 덩어리
② 구역
③ 방해하다

1085

digestion
[didʒéstʃən]

명 소화(력)

Even a simple exercise like walking will improve your **digestion**.
걷기와 같은 간단한 운동도 소화를 개선시켜 줄 것이다.

파생 **digest** 동 소화시키다

1086

confuse
[kənfjúːz]

동 혼동하다, 혼란스럽게 하다

This principle may be **confused** with the old idea of a "balance of nature." 학평 응용
이 원칙이 '자연의 균형'이라는 오래된 생각과 혼동될 수도 있다.

파생 confusion 명 혼동, 혼란
confused 형 혼란스러운
유의 mix up 혼동하다
숙어 confuse A with[and] B
A와 B를 혼동하다

1087

represent
[rèprizént]

동 1. 나타내다, 상징하다 2. 대표하다 3. 표현하다

The brown areas on the map **represent** deserts.
지도의 갈색 영역은 사막을 나타낸다.

어원 plus +

re (back) + present (내놓다) → 뒤에서 (앞으로) 내놓다 → 대표하다

파생 representative 명 대표자, 대리인
representation 명 대표, 표현
유의 stand for 상징하다

1088

ambition
[æmbíʃən]

명 야망, 야심

One of his burning **ambitions** is to run his own business.
그의 불타는 야망 중 하나는 자신의 사업을 운영하는 것이다.

파생 ambitious 형 야망 있는
유의 aspiration 형 포부, 열망

1089

tropical
[trɑ́ːpikl]

형 열대의, 열대 지방의

Coffee and cocoa grow in **tropical** climates.
커피와 코코아는 열대 기후에서 자란다.

파생 tropic 명 열대 지방

1090

depend
[dipénd]

동 의지[의존]하다, ~에 달려 있다 ((on/upon))

It is surprising how often people **depend** on this kind of nonsense. 학평 기출
사람들이 얼마나 자주 이런 종류의 터무니없는 생각에 의존하는지 놀랍다.

파생 dependence 명 의존
dependent 형 의존적인
유의 rely 동 의지하다 ((on))
lean 동 의지하다 ((on))
숙어 depend on[upon]
~에 의존하다[달려 있다]

1091

retire
[ritáiər]

동 1. 은퇴하다, 퇴직하다 2. 물러나다

She is planning to **retire** from the bank next year.
그녀는 내년에 은행에서 은퇴할 계획이다.

파생 retirement 명 은퇴
유의 retreat 동 물러나다, 후퇴하다
숙어 retire from ~에서 은퇴하다

1092

expert
[ékspəːrt]

명 전문가
형 전문적인, 숙련된

Some **experts** explained that friendship formation could be traced to infancy. 학평 기출
일부 전문가들은 우정 형성이 유아기로 거슬러 올라갈 수 있다고 설명했다.

파생 expertise 명 전문 기술[지식]
유의 professional 명 전문가 형 전문적인
반의 inexpert 형 미숙한, 서투른

1093

bump
[bʌmp]

동 (쾅) 부딪치다
명 1. 쾅, 충돌 2. 혹, 융기

Be careful not to **bump** your head on the shelf.
선반에 머리를 부딪치지 않도록 조심해라.

파생 bumpy 형 울퉁불퉁한
유의 hit 동 부딪치다
bang 동 부딪치다 명 쾅 하는 소리
숙어 bump into 우연히 마주치다

1094 혼동어휘

mean
[miːn]

동 1. 의미하다 2. 의도하다
형 1. 못된 2. 보통의, 평균의

Never taking risks **means** that you will never succeed. 학평 기출
절대 위험을 무릅쓰지 않는 것은 당신이 결코 성공하지 못할 것을 의미한다.

내신 UP

Q2.
문맥상 알맞은 단어를 고르시오.

They had no **[mean / means]** of contacting Sarah when the accident happened.

1095 혼동어휘

means
[miːnz]

명 수단, 방법

Airplanes can be more than just a **means** of transport for some people.
어떤 사람들에게 비행기는 단순한 교통 수단 이상일 수 있다.

1096

severe
[sivíər]

형 1. 심각한, 극심한 2. 엄한, 가혹한

The basketball player suffered a **severe** knee injury.
그 농구 선수는 심한 무릎 부상으로 고통받았다.

유의 serious 형 심각한
strict 형 엄격한

1097

commence
[kəméns]

동 시작되다[하다]

The closing ceremony is scheduled to **commence** at 8 p.m.
폐회식은 오후 8시에 시작될 예정이다.

파생 commencement 명 시작, 졸업식
유의 begin 동 시작하다
반의 end 동 끝내다

1098

incident
[ínsidənt]

명 (부정적) 사건, 일어난 일

The **incident** sparked a protest against racism.
그 사건은 인종 차별에 반대하는 시위를 촉발시켰다.

파생 **incidental** 형 명 부수적인 (일)
유의 **episode** 명 사건
happening 명 사건, 일

1099 다의어

fit
[fit]

동 1. (모양·크기가) 맞다 2. 적합하다 3. 어울리다
형 1. 건강한 2. 적합한 3. 어울리는

The dress **fit** her perfectly after she lost some weight.
그녀가 체중을 감량한 후 그 드레스는 그녀에게 완벽하게 맞았다.

The applicant's résumé **fits** the job description.
지원자의 이력서는 직무 기술서에 적합하다.

The athlete goes jogging every day to keep **fit**.
그 운동선수는 건강을 유지하기 위해 매일 조깅을 한다.

내신 UP

Q3.
밑줄 친 단어의 뜻으로 알맞은 것은?

This outfit is fit for every formal occasion.

① 크기가 맞다
② 적합한
③ 건강한

1100

desire
[dizáiər]

명 욕구, 갈망
동 바라다, 원하다

We have a continual **desire** to communicate our feelings. 학평 기출
우리는 우리의 감정을 전달하려는 지속적인 욕망을 가지고 있다.

파생 **desirable** 형 바람직한, 탐나는
유의 **longing** 명 갈망, 열망
craving 명 갈망, 열망
wish 동 바라다, 원하다
long for 갈망하다

1101

code
[koud]

명 1. 암호, 부호 2. 관례, 규칙 3. 법규

The book is full of **codes** that ordinary people can't even recognize.
그 책은 보통 사람들은 인식조차도 못하는 암호들로 가득 차 있다.

유의 **cipher** 명 암호
custom 명 관례, 관습
regulation 명 규정, 법규

1102

combine
[kəmbáin]

동 1. 결합하다 2. 갖추다, 겸비하다
명 콤바인(수확·탈곡 기능이 결합된 농기구)

This is why executives regularly **combine** business meetings with meals. 학평 기출
이것이 경영진이 정기적으로 업무 회의와 식사를 결합하는 이유이다.

어원 plus+
com (together) + bin(e) (two) → 둘이 함께하다 → 결합하다

파생 **combination** 명 결합, 조합
유의 **unite** 동 결합하다
반의 **divide** 동 나누다
separate 동 분리하다
숙어 **combine A with B**
A와 B를 결합하다

1103

row
[róu]

명 줄, 열
동 노를 젓다

Smiling brightly, she looked at the familiar faces in the front **row**. 학평 기출
그녀는 밝게 웃으며 앞줄에 있는 친숙한 얼굴들을 보았다.

유의 **line** 명 줄
숙어 **in a row** 연달아, 계속해서

1104

simplify
[símpləfài]

동 단순화하다, 간소화하다

The website **simplified** the process of membership registration.
그 웹사이트는 회원 등록 절차를 간소화했다.

파생 **simplification** 명 간소화
simple 형 단순한
반의 **complicate** 동 복잡하게 하다

1105

chemical
[kémikəl]

형 화학의, 화학적인
명 화학 제품[물질]

From plants come **chemical** compounds that nourish and delight the senses. 학평 기출
영양분을 공급하고 감각을 즐겁게 하는 화학적 화합물들이 식물에서 나온다.

파생 **chemistry** 명 화학 (반응)

1106

negotiate
[nigóuʃièit]

동 협상하다, 교섭하다

The manager **negotiated** with several firms for the best offer.
그 관리자는 최상의 제안을 얻기 위해 여러 회사들과 협상했다.

파생 **negotiation** 명 협상, 타협
negotiator 명 교섭자, 협상가
숙어 **negotiate with** ~와 협상하다

1107

skyscraper
[skáiskrèipər]

명 고층 건물, 마천루

The Empire State Building is one of the most famous **skyscrapers**.
엠파이어 스테이트 빌딩은 가장 유명한 고층 건물들 가운데 하나이다.

1108

admit
[ədmít]

동 1. 인정[시인]하다 2. 입장[입학]을 허가하다

He **admitted** having left the baby alone in the room.
그는 그 아기를 방에 혼자 두고 왔던 것을 시인했다.

파생 **admission** 명 인정[시인], 입학
유의 **accept** 동 인정하다
allow 동 인정하다, 허락하다
반의 **deny** 동 부인하다

1109

response
[rispάns]

명 1. 반응 2. 대답, 응답

You have to interact with them, and their **responses** can be unpredictable. 학평 기출
당신은 그들과 상호 작용을 해야 하며, 그들의 반응은 예측 불가능할 수 있다.

파생 respond 동 반응하다, 대답하다
responsive 형 반응하는
유의 answer 명 대답
reply 명 응답
숙어 in response to ~에 답하여, ~에 대응하여

1110

despite
[dispáit]

전 ~에도 불구하고

Despite strong protests, the construction of the tunnel has not been canceled.
거센 항의에도 불구하고, 터널 건설은 취소되지 않았다.

유의 in spite of ~에도 불구하고

1111 혼동어휘

explode
[iksplóud]

동 1. 폭발하다[시키다] 2. 폭발적으로 증가하다

The agent succeeded in preventing the bombs from **exploding**.
요원은 폭탄들이 폭발하는 것을 막는 데 성공했다.

내신 UP

Q4.
문맥상 알맞은 단어를 고르시오.

She always wanted to **[explode / explore]** the deep sea to find some rare fish.

1112 혼동어휘

explore
[iksplɔ́:r]

동 탐험[탐사]하다

The team was about to **explore** the longest cave in the world.
그 팀은 세계에서 가장 긴 동굴을 막 탐사하려 하고 있었다.

1113

gradual
[grǽdʒəwəl]

형 1. 점진적인, 서서히 일어나는 2. (경사가) 완만한

After the accident, he suffered a **gradual** loss of hearing.
사고 이후, 그는 점진적인 청력 상실을 겪었다.

파생 gradually 부 서서히
유의 progressive 형 점진적인
반의 sudden 형 갑작스러운
steep 형 가파른

1114

temperature
[témpərətʃər]

명 1. 온도, 기온 2. 체온

A bedroom **temperature** of around 18.3 ℃ is ideal for sleeping. 학평 응용
대략 섭씨 18.3도의 침실 온도가 수면에 이상적이다.

1115

urban

[ə́ːrbən]

형 도시의

Urban areas suffer from environmental problems like air pollution.
도시 지역은 대기 오염과 같은 환경 문제들로 고통받고 있다.

유의 civic 형 도시의, 시의
반의 rural 형 시골의, 지방의

1116

cling

[kliŋ]

동 꼭 붙잡다, 매달리다, 집착하다 ((to))

When faced with perceived threats, people **cling** more tightly to their groups. 학평 기출
인지된 위협들에 직면하면 사람들은 자신의 집단에 더 꽉 매달린다.

유의 stick 동 고수하다 ((to))
adhere 동 집착하다 ((to))
숙어 cling to ~에 매달리다[집착하다]

1117

atmosphere

[ǽtməsfìər]

명 1. 대기(권) 2. 분위기

Winds are formed by the sun heating the **atmosphere**.
바람은 대기를 뜨겁게 달구는 태양에 의해 형성된다.

유의 air 명 대기, 공기
mood 명 분위기

고등 필수 숙어

1118

see off

배웅하다

The tour guide is used to going to the airport to **see off** travelers.
여행 가이드는 여행객들을 배웅하러 공항에 가는 것에 익숙하다.

내신 UP

Q5.
다음 빈칸에 알맞은 숙어는?

I told my wife that she doesn't need to ________ my parents.

① see off
② set off
③ take off

1119

set off

1. 출발하다 2. (경보 등을) 울리다

The ship will **set off** with around 1,000 passengers on board.
이 배는 약 1,000명의 승객들을 태운 채 출발할 예정이다.

1120

take off

1. (옷 등을) 벗다 2. 이륙하다

I board the plane, **take off**, and climb out into the night sky. 학평 기출
나는 비행기를 타고, 이륙하여, 밤하늘로 올라간다.

Daily Test 28

정답 p. 358

A 우리말은 영어로, 영어는 우리말로 쓰시오.

01 대기(권), 분위기 ____________

02 온도, 기온, 체온 ____________

03 심각한, 가혹한 ____________

04 정책, 방침 ____________

05 야망, 야심 ____________

06 사건, 일어난 일 ____________

07 협상하다, 교섭하다 ____________

08 tropical ____________

09 explode ____________

10 retire ____________

11 commence ____________

12 digestion ____________

13 row ____________

14 represent ____________

B 빈칸에 알맞은 단어를 쓰시오. (필요시 형태를 바꿀 것)

서술형

01 English translations on great Korean novels have been p__________.
한국의 명작 소설에 대한 영문 번역판이 출판되었다.

02 D__________ the massive protests, nuclear waste shipments have arrived at a storage facility.
대규모 시위에도 불구하고, 핵폐기물 적하물이 저장 시설에 도착했다.

03 The small plane t__________ __________ on the wrong runway and later crashed.
소형 비행기가 잘못된 활주로에서 이륙했고 후에 추락했다.

C 각 단어의 유의어 혹은 반의어를 쓰시오.

01 동 depend 유의 r____________

02 형 urban 반의 r____________

03 동 combine 유의 u____________

04 동 admit 반의 d____________

05 명 expert 유의 p____________

06 동 simplify 반의 c____________

VOCA CLEAR

DAY 29

시험에 더 강해지는 어휘

1121

pollution
[pəljúːʃən]

명 공해, 오염 (물질)

Air **pollution** can cause breathing problems for some people.
공기 오염은 어떤 사람들에게 호흡 문제를 일으킬 수 있다.

파생 **pollute** 동 오염시키다
유의 **contamination** 명 오염

1122

share
[ʃεər]

동 1. 공유하다 2. 나누다, 나눠주다
명 몫, 할당, 지분

Twenty-three percent of people admit to having **shared** a fake news story. 학평 기출
23퍼센트의 사람들은 가짜 뉴스 이야기를 공유한 적이 있다고 인정한다.

유의 **distribute** 동 분배하다
divide 동 나누다
portion 명 일부, 몫
숙어 **share A with B**
A를 B와 나누다[공유하다]

1123

mystery
[místəri]

명 1. 수수께끼 2. 신비, 불가사의

Why Daniel refused their offer is a **mystery**.
Daniel이 왜 그들의 제안을 거절했는지는 수수께끼이다.

파생 **mysterious** 형 신비한
유의 **puzzle** 명 수수께끼
riddle 명 수수께끼

1124

drown
[draun]

동 물에 빠져 죽다, 익사하다

Even a great swimmer can **drown** in this area.
수영을 아주 잘하는 사람도 이 지역에서 익사할 수 있다.

1125 다의어

credit
[krédit]

명 1. 신용 (거래) 2. 학점 3. 인정, 칭찬
동 1. 신용하다 2. (공로를) ~에게 돌리다

All major **credit** cards are accepted at our store.
저희 가게에서는 주요 신용 카드를 모두 받습니다.

He couldn't believe he needed 18 more **credits** to graduate.
그는 졸업하려면 18학점이 더 필요하다는 것을 믿을 수 없었다.

I was **credited** with making the brand's best-selling perfume.
나는 그 브랜드의 가장 잘 팔리는 향수를 만든 공로를 인정받았다.

내신 UP

Q1.
밑줄 친 단어의 뜻으로 알맞은 것은?

She didn't get credit for what she had done for the organization.

① 신용 ② 학점 ③ 인정

1126

scrub
[skrʌb]

동 문질러 닦아내다
명 문질러 씻기

Scrub the potatoes with the brush and pile them over there.
감자들을 솔로 문질러 닦고 저쪽에 쌓아 두어라.

유의 **rub** 동 문지르다

1127

costume
[kástjuːm]

명 (연극 등의) 의상, 복장, 분장

What is the most unique Halloween **costume** you've ever seen?
당신이 본 것 중 가장 독특한 핼러윈 의상은 무엇인가?

유의 **outfit** 명 옷, 의상
clothing 명 의류, 복장

1128

unite
[júːnait]

동 1. 연합하다 2. 결합시키다

All the nations of the world **united** against the virus.
전 세계의 모든 국가들이 그 바이러스에 대항하여 연합했다.

어원 plus+
uni (one) + (a)te (동사형 접미사) → 하나로 하다 → 연합하다

파생 **unity** 명 통합, 일치
united 형 통합된, 연합한
유의 **combine** 동 결합시키다
반의 **separate** 동 분리하다

1129

desirable
[dizáiərəbl]

형 바람직한

It is not **desirable** for parents to focus all of their attention on their kids.
부모가 모든 관심을 아이들에게 쏟는 것은 바람직하지 않다.

파생 **desire** 명 욕구, 갈망 동 바라다
반의 **undesirable** 형 바람직하지 않은

1130

dizzy
[dízi]

형 어지러운

Dorothy felt **dizzy** and sat down at the kitchen table. 학평 기출
Dorothy는 어지러워서 부엌 식탁에 앉았다.

파생 **dizziness** 명 현기증
유의 **faint** 형 어질어질한
light-headed 형 약간 어지러운

1131

approach
[əpróutʃ]

동 접근하다, 다가가다
명 접근(법)

He quietly **approached** the wounded bird.
그는 조용히 다친 새에게 다가갔다.

유의 **come up to** 다가가다

1132

spouse
[spaus]

명 **배우자**

He likes to talk about how he met his **spouse** for the first time.
그는 그의 배우자를 어떻게 처음 만났는지에 대해 이야기하는 것을 좋아한다.

유의 **partner** 명 배우자, 동반자
mate 명 배우자, 짝

1133

numerous
[njúːmərəs]

형 **수많은, 다수의**

The comedian has won **numerous** awards since his debut.
그 코미디언은 데뷔 이후로 다수의 상을 받았다.

파생 **number** 명 수, 숫자 동 번호를 매기다
유의 **many** 형 많은
countless 형 수많은
반의 **few** 형 거의 없는, 적은

1134 혼동어휘

extend
[iksténd]

동 **1. 늘이다, 확장하다 2. 뻗다**

The battery life of these earphones was **extended** to over 10 hours.
이 이어폰의 배터리 수명은 10시간 이상으로 늘어났다.

내신 UP

Q2.
문맥상 알맞은 단어를 고르시오.

The researchers hope to **[extend / extent]** the average life span of human beings.

1135 혼동어휘

extent
[ikstént]

명 **1. 규모, 정도 2. 크기**

To a certain **extent**, bias is a necessary survival skill. 학평 기출
어느 정도까지는, 편견은 필요한 생존 기술이다.

1136

decrease
[dikríːs]

동 **감소하다, 줄다[줄이다]**
명 [díːkriːs] **감소**

The average price of smartphones around the world **decreased** from 2010 to 2015. 학평 응용
세계 스마트폰 평균 가격은 2010년부터 2015년까지 하락했다.

유의 **decline** 동 감소하다
reduce 동 줄이다, 감소시키다
반의 **increase** 동 증가하다

1137

literature
[lítərətʃùər]

명 **문학**

The natural world provides a rich source of symbols used in **literature**. 학평 기출
자연 세계는 문학에서 사용되는 상징들의 풍부한 원천을 제공한다.

파생 **literary** 형 문학의, 문학적인

1138

mood
[muːd]

명 1. 기분 2. 분위기

Sweet desserts will put you in a good **mood**.
달콤한 디저트가 당신을 기분 좋게 해줄 것입니다.

파생 **moody** 형 기분 변화가 심한, 시무룩한
유의 **feeling** 명 기분, 분위기
atmosphere 명 분위기
숙어 **in the mood for** ~할 기분인

1139

compliment
[kámpləmənt]

동 칭찬하다
명 칭찬, 찬사

He often **complimented** Kay on her language skills.
그는 종종 Kay의 언어 능력에 대해 칭찬했다.

파생 **complimentary** 형 칭찬하는
유의 **praise** 명 동 칭찬(하다)
반의 **criticize** 동 비판하다
criticism 명 비난, 비판

1140

disgusting
[disgʌ́stiŋ]

형 혐오스러운, 역겨운

The spoiled milk in the refrigerator smelled **disgusting**.
냉장고 안의 썩은 우유는 역겨운 냄새가 났다.

파생 **disgust** 명 동 혐오감(을 일으키다)
유의 **nasty** 형 역겨운
gross 형 싫은, 역겨운

1141

twist
[twist]

동 1. 비틀다 2. 왜곡하다
명 비틀기

The policeman **twisted** the man's arm behind his back and arrested him.
경찰은 그 남자의 등 뒤에서 팔을 비틀어 체포했다.

파생 **twisted** 형 꼬인, 비틀어진
유의 **distort** 동 왜곡하다

1142

overcome
[òuvərkʌ́m]

동 극복하다, 이겨내다

By choosing to **overcome** challenges, he was ready to make the leap. 학평 기출
어려움들을 극복하는 것을 선택함으로써, 그는 도약할 준비가 되어 있었다.

어원 plus+
over (넘어) + come (가다) → 넘어가다 → 극복하다

유의 **get over** ~을 극복하다

1143

panel
[pǽnəl]

명 1. 판, 널빤지 2. 토론자단, 심사원단

Solar **panels** can only operate in sunlight.
태양열 전지판은 오직 햇빛이 있을 때만 작동할 수 있다.

1144

bully
[búli]

명 (약자를) 괴롭히는 사람
동 괴롭히다, 왕따시키다

She was brave enough to stand up to the **bullies**.
그녀는 약자를 괴롭히는 사람들에게 맞설 만큼 용감했다.

파생 **bullying** 명 (약자) 괴롭히기

1145 다의어

attend
[əténd]

동 1. 참석하다, ~에 다니다 2. 주의를 기울이다 ((to)) 3. 돌보다

This is why lobbyists invite politicians to **attend** receptions, lunches, and dinners. 학평 기출
이것이 로비스트들이 정치인들을 환영회, 점심 식사, 저녁 식사에 참석하도록 초대하는 이유이다.

I wasn't **attending** to what he was saying.
나는 그가 말하는 것에 주의를 기울이지 않고 있었다.

The child is **attended** by a 24-hour nursing staff.
그 아이는 24시간 간호직원이 돌본다.

내신 UP

Q3.
밑줄 친 단어의 뜻으로 알맞은 것은?

I went to Chicago to attend my sister's wedding.

① 돌보다
② 참석하다
③ 주의를 기울이다

1146

resist
[rizíst]

동 1. 저항하다, 반대하다 2. 참다, 잘 견디다

The prime minister **resisted** pressure to change the law.
총리는 법을 바꾸라는 압력에 저항했다.

파생 **resistance** 명 저항
resistant 형 저항하는, 잘 견디는
유의 **oppose** 동 반대하다
withstand 동 견디다
반의 **accept** 동 순응하다, 받아들이다

1147

creative
[kriéitiv]

형 창의적인, 창조적인, 독창적인

The **creative** act is never complete in the absence of an audience. 학평 응용
창조적 행위는 관객이 없는 상황에서는 결코 완전하지 않다.

파생 **create** 동 창조하다
creativity 명 창의성
유의 **imaginative** 형 창의적인
inventive 형 창의적인

1148

voyage
[vɔ́iidʒ]

명 여행, 항해
동 여행하다, 항해하다

Columbus made three more **voyages** to the new world he had found.
Columbus는 그가 발견했던 신대륙으로 세 번 더 항해를 했다.

유의 **travel** 명 동 여행(하다)
journey 명 여행
sail 명 동 항해(하다)

1149

local

[lóukəl]

형 1. 지역의 2. 현지의
명 주민, 현지인

He finds it difficult to understand the **local** dialect.
그는 지역 사투리를 이해하는 것을 어려워한다.

파생 **localize** 동 현지화하다
유의 **regional** 형 지역의, 지방의

1150

organ

[ɔ́:rgən]

명 1. ((생물)) 기관, 장기 2. ((악기)) 오르간

The brain uses by far more energy than our other **organs.** 학평 기출
뇌는 다른 장기들보다 훨씬 더 많은 에너지를 사용한다.

파생 **organic** 형 기관의, 장기의

1151

whisper

[hwíspər]

동 속삭이다
명 속삭임

She lay there and **whispered,** "I wish the drought would end." 학평 기출
그녀는 그곳에 누워서 "나는 이 가뭄이 끝났으면 좋겠어."라고 속삭였다.

유의 **murmur** 동 속삭이다, 소곤거리다
숙어 **in a whisper** 낮은 목소리로, 소곤소곤

1152 혼동어휘

vocation

[voukéiʃən]

명 1. 직업, 천직 2. 소명 (의식)

My father regarded teaching as his **vocation**.
나의 아버지는 교직을 그의 천직으로 여기셨다.

1153 혼동어휘

vacation

[veikéiʃən]

명 방학, 휴가

The teenagers are looking for something fun to do during the **vacation**.
십 대들은 방학 동안에 할 재미있는 일을 찾고 있다.

내신 UP

Q4.
문맥상 알맞은 단어를 고르시오.

At the age of 17, she found her true **[vocation / vacation]** as a writer.

1154

additional

[ədíʃənəl]

형 추가적인, 부가의

The newly opened mall will create an **additional** 200 jobs in the community.
새로 문을 연 쇼핑몰은 지역사회에 200개의 일자리를 추가로 창출할 것이다.

파생 **addition** 명 추가(된 것), 덧셈
유의 **extra** 형 추가의, 여분의

1155

certificate
[sərtífəkit]

명 증명서, 자격증

Every participant will receive a **certificate** for entry! 학평 기출
모든 참가자는 참가 증명서를 받을 것입니다!

유의 **license** 명 면허증, 자격증

1156

ridiculous
[ridíkjələs]

형 터무니없는, 어리석은, 우스운

It is **ridiculous** for him to blame the dog for the accident.
그가 그 사고에 대해 개를 탓하는 것은 터무니없는 일이다.

파생 **ridicule** 동 비웃다, 조롱하다
유의 **absurd** 형 터무니없는
foolish 형 어리석은

1157

factor
[fǽktər]

명 요소, 요인

Human perception and behavior can be influenced by external **factors.** 학평 기출
인간의 인식과 행동은 외부 요인에 의해 영향을 받을 수 있다.

유의 **element** 명 요소, 성분
component 명 (구성) 요소

고등 필수 숙어

1158

cut down

줄이다, 삭감하다

She had to **cut down** on coffee due to stomach pain.
그녀는 복통 때문에 커피를 줄여야 했다.

내신 UP

Q5.
다음 빈칸에 알맞은 숙어는?

Suddenly the entire system __________ without any warning.

① cut down
② shut down
③ turned down

1159

shut down

1. 문을 닫다, 폐쇄하다 2. 멈추다, 정지하다

The old bookstore will **shut down** next month after 50 years of business.
그 오래된 서점이 50년 영업한 후 다음 달 문을 닫을 것이다.

1160

turn down

1. (소리·온도 등을) 낮추다 2. 거절하다

I asked my roommates to **turn down** the music so that I could concentrate.
나는 집중할 수 있도록 룸메이트들에게 음악을 낮춰 달라고 부탁했다.

Daily Test 29

정답 p. 359

A 우리말은 영어로, 영어는 우리말로 쓰시오.

01 배우자 ____________

02 증명서, 자격증 ____________

03 추가적인, 부가의 ____________

04 참석하다, 돌보다 ____________

05 혐오스러운, 역겨운 ____________

06 규모, 정도, 크기 ____________

07 극복하다, 이겨내다 ____________

08 ridiculous ____________

09 voyage ____________

10 compliment ____________

11 approach ____________

12 numerous ____________

13 vocation ____________

14 costume ____________

B 빈칸에 알맞은 단어를 쓰시오. (필요시 형태를 바꿀 것)

서술형

01 They evaluate data on damage to the soil caused by p____________.
그들은 오염으로 인한 토양 피해에 관한 데이터를 평가한다.

02 It can be beneficial to s____________ your feelings with someone you trust.
여러분이 신뢰하는 누군가와 여러분의 감정을 공유하는 것은 유익할 수 있습니다.

03 The government is considering c____________ ____________ the budget for the coming year by about 3%.
정부는 내년도 예산을 3% 가량 줄이는 방안을 검토하고 있다.

C 각 단어의 유의어 혹은 반의어를 쓰시오.

01 동 whisper 유의 m____________

02 동 decrease 반의 i____________

03 동 scrub 유의 r____________

04 동 resist 반의 a____________

05 형 dizzy 유의 f____________

06 형 desirable 반의 u____________

VOCA CLEAR

DAY 30

시험에 더 강해지는 어휘

1161

irritate
[íritèit]

동 1. 짜증 나게 하다 2. (피부 등을) 자극하다

Her habit of biting her fingernails **irritates** everyone.
그녀의 손톱을 물어뜯는 습관은 모두를 짜증 나게 한다.

시험에 더 강해지는 어휘
- 파생 **irritation** 명 짜증, 자극
- **irritating** 형 짜증 나게 하는
- 유의 **annoy** 동 짜증 나게 하다
- 반의 **soothe** 동 진정시키다

1162

weapon
[wépən]

명 무기

Shirley Chisholm was against the expansion of **weapon** developments. 학평 기출
Shirley Chisholm은 무기 개발의 확대를 반대했다.

- 유의 **arms** 명 무기

1163 다의어

character
[kǽriktər]

명 1. 성격, 특징 2. 개성 3. 등장인물, 역할 4. 문자

Parents have a great influence on their baby's **character**.
부모는 아기의 성격에 큰 영향을 미친다.

These modern buildings have little **character**.
이 현대적 건물들은 개성이 거의 없다.

None of the **characters** in the movie survive except Joe.
영화 속에서 Joe를 제외하고는 어떤 등장인물도 살아남지 못한다.

내신 UP

Q1.
밑줄 친 단어의 뜻으로 알맞은 것은?

Chris played a minor character in the movie.

① 성격 ② 개성 ③ 역할

1164

envious
[énviəs]

형 부러워하는

I am **envious** of his new job in New York.
나는 뉴욕에 있는 그의 새 직장이 부럽다.

- 파생 **envy** 명 부러움 동 부러워하다
- 유의 **jealous** 형 질투하는, 시기하는
- 숙어 **be envious of** ~을 부러워하다

1165

recharge
[riːtʃáːrdʒ]

동 (전기를) 충전하다, (에너지 등을) 재충전하다

Everybody needs a holiday to **recharge** from time to time.
모든 사람들은 때때로 재충전하기 위한 휴가를 필요로 한다.

- 파생 **rechargeable** 형 재충전되는

1166

derive
[diráiv]

동 ~에서 비롯되다, 유래하다 ((from))

The pleasure was **derived** from eating the most calorie-dense foods. 학평 응용
기쁨은 가장 칼로리가 높은 음식을 먹는 것으로부터 비롯되었다.

파생 **derived** 형 유래된
유의 **originate** 동 ~에서 비롯되다 ((in))
숙어 **derive from** ~에서 비롯되다[유래하다]

1167

abstract
[ǽbstrækt]

형 추상적인, 관념적인
명 1. 추상 2. 개요 동 1. 추출하다 2. 요약하다

His idea was so **abstract** that no one understood it.
그의 생각은 너무나 추상적이어서 아무도 이해하지 못했다.

어원 plus +
ab (from) + tract (draw) → ~로부터 끌어내다 → 추출하다

반의 **concrete** 형 구체적인
actual 형 실제의, 사실의

1168

aid
[eid]

명 도움, 원조
동 돕다, 원조하다

Financial **aid** will be provided to developing countries.
개발 도상국들에 재정적 도움이 제공될 것이다.

유의 **help** 명 도움 동 돕다
assistance 명 도움
assist 동 돕다
숙어 **with the aid of** ~의 도움으로

1169 혼동어휘

pour
[pɔːr]

동 (액체를) 따르다, (퍼)붓다

He **poured** tea for everyone in the room.
그는 방에 있는 모든 사람들에게 차를 따라주었다.

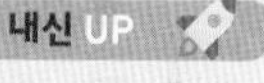

Q2.
문맥상 알맞은 단어를 고르시오.

[Pour / Pure] olive oil is usually light gold in color and bland in taste.

1170 혼동어휘

pure
[pjuər]

형 1. 순수한 2. 깨끗한

She was wearing a sweater made of **pure** wool.
그녀는 순모로 만들어진 스웨터를 입고 있었다.

1171

hardship
[hɑ́ːrdʃip]

명 고난, 어려움

Orphaned at the age of seven, her early life was marked by **hardship**. 학평 기출
7살에 고아가 되고, 그녀의 어린 시절은 고난으로 특징지어졌다.

파생 **hard** 형 어려운, 힘든
유의 **suffering** 명 고난, 고통
difficulty 명 어려움
반의 **ease** 명 편안함, 안정

1172

tradition
[trədíʃən]

명 전통

It's getting more and more difficult to keep our family **traditions**.
우리 가족의 전통을 지키는 것이 더욱 어려워지고 있다.

파생 traditional 형 전통의, 전통적인
유의 custom 명 관습
convention 명 관습, 관례

1173

Antarctic
[æntɑ́ːrktik]

명 ((the)) 남극 (지역)
형 남극의

The protection of the **Antarctic** is an important global issue.
남극을 보호하는 것은 중요한 전 세계적 문제이다.

어원 plus+
ant (opposite) + artic (북극, 북극의) → 북극의 반대쪽 → 남극(의)

반의 Arctic 명 ((the)) 북극 (지역)
형 북극의

1174

possess
[pəzés]

동 1. 소유하다 2. (자질 등을) 지니다

The businessman **possesses** many of the early works of Claude Monet.
그 사업가는 Claude Monet의 초기 작품들을 많이 소유하고 있다.

파생 possession 명 소유
possessive 형 소유욕이 강한
유의 own 동 소유하다

1175

tickle
[tíkl]

동 간지럽게 하다
명 간지럼

The cold, dry air outside **tickled** my nose.
바깥의 차갑고 건조한 공기가 내 코를 간지럽게 했다.

1176

meaningful
[míːniŋfəl]

형 의미 있는, 유의미한

Improving by one percent can be far more **meaningful** in the long run. 학평 기출
1퍼센트 발전하는 것이 장기적으로는 훨씬 더 의미 있을 수 있다.

파생 meaning 명 뜻, 의미
유의 important 형 의미 있는, 중요한
significant 형 의미 있는, 중요한
반의 meaningless 형 무의미한

1177

peer
[piər]

명 또래
동 유심히 보다, 응시하다

The influence of **peers** is much stronger than that of parents. 학평 기출
또래의 영향이 부모의 영향보다 훨씬 더 강하다.

유의 stare 동 응시하다

1178

genetic
[dʒənétik]

형 유전의, 유전학의 명 ((-s)) 유전학

It is known that the disease is caused by a **genetic** defect.
그 질병은 유전적 결함으로 인해 생긴다고 알려져 있다.

파생 **gene** 명 유전자
genetically 부 유전적으로
유의 **inborn** 형 타고난, 선천적인

1179

frame
[freim]

명 1. 뼈대, 틀 2. 액자
동 틀[액자]에 넣다, 테를 두르다

The **frame** of the bed is made of solid oak.
침대의 뼈대는 단단한 참나무로 만들어졌다.

1180 다의어

settle
[sétl]

동 1. 해결하다 2. 정착하다 3. 안정[진정]되다

Let them **settle** the argument themselves.
그들이 스스로 논쟁을 해결하게 하라.

She **settled** in Provence, France, and she finished writing her novel there. 학평 응용
그녀는 프랑스의 프로방스에 정착했으며, 거기에서 소설의 집필을 끝마쳤다.

The kids need to **settle** down before class begins.
그 아이들은 수업이 시작되기 전에 진정되어야 한다.

내신 UP

Q3.
밑줄 친 단어의 뜻으로 알맞은 것은?

After Sam married Liz, he made up his mind to settle in Boston.

① 해결하다
② 정착하다
③ 안정되다

1181

period
[pí(:)əriəd]

명 1. 기간, 시기 2. 시대 3. 마침표

We have to finish the project within a **period** of three months.
우리는 3개월의 기간 내에 그 프로젝트를 끝내야 한다.

유의 **time** 명 기간, 시대
age 명 시대
숙어 **for a period of** ~ 동안에

1182

encourage
[inkə́:ridʒ]

동 1. 격려하다, 용기를 북돋우다 2. 장려하다

The original idea of a patent was to **encourage** inventors to share their inventions. 학평 기출
특허의 원래 아이디어는 발명가들이 그들의 발명품을 공유하도록 장려하는 것이었다.

파생 **encouragement** 명 격려
유의 **inspire** 동 고무하다
반의 **discourage** 동 낙담시키다
숙어 **encourage A to-v**
A에게 ~하라고 격려[장려]하다

1183

criminal
[kríminəl]

명 범죄자, 범인
형 범죄의

The **criminals** conspired to rob a bank.
범인들은 은행을 털 음모를 꾸몄다.

파생 **crime** 명 범죄
유의 **offender** 명 범죄자

1184

objective
[əbdʒéktiv]

형 객관적인
명 목표, 목적

Scientists need to be **objective** when doing research.
과학자들은 연구할 때 객관적이어야 한다.

파생 **objectivity** 명 객관성, 객관적 타당성
유의 **neutral** 형 중립적인
goal 명 목표
반의 **subjective** 형 주관적인

1185 혼동어휘

compete
[kəmpíːt]

동 경쟁하다, 겨루다, (시합 등에) 참가하다

Students in every grade will **compete** to build the most creative structure. 학평 기출
모든 학년의 학생들이 가장 창의적인 구조물을 만들기 위해 경쟁할 것이다.

내신 UP

Q4.
문맥상 알맞은 단어를 고르시오.

It's an honor to be given the chance to **[competent / compete]** in the Olympic Games.

1186 혼동어휘

competent
[kámpitənt]

형 유능한, 실력 있는

You need to find a **competent** lawyer who won't make careless mistakes.
부주의한 실수를 하지 않을 유능한 변호사를 찾아야 한다.

1187

series
[sí(ː)əriːz]

명 1. 연속, 연쇄 2. 시리즈, 연속물

You have to see life as a **series** of adventures. 학평 기출
여러분은 인생을 모험의 연속이라고 봐야 합니다.

유의 **sequence** 명 연속, 연쇄
succession 명 연속
숙어 **a series of** 일련의

1188

swallow
[swálou]

동 (꿀꺽) 삼키다
명 제비

Drinking water will make it easier to **swallow** the tablet.
물을 마시는 것은 알약을 더 쉽게 삼키게 해줄 것이다.

유의 **gulp** 동 꿀꺽 삼키다

1189

rather
[rǽðər]

뷔 1. 상당히, 꽤 2. 오히려

Their proposal sounded **rather** complicated.
그들의 제안은 상당히 복잡하게 들렸다.

유의 **quite** 뷔 상당히, 꽤
fairly 뷔 상당히, 꽤
숙어 **would rather** (차라리) ~하겠다
rather than ~보다는

1190

found
[faund]

동 1. 설립하다 2. ~에 기반을 두다

The rich man **founded** a school in the town where he was born.
그 부자는 자신이 태어난 마을에 학교를 설립했다.

파생 **founder** 명 설립자
foundation 명 재단, 기반
유의 **establish** 동 설립하다

1191

innocent
[ínəsənt]

형 1. 무죄의, 결백한 2. 순진한

201 prisoners were proven **innocent** on the basis of DNA evidence. 학평 기출
201명의 수감자들이 DNA 증거에 기초하여 무죄로 밝혀졌다.

파생 **innocence** 명 무죄, 순수함
innocently 뷔 순진하게
반의 **guilty** 형 유죄의

1192

beam
[biːm]

명 빛줄기, 광선
동 비추다

The sailors could see the **beam** from the lighthouse in the distance.
선원들은 멀리 등대에서 나오는 빛줄기를 볼 수 있었다.

유의 **ray** 명 광선, 빛
flash 동 비추다

1193

stubborn
[stʌ́bərn]

형 완고한, 고집이 센

He is so **stubborn** that no one can persuade him once he makes up his mind.
그는 너무나 고집이 세서 그가 한 번 마음을 정하면 아무도 그를 설득할 수 없다.

유의 **persistent** 형 끈질긴, 집요한
inflexible 형 완고한

1194

crawl
[krɔːl]

동 기어가다, 서행하다
명 기어가기, 서행

I saw a bug **crawling** up my leg.
나는 벌레 한 마리가 내 다리 위로 기어오르는 것을 보았다.

유의 **creep** 동 (살살) 기다
반의 **speed** 동 속도를 내다

1195

obey
[oubéi]

동 **복종하다, 따르다**

The patient was willing to **obey** his doctor's order.
그 환자는 의사의 지시에 기꺼이 따랐다.

파생 **obedience** 명 복종, 순종
obedient 형 복종하는
반의 **disobey** 동 불복종하다

1196

spare
[spɛər]

형 **남는, 여분의** 명 **여분, 예비품**
동 **1. 할애하다 2. 아끼다**

They didn't have a **spare** room I could stay in.
그들은 내가 머무를 수 있는 남는 방이 없었다.

유의 **extra** 형 여분의
surplus 형 여분의, 잉여의

1197

magnet
[mǽgnit]

명 **1. 자석 2. 마음을 끄는 사람[물건]**

His voice attracts the audience like a **magnet**.
그의 목소리는 자석과 같이 관객들을 끌어당긴다.

파생 **magnetic** 형 자석의, 자성을 띤
유의 **attraction** 명 마음을 끄는 것

고등 필수 숙어

1198

break into[in]

1. 침입하다 2. (대화에) 끼어들다

I called the police as soon as I noticed somebody had **broken into** my house.
누군가 집에 침입한 것을 발견하자마자 나는 경찰에 전화를 걸었다.

1199

bump into

1. ~에 부딪치다 2. ~와 우연히 만나다

He **bumped into** the wall, but he was okay.
그는 벽에 부딪혔지만 괜찮았다.

1200

burst into

갑자기 ~하기 시작하다

I managed to overcome my urge to **burst into** tears. 학평 기출
나는 눈물이 터져 나오는 충동을 가까스로 참았다.

내신 UP

Q5.
다음 빈칸에 알맞은 숙어는?

She walked around L.A., hoping to __________ a celebrity.

① break into
② bump into
③ burst into

Daily Test 30

정답 p. 359

A 우리말은 영어로, 영어는 우리말로 쓰시오.

01 (꿀꺽) 삼키다; 제비 ____________

02 짜증 나게 하다 ____________

03 의미 있는, 유의미한 ____________

04 고난, 어려움 ____________

05 완고한, 고집이 센 ____________

06 남극 (지역); 남극의 ____________

07 해결하다, 정착하다 ____________

08 rather ____________

09 pure ____________

10 derive ____________

11 crawl ____________

12 competent ____________

13 tickle ____________

14 genetic ____________

B 빈칸에 알맞은 단어를 쓰시오. (필요시 형태를 바꿀 것)

서술형

01 According to Korean t____________, eating *samgyetang* helps people beat the heat.

한국 전통에 따르면, 삼계탕을 먹는 것은 사람들이 더위를 이기는 데 도움을 준다.

02 Without government support, they wouldn't have been able to c____________ in the global markets.

정부의 지원이 없었다면, 그들은 세계 시장에서 경쟁할 수 없었을 것이다.

03 There was no one nearby who might see the man trying to b____________ ____________ the house.

그 남자가 그 집에 침입하려고 하는 것을 볼 만한 사람은 근처에 아무도 없었다.

C 각 단어의 유의어 혹은 반의어를 쓰시오.

01 명 criminal 유의 o____________

02 형 abstract 반의 c____________

03 동 found 유의 e____________

04 동 obey 반의 d____________

05 형 spare 유의 e____________

06 형 objective 반의 s____________

내신에 더 강해지는 TEST DAY 26-30

A 각 영영풀이에 알맞은 단어를 <보기>에서 찾아 쓰시오.

<보기>	competent	compliment	negotiate	durable	split

01 to try to reach an agreement through formal discussion ____________

02 having enough skill or knowledge to do something well ____________

03 a comment that expresses praise or approval of somebody ____________

04 to divide, or to make something divide, into two or more parts ____________

05 likely to last for a long time without breaking or getting weaker ____________

B 다음 빈칸에 공통으로 알맞은 단어를 고르시오.

01 • The band is looking for names that ____________ their image.
• The food was not ____________ for patients with stomach trouble.

① desire ② fit ③ complete ④ represent

02 • The tree is expected to ____________ a lot of apples this year.
• The stomachache was much more painful than he could ____________.

① bear ② resist ③ extend ④ overcome

03 • Your salary alone cannot be considered a ____________ of your success.
• GDP is considered the broadest ____________ of a country's economic activity.

① factor ② mean ③ measure ④ frame

정답 p. 359

C

다음 중 짝 지어진 단어의 관계가 나머지와 다른 하나를 고르시오.

01 ① combine : unite ② urban : rural ③ encourage : discourage

02 ① hardship : suffering ② expert : professional ③ steep : gradual

03 ① abstract : concrete ② crucial : critical ③ excess : lack

04 ① summarize : summary ② admit : admission ③ charm : charming

05 ① commence : begin ② simplify : complicate ③ immediate : instant

D

우리말과 같은 의미가 되도록 <보기>의 단어를 이용하여 문장을 완성하시오. (필요시 형태를 바꿀 것)

<보기>	cut	shut	affect	include	conclude	stubborn

01 그녀는 우리의 책임을 상기시키면서 연설을 끝냈다.

→ She ______________ the speech by reminding us of our responsibility.

02 그는 아주 고집이 센 아이라서 엄마 말을 듣지 않는다.

→ He is such a(n) ______________ child that he doesn't obey his mother.

03 만약 도서관 예산을 삭감한다면 그것은 교육의 질에 영향을 미칠 것이다.

→ If they ______________ down the library's budget, it will ______________ the quality of education.

VOCA CLEAR

DAY 31

1201

entrance
[éntrəns]

명 1. 입구 2. 들어감, 입장 3. 입학

We'd like to remind everyone to use the east **entrance** today.
오늘 동쪽 입구를 사용할 것을 여러분에게 알려드립니다.

시험에 더 강해지는 어휘

파생 **enter** 동 ~에 들어가다, 입학하다
반의 **exit** 명 출구

1202

fierce
[fiərs]

형 격렬한, 사나운

The panel was having a **fierce** argument about the issue.
토론자는 그 이슈에 대해 격렬한 논쟁을 하는 중이었다.

유의 **savage** 형 사나운, 맹렬한
intense 형 격렬한, 강렬한
aggressive 형 공격적인
반의 **gentle** 형 온화한, 순한
mild 형 순한, 부드러운

1203 다의어

condition
[kəndíʃən]

명 1. (건강) 상태 2. ((-s)) 상황, 환경 3. 조건

He is in no **condition** to travel anywhere.
그는 어딘가로 여행 갈 건강 상태가 아니다.

The employees complained about the poor working **conditions**.
직원들은 열악한 근무 환경에 대해 불평했다.

You can buy **conditions** for happiness, but you can't buy happiness. 학평 기출
행복의 조건은 살 수 있지만, 행복은 살 수 없다.

내신 UP

Q1.
밑줄 친 단어의 뜻으로 알맞은 것은?

After her parents passed away, she became depressed and out of condition.

① 건강 상태 ② 상황 ③ 조건

1204

artificial
[àːrtəfíʃəl]

형 인공의, 인위적인, 인조의

You are probably reading this sentence under some kind of **artificial** light. 학평 응용
아마 여러분은 어떤 종류의 인공 조명 아래에서 이 문장을 읽고 있을 것이다.

유의 **fake** 형 인조의, 가짜의
synthetic 형 인조의, 합성한
반의 **natural** 형 자연의, 자연 발생적인

1205

chew
[tʃuː]

동 씹다

If you find it hard to **chew** properly, see your dentist immediately.
만약 제대로 씹는 것이 힘들다면, 즉시 치과 의사에게 진찰을 받아라.

숙어 **chew up** ~을 씹다

1206

bury
[béri]

동 묻다, 매장하다

He dug a hole in the garden and **buried** his bag of gold in it. 학평 응용
그는 정원에 구멍을 파서 그의 금이 든 자루를 그 안에 묻었다.

파생 **burial** 명 매장, 장례식
숙어 **bury oneself in** ~에 몰두하다, 파묻히다

1207

comfort
[kʌ́mfərt]

명 1. 안락, 편안 2. 위로
동 위로하다

Clothing doesn't have to be expensive to provide **comfort** during exercise. 학평 기출
운동하는 동안 편안함을 제공하기 위해 의류가 비쌀 필요는 없다.

파생 **comfortable** 형 편안한
유의 **ease** 명 안락, 편안함
consolation 명 위로, 위안
console 동 위로하다
반의 **discomfort** 명 동 불편[불쾌](하게 하다)

1208

former
[fɔ́ːrmər]

형 예전의, 전임의, ((the)) 전자의
명 ((the)) 전자

All the **former** presidents were present at the ceremony.
전직 대통령들 모두가 그 기념식에 참석했다.

유의 **previous** 형 앞의, 이전의
반의 **latter** 형 나중의, ((the)) 후자의 명 ((the)) 후자

1209

accountant
[əkáuntənt]

명 회계원, 회계사

I hired an **accountant** to take care of my taxes.
나는 내 세금을 관리할 회계사를 고용했다.

파생 **account** 명 회계, 계좌

1210

misunderstand
[mìsʌndərstǽnd]

동 오해하다

People sometimes **misunderstand** others' intentions.
사람들은 때때로 다른 사람들의 의도를 오해한다.

어원 plus+
mis (wrong: 틀린) + understand (이해하다) → 틀리게 이해하다 → 오해하다

파생 **misunderstanding** 명 오해
유의 **miscomprehend** 동 오해하다
반의 **understand** 동 이해하다
comprehend 동 이해하다

1211

platform
[plǽtfɔːrm]

명 1. 승강장 2. 연단, 강단

The next train to Busan will depart from **platform** 6.
다음 부산행 기차가 6번 승강장에서 출발할 것이다.

유의 **stage** 명 무대, 연단

1212

cheat
[tʃiːt]

동 1. 속이다, 사기 치다 2. (시험에서) 부정행위를 하다
명 1. 사기(꾼) 2. 속임수

It was shocking that she **cheated** so many people out of their money.
그녀가 그렇게 많은 사람들을 속여서 돈을 가로챘다는 것은 충격적이었다.

파생 cheater 명 사기꾼
cheating 명 부정행위
유의 trick 동 속이다
deceive 동 속이다, 기만하다

1213

surgery
[sə́ːrdʒəri]

명 (외과) 수술

You will require **surgery** on your right ankle as soon as possible.
가능한 한 빨리 오른쪽 발목에 수술이 필요할 것이다.

파생 surgeon 명 외과 의사
유의 operation 명 수술

1214

link
[liŋk]

동 1. 연결하다 2. 관련되다[시키다]
명 1. 연결 (수단) 2. 관계, 유대

Parents and children are **linked** by certain rights, privileges, and obligations. 학평 기출
부모와 자식은 특정한 권리, 특권, 그리고 의무에 의해 연결된다.

파생 linked 형 연관된
유의 connect 동 연결하다
associate 동 관련시키다
숙어 link A to B A를 B에 연결하다

1215 혼동어휘

awesome
[ɔ́ːsəm]

형 경탄할 만한, 최고의, 멋진

At night the volcano was an **awesome** sight.
밤에 그 화산은 경탄할 만한 광경이었다.

1216 혼동어휘

awful
[ɔ́ːfəl]

형 끔찍한, 지독한

Awful weather can ruin anyone's summer holiday.
끔찍한 날씨는 모두의 여름 휴가를 망칠 수 있다.

내신 UP

Q2.
문맥상 알맞은 단어를 고르시오.

At 3 a.m., I woke up from the most **[awesome / awful]** nightmare that I've ever had.

1217

suspicion
[səspíʃən]

명 혐의, 의심

There still remains **suspicion** about what caused the accident.
무엇이 그 사고를 일으켰는지에 대한 의심은 여전히 남아 있다.

파생 suspect 동 의심하다
suspicious 형 의심스러운
유의 doubt 명 의심

1218

swift
[swift]

형 빠른, 신속한

He was so **swift** that no one could steal the ball from him.
그는 너무 빨라서 아무도 그에게서 공을 빼앗을 수 없었다.

유의 **prompt** 형 빠른, 신속한
rapid 형 빠른, 신속한
반의 **slow** 형 느린

1219 다의어

matter
[mǽtər]

동 중요하다, 문제가 되다
명 1. 문제 2. 물질, 재료

We often ignore small changes because they don't seem to **matter** very much. 학평 기출
우리는 흔히 작은 변화들이 크게 중요한 것 같지 않아서 그것들을 무시한다.

The lawyer suggested we discuss the **matter** together.
변호사는 우리가 함께 그 문제를 논의하기를 제안했다.

No one knows how the new **matter** was created.
아무도 어떻게 그 새로운 물질이 만들어졌는지 모른다.

내신 UP

Q3.
밑줄 친 단어의 뜻으로 알맞은 것은?

Some chemists are trying to find ways to break matter down into smaller components.

① 문제 ② 물질 ③ 중요하다

1220

fate
[feit]

명 운명

The contestant believes that this audition will decide her **fate** as a singer.
그 참가자는 이번 오디션이 가수로서 자신의 운명을 결정할 것이라고 믿는다.

파생 **fatal** 형 운명의, 치명적인
fateful 형 운명적인
유의 **destiny** 명 운명, 숙명
숙어 **decide one's fate**
~의 운명을 결정짓다

1221

imply
[implái]

동 내포하다, 암시[시사]하다

The doctor's silence seemed to **imply** agreement.
그 의사의 침묵은 동의를 암시하는 듯했다.

파생 **implication** 명 함축, 암시
implicit 형 내포된, 암시된
유의 **suggest** 동 암시[시사]하다
indicate 동 시사하다

1222

proportion
[prəpɔ́ːrʃən]

명 1. 비율, 부분 2. 균형 3. 비례

A large **proportion** of the potential energy, approximately 80-90 percent, is lost as heat.
학평 응용
위치 에너지의 상당한 부분인 약 80~90퍼센트가 열로 손실된다.

파생 **proportional** 형 균형잡힌, 비례하는
유의 **ratio** 명 비율, 비
숙어 **in proportion (to)**
(~에) 비례하는, 균형을 이루는

1223

creep
[kriːp]

동 살금살금 움직이다, 기다

The soldiers **crept** towards the enemy.
병사들은 적들을 향해 기어갔다.

유의 **crawl** 동 기어가다
sneak 동 살금살금 가다

1224

particular
[pərtíkjələr]

형 특정한, 특별한

This happens spontaneously when we feel a **particular** emotion. 학평 기출
이것은 우리가 특정 감정을 느낄 때 저절로 발생한다.

유의 **specific** 형 특정한
숙어 **in particular** 특히, 특별히

1225

differ
[dífər]

동 1. 다르다 2. 의견을 달리하다, 동의하지 않다

The twins **differ** in appearance and personality.
그 쌍둥이들은 외모와 성격 면에서 다르다.

어원 plus+
dif (away) + fer (carry: 나르다) → 떨어져서 나르다 → 다르다

파생 **different** 형 다른
difference 명 차이(점)
유의 **vary** 동 다르다
disagree 동 동의하지 않다
반의 **coincide** 동 일치하다
숙어 **differ from** ~와 다르다

1226

underneath
[ʌ̀ndərníːθ]

전 ~의 아래에

There were a lot of homeless people sleeping in tents **underneath** the bridge.
다리 아래에는 텐트에서 잠을 자고 있는 많은 노숙자들이 있었다.

유의 **beneath** 전 ~의 아래에
below 전 ~ 밑에

1227

recipe
[résəpìː]

명 조리법, 요리법

I've found a good **recipe** for chocolate cake.
나는 훌륭한 초콜릿 케이크 요리법을 찾았다.

1228

familiar
[fəmíljər]

형 익숙한, 친숙한, 잘 아는

Newborns and infants must take comfort in this **familiar** feeling. 학평 응용
신생아와 유아들은 이런 친숙한 느낌에서 편안함을 느끼는 것이 틀림없다.

유의 **well-known** 형 잘 알려진, 친숙한
반의 **unfamiliar** 형 익숙하지 않은, 잘 모르는
숙어 **be familiar with** ~을 잘 알고 있다

1229

reform
[rifɔ́:rm]

동 **개혁[개선]하다**
명 **개혁[개선]**

The current social security system needs to be **reformed**.
현재의 사회 보장 시스템은 개혁될 필요가 있다.

유의 **improve** 동 개선하다
improvement 명 개선

1230

caution
[kɔ́:ʃən]

명 **1. 조심 2. 경고, 주의**
동 **경고하다, 주의시키다**

The information on the website should be treated with **caution**.
웹사이트의 정보는 조심해서 다뤄져야 한다.

파생 **cautious** 형 조심스러운
유의 **care** 명 조심, 주의
warning 명 경고
warn 동 경고하다, 주의를 주다
숙어 **with caution** 조심해서

1231 혼동어휘

stiff
[stif]

형 **뻣뻣한, 딱딱한**

The material is too **stiff** to be comfortable.
소재가 너무 뻣뻣해서 편하지 않다.

내신 UP

Q4.
문맥상 알맞은 단어를 고르시오.

The lost and found was filled with all kinds of **[stuff / stiff]** that was no longer wanted.

1232 혼동어휘

stuff
[stʌf]

명 **것(들), 물건, 물질**
동 **채워 넣다**

All the **stuff** left in the locker was stolen.
사물함에 두었던 물건들 모두 도둑맞았다.

1233

expose
[ikspóuz]

동 **1. 노출시키다, 드러내다 2. 폭로하다**

Teenagers have been **exposed** repeatedly to "background noise." 학평 응용
십 대들은 '배경 소음'에 반복적으로 노출되어 왔다.

파생 **exposure** 명 노출, 폭로
유의 **reveal** 동 드러내다
disclose 동 드러내다, 폭로하다
반의 **conceal** 동 숨기다, 감추다

1234

orphan
[ɔ́:rfən]

명 **고아**
동 **고아로 만들다**

The war has left thousands of children as **orphans**.
그 전쟁은 수천 명의 아이들을 고아로 만들었다.

파생 **orphanage** 명 고아원

1235

address
[ədrés]

명 1. 주소 2. 연설
동 1. 연설하다 2. (문제를) 다루다 3. (~라고) 부르다

The politician is about to **address** the crowd.
그 정치가는 군중들에게 연설을 하려는 참이다.

유의 **make a speech** 연설하다
deal with 다루다, 처리하다

1236

gossip
[gásəp]

명 잡담, 소문, 험담

The man spent the first hour talking **gossip**.
그 남자는 처음 한 시간을 잡담으로 보냈다.

유의 **rumor** 명 소문, 풍문

1237

vertical
[vəːrtikəl]

형 수직의, 세로의

Michael Jordan's **vertical** jump was incredibly high.
Michael Jordan의 수직 점프는 믿을 수 없을 만큼 높았다.

반의 **horizontal** 형 수평의, 가로의

고등 필수 숙어

1238

take ~ for granted

~을 당연하게 여기다

Never **take** anything **for granted**: always question everything. 학평 기출
어떤 것도 당연하게 여기지 마라. 늘 모든 것에 의문을 가져라.

1239

take ~ into account

~을 고려하다, ~을 참작하다

Politicians need to **take** the economy **into account** when making policies.
정치인들은 정책을 만들 때 경제를 고려해야 한다.

1240

take the place of

~을 대신하다

Online shopping will not completely **take the place of** traditional shopping.
온라인 쇼핑은 전통적인 쇼핑을 완전히 대신하지는 않을 것이다.

내신 UP

Q5.
다음 빈칸에 알맞은 숙어는?

In order to hit the target, archers have to ________ gravity and wind ________.

① take ~ for granted
② take ~ into account

Daily Test 31

정답 p. 360

A 우리말은 영어로, 영어는 우리말로 쓰시오.

01 뻣뻣한, 딱딱한 ____________

02 특정한, 특별한 ____________

03 회계원, 회계사 ____________

04 운명 ____________

05 묻다, 매장하다 ____________

06 조리법, 요리법 ____________

07 ~의 아래에 ____________

08 creep ____________

09 awesome ____________

10 caution ____________

11 platform ____________

12 imply ____________

13 swift ____________

14 suspicion ____________

B 빈칸에 알맞은 단어를 쓰시오. (필요시 형태를 바꿀 것)

서술형

01 Proposals to tax carbon emissions to a____________ climate change seek to change norms and shape behavior. 학평 기출

기후 변화를 다루기 위해 탄소 배출에 세금을 부과하자는 제안들은 규범을 바꾸고 행동을 형성하려고 한다.

02 This a____________ accident could have been avoided by performing regular safety checks.

이 끔찍한 사고는 정기적인 안전 점검을 했더라면 피할 수 있었을 것이다.

03 Scientists say that biofuel can t____________ ____________ ____________ of other energy sources.

과학자들은 바이오 연료가 다른 에너지원을 대신할 수 있다고 말한다.

C 각 단어의 유의어 혹은 반의어를 쓰시오.

01 명 surgery 유의 o____________

02 형 vertical 반의 h____________

03 형 fierce 유의 i____________

04 동 expose 반의 c____________

05 동 differ 유의 v____________

06 형 artificial 반의 n____________

VOCA CLEAR

DAY 32

시험에 더 강해지는 어휘

1241

ban
[bɑːn]

동 금지하다
명 금지

The government **banned** the use of these chemicals in 2000.
정부는 2000년에 이 화학 물질들의 사용을 금지했다.

유의 forbid 동 금지하다
prohibit 동 금지하다
반의 permit 동 허가[허용]하다
permission 명 허가

1242

fake
[feik]

형 위조의, 가짜의 명 모조품, 위조품
동 위조하다

A **fake** smile only affects the lower half of the face. 학평 기출
가짜 미소는 얼굴의 절반 아래쪽 부분에만 영향을 미친다.

유의 imitation 형 모조[위조]의 명 모조품
counterfeit 동 위조하다
반의 genuine 형 진짜[진품]의

1243

allergy
[ǽlərdʒi]

명 알레르기

He has a severe **allergy** to animal hair.
그는 동물 털에 심한 알레르기가 있다.

파생 allergic 형 알레르기가 있는
숙어 have an allergy to ~에 알레르기가 있다

1244

bankrupt
[bǽŋkrʌpt]

형 파산한, 지불 능력이 없는

The company went **bankrupt** during the economic crisis.
그 회사는 경제 위기 동안 파산했다.

어원 plus +

bank (bench: 금융업자의 책상, 은행) + rupt (break) → 책상이 부서진(지불 능력이 없는) → 파산한

파생 bankruptcy 명 파산 (상태)
유의 broke 형 파산한
숙어 go bankrupt 파산하다

1245

switch
[switʃ]

명 1. 전환 2. 스위치
동 바꾸다, 전환하다

The **switch** to a new system took a long time.
새로운 시스템으로의 전환은 오랜 시간이 걸렸다.

유의 change 동 바꾸다
shift 동 바꾸다 명 전환[변화]

1246

bother
[bάðər]

동 1. 괴롭히다, 귀찮게 하다 2. 신경 쓰다, 걱정하다

It's self-doubt that creates your stress and **bothers** you. 학평 응용
스트레스를 일으키고 당신을 괴롭히는 것은 자기 의심이다.

유의 annoy 동 귀찮게 하다
worry 동 신경 쓰다, 걱정하다

1247

fantasy
[fǽntəsi]

명 공상, 상상, 환상

Many people have a romantic **fantasy** about love at first sight.
많은 사람들이 첫눈에 반하는 사랑에 대한 낭만적인 환상을 갖는다.

파생 fantastic 형 환상적인, 멋진
유의 imagination 명 상상
illusion 명 환상, 착각
반의 truth 명 사실

1248 혼동어휘

exist
[igzíst]

동 존재하다, 실재하다

Too many companies advertise their new products as if their competitors did not **exist**.
학평 기출
너무도 많은 회사들이 마치 경쟁자들이 존재하지 않는 것처럼 신제품들을 광고한다.

내신 UP

Q1.
문맥상 알맞은 단어를 고르시오.

He believes that intelligent life **[exists / exits]** on distant planets.

1249 혼동어휘

exit
[éksit]

명 1. 출구 2. 퇴장
동 1. 나가다 2. 퇴장하다

How many **exits** are there from this theater?
이 극장에 몇 개의 출구가 있나요?

1250

persuade
[pərswéid]

동 설득하다, 납득시키다

Nobody could **persuade** her to change her mind.
아무도 그녀가 마음을 바꾸도록 설득하지 못했다.

파생 persuasion 명 설득
persuasive 형 설득력 있는
유의 convince 동 납득시키다
반의 discourage 동 단념시키다
숙어 persuade A to-v
A에게 ~하도록 설득하다

1251

gorgeous
[gɔ́ːrdʒəs]

형 아주 멋진, 화려한

The hotel's **gorgeous** view of the ocean attracts tourists every summer.
매년 여름 그 호텔의 멋진 바다 풍경이 관광객들을 끌어들인다.

유의 wonderful 형 멋진
spectacular 형 장관인, 화려한

1252

manner
[mǽnər]

명 1. 태도, 방식 2. ((-s)) 예의범절

In this **manner**, both parties could overcome their mutual fear of the stranger. 학평 응용
이러한 방식으로, 양측은 낯선 사람에 대한 상호 두려움을 극복할 수 있었다.

유의 **attitude** 명 태도
way 명 방식
etiquette 명 예의, 에티켓
숙어 **in the manner of** ~의 방식으로

1253

continuous
[kəntínjuəs]

형 지속적인, 끊임없는

The **continuous** noise from the nearby airport bothered the residents.
근처 공항에서의 지속적인 소음이 주민들을 괴롭혔다.

파생 **continue** 동 계속하다
유의 **constant** 형 지속적인
continual 형 끊임없는
반의 **occasional** 형 가끔의

1254

leak
[li:k]

명 유출, 새는 곳
동 1. 유출하다, 새다 2. (비밀을) 누설하다

A gas **leak** was the cause of the explosion last night.
가스 유출이 어젯밤 폭발 사고의 원인이었다.

파생 **leakage** 명 누출(량)
leaky 형 새는
유의 **seep** 동 새다, 스며나오다
disclose 동 폭로하다

1255 다의어

operate
[ápərèit]

동 1. 작동하다 2. 운영하다 3. 수술하다

The robotic vacuum can **operate** for 40 minutes when fully charged. 학평 기출
로봇청소기는 완전히 충전되면 40분간 작동할 수 있다.

This department store **operates** its own delivery service.
이 백화점은 자체 배달 서비스를 운영한다.

The surgeon was asked to **operate** on the patient.
그 외과의사는 환자를 수술하라고 요청받았다.

내신 UP

Q2.
밑줄 친 단어의 뜻으로 알맞은 것은?

The company operates fast-food restaurants in six countries.

① 운영하다 ② 작동하다 ③ 수술하다

1256

elementary
[èləméntəri]

형 1. 초급의 2. 기본적인, 근본적인

Selling sodas or coffee will be banned in all **elementary** schools.
탄산음료나 커피 판매가 모든 초등학교 내에서 금지될 것이다.

파생 **element** 명 요소, 성분
유의 **primary** 형 초급의, 초등의
basic 형 기초[기본]적인
fundamental 형 근본적인

1257

laboratory
[ləbrətɔ̀:ri]

명 실험실, 연구소

I sent a blood sample to the **laboratory** for analysis.
나는 분석을 위해 혈액 샘플을 연구소에 보냈다.

파생 laboratorial 형 실험실의

1258

visual
[víʒuəl]

형 시각적인, 시각의

We remember **visual** images much better than words.
우리는 말보다 시각적 이미지를 훨씬 더 잘 기억한다.

어원 plus +

vis (see) + ual (형용사형 접미사) → 눈으로 보는 → 시각의

파생 visualize 동 시각화하다
유의 optical 형 시각적인

1259

confront
[kənfrʌ́nt]

동 (문제·어려움 등에) 직면하다, 맞서다

I was not brave enough to **confront** him personally.
나는 개인적으로 그와 맞설 만큼 용감하지 못했다.

파생 confrontation 명 직면
유의 face 동 직면하다
반의 avoid 동 회피하다
숙어 be confronted by[with] ~에 직면하다

1260

pace
[peis]

명 (걸음 등의) 속도, 페이스

The slow **pace** of change makes it difficult to break bad habits. 학평 응용
변화의 느린 속도는 나쁜 습관을 버리기 어렵게 만든다.

유의 speed 명 속도
숙어 keep pace with ~와 보조를 맞추다, ~에 따라가다

1261

destiny
[déstəni]

명 운명, 숙명

I believe we have the power to change **destiny**.
나는 우리가 운명을 바꿀 힘을 갖추고 있다고 믿는다.

파생 destine 동 운명짓다
유의 fate 명 운명

1262

appeal
[əpí:l]

동 1. 호소하다, 애원하다 2. 항소하다 3. (마음을) 끌다
명 1. 호소 2. 항소 3. 매력

The Red Cross is **appealing** for donations of food and clothing.
적십자는 음식과 의복의 기부를 호소하고 있다.

파생 appealing 형 애원하는, 매력적인
숙어 appeal to[for] ~에게[~을] 호소하다
appeal against ~에 맞서 항소하다

1263

resemble
[rizémbl]

동 닮다, 비슷하다

The fruit **resembles** a plum in flavor but not in appearance.
그 과일은 맛으로는 자두를 닮았지만 모양은 비슷하지 않다.

파생 **resemblance** 명 닮음, 유사함
유의 **look like** 닮다
be similar to ~와 비슷하다

1264 다의어

mine
[main]

명 1. 광산 2. 지뢰
동 1. 채굴하다 2. 지뢰를 묻다

The local economy has gotten worse since the **mine** was shut down.
광산이 폐쇄된 이후로 지역 경제가 악화되었다.

Gold and silver enter society at the rate at which they are **mined.** 학평 기출
금과 은은 채굴되는 속도로 사회에 유입된다.

내신 UP

Q3.
밑줄 친 단어의 뜻으로 알맞은 것은?

People began to mine gold in this area in 1850.

① 광산 ② 채굴하다 ③ 지뢰를 묻다

1265

sincere
[sinsíər]

형 진실된, 진심의

Please accept my **sincere** apology for the late response.
늦은 답변에 대한 저의 진심 어린 사과를 받아주십시오.

파생 **sincerely** 부 진심으로
유의 **genuine** 형 진실한, 진짜의
earnest 형 진심 어린
반의 **insincere** 형 진실되지 못한

1266

colleague
[kάliːg]

명 (직장) 동료

The office worker rarely eats lunch with his **colleague.**
그 회사원은 거의 동료와 함께 점심 식사를 하지 않는다.

유의 **coworker** 명 동료

1267

spread
[spred]

동 1. 퍼지다, 확산되다 2. 펼치다
명 확산

The hostility **spread** to their families and the community. 학평 응용
적대감이 그들의 가족과 지역 사회에 퍼졌다.

유의 **scatter** 동 분산시키다
circulate 동 퍼뜨리다
stretch 동 펴다, 펼치다
숙어 **spread out** 퍼지다

1268

acquaintance
[əkwéintəns]

명 1. 아는 사람 2. 친분

I recently met an old work **acquaintance** on the train.
나는 최근에 기차에서 옛 직장 지인을 만났다.

숙어 **have acquaintance with** ~와 안면이 있다

1269

devise
[diváiz]

동 창안[고안]하다

The new approach he **devised** will not be applied to the project.
그가 고안한 새로운 접근 방식은 프로젝트에 적용되지 않을 것이다.

파생 **device** 명 장치, 고안
유의 **conceive** 동 착상하다
invent 동 창안[고안]하다
come up with 생각해내다

1270

edge
[edʒ]

명 1. 가장자리, 모서리 2. (칼 등의) 날 3. 우위, 유리함

After she took a tree out of the pot, she planted it on the **edge** of the garden.
그녀는 화분에서 나무를 꺼낸 후, 정원의 가장자리에 심었다.

유의 **verge** 명 가장자리
advantage 명 유리한 점
숙어 **on the edge of**
~의 가장자리에

1271

regret
[rigrét]

동 후회하다, 유감스럽게 생각하다
명 후회, 유감

He **regretted** fixing the old man's bicycle.
학평 기출
그는 노인의 자전거를 고친 것을 후회했다.

파생 **regretful** 형 유감스러워하는, 후회하는
유의 **be sorry about**
~에 대해 유감이다

1272 혼동어휘

jealous
[dʒéləs]

형 질투하는

Children often feel **jealous** when a new baby arrives.
아이들은 종종 동생이 태어날 때 질투심을 느낀다.

내신 UP

Q4.
문맥상 알맞은 단어를 고르시오.
His colleagues will be **[jealous / zealous]** of his promotion.

1273 혼동어휘

zealous
[zéləs]

형 열심인, 열광적인

The teacher is **zealous** in sharing knowledge with her students.
그 선생님은 학생들과 지식을 공유하는 데 열성적이다.

1274

triumph
[tráiəmf]

명 승리, 대성공
동 승리를 거두다, 성공하다

People gathered in the square to celebrate the Korean soccer team's **triumph**.
사람들이 한국 축구 팀의 승리를 축하하기 위해 광장에 모였다.

유의 **victory** 명 승리
success 명 성공
반의 **defeat** 명 패배
failure 명 실패

1275

luxury
[lʌ́kʃəri]

명 사치(품), 호화로움

They said that they had stolen the money to lead a life of **luxury**.
그들은 호화로운 삶을 영위하기 위해 돈을 훔쳤다고 말했다.

파생 **luxurious** 형 호화로운
반의 **poverty** 명 빈곤

1276

raw
[rɔː]

형 1. 날것의 2. 가공되지 않은

Shrimps are gray when they're **raw** and turn pink when cooked.
새우는 날것일 때 회색이다가 익히면 분홍색이 된다.

유의 **uncooked** 형 날것의
unprocessed 형 가공되지 않은

1277

sponsor
[spɑ́nsər]

동 후원하다
명 후원자

We decided to **sponsor** 30 children in the orphanage.
우리는 고아원에 있는 30명의 아이들을 후원하기로 결정했다.

파생 **sponsorship** 명 후원
유의 **support** 동 후원하다
supporter 명 후원자
patron 명 후원자

고등 필수 숙어

1278

ask for

요구하다, 요청하다

All you have to do sometimes is to **ask for** help. 학평 기출
여러분이 해야 하는 것은 때때로 도움을 요청하는 것입니다.

1279

ask ~ out

(~에게) 데이트 신청하다

The boy was too shy to **ask** the girl **out**.
그 소년은 소녀에게 데이트 신청을 하기에는 너무 수줍었다.

1280

hang out

시간을 보내다, 함께 어울리다

Most teenagers I know prefer to **hang out** with their friends.
내가 아는 대부분의 십 대들은 친구들과 시간을 보내는 것을 선호한다.

Q5.
다음 빈칸에 알맞은 숙어는?

An exhausted-looking man approached __________ a glass of water.

① asking for
② asking out
③ hanging out

Daily Test 32

정답 p. 360

A 우리말은 영어로, 영어는 우리말로 쓰시오.

01 열심인, 열광적인 ______________

02 후원하다; 후원자 ______________

03 공상, 상상, 환상 ______________

04 설득하다, 납득시키다 ______________

05 아는 사람, 친분 ______________

06 광산, 지뢰; 채굴하다 ______________

07 닮다, 비슷하다 ______________

08 sincere ______________

09 raw ______________

10 gorgeous ______________

11 continuous ______________

12 devise ______________

13 operate ______________

14 leak ______________

B 빈칸에 알맞은 단어를 쓰시오. (필요시 형태를 바꿀 것)

서술형

01 I r____________ not watching the movie in the theater.
나는 그 영화를 극장에서 보지 못한 것을 후회한다.

02 When she watches the video website, the advertisements really b____________ her.
동영상 웹사이트를 볼 때, 광고가 그녀를 정말 괴롭게 한다.

03 I recommend h____________ ____________ in cafes rather than going to museums when you visit Paris.
난 네가 파리를 방문하면 박물관에 가기 보다는 카페에서 시간을 보내는 것을 추천한다.

C 각 단어의 유의어 혹은 반의어를 쓰시오.

01 명 destiny 유의 f______________

02 동 ban 반의 p______________

03 형 bankrupt 유의 b______________

04 형 fake 반의 g______________

05 동 confront 유의 f______________

06 명 triumph 반의 d______________

VOCA CLEAR

DAY 33

1281

divide
[diváid]

동 나누다, 분리하다

They **divided** 306 people into three age groups. 학평 응용
그들은 306명의 사람들을 세 연령대로 나눴다.

시험에 더 강해지는 어휘

파생 **division** 명 분할, 분배, 나눗셈
유의 **separate** 동 나누다, 분리하다
split 동 나누다, 분배하다
반의 **unite** 동 합치다, 결합하다

1282

narrow
[nǽrou]

형 좁은
동 좁아지다, 좁히다

The gateway is too **narrow** for a car to get through.
그 통로는 너무 좁아서 차 한 대도 지나갈 수가 없다.

반의 **wide** 형 넓은
broad 형 (폭이) 넓은
broaden 동 넓어지다, 넓히다
숙어 **narrow down to**
(선택 가능한 수를) ~까지 좁히다

1283 혼동어휘

suspect
[səspékt]

동 의심하다
명 [sʌ́spekt] 용의자

Genetics is showing us what many scientists have **suspected** for years. 학평 응용
유전학은 많은 과학자들이 수년간 의심해 온 것을 우리에게 보여주고 있다.

내신 UP

Q1.
문맥상 알맞은 단어를 고르시오.
The police took the theft **[suspense / suspect]** to the nearest police station.

1284 혼동어휘

suspense
[səspéns]

명 긴장, 긴장감

The movie has no **suspense** until the very end.
그 영화는 맨 끝까지 긴장감이 없다.

1285

court
[kɔːrt]

명 1. 법정, 법원 2. (테니스 등의) 코트 3. 궁정

She was requested to appear in **court** as a key witness.
그녀는 주요 증인으로 법정에 출두하라는 요청을 받았다.

파생 **courtesy** 명 공손함[정중함]
courteous 형 공손한[정중한]

1286

innovate
[ínəvèit]

동 **혁신하다, 쇄신하다**

IT companies try to constantly **innovate** their services.
IT 회사들은 끊임없이 서비스를 혁신하려고 노력한다.

파생 **innovation** 명 혁신
innovator 명 혁신자, 도입자
innovative 형 혁신적인

1287

score
[skɔːr]

명 **1. 점수 2. 득점**
동 **1. 점수를 매기다 2. 득점하다**

He got a perfect **score** in Korean history.
그는 한국사에서 만점을 받았다.

유의 **mark** 명 점수, 평점
grade 명 점수, 성적
point 명 점수, 득점

1288 다의어

grave
[greiv]

명 **무덤, 묘**
형 **심각한, 중대한**

Vincent van Gogh was buried in a **grave** next to his brother Theo.
Vincent van Gogh는 그의 남동생 Theo 옆 무덤에 묻혔다.

The report expresses **grave** concerns about the rise in prices.
그 보고서는 물가 상승에 대한 심각한 우려를 표명한다.

내신 UP

Q2.
밑줄 친 단어의 뜻으로 알맞은 것은?

His casual decision put all of them in grave danger.

① 심각한 ② 무덤

1289

excite
[iksáit]

동 **흥분시키다, 자극하다**

The aroma of the kitchens **excited** my taste buds. 학평 기출
주방의 향기가 나의 미각을 자극했다.

파생 **excitement** 명 흥분, 즐거움
exciting 형 흥분시키는
excited 형 흥분된, 들뜬

1290

concrete
[kάnkriːt]

형 **구체적인, 명확한**
명 **콘크리트**

Concrete data must be provided before taking the action.
행동을 취하기 전에 구체적인 데이터가 제공되어야 한다.

파생 **concretely** 부 구체적으로, 명확하게
유의 **specific** 형 구체적인, 명확한
반의 **vague** 형 모호한, 애매한
abstract 형 추상적인

1291

embassy
[émbəsi]

명 **대사관**

People started to gather right in front of the **embassy**.
사람들이 대사관 바로 앞에 모여들기 시작했다.

파생 **ambassador** 명 대사

1292

count
[kaunt]

동 1. 계산하다, 셈에 넣다 2. (수를) 세다 3. 중요하다 4. (~라고) 여기다
명 계산, 셈

Obsessed with the fear of gaining weight, she **counts** the calories of the food she eats.
살찌는 것에 대한 두려움에 사로잡혀, 그녀는 먹는 음식의 칼로리를 계산한다.

파생 **countless** 형 수많은
유의 **calculate** 동 계산하다
matter 동 중요하다
regard 동 (~으로) 여기다
숙어 **count on** ~를 믿다[의지하다]

1293

authority
[əθɔ́:rəti]

명 1. 권한, 권력 2. ((-s)) (정부) 당국

Congress has the **authority** to make and implement laws.
의회는 법을 만들고 시행하는 권한을 갖는다.

파생 **authorize** 동 권한을 부여하다, 인가하다

1294

worth
[wə:rθ]

형 ~할 가치가 있는
명 1. 가치 2. (얼마) 어치

The book is **worth** more than I paid for it.
그 책은 내가 지불한 것 이상의 가치가 있다.

파생 **worthy** 형 가치 있는
유의 **value** 명 가치
반의 **worthless** 형 가치 없는
숙어 **be worth v-ing** ~할 가치가 있다

1295

yawn
[jɔ:n]

동 하품하다
명 하품

When one person **yawns**, it usually causes others to do the same.
한 사람이 하품을 하면, 그것은 보통 다른 사람들도 똑같이 하게 한다.

1296

recover
[rikʌ́vər]

동 1. 회복되다 2. 되찾다

The patient is still **recovering** from his heart surgery.
그 환자는 심장 수술 후 아직 회복 중이다.

파생 **recovery** 명 회복, 되찾음
유의 **revive** 동 회복하다
regain 동 되찾다

1297

upset
[ʌpsét]

형 기분이 상한
동 속상하게 만들다

When children become **upset**, the easiest way to calm them down is to give them food. 학평 응용
아이들이 화를 낼 때, 그들을 진정시키는 가장 쉬운 방법은 음식을 주는 것이다.

유의 **disturbed** 형 불안한
distress 동 괴롭히다
bother 동 괴롭히다

1298

base
[beis]

명 1. 기초, 토대 2. 기지, 근거지
동 ~에 근거지를 두다

Her broad **base** of knowledge helped her with her research.
그녀의 폭넓은 지식 기반이 연구에 도움이 되었다.

파생 **basic** 형 기본[근본]적인
유의 **basis** 명 기초, 토대
숙어 **be based on[upon]** ~에 근거[토대]를 두다

1299

deposit
[dipázit]

명 예금(액), 보증금 동 1. 예금하다 2. 두다, 맡기다

I will lose my **deposit** if I cancel my reservation.
내가 예약을 취소하면, 나는 보증금을 잃게 된다.

어원 plus +

de (down) + pos(it) (put) → 아래에 두다[두고 가다] → 두다, 맡기다

유의 **place** 동 두다, 맡기다
반의 **withdraw** 동 인출하다

1300 혼동어휘

observe
[əbzə́:rv]

동 1. 보다, 관찰하다 2. 준수하다, 지키다

The police **observed** the suspect enter the shopping mall.
경찰은 용의자가 쇼핑몰에 들어가는 것을 보았다.

내신 UP

Q3.
문맥상 알맞은 단어를 고르시오.

Many people feel that rainforests must be **[observed / preserved]**.

1301 혼동어휘

preserve
[prizə́:rv]

동 1. 보존하다, 지키다 2. 저장하다

He suggested ways to **preserve** historically important buildings.
그는 역사적으로 중요한 건물들을 보존할 방법들을 제안했다.

1302 혼동어휘

reserve
[rizə́:rv]

동 1. 예약하다 2. 비축하다
명 1. 비축(물) 2. 보호 구역

I'd like to **reserve** a table for three for eight o'clock.
8시에 세 사람 자리를 예약하고 싶습니다.

1303

infinite
[ínfənit]

형 무한한

Painters have an **infinite** range of colors at their disposal. 학평 기출
화가들은 무한한 범위의 색을 마음대로 사용할 수 있다.

파생 **infinity** 명 무한함, 무한대
유의 **boundless** 형 끝이 없는
반의 **finite** 형 유한의, 한정된
limited 형 한정된

1304

thermometer [θərmɑ́mitər]

명 온도계, 체온계

He checked the **thermometer** before turning up the heat in the room.
그는 방의 온도를 올리기 전에 온도계를 확인했다.

1305

overflow [òuvərflóu]

동 넘치다, 넘쳐흐르다
명 [óuvərflòu] 넘침, 초과됨

The waste bin was **overflowing** with plastic cups.
쓰레기통은 플라스틱 컵으로 넘쳐나고 있었다.

어원 plus+

over (above: ~ 이상으로) + flow (흐르다) → ~ 이상으로 흐르다 → 넘치다, 넘쳐흐르다

유의 **spill over** 넘치다

1306

fancy [fǽnsi]

형 1. 화려한, 장식이 많은 2. 고급의
명 상상, 공상

You can find **fancy** dresses for special occasions in this website.
이 웹사이트에서 특별한 날을 위한 화려한 드레스를 찾을 수 있다.

유의 **extravagant** 형 화려한
decorative 형 장식이 된
fantasy 명 공상, 상상
반의 **plain** 형 수수한, 평범한

1307 다의어

spell [spel]

동 철자를 말하다[쓰다]
명 마법, 주문

It would take too long to write and read if they had to **spell** everything out. 학평 기출
만약 그들이 모든 것의 철자를 다 말해야 한다면, 쓰고 읽는 데 너무 오래 걸릴 것이다.

The wizard cast a **spell** on the king and started to control him.
그 마법사는 왕에게 마법을 걸어 그를 조종하기 시작했다.

내신 UP

Q4.
밑줄 친 단어의 뜻으로 알맞은 것은?

I find it difficult to spell her family name correctly.

① 철자를 쓰다 ② 주문

1308

determine [ditə́ːrmin]

동 결정하다, 결심하다

These distances **determine** the functioning of the so-called 'flight or fight' mechanism. 학평 기출
이러한 거리는 소위 '도주 또는 공격' 메커니즘의 기능을 결정짓는다.

파생 **determination** 명 결정
determined 형 단호한, 결연한
유의 **decide** 동 결정[결심]하다
resolve 동 결심[결의]하다
숙어 **determine to-v**
~하기로 결정[결심]하다

1309

construct
[kənstrʌ́kt]

동 1. 건설하다 2. 구성하다

They're supposed to **construct** more bridges to reduce traffic.
교통량을 감소시키기 위해 더 많은 다리를 건설하기로 되어 있다.

파생 construction 명 건설, 구조
constructive 형 건설적인, 구조[구성]적인
유의 build 동 건설하다
compose 동 구성하다
반의 demolish 동 (건물을) 철거하다

1310

besides
[bisáidz]

전 ~ 외에(도)
부 게다가, 뿐만 아니라

Besides working as a nurse, she also plays the violin in her spare time.
간호사로 일하는 것 외에, 그녀는 여가 시간에 바이올린도 연주한다.

유의 aside from ~ 외에도
in addition 게다가

1311

maximum
[mǽksəməm]

명 최고, 최대
형 최고의, 최대의

Having a minimum of restrictions and a **maximum** of possibilities is fine. 학평 기출
최소한의 제약과 최대한의 가능성을 두는 것은 괜찮다.

파생 maximize 동 극대화하다
유의 peak 명 최고점, 최대량 형 최고의
반의 minimum 명 최소한도, 최저 형 최소의

1312

potential
[pəténʃəl]

형 잠재적인, 가능성이 있는
명 잠재력, 가능성

Potential customers are patiently waiting for a discount.
잠재적 고객들이 끈기 있게 할인을 기다리고 있다.

파생 potentially 부 잠재적으로, 아마도
유의 possible 형 가능성 있는

1313

journal
[dʒə́ːrnəl]

명 1. 신문, 저널, 학술지 2. 일기

She taught French in public schools and worked as a **journal** editor. 학평 응용
그녀는 공립 학교에서 프랑스어를 가르쳤고, 신문 편집자로 일했다.

파생 journalist 명 기자, 저널리스트
유의 diary 명 일기

1314

alter
[ɔ́ːltər]

동 바꾸다, 변경하다

The new app **altered** the way we trade products.
그 새로운 앱이 우리가 제품을 거래하는 방식을 바꾸었다.

파생 alteration 명 변화, 개조
유의 change 동 바꾸다
modify 동 변경하다
반의 preserve 동 지키다

1315

tolerate
[tάlərèit]

동 참다, 견디다, 용인하다

The manager will not **tolerate** his behavior any longer.
관리자가 그의 행동을 더 이상 용인하지 않을 것이다.

파생 **tolerance** 명 용인, 아량
tolerant 형 잘 견디는, 관대한
유의 **endure** 동 참다, 견디다
put up with 참다

1316

background
[bǽkgràund]

명 1. 배경 2. 배후 사정

If you know people from different **backgrounds**, your life becomes more colorful. 학평 응용
각기 다른 배경의 사람들을 알게 되면 당신의 인생은 더 다채로워진다.

1317

compact
[kəmpǽkt]

형 1. 소형의, (공간이) 작은 2. 조밀한

Compact cars are useful in the crowded city.
혼잡한 도시에서는 소형차가 유용하다.

어원 plus+

com (together) + pact (fasten) → 함께 묶다 → 조밀한, 꽉 찬

유의 **small** 형 작은
dense 형 빽빽한

고등 필수 숙어

1318

check over

점검하다, 검사하다

Check over your application form before you submit it.
신청서를 제출하기 전에 점검하라.

Q5.
다음 빈칸에 알맞지 않은 숙어는?

Make sure you ________ the contract carefully before you sign it.

① go over
② turn over
③ look over

1319

go over

잘 살펴보다, 검토하다

They **went over** the script before the rehearsal.
그들은 리허설 전에 대본을 검토했다.

1320

look over

대강 훑어보다, 검토하다

His colleagues asked him to **look over** some figures before a meeting. 학평 응용
동료들은 그에게 회의 전에 일부 수치를 검토해 달라고 요청했다.

Daily Test 33

정답 p. 360

A 우리말은 영어로, 영어는 우리말로 쓰시오.

01 온도계, 체온계 ______________

02 대사관 ______________

03 무한한 ______________

04 하품(하다) ______________

05 의심하다; 용의자 ______________

06 넘치다, 넘쳐흐르다 ______________

07 혁신하다, 쇄신하다 ______________

08 construct ______________

09 compact ______________

10 alter ______________

11 preserve ______________

12 grave ______________

13 recover ______________

14 determine ______________

B 빈칸에 알맞은 단어를 쓰시오. (필요시 형태를 바꿀 것)

서술형

01 They all waited in s__________ for the judges to announce the winner.
그들은 모두 심사위원들이 우승자를 발표하기를 긴장하며 기다렸다.

02 She has the a__________ to make decisions about her father's medical care.
그녀는 아버지의 의료적 치료에 대해 결정할 권한을 가진다.

03 Thrilled, Samantha l__________ __________ the paperwork outlining her first sales.
Samantha는 흥분하여 그녀의 첫 판매를 기록한 서류를 훑어보았다.

C 각 단어의 유의어 혹은 반의어를 쓰시오.

01 동 tolerate 유의 e______________

02 동 deposit 반의 w______________

03 동 count 유의 c______________

04 형 narrow 반의 b______________

05 형 concrete 유의 s______________

06 형 fancy 반의 p______________

VOCA CLEAR

DAY 34

시험에 더 강해지는 어휘

1321

globe
[gloub]

명 1. ((the)) 지구, 세계 2. 구체

The writer has been traveling all around the **globe** for 10 years.
그 작가는 10년째 전 세계를 여행하고 있다.

파생 global 형 지구의, 전 세계의
유의 world 명 세계
sphere 명 구체

1322

emerge
[imə́ːrdʒ]

동 1. 나오다, 나타나다 2. (사실 등이) 드러나다

We'll let you know if any more details of the case **emerge**.
사건의 더 자세한 내용이 나오면 당신에게 알려 드리겠습니다.

파생 emergence 명 출현, 발생
유의 appear 동 나타나다
반의 vanish 동 사라지다
숙어 emerge from ~에서 나오다

1323

audition
[ɔːdíʃən]

명 오디션
동 오디션을 하다[받다]

She had an **audition** for the City Choir on Friday.
그녀는 금요일에 시립 합창단의 오디션을 봤다.

1324 다의어

complex
[kάmpleks]

형 복잡한
명 1. 복합 건물, 단지 2. 콤플렉스, 강박 관념

It takes patience to perform **complex** tasks.
복잡한 일을 하는 데에는 인내가 필요하다.

They canceled the plan to construct a sports **complex** in the town.
그들은 그 도시에 스포츠 복합 건물을 건립할 계획을 취소했다.

He has a **complex** about his looks.
그는 외모에 콤플렉스가 있다.

내신 UP

Q1.
밑줄 친 단어의 뜻으로 알맞은 것은?

The woman has a complex about her hair.

① 복잡한 ② 단지 ③ 콤플렉스

1325

amaze
[əméiz]

동 (대단히) 놀라게 하다

The customer was **amazed** to see tears in the eyes of the man. 학평 응용
손님은 그 남자의 눈에 고인 눈물을 보고 깜짝 놀랐다.

파생 amazed 형 놀란
amazing 형 놀라운
유의 surprise 동 놀라게 하다

1326

instinct
[instíŋkt]

명 1. 본능 2. 직감

Ducklings have the **instinct** to follow their mother.
새끼 오리들은 엄마 오리를 따라가는 본능을 갖고 있다.

파생 **instinctive** 형 본능적인
유의 **intuition** 명 직감, 직관(력)
숙어 **by instinct** 본능적으로

1327

waterproof
[wɔ́:tərprù:f]

형 방수의 명 방수복
동 방수 처리를 하다

This watch is **waterproof**, so you can wear it while swimming.
이 시계는 방수가 돼서 수영하는 동안 착용할 수 있다.

1328

submit
[səbmít]

동 1. 제출하다 2. 항복[굴복]하다

Just **submit** a selfie of yourself enjoying science outside of school! 학평 응용
학교 밖에서 과학을 즐기고 있는 자신의 셀카 사진을 제출하세요!

어원 plus +

sub (under) + mit (send) → (문서를) 내려보내다, (사람을) 아래로 보내다 → 제출하다, 굴복하다

파생 **submission** 명 제출, 항복[굴복]
유의 **hand in** 제출하다
surrender 동 항복하다
yield 동 굴복하다
반의 **resist** 동 저항하다

1329

philosophy
[filɑ́səfi]

명 철학

Descartes is regarded as the founder of modern **philosophy**.
Descartes는 현대 철학의 창시자로 여겨진다.

파생 **philosopher** 명 철학자
philosophical 형 철학의, 철학에 관련된

1330

eternal
[i(:)tə́:rnəl]

형 영원한, 끊임없는

Countless people have tried to seek **eternal** life throughout history.
역사를 통틀어 수많은 사람들이 영원한 삶을 찾으려고 노력했다.

파생 **eternity** 명 영원
유의 **everlasting** 형 영원한
permanent 형 영구적인
반의 **temporary** 형 일시적인

1331

inform
[infɔ́:rm]

동 알리다, 통지하다

The main purpose of food labels is to **inform** you of what is inside the food. 학평 기출
식품 라벨의 주된 목적은 그 식품 안에 무엇이 있는지를 당신에게 알려주는 것이다.

파생 **information** 명 정보
informative 형 유익한 (정보를 주는)
유의 **notify** 동 알리다
숙어 **inform A to B** A를 B에게 알리다

1332

tough
[tʌf]

형 1. 강한, 튼튼한 2. 힘든, 고된 3. (음식이) 질긴

He has been having a **tough** time since he failed the job interview.
그는 취업 면접에서 탈락한 후로 힘든 시간을 보내고 있다.

유의 **strong** 형 강한
hard 형 힘든
rough 형 힘든, 거친
반의 **soft** 형 부드러운, 연한

1333

modify
[mάdəfài]

동 수정하다, 변경하다

The scientists have genetically **modified** crops to have a greater yield.
과학자들은 더 많은 수확량을 얻기 위해 유전적으로 작물들을 변형시켰다.

파생 **modification** 명 수정[변경]
유의 **alter** 동 변경하다
revise 동 수정[변경]하다

1334

arrow
[ǽrou]

명 1. 화살 2. 화살표

The king killed the deer with just one shot of his **arrow**. 학평 응용
왕은 단 한 발의 화살로 그 사슴을 잡았다.

1335

startled
[stάːrtld]

형 (깜짝) 놀란

When he heard the doorbell, he jumped up with **startled** eyes.
그는 초인종 소리를 듣자 놀란 눈으로 벌떡 일어났다.

파생 **startle** 동 깜짝 놀라게 하다
유의 **surprised** 형 놀란
shocked 형 깜짝 놀란

1336

outlet
[áutlet]

명 1. 출구, 배출구 2. 아웃렛[직판점] 3. 콘센트

We will seek to find **outlets** for our unused attention. 학평 기출
우리는 사용되지 않은 주의력의 배출구를 찾으려 할 것이다.

어원 plus +

out (outside) + let (~하게 하다) → 밖으로 나가게 하다, 내보내다 → 배출구

1337

indifferent
[indífərənt]

형 무관심한

He appeared **indifferent** to what was going on around him.
그는 주변에 일어나는 일에 대해 무관심해 보였다.

파생 **indifference** 명 무관심
유의 **unconcerned** 형 무관심한
반의 **caring** 형 배려하는
concerned 형 염려하는

1338

starve
[stɑːrv]

동 굶주리다, 굶어 죽다

There are still many people who **starve** to death every day.
매일 기아로 죽는 사람들이 여전히 많이 있다.

파생 **starvation** 명 기아, 굶주림
숙어 **starve to death** 굶어 죽다

1339

mission
[míʃən]

명 1. 특별 임무[사명] 2. 선교

Your **mission** is to become better today than you were yesterday. 학평 기출
여러분의 임무는 어제보다 오늘 더 나아지는 것이다.

파생 **missionary** 명 선교사 형 선교의
유의 **vocation** 명 소명
assignment 명 임무, 과제

1340 혼동어휘

precious
[préʃəs]

형 1. 귀중한, 값비싼 2. 소중한

Her most **precious** possession is her pearl necklace.
그녀의 가장 귀중한 소유품은 그녀의 진주 목걸이이다.

내신 UP

Q2.
문맥상 알맞은 단어를 고르시오.

The **[precious / previous]** owner of the house left a trampoline in the backyard.

1341 혼동어휘

previous
[príːviəs]

형 앞의, 이전의

No **previous** experience is necessary for this kind of work.
이런 종류의 일에는 이전 경험이 전혀 필요하지 않다.

1342

increase
[inkríːs]

동 증가하다[시키다]
명 [ínkriːs] 증가, 인상

Bad lighting can **increase** stress on your eyes. 학평 기출
나쁜 조명은 여러분의 눈에 스트레스를 증가시킬 수 있다.

파생 **increasingly** 부 점점 더
유의 **rise** 동 오르다[올리다] 명 증가[상승]
반의 **decrease** 동 감소하다[시키다] 명 감소[하락]

1343

belongings
[bilɔ́(ː)ŋiŋz]

명 소지품, 소유물, 재산

She had lost all of her **belongings** and had only $5 in cash.
그녀는 소지품을 모두 잃어버렸고 현금 5달러만 가지고 있었다.

파생 **belong** 동 (~의) 소유이다 ((to))
유의 **possessions** 명 소지품

1344

target
[tɑ́:rgit]

명 목표(물), 과녁
동 목표로 삼다, 겨냥하다

The bombs would hit farther from their **targets** every time they fell. 학평 응용
폭탄은 떨어질 때마다 목표물에서 더 먼 곳을 맞히곤 했다.

유의 **goal** 명 목표
mark 명 목표물, 표적
숙어 **on target** 적중한, 예상대로의

1345 다의어

cast
[kæst]

동 1. 던지다 2. 배역을 정하다[맡기다] 3. 주조하다
명 1. 출연진 2. 거푸집 3. 깁스

The chest full of gold was **cast** into the ocean.
금으로 가득 찬 상자가 바닷속으로 던져졌다.

They wanted to **cast** her in the role of a ghost.
그들은 그녀를 유령 역할로 배역을 맡기고 싶어 했다.

I broke my leg, so I have to wear a **cast** for four weeks.
다리가 부러져서 나는 4주 동안 깁스를 해야 한다.

내신 UP

Q3.
밑줄 친 단어의 뜻으로 알맞은 것은?

Everyone in the cast was a great actor except the leading role.

① 출연진 ② 거푸집 ③ 깁스

1346

suitable
[sjú:təbl]

형 적절한, 적합한

The board has been looking for a person **suitable** for the job.
위원회는 그 일에 적합한 사람을 찾고 있다.

파생 **suit** 동 어울리다
유의 **appropriate** 형 적절한
proper 형 적절한
반의 **unsuitable** 형 부적합한
숙어 **suitable for** ~에 알맞은[적당한]

1347

charity
[tʃǽrəti]

명 1. 자선 (단체) 2. 너그러움, 자비(심)

The **charity** auction for the Children's Hospital will be held this Sunday.
아동 병원을 위한 자선 경매가 이번주 일요일에 열릴 것이다.

유의 **generosity** 명 관대함

1348

disabled
[diséibld]

형 장애가 있는

The politician showed no sympathy for the poor or **disabled**.
그 정치가는 가난한 사람들이나 장애인들에게 동정을 보이지 않았다.

파생 **disable** 동 장애를 입히다
disability 명 장애
유의 **handicapped** 형 장애가 있는

1349

fiction
[fíkʃən]

명 1. 소설 2. 꾸며낸 이야기, 허구, 날조

She is more famous as an editor than as a **fiction** writer. 학평 응용
그녀는 소설가로서보다 편집자로 더 유명하다.

파생 **fictional** 형 소설의, 허구적인
유의 **novel** 명 소설
invention 명 허구, 날조
반의 **non-fiction** 명 논픽션, 실화
fact 명 사실

1350

straighten
[stréitən]

동 곧게 하다, 똑바르게 하다

You should **straighten** your back when you work on your computer.
컴퓨터로 작업할 때는 등을 곧게 펴야 한다.

파생 **straight** 형 곧은, 똑바른

1351 혼동어휘

loyal
[lɔ́iəl]

형 충성스러운, 충실한

The knights have been always **loyal** to the queen.
기사들은 항상 여왕에게 충성해 왔다.

1352 혼동어휘

royal
[rɔ́iəl]

형 왕[여왕]의, 왕실의

When she was 17, she attended the **Royal** Dramatic Theater School in Stockholm. 학평 기출
그녀는 열일곱 살 때 스톡홀름에 있는 왕립 연극 학교에 다녔다.

내신 UP

Q4.
문맥상 알맞은 단어를 고르시오.

You need to understand that Henry has been **[loyal / royal]** to this organization for two years.

1353

judgment
[dʒʌ́dʒmənt]

명 1. 판단(력) 2. 판결[심판]

It seems difficult to make a **judgment** on the matter.
그 문제에 대해 판단을 하기에 어려워 보인다.

파생 **judge** 동 판단[판결]하다 명 판사, 심판
유의 **decision** 명 판결, 결정
숙어 **reserve judgment** 판단을 보류하다

1354

shift
[ʃift]

명 1. 변화 2. 교대 근무
동 1. 바꾸다 2. 이동하다[시키다]

There was an abrupt **shift** in public opinion about the policy.
그 정책에 대한 여론의 갑작스러운 변화가 있었다.

유의 **switch** 명 변경, 전환 동 바꾸다
move 동 바꾸다, 이동하다[시키다]

1355

capture
[kǽptʃər]

동 1. 붙잡다, 포획하다 2. 포착하다
3. (관심 등을) 사로잡다

The hunters have tried to **capture** the wolves for a week.
사냥꾼들은 일주일 동안 그 늑대들을 포획하려고 노력했다.

유의 **catch** 동 붙잡다
seize 동 붙잡다, 포착하다
반의 **release** 동 풀어 주다

1356

folk
[fouk]

형 민속의, 전통적인
명 사람들

His novel is based on an old Irish **folk** tale.
그의 소설은 오래된 아일랜드 민간 설화를 바탕으로 한다.

1357

document
[dɑ́kjəmənt]

명 문서, 서류
동 [dɑ́kjəmènt] 기록하다

The detailed specifications are described in the attached **document**.
자세한 사양은 첨부된 문서에 설명되어 있습니다.

파생 **documentary** 명 기록 영화, 다큐멘터리 형 문서의, 서류의
documented 형 문서로 기록된
유의 **record** 동 기록하다

고등 필수 숙어

1358

keep away (from)

~을 멀리하다, 가까이 하지 않다

Do you advise your kids to **keep away from** strangers? 학평 기출
자녀에게 낯선 사람을 멀리하라고 조언합니까?

Q5.
다음 빈칸에 알맞은 숙어는?

Don't __________ from a barking dog; it will chase after you.

① keep away
② pass away
③ run away

1359

pass away

사망하다[돌아가시다]

Her family is in grief as her grandmother **passed away**.
그녀의 가족은 할머니가 돌아가셔서 슬픔에 빠져 있다.

1360

run away

도망치다

In today's world, it is impossible to **run away** from distractions. 학평 기출
오늘날의 세상에서는, 주의를 산만하게 하는 것으로부터 도망치는 것이 불가능하다.

Daily Test 34

정답 p. 361

A 우리말은 영어로, 영어는 우리말로 쓰시오.

01 화살, 화살표 ____________

02 무관심한 ____________

03 철학 ____________

04 충성스러운, 충실한 ____________

05 알리다, 통지하다 ____________

06 자선 (단체), 너그러움 ____________

07 굶주리다, 굶어 죽다 ____________

08 suitable ____________

09 shift ____________

10 folk ____________

11 belongings ____________

12 precious ____________

13 modify ____________

14 submit ____________

B 빈칸에 알맞은 단어를 쓰시오. (필요시 형태를 바꿀 것)

서술형

01 They accepted the gap between rich and poor has i____________ for decades.
그들은 수십 년 동안 빈부 격차가 증가해 왔다는 것을 인정했다.

02 The man wasted an opportunity to make up for his p____________ mistake.
그 남자는 이전의 실수를 만회할 기회를 낭비해 버렸다.

03 When he was eight years old, his father died, and less than a year after this tragedy, his mother p____________ ____________.
그가 8살이었을 때, 그의 아버지가 돌아가셨고, 이 비극이 있은 지 1년도 안 되어, 그의 어머니가 돌아가셨다.

C 각 단어의 유의어 혹은 반의어를 쓰시오.

01 명 instinct 유의 i____________

02 동 capture 반의 r____________

03 형 disabled 유의 h____________

04 형 eternal 반의 t____________

05 형 tough 유의 r____________

06 동 emerge 반의 v____________

VOCA CLEAR

DAY 35

1361

routine
[ruːtíːn]

명 **틀에 박힌 일, 일상**
형 **1. 일상적인 2. 진부한**

Make exercise a part of your daily **routine.**
운동을 일과의 한 부분이 되도록 하라.

시험에 더 강해지는 어휘

유의 **everyday** 형 일상적인
conventional 형 판에 박힌, 진부한

1362

strict
[strikt]

형 **1. 엄격한 2. 엄밀한**

He grew up under his father's **strict** discipline.
그는 아버지의 엄격한 훈육 아래 자랐다.

파생 **strictly** 부 엄하게
유의 **stern** 형 엄격한
precise 형 엄밀한

1363 다의어

match
[mætʃ]

동 **1. 어울리다 2. 일치하다**
명 **1. 시합 2. 맞수 3. 성냥**

His fingerprints didn't **match** those found at the crime scene.
그의 지문은 그 범죄 현장에서 발견된 지문들과 일치하지 않았다.

Though it was a friendly **match,** both sides played fiercely.
친선 경기였음에도 불구하고 양편은 치열하게 경기했다.

Jake is no **match** for Kelly at golf.
Jake는 골프에서 Kelly의 맞수가 못 된다.

내신 UP

Q1.
밑줄 친 단어의 뜻으로 알맞은 것은?
It is not safe for kids to play with matches.
① 시합 ② 맞수 ③ 성냥

1364

association
[əsòusiéiʃən]

명 **1. 협회, 단체 2. 연관, 연관성**

There are several **associations** devoted to breeding rats. 학평 응용
쥐를 사육하는 데 전념하는 여러 협회들이 있다.

파생 **associate** 동 연관시키다
유의 **organization** 명 조직, 단체
숙어 **in association with** ~와 관련하여

1365

bleed
[bliːd]

동 **피를 흘리다**

He was **bleeding** from a wound in his head.
그는 머리에 입은 상처에서 피를 흘리고 있었다.

파생 **blood** 명 피, 혈액
bloody 형 피투성이의, 피의

1366

nerve
[nəːrv]

명 1. 신경 2. 용기 3. ((-s)) 신경과민

Nerve damage may result in loss of sensation.
신경 손상은 감각 상실을 초래할 수 있다.

파생 **nervous** 형 신경(성)의, 긴장한, 초조한
숙어 **get on one's nerves** 신경을 거슬리게 하다

1367

rare
[rɛər]

형 1. 드문, 희귀한 2. (고기가) 살짝 익힌

It's extremely **rare** for her to be late for work.
그녀가 늦게 출근하는 일은 극도로 드물다.

파생 **rarely** 부 드물게, 거의 ~하지 않는
유의 **unusual** 형 드문
반의 **common** 형 흔한

1368

passenger
[pǽsəndʒər]

명 승객

We use facial recognition technology to confirm the identities of international **passengers**.
저희는 국제선 승객들의 신원을 확인하기 위해 얼굴 인식 기술을 사용합니다.

1369 혼동어휘

absorb
[əbzɔ́ːrb]

동 1. 흡수하다 2. 몰두하게 하다

This case will **absorb** the shock if you drop your phone.
이 케이스는 휴대폰을 떨어뜨리면 충격을 흡수할 것이다.

내신 UP

Q2.
문맥상 알맞은 단어를 고르시오.

Yong was **[absorbed / absurd]** in writing new songs for his band.

1370 혼동어휘

absurd
[əbsə́ːrd]

형 1. 터무니없는, 어리석은 2. 불합리한

Their claim is so **absurd** that it could ruin the whole system.
그들의 주장은 너무 터무니없어서 그것이 전체 체계를 망칠 수도 있다.

1371

isolate
[áisəlèit]

동 고립시키다, 격리하다

Anyone who has been in contact with the patient should be **isolated** for two weeks.
그 환자와 접촉한 사람은 누구나 2주간 격리되어야 한다.

파생 **isolation** 명 고립, 격리
isolated 형 고립된
유의 **separate** 동 떼어 놓다

1372

knowledge
[nɑ́lidʒ]

명 1. 지식 2. 인식, 이해

Remember, research is supposed to produce new **knowledge.** 학평 기출
연구는 새로운 지식을 생산해야 한다는 것을 기억하라.

파생 know 동 알다
유의 understanding 명 이해
반의 ignorance 명 무지

1373

fluid
[flúː(ː)id]

명 유체, 유동체
형 유동체의

The sticky **fluid** on the desk left a stain.
책상 위에 있는 끈적한 액체가 자국을 남겼다.

어원 plus+

flu (flow: 흐르다) + id (명사형 접미사) → 흐르는 것 → 유체, 액체

유의 liquid 명 형 액체(의)
반의 solid 명 형 고체(의)

1374

likewise
[láikwàiz]

부 똑같이, 마찬가지로

If you help others when they're struggling, they will do **likewise.**
만약 당신이 다른 사람들이 힘들 때 도와준다면 그들도 똑같이 할 것입니다.

유의 similarly 부 마찬가지로
the same ~와 마찬가지로

1375

referee
[rèfəríː]

명 심판
동 심판을 보다

The **referee** blew his whistle, ending the game.
심판이 휘슬을 불었고 경기는 끝났다.

1376

adjust
[ədʒʌ́st]

동 1. 조정[조절]하다 2. 적응하다

Push the button to **adjust** the speed.
버튼을 눌러 속도를 조절하라.

파생 adjustment 명 조정, 적응
유의 modify 동 조정하다
adapt 동 적응하다
숙어 adjust to ~에 적응하다

1377

enemy
[énəmi]

명 적, 적군

The animal changes its skin color to protect itself from **enemies.**
그 동물은 적들로부터 자신을 보호하기 위해 피부색을 바꾼다.

유의 foe 명 적
opponent 명 적수, 상대
반의 ally 명 동맹자, 협력자

1378

elect
[ilékt]

동 (투표로) 선출하다, 선거하다
형 선출된

Mr. Johnson was **elected** as the second president of our club.
Johnson 씨는 우리 동호회의 두 번째 회장으로 선출되었다.

파생 **election** 명 선거, 투표
유의 **vote in** 선출하다
select 동 선출하다
selected 형 선발된

1379

chilly
[tʃíli]

형 1. 쌀쌀한, 추운 2. 냉랭한, 쌀쌀맞은

The weather today is quite **chilly** for May.
오늘 날씨는 5월 치고는 꽤 쌀쌀하다.

파생 **chill** 명 냉기, 한기
유의 **cold** 형 추운
unfriendly 형 쌀쌀맞은
반의 **warm** 형 따뜻한

1380 혼동어휘

welfare
[wélfὲər]

명 복지, 행복, 번영

A social **welfare** system provides assistance to people in need.
사회 복지 제도는 도움을 필요로 하는 사람들에게 도움을 제공한다.

내신 UP

Q3.
문맥상 알맞은 단어를 고르시오.
We will try to promote the **[welfare / farewell]** of all citizens.

1381 혼동어휘

farewell
[fὲərwél]

명 작별 (인사)

A **farewell** party for Jake will be held next Friday.
다음 주 금요일에 Jake를 위한 송별회가 열릴 것이다.

1382

dare
[dεər]

동 감히 ~하다, ~할 용기가 있다

She hadn't **dared** to break eye contact with the words on the pages. 학평 기출
그녀는 페이지에 있는 단어들로부터 눈을 뗄 용기가 없었다.

파생 **daring** 형 대담한
유의 **venture** 동 과감히 ~하다
숙어 **dare to-v** 감히 ~하다

1383

conflict
[kάnflikt]

명 갈등, 충돌
동 [kənflíkt] 대립하다, 충돌하다

Culture and gender may affect the way people respond to **conflict**. 학평 응용
문화와 성별은 사람들이 갈등에 반응하는 방식에 영향을 미칠 수 있다.

유의 **clash** 명 동 충돌(하다)
숙어 **in conflict with**
~와 충돌하는[모순되는]

1384

dramatic
[drəmǽtik]

형 1. 극적인, 연극같은 2. 연극의, 희곡의, 각본의

The company has suffered from a **dramatic** drop in profits.
회사는 수익에 있어 극적인 감소로 어려움을 겪고 있다.

파생 **drama** 명 연극, 희곡
dramatically 부 극적으로
유의 **striking** 형 두드러지는
impressive 형 인상적인

1385 다의어

content
[kɑ́ntent]

명 1. 내용(물) 2. ((-s)) 목차 3. 함유량 4. ((컴퓨터)) 콘텐츠
형 [kəntént] 만족하는

Check the table of **contents** before choosing a book.
책을 고르기 전에 목차를 확인해라.

Laptops were the device most used by students to access digital **content**. 학평 응용
노트북은 학생들이 디지털 콘텐츠에 접근하는 데 가장 많이 사용되는 기기였다.

They should have been **content** with the final result.
그들은 최종 결과에 만족했어야 했다.

내신 UP

Q4.
밑줄 친 단어의 뜻으로 알맞은 것은?

I don't think the content of the course is suitable for children under 12.

① 내용 ② 목차 ③ 함유량

1386

release
[rilíːs]

동 1. 풀어 주다[석방하다] 2. 공개[발표]하다
명 1. 석방 2. 발표(물)

The man was **released** from prison last week after serving two years.
남자는 2년을 복역하고 지난 주 석방되었다.

유의 **discharge** 동 석방하다
set free 풀어 주다
issue 동 발표하다
반의 **imprison** 동 수감하다

1387

ingredient
[ingríːdiənt]

명 1. 재료, 성분 2. 구성 요소

Your challenge is to use a seasonal **ingredient** to create a delicious dish. 학평 기출
여러분의 과제는 제철 재료를 사용해서 맛있는 음식을 만드는 것이다.

유의 **component** 명 구성 요소, 성분

1388

precise
[prisáis]

형 정확한, 정밀한

The **precise** date and place of the poet's birth are unknown.
그 시인이 태어난 정확한 날짜와 장소는 알려져 있지 않다.

파생 **precisely** 부 정확히, 정밀하게
유의 **accurate** 형 정확한, 정밀한

1389

edit
[édit]

[동] 1. 편집하다 2. 수정하다

He used to write and **edit** Chinese dictionaries when he was young.
그는 젊었을 때 중국어 사전을 집필하고 편집했었다.

파생 **editor** [명] 편집자
edition [명] 판, 호[회]
유의 **revise** [동] 수정[개정]하다

1390

index
[índeks]

[명] 1. 지수, 지표 2. 색인

They scored about 50 percent higher on an **index** of risky driving. 학평 응용
그들은 위험 운전 지수에서 약 50퍼센트 더 높게 득점했다.

유의 **indicator** [명] 지표

1391

furious
[fjú(:)əriəs]

[형] 몹시 화가 난, 맹렬한

She was **furious** to find that she had missed the train.
그녀는 그녀가 기차를 놓친 것을 알고 몹시 화가 났다.

파생 **fury** [명] 분노, 격분
유의 **raging** [형] 격노한, 맹렬한
반의 **calm** [형] 평온한, 침착한

1392

transform
[trænsfɔ́ːrm]

[동] 변형시키다, 변화시키다

People build tools and machines that **transform** the way we live. 학평 응용
사람들은 우리가 사는 방식을 변화시키는 도구와 기계를 만든다.

어원 plus+

trans (across) + form (형성하다, 만들다) → 이쪽에서 저쪽으로 형성하다, 만들다 → 변형시키다

파생 **transformation** [명] 변형, 변화, 전환
유의 **change** [동] 변화시키다
alter [동] 변경하다, 바꾸다
숙어 **transform A into B**
A를 B로 변화시키다

1393

conductor
[kəndʌ́ktər]

[명] 1. 지휘자 2. 안내원 3. (열차의) 차장

Karajan was one of the most famous **conductors** in history.
Karajan은 역사상 가장 유명한 지휘자 중 한 사람이었다.

파생 **conduct** [동] 수행하다, 지휘하다
[명] 행동, 수행

1394

suck
[sʌk]

[동] 1. 빨다 2. 빨아들이다, 흡수하다

The vacuum cleaner **sucked** all of the dust out of the carpet.
진공청소기가 카펫의 먼지를 모두 빨아들였다.

파생 **suction** [명] 흡입, 빨아들이기

1395

socialize [sóuʃəlàiz]

동 1. (사람들과) 사귀다, 교제하다 2. 사회화하다

Your confidence will suffer if you can't **socialize** effectively. 학평 기출
당신이 효과적으로 사람들을 사귈 수 없다면 당신의 자신감은 상처받을 것이다.

파생 social 형 사회의
sociable 형 사교적인
유의 interact 동 교류하다

1396

signal [sígnəl]

명 신호
동 1. 신호를 보내다 2. 암시하다

Lying on the floor is a **signal** that a cat feels comfortable.
고양이가 바닥에 눕는 것은 편안하게 느끼고 있다는 신호이다.

유의 cue 명 동 신호(를 주다)
sign 명 동 신호(하다)
숙어 at a signal 신호로, 신호에 따라

1397

habitual [həbítʃuəl]

형 습관적인, 상습적인

The employee was fired for his **habitual** lateness.
그 직원은 상습적인 지각으로 해고되었다.

파생 habitually 부 습관적으로
유의 customary 형 습관적인, 관례인
accustomed 형 늘 하는, 익숙해진

고등 필수 숙어

1398

do away with ~을 처분하다, 폐지하다

Sometimes we need to **do away with** old customs.
때때로 우리는 오래된 관습을 폐지할 필요가 있다.

Q5.
다음 빈칸에 알맞은 숙어는?

He raised his voice because he couldn't __________ his son's attitude.

① do away with
② get on with
③ put up with

1399

get on with 1. ~을 해 나가다 2. ~와 잘 지내다

Simply accept that failure is part of the process and **get on with** it. 학평 기출
실패는 과정의 일부라는 사실을 받아들이고 계속 해 나가라.

1400

put up with 참다, 참고 견디다

He went to a hospital when he couldn't **put up with** the pain anymore.
그는 더 이상 고통을 참을 수 없을 때 병원에 갔다.

Daily Test 35

정답 p. 361

A 우리말은 영어로, 영어는 우리말로 쓰시오.

01 복지, 행복, 번영 ______________

02 습관적인, 상습적인 ______________

03 (투표로) 선출하다 ______________

04 엄격한, 엄밀한 ______________

05 고립시키다, 격리하다 ______________

06 승객 ______________

07 재료, 성분, 구성 요소 ______________

08 conductor ______________

09 absurd ______________

10 conflict ______________

11 association ______________

12 adjust ______________

13 likewise ______________

14 transform ______________

B 빈칸에 알맞은 단어를 쓰시오. (필요시 형태를 바꿀 것)

서술형

01 People choose food based not only on taste but also on nutritional c__________ and cost.
사람들은 맛뿐만 아니라 영양 함량과 비용에 기반하여 음식을 고른다.

02 Charcoal is widely used as a deodorant because it a__________ moisture and neutralizes odors.
숯은 습기를 흡수하고 냄새를 중화하기 때문에 탈취제로 널리 사용된다.

03 The car company has decided to d__________ __________ __________ the stock option system in October.
그 자동차 회사는 10월에 스톡옵션 제도를 폐지하기로 결정했다.

C 각 단어의 유의어 혹은 반의어를 쓰시오.

01 동 edit 유의 r__________

02 동 release 반의 i__________

03 형 precise 유의 a__________

04 형 rare 반의 c__________

05 명 fluid 유의 l__________

06 형 furious 반의 c__________

내신에 더 강해지는 TEST DAY 31-35

A 각 영영풀이에 알맞은 단어를 <보기>에서 찾아 쓰시오.

<보기>	grave	adjust	zealous	caution	emerge

01 to change something slightly to make it work better ____________

02 showing great energy and enthusiasm for something ____________

03 care that you take in order to avoid danger or mistakes ____________

04 very serious; giving you a reason to feel worried ____________

05 to move out of something and become possible to see ____________

B 다음 빈칸에 공통으로 알맞은 단어를 고르시오.

01 · Whether to eat meat or not is a ____________ of personal belief.
· Scientists calculated the entire amount of ____________ in the universe.

① stuff ② matter ③ manner ④ ingredient

02 · The doors can be manually ____________ in the event of fire.
· Surgeons ____________ on her for three hours to remove the bullets.

① counted ② switched ③ operated ④ recovered

03 · The actor doesn't ____________ the mental image I had of the character.
· The association banned players from drinking alcohol the night before a(n) ____________.

① match ② release ③ audition ④ triumph

정답 p. 361

C

다음 중 짝 지어진 단어의 관계가 나머지와 다른 하나를 고르시오.

01 ① spread : scatter ② former : latter ③ vertical : horizontal

02 ① fate : destiny ② likewise : similarly ③ artificial : natural

03 ① bury : burial ② submit : submission ③ imply : implicit

04 ① fancy : plain ② expose : disclose ③ construct : demolish

05 ① differ : coincide ② cheat : deceive ③ continuous : constant

D

우리말과 같은 의미가 되도록 <보기>의 단어를 이용하여 문장을 완성하시오. (필요시 형태를 바꿀 것)

<보기>	absorb	reserve	preserve	grant

01 나는 당연히 네가 우리와 함께 갈 것이라고 여겨서 너를 위해 티켓을 샀다.

→ I took it for ______________ that you'd come with us, so I bought a ticket for you.

02 그 감독은 원작 영화의 스타일을 완벽하게 보존하려고 노력했다.

→ The director has tried to ______________ the style of the original film perfectly.

03 그 집의 검정색 지붕은 낮 동안 많은 열을 흡수한다.

→ The black roof of the house ______________ a lot of heat during the day.

VOCA CLEAR

DAY 36

시험에 더 강해지는 어휘

1401

fond
[fɑnd]

형 좋아하는, 애정을 느끼는

She has many faults, but we're all **fond** of her.
그녀에게는 단점이 많지만 우리는 모두 그녀를 좋아한다.

유의 **loving** 형 애정 어린
숙어 **be fond of** ~을 좋아하다

1402

resource
[ríːsɔ̀ːrs]

명 1. 자원, 원천, 물자 2. 재료

At first glance, digital messages appear to save **resources.** 학평 기출
얼핏 보면 디지털 메시지가 자원을 절약하는 것처럼 보인다.

유의 **material** 명 재료

1403

commute
[kəmjúːt]

동 통근하다
명 통근 (거리)

It takes me about an hour to **commute** to work.
내가 직장까지 통근하는 데 대략 한 시간이 걸린다.

숙어 **commute to** ~로 통근하다
commute by subway 지하철로 통근하다

1404

aggressive
[əgrésiv]

형 공격적인, 적극적인

Many small businesses typically can't afford **aggressive** online campaigns. 학평 응용
많은 작은 사업체는 대개 공격적인 온라인 캠페인을 할 여유가 없다.

유의 **offensive** 형 공격적인
assertive 형 적극적인
반의 **defensive** 형 방어적인

1405

proceed
[prəsíːd]

동 1. (계속) 진행하다, 계속되다 2. 나아가다

She decided not to **proceed** with the treatment.
그녀는 그 치료를 계속 진행하지 않기로 결정했다.

어원 plus+

pro (forward) + ceed (go) → 앞으로 가다 → 진행하다

파생 **process** 명 과정, 진행
procedure 명 절차
유의 **progress** 동 진행하다
continue 동 계속되다[하다]

1406

bind
[baind]

동 1. 묶다 2. 결속시키다

She **bound** the package with brightly colored ribbon.
그녀는 그 꾸러미를 밝은 색깔의 리본으로 묶었다.

유의 **tie** 동 묶다
unite 동 결합시키다
반의 **unbind** 동 풀다
숙어 **bind A to B** A를 B에 묶다

1407

pirate
[páiərət]

명 1. 해적 2. 저작권 침해자
동 저작권을 침해하다, 표절하다

A group of **pirates** came looking for treasure on the island.
한 무리의 해적들이 섬에 있는 보물을 찾으러 왔다.

파생 **piracy** 명 해적질, 저작권 침해

1408 혼동어휘

priceless
[práislis]

형 값을 매길 수 없는, 대단히 귀중한

The room was full of **priceless** antiques.
그 방은 매우 귀중한 골동품들로 가득 차 있었다.

1409 혼동어휘

worthless
[wə́ːrθlis]

형 가치 없는, 쓸모없는

This stone looks like a diamond, but it's **worthless**.
이 돌은 다이아몬드처럼 보이지만, 가치가 없는 것이다.

내신 UP

Q1.
문맥상 알맞은 단어를 고르시오.

She found an old ring which looked **[priceless / worthless]**, but it turned out to be made of gold.

1410

flock
[flɑk]

명 떼, 무리
동 떼를 짓다, 모이다

A **flock** of tourists is lining up to see the *Mona Lisa*.
한 무리의 관광객들이 모나리자 그림을 보기 위해 줄을 서고 있다.

유의 **herd** 명 떼, 무리
crowd 명 무리, 군중
gather 동 모이다

1411

defend
[difénd]

동 1. 방어하다 2. 변호하다, 옹호하다

We need to raise the defense budget in order to **defend** ourselves.
우리는 방어를 위해 국방 예산을 늘려야 할 필요가 있다.

파생 **defense** 명 방어, 변호
defensive 형 방어적인
유의 **protect** 동 지키다, 보호하다
반의 **attack** 동 공격하다
숙어 **defend against** ~로부터 지키다

1412

skeleton
[skélitən]

명 1. 해골 2. 뼈대

The **skeleton** found last week turned out to be more than 50 years old.
지난 주에 발견된 해골은 50년 이상 된 것으로 밝혀졌다.

유의 **bones** 명 뼈대, 골자
framework 명 뼈대

1413 다의어

critical
[krítikəl]

형 1. 비판적인 2. 중대한, 결정적인 3. 위기의, 위독한

They are highly **critical** of the media.
그들은 매체에 대해 매우 비판적이다.

Praise is **critical** to a child's sense of self-esteem.
칭찬은 아이의 자존감에 중요하다.

The only survivor of the accident is in **critical** condition. 학평 응용
그 사고의 유일한 생존자는 위독한 상태이다.

내신 UP

Q2.
밑줄 친 단어의 뜻으로 알맞은 것은?

Faced with a critical decision, Eric needed some advice.

① 비판적인 ② 중대한 ③ 위기의

1414

exhaust
[igzɔ́:st]

동 1. 기진맥진하게 만들다 2. 다 써 버리다
명 배기가스

While proper stress can be beneficial, too much stress can **exhaust** you.
적절한 스트레스는 도움이 될 수 있지만, 과도한 스트레스는 당신을 지치게 할 수 있다.

파생 **exhaustion** 명 탈진, 기진맥진
exhausted 형 기진맥진한
exhausting 형 기진맥진하게 만드는

유의 **wear out** 지치게 만들다
use up 다 써 버리다

1415

slavery
[sléivəri]

명 노예 (신분), 노예 제도

Modern forms of **slavery** still exist in some parts of the world.
현대판 노예 제도가 여전히 세계 일부 지역에 존재한다.

파생 **slave** 명 노예
유의 **enslavement** 명 노예 상태
반의 **freedom** 명 자유로운 상태

1416

orbit
[ɔ́:rbit]

명 궤도
동 궤도를 돌다

A new satellite has been launched into **orbit** around the earth.
새로운 인공위성이 지구 주위의 궤도로 발사되었다.

숙어 **go into orbit** 궤도에 오르다

1417

flame
[fleim]

명 불길, 불꽃
동 활활 타오르다

He covered the pot with the lid to put out the **flames.** 학평 기출
그는 불길을 끄기 위해 뚜껑으로 냄비를 닫았다.

유의 fire 명 불, 불꽃

1418

purchase
[pə́ːrtʃəs]

동 구입하다, 구매하다
명 구입(품), 구매

You are far more likely to **purchase** items placed at eye level in the grocery store. 학평 기출
당신은 식료품점에서 눈높이에 놓여진 물건들을 구입할 가능성이 훨씬 더 높다.

유의 buy 동 구입하다
반의 sell 동 팔다

1419

conventional
[kənvénʃənəl]

형 관습적인, 전통적인

Consumers are turning against the **conventional** idea of beauty.
소비자들은 미에 대한 전통적인 견해에 등을 돌리고 있다.

파생 convention 명 관습
유의 customary 형 관례적인
traditional 형 전통적인
반의 unconventional 형 관습에 얽매이지 않는

1420

elegant
[éləgənt]

형 우아한, 고상한

The **elegant** swan is a symbol of beauty and love.
우아한 백조는 아름다움과 사랑의 상징이다.

파생 elegance 명 우아함, 고상함
유의 graceful 형 우아한

1421

preview
[príːvjùː]

명 1. 미리 보기, 사전 검토 2. 시사회, 예고편

We were invited to a sneak **preview** of the director's new movie.
우리는 그 감독의 신작 비공개 시사회에 초대받았다.

어원 plus +

pre (before) + view (보다) → 미리 봄 → 사전 검토, 시사회

유의 trailer 명 예고편

1422

struggle
[strʌ́gl]

동 애쓰다, 분투하다
명 노력, 분투

They **struggled** to receive recognition from their customers.
그들은 고객들로부터 인정을 받으려고 애썼다.

유의 strive 동 애쓰다, 분투하다
숙어 struggle to-v ~하려고 애쓰다

1423

cliff
[klif]

명 절벽, 낭떠러지, 벼랑

The car rolled over the edge of a **cliff**.
그 차는 절벽 끝에서 굴러 떨어졌다.

1424

tender
[téndər]

형 1. 다정한 2. 부드러운, 연한

She looked at her baby with a **tender** smile.
그녀는 다정한 미소를 지으며 아기를 바라보았다.

유의 **loving** 형 다정한
반의 **tough** 형 (음식이) 질긴

1425

heritage
[héritidʒ]

명 유산

The town takes pride in its architectural **heritage**.
그 도시는 건축 유산에 자부심을 가지고 있다.

유의 **legacy** 명 유산
inheritance 명 상속, 유산

1426 다의어

book
[buk]

동 예약하다
명 책

We can get a room much cheaper if we **book** early. 학평 기출
일찍 예약하면 방을 훨씬 싸게 구할 수 있다.

I'm reading a **book** about growing indoor plants.
나는 실내 식물을 키우는 것에 대한 책을 읽고 있다.

내신 UP

Q3.
밑줄 친 단어의 뜻으로 알맞은 것은?

To get tickets, you have to book in advance.

① 예약하다 ② 책

1427

roast
[roust]

동 굽다
명 구운 요리

He tried to **roast** the beef but ended up burning it.
그는 쇠고기를 구우려고 했지만 결국 태웠다.

1428

brilliant
[bríljənt]

형 1. 빛나는 2. (재능이) 뛰어난 3. 훌륭한, 멋진

You'll see a sky full of stars, shining like thousands of **brilliant** jewels. 학평 기출
너는 수천 개의 광채가 나는 보석처럼 빛나는 별들로 가득한 하늘을 보게 될 것이다.

파생 **brilliance** 명 광채
유의 **bright** 형 빛나는
intelligent 형 총명한
excellent 형 멋진

1429

wrap
[ræp]

동 싸다, 포장하다

I chose a small present that was **wrapped** in shiny silver foil. 학평 응용
나는 반짝이는 은색 포장지로 포장된 작은 선물을 선택했다.

반의 **unwrap** 동 (포장지 등을) 풀다
숙어 **wrap up** 마무리짓다

1430

illiterate
[ilítərit]

형 글을 모르는, 문맹의
명 문맹자

There are still 773 million **illiterate** adults around the world.
전 세계에는 여전히 문맹인 성인들이 7억 7,300만 명 있다.

파생 **illiteracy** 명 문맹
반의 **literate** 형 글을 읽고 쓸 줄 아는

1431 혼동어휘

leap
[liːp]

동 뛰어넘다, 도약하다
명 도약

The horse **leaped** the high fence and ran across the field.
그 말은 높은 울타리를 뛰어넘어 들판을 가로질러 달렸다.

내신 UP

Q4.
문맥상 알맞은 단어를 고르시오.

There was a huge **[leap / reap]** in the price of fuel.

1432 혼동어휘

reap
[riːp]

동 거두다, 수확하다

They hope to **reap** the fruits of all their hard work.
그들은 모든 노고가 성과를 거두기를 희망한다.

1433

insurance
[inʃú(ː)ərəns]

명 보험(금)

Does your **insurance** cover damage by fire or flooding?
당신의 보험은 화재나 홍수에 의한 피해를 보장하나요?

파생 **insure** 동 보험에 들다
숙어 **take out an insurance** 보험에 들다

1434

admire
[ədmáiər]

동 존경하다, 감탄하다

She **admired** the work of Edgar Degas and was able to meet him in Paris. 학평 기출
그녀는 Edgar Degas의 작품에 감탄했으며, 파리에서 그를 만날 수 있었다.

파생 **admiration** 명 존경, 감탄
admirable 형 감탄할 만한, 훌륭한
유의 **respect** 동 존경하다

1435

dip
[dip]

동 **살짝 담그다[적시다]**

It's wise to **dip** your toes in the water rather than dive in headfirst. 학평 기출
머리부터 뛰어들기보다는 발가락을 물에 살짝 담그는 것이 현명하다.

반의 **soak** 동 (흠뻑) 적시다

1436

molecular
[moulékjələr]

형 **분자의**

Researchers are trying to analyze its **molecular** structure.
학자들은 그 분자 구조를 분석하려고 노력 중이다.

파생 **molecule** 명 분자

1437

rotation
[routéiʃən]

명 **1. 회전 2. 순환, 교대 3. 자전**

We have day and night due to the **rotation** of the earth.
우리는 지구의 자전으로 인해 낮과 밤이 있다.

파생 **rotate** 동 회전하다, 돌다
유의 **turn** 명 회전
숙어 **in rotation** 차례로

고등 필수 숙어

1438

come over

1. (~에) 들르다 2. (기분·감정이) 들다

A group of students **came over** and began looking for their names on my picture. 학평 기출
한 무리의 학생들이 다가와 내 그림에서 자신의 이름을 찾기 시작했다.

내신 UP

Q5.
다음 빈칸에 알맞은 숙어는?

Stay home, get enough rest, and drink warm water if you want to __________ the flu quickly.

① come over
② get over
③ think over

1439

get over

1. 극복하다 2. 회복하다

She finally **got over** her fear of failure after having a conversation with her teacher.
그녀는 선생님과 대화를 나눈 후 마침내 실패에 대한 두려움을 극복했다.

1440

think over

숙고하다

You need to **think** it **over** before you make an offer.
제안을 하기 전에 심사숙고할 필요가 있다.

Daily Test 36

정답 p. 362

A 우리말은 영어로, 영어는 우리말로 쓰시오.

01 보험(금) ____________

02 분자의 ____________

03 묶다, 결속시키다 ____________

04 유산 ____________

05 공격적인, 적극적인 ____________

06 해골, 뼈대 ____________

07 진행하다, 나아가다 ____________

08 reap ____________

09 wrap ____________

10 orbit ____________

11 worthless ____________

12 commute ____________

13 struggle ____________

14 illiterate ____________

B 빈칸에 알맞은 단어를 쓰시오. (필요시 형태를 바꿀 것)

서술형

01 I dreamed that I fell off the edge of a c__________, and I heard it means that I'll be tall.

나는 절벽에서 떨어지는 꿈을 꾸었는데, 그것이 키가 클 것을 의미한다고 들었다.

02 When the mayor faced c__________ questions from the reporters, he was at a loss.

시장은 기자들로부터 비판적인 질문에 직면했을 때, 당황했다.

03 The pianist t__________ __________ the offer to record a new album.

그 피아니스트는 새 앨범을 녹음하자는 제안을 심사숙고했다.

C 각 단어의 유의어 혹은 반의어를 쓰시오.

01 동 admire 유의 r__________

02 동 purchase 반의 s__________

03 명 resource 유의 m__________

04 명 slavery 반의 f__________

05 형 brilliant 유의 b__________

06 동 defend 반의 a__________

VOCA CLEAR DAY 37

1441

vapor
[véipər]

명 증기, 수증기
동 증발하다[시키다]

A large amount of water will turn into **vapor**.
많은 양의 물이 수증기로 바뀔 것이다.

1442

pale
[peil]

형 1. 핏기 없는, 창백한 2. (색깔이) 옅은

She refused to wear the dress because she thought it made her look **pale**.
그녀는 그 드레스가 자신을 창백해 보이게 한다고 생각해서 입기를 거부했다.

1443

roar
[rɔːr]

동 1. 포효하다 2. 고함치다
명 포효

We heard the tigers **roaring** at one another.
우리는 호랑이들이 서로에게 포효하는 소리를 들었다.

1444 다의어

degree
[digríː]

명 1. 정도 2. (각도·온도계 등의) 도 3. 학위

He showed a high **degree** of interest in ancient paintings.
그는 고대 그림에 대한 높은 정도의 관심을 보였다.

It's expected to be hotter than 33 **degrees** Celsius today.
오늘은 33도보다 더 더울 것으로 예상된다.

She went on to earn a master's **degree** in elementary education. 학평 기출
그녀는 이어서 초등 교육 석사 학위를 취득했다.

1445

commit
[kəmít]

동 1. (죄·과실 등을) 저지르다 2. 전념[헌신]하다 3. 약속하다

People who **commit** such crimes should be punished.
그런 범죄를 저지르는 사람들은 처벌 받아야 한다.

시험에 더 강해지는 어휘

파생 **vaporize** 동 증발하다[시키다]

유의 **bloodless** 형 핏기 없는
light 형 옅은
반의 **deep** 형 짙은

유의 **yell** 동 고함치다
숙어 **roar with laughter** 크게 웃다

내신 UP

Q1.
밑줄 친 단어의 뜻으로 알맞은 것은?

You should accept responsibility to a certain degree.

① 정도 ② 각도 ③ 학위

파생 **commitment** 명 헌신, 약속, 범행
숙어 **be committed to** ~에 헌신하다

1446

industry
[índəstri]

명 산업, 제조업

Agriculture and tourism are still major **industries** in the country.
농업과 관광업은 여전히 그 나라의 주요 산업이다.

파생 industrial 형 산업[공업]의
industrious 형 부지런한
유의 manufacturing 명 제조업

1447

distract
[distrǽkt]

동 (주의를) 딴 데로 돌리다, 산만하게 하다

One of the thieves would **distract** people while his friend would steal clothes. 학평 기출
도둑들 중 한 명은 그의 친구가 옷을 훔치는 동안 사람들의 주의를 분산시킬 것이다.

어원 plus +

dis (away) + tract (draw) → (어떤 것으로부터) 멀리 끌어내다 → 딴 데로 돌리다, 산만하게 하다

파생 distraction 명 주의 산만
유의 divert 동 (생각을) 딴 데로 돌리다
반의 attract 동 (주의 등을) 끌다
숙어 distract A from B
A의 주의를 B에서 딴 데로 돌리다

1448

bar
[bɑːr]

명 1. 막대, 바 2. 술집
동 막다, 빗장을 치다

The room was tiny, with safety **bars** on the windows.
그 방은 아주 작았고, 창문에는 안전 막대가 쳐 있었다.

유의 pole 명 막대기

1449

merely
[míərli]

부 단지, 그저

The objective camera does not interpret the action but **merely** records it. 학평 응용
객관적인 카메라는 사건에 관해 해석하지 않고 그저 그것을 기록한다.

유의 only 부 단지

1450

sensible
[sénsəbl]

형 분별 있는, 현명한

It is always **sensible** to have a back-up plan.
예비 계획을 세우는 것은 언제나 현명한 일이다.

파생 sense 명 감각
유의 wise 형 현명한
reasonable 형 합리적인

1451

amuse
[əmjúːz]

동 즐겁게 하다

His funny drawings **amused** all the children.
그의 웃긴 그림들은 모든 아이들을 즐겁게 했다.

파생 amusement 명 재미, 놀이
amused 형 즐거워하는
amusing 형 즐거운
유의 entertain 동 즐겁게 하다

1452

organize
[ɔ́ːrɡənàiz]

동 1. 조직[구성]하다, 준비하다 2. 정리하다

He **organized** a fundraising campaign in his community. 학평 응용
그는 자신의 지역 사회에서 모금 운동을 조직했다.

파생 **organization** 명 조직, 단체
organized 형 조직적인, 정리된
유의 **arrange** 동 정리하다
반의 **disorganize** 동 조직을 파괴하다, 혼란시키다

1453

liver
[lívər]

명 간

The **liver** is the biggest organ in the human body.
간은 인체에서 가장 큰 장기이다.

1454

inevitable
[inévitəbl]

형 피할 수 없는, 필연적인

A rise in interest rates seems **inevitable**.
이자율 상승은 불가피한 것으로 보인다.

유의 **unavoidable** 형 불가피한
반의 **evitable** 형 피할 수 있는

1455 혼동어휘

contract
[kántrækt]

명 계약(서)
동 [kəntrǽkt] 1. 계약하다 2. 수축하다[시키다]

She succeeded in winning the big **contract**.
그녀는 그 큰 계약을 따내는 데 성공했다.

내신 UP 

Q2.
문맥상 알맞은 단어를 고르시오.

He asked the company to renew his **[contact / contract]** immediately.

1456 혼동어휘

contact
[kántækt]

동 연락하다
명 연락, 접촉

For further information, please **contact** our office.
더 많은 정보를 원하시면, 저희 사무실로 연락 주세요.

1457

attempt
[ətémpt]

명 시도
동 시도하다

Several branches were closed in an **attempt** to cut costs.
비용을 절감하기 위한 시도로 몇몇 지점이 폐쇄되었다.

유의 **try** 명 동 시도(하다)
숙어 **in an attempt to-v** ~하려는 시도로, ~하기 위해

1458

fold
[fould]

동 1. (종이·천 등을) 접다 2. 감싸다

I want to learn how to **fold** the paper into the shape of a ship.
나는 종이로 배를 접는 법을 배우고 싶다.

파생 **foldable** 형 접을 수 있는
반의 **unfold** 동 펴다
숙어 **fold A into B**
A를 접어서 B로 만들다

1459

rotten
[rátən]

형 썩은, 부패한

The apple is **rotten** to the core.
그 사과는 속까지 썩었다.

파생 **rot** 동 썩다
유의 **decayed** 형 썩은, 부패한

1460 다의어

beat
[biːt]

동 1. 두드리다, 때리다 2. 이기다 3. (심장이) 뛰다
명 1. (심장) 박동 2. 박자, 비트

The angry man **beat** on the door with his fists.
화가 난 남자는 주먹으로 문을 두드렸다.

Computers can now **beat** players at the world's most complicated board game. 학평 기출
컴퓨터는 이제 세계에서 가장 복잡한 보드게임에서 선수들을 이길 수 있다.

I could feel the **beat** of his heart when I put my hand on his chest.
나는 그의 가슴에 손을 댔을 때 그의 심장 박동을 느낄 수 있었다.

내신 UP

Q3.
밑줄 친 단어의 뜻으로 알맞은 것은?

He managed to beat the former champion in the final.

① 두드리다
② 이기다
③ 뛰다

1461

paradox
[pǽrədɑ̀ks]

명 역설, 모순

It's a **paradox** that there is so much poverty in such a rich country.
그런 부유한 나라에 그렇게 많은 빈곤이 있다는 것은 모순이다.

파생 **paradoxical** 형 역설의, 자기모순의
유의 **contradiction** 명 모순
inconsistency 명 모순, 불일치

1462

terrify
[térəfài]

동 겁나게 하다, 무섭게 하다

She admits that the idea of bungee jumping **terrifies** her.
그녀는 번지점프를 한다는 생각이 자신을 겁나게 한다는 것을 인정한다.

파생 **terrific** 형 무서운, 굉장한
terrified 형 겁먹은
terrifying 형 겁나게 하는
유의 **scare** 동 겁나게 하다
frighten 동 겁먹게 하다

1463

investigate
[invéstigèit]

동 조사[수사]하다, 연구하다

Health authorities are **investigating** the safety of the new medicine.
보건 당국은 신약의 안전성을 조사 중이다.

파생 investigation 명 조사[수사]
유의 examine 동 조사하다
look into 조사하다

1464

timid
[tímid]

형 소심한, 겁 많은

I was too **timid** to ask for what I wanted.
나는 너무 소심해서 내가 원하는 것을 요청할 수 없었다.

파생 timidity 명 소심, 겁 많음
반의 bold 형 대담한, 용감한
brave 형 용감한

1465

crack
[krǽk]

명 틈, 금
동 갈라지다, 금이 가다[가게 하다]

The cup on the table had a **crack** in it.
테이블에 올려진 컵은 금이 가 있었다.

유의 split 명 틈[구멍] 동 쪼개다

1466

symphony
[símfəni]

명 교향곡

Beethoven's Ninth **Symphony** is an absolute masterpiece.
베토벤의 9번 교향곡은 완벽한 걸작이다.

어원 plus +

sym (together) + phon (sound) + y (명사형 접미사) →
함께 조화를 이루는 소리 → 교향곡

파생 symphonic 형 교향악의

1467

sigh
[sai]

동 한숨 쉬다
명 한숨

She **sighed** with relief when she saw that her family was safe.
그녀는 자신의 가족이 안전한 것을 보고 안도의 한숨을 쉬었다.

1468

individual
[ìndəvídʒuəl]

명 개인
형 개인의, 각각의

Imagine you are in an uncomfortable position while talking to an **individual.** 학평 기출
여러분이 어떤 개인과 이야기하는 동안 불편한 입장에 있다고 상상해 보라.

파생 individualize 동 개별화하다
individually 부 개별적으로
유의 separate 형 개별적인, 별개의
반의 collective 형 집단의 ,공동의

1469

nursery
[nə́:rsəri]

명 육아실, 탁아소, 어린이집

Their youngest child goes to **nursery** every day now.
그들의 막내 아이는 이제 매일 어린이집에 간다.

파생 **nurse** 동 (어린 아이를) 봐 주다, 간호하다

1470 혼동어휘

wander
[wándər]

동 (이리저리) 돌아다니다, 배회하다

Visitors are free to **wander** through the gardens and woods.
방문객들은 자유롭게 정원과 숲을 돌아다녀도 된다.

내신 UP

Q4.
문맥상 알맞은 단어를 고르시오.
The child was found **[wandering / wondering]** the streets alone.

1471 혼동어휘

wonder
[wʌ́ndər]

동 궁금하다
명 놀라움

I'm **wondering** if we're having our lesson as scheduled. 학평 기출
저는 우리가 수업을 예정대로 할지 궁금합니다.

1472

deadly
[dédli]

형 치명적인, 극도의
부 극도로

This fish uses a **deadly** poison to deter predators.
이 물고기는 포식자를 막기 위해 치명적인 독을 사용한다.

파생 **dead** 형 죽은
유의 **fatal** 형 치명적인
반의 **harmless** 형 무해한

1473

package
[pǽkidʒ]

명 꾸러미, 소포

He received a **package** from an unknown sender.
그는 알 수 없는 발송인으로부터 소포를 받았다.

파생 **pack** 동 (짐을) 싸다
유의 **parcel** 명 소포, 꾸러미
packet 명 소포

1474

deprive
[dipráiv]

동 빼앗다, 박탈하다

Greg **deprived** me of my chance to apply for the job.
Greg은 내게서 그 일에 지원할 기회를 빼앗았다.

파생 **deprivation** 명 박탈
deprived 형 궁핍한, 불우한
유의 **rob** 동 빼앗다
숙어 **deprive A of B**
A에게서 B를 빼앗다

1475

refresh
[rifréʃ]

동 1. 생기를 되찾게 하다 2. 기억을 새롭게 하다

I took a cold shower to **refresh** myself.
나는 생기를 되찾기 위해 냉수 샤워를 했다.

파생 **refreshment** 명 원기 회복
refreshing 형 상쾌한
숙어 **refresh oneself** 기운을 되찾다

1476

emission
[imíʃən]

명 1. 배출, 방출 2. 배출물

A carbon tax puts a price on **emissions** of greenhouse gases.
탄소세는 온실가스의 배출에 비용을 매긴다.

파생 **emit** 동 방출하다
유의 **release** 명 배출, 방출
discharge 명 배출(물)

1477

simultaneous
[sàiməltéiniəs]

형 동시의, 동시에 일어나는

Simultaneous terror attacks occurred in the center of the city.
동시 테러 공격들이 도시 중심부에서 일어났다.

파생 **simultaneously** 부 동시에

고등 필수 숙어

1478

at hand

가까이에 있는, 가까운 장래에

Imagination will keep you focused on completing the tasks **at hand.** 학평 응용
상상력은 당면한 과업을 완수하는 데 집중할 수 있게 해 줄 것이다.

1479

at once

1. 즉시 2. 동시에, 한꺼번에

The police officers came **at once** when they received the call.
경찰관들은 전화를 받자 즉시 왔다.

1480

at random

임의로, 무작위로

The teacher chose two students **at random** and asked them questions.
교사는 무작위로 두 명의 학생을 선택하고 질문했다.

내신 UP

Q5.
다음 빈칸에 알맞은 숙어는?

Remember that help is __________ – all you need to do is to reach out.

① at hand
② at once
③ at random

Daily Test 37

정답 p. 362

A 우리말은 영어로, 영어는 우리말로 쓰시오.

01 한숨 쉬다; 한숨 ____________

02 빼앗다, 박탈하다 ____________

03 역설, 모순 ____________

04 배출, 방출, 배출물 ____________

05 시도; 시도하다 ____________

06 분별 있는, 현명한 ____________

07 개인, 개인의 ____________

08 deadly ____________

09 wander ____________

10 simultaneous ____________

11 roar ____________

12 merely ____________

13 terrify ____________

14 commit ____________

B 빈칸에 알맞은 단어를 쓰시오. (필요시 형태를 바꿀 것)

서술형

01 The customer b__________ on the counter with his hand to get the salesclerk's attention.
손님은 점원의 주의를 끌기 위해 손으로 카운터를 두드렸다.

02 The company is now being i__________ for using poor quality metals and materials.
그 회사는 현재 품질이 낮은 금속과 재료를 사용한데 대한 조사를 받고 있다.

03 The winning entry will be selected a__________ __________ by computer.
당첨자는 컴퓨터로 무작위로 선발됩니다.

C 각 단어의 유의어 혹은 반의어를 쓰시오.

01 형 rotten 유의 d____________

02 형 timid 반의 b____________

03 동 amuse 유의 e____________

04 형 pale 반의 d____________

05 형 inevitable 유의 u____________

06 동 distract 반의 a____________

VOCA CLEAR

DAY 38

시험에 더 강해지는 어휘

1481

pretend
[priténd]

동 ~인 척하다, 가장하다

They worked in groups, **pretending** to be one of the company's top competitors. 학평 응용
그들은 회사의 주요 경쟁자 중 하나인 척하면서, 그룹으로 일했다.

파생 **pretension** 명 허세, 가식
유의 **make believe** ~인 척하다
숙어 **pretend to-v** ~인 체하다

1482

rapid
[rǽpid]

형 빠른, 신속한

We are seeing a **rapid** growth in the e-commerce business.
우리는 전자 상거래 사업의 빠른 성장을 보고 있다.

파생 **rapidly** 부 빨리, 급속히
유의 **swift** 형 빠른
prompt 형 신속한
반의 **slow** 형 느린, 더딘

1483

autograph
[ɔ́:təgræ̀f]

명 (유명인의) 사인, 서명
동 사인을 해 주다, 서명하다

The actor signed his **autograph** for the fans.
그 배우는 팬들을 위해 사인을 해 주었다.

유의 **signature** 명 서명

1484

outweigh
[àutwéi]

동 1. ~보다 무겁다 2. (~을) 능가하다

The benefits of the project **outweigh** the disadvantages.
그 계획의 이점들이 결점들을 능가한다.

어원 plus +

out (more ~ than) + weigh (무게가 나가다) → ~보다 무게가 더 나가다 → ~보다 무겁다, ~을 능가하다

유의 **overweigh** 동 ~보다 무겁다
surpass 동 능가하다

1485

endure
[indjúər]

동 견디다, 참다

I couldn't **endure** the headache, so I took a painkiller.
나는 두통을 견딜 수가 없어서 두통약을 먹었다.

파생 **endurance** 명 인내, 참을성
endurable 형 견딜 수 있는
유의 **bear** 동 참다, 견디다
put up with 견디다, 참다

1486

dye
[dai]

동 염색하다
명 염료, 염색제

No one recognized her after she **dyed** her hair red.
그녀가 머리를 붉은색으로 염색한 뒤 아무도 그녀를 알아보지 못했다.

파생 **dyed** 형 염색된, 물들인
유의 **color** 동 염색[채색]하다

1487

galaxy
[gǽləksi]

명 은하수, 은하계

Andromeda is the biggest known **galaxy** in the universe.
안드로메다는 우주에서 가장 크다고 알려진 은하수이다.

1488 다의어

lean
[liːn]

동 1. 기울이다[기울다] 2. 기대다, 의지하다
형 1. 여윈 2. 기름기가 적은

Bicycles turn not just by steering but also by **leaning.** 학평 응용
자전거는 핸들을 조종하는 것뿐만 아니라 (몸을) 기울임으로써 방향을 바꾼다.

I need somebody that I can trust and **lean** on.
나는 믿고 의지할 수 있는 누군가가 필요하다.

Walking is a good exercise for getting **lean** and fit.
걷기는 날씬하고 건강해지는 데 좋은 운동이다.

내신 UP

Q1.
밑줄 친 단어의 뜻으로 알맞은 것은?
She leaned over to them and whispered that she had missed them.
① 기울이다 ② 의지하다 ③ 여윈

1489

accident
[ǽksidənt]

명 1. 사고 2. 우연

Unfortunately, a car **accident** injury forced her to end her career. 학평 기출
불행하게도, 자동차 사고 부상은 그녀가 일을 그만두게 했다.

파생 **accidental** 형 우연한
유의 **crash** 명 사고
숙어 **by accident** 우연히

1490

toss
[tɔ(ː)s]

동 (가볍게) 던지다
명 던지기

He **tossed** coins into the fountain for good luck.
그는 행운을 빌며 분수에 동전을 던졌다.

유의 **throw** 동 던지다

1491

naked
[néikid]

형 벌거벗은, 나체의

Do you know that sleeping **naked** can benefit your health?
벌거벗고 자는 것이 건강에 이로울 수 있다는 사실을 알고 있나요?

유의 **bare** 형 벌거벗은
nude 형 나체의
숙어 **with the naked eye** 맨 눈으로

1492

refer
[rifə́ːr]

동 1. 언급하다 ((to)) 2. 지칭하다 ((to)) 3. 참조하다 ((to))

She **referred** to the subject several times during her speech.
그녀는 연설을 하는 동안 그 주제를 여러 번 언급했다.

파생 reference 명 언급, 참고
유의 mention 동 언급하다
숙어 refer to A as B
A를 B라고 지칭하다

1493

convenient
[kənvíːnjənt]

형 편리한, 간편한

We will telephone you and arrange a **convenient** delivery time. 학평 기출
우리는 당신에게 전화해서 편리한 배송 시간을 정할 것입니다.

파생 convenience 명 편리[편의]
유의 handy 형 편리한
반의 inconvenient 형 불편한

1494

guideline
[gáidlàin]

명 지침, 가이드라인

The government has issued new **guidelines** on safety in school.
정부는 교내 안전에 대한 새로운 지침을 발표했다.

1495 혼동어휘

expire
[ikspáiər]

동 만료되다, (기간이) 끝나다

The contract is set to **expire** next week.
계약은 다음 주에 만료될 예정입니다.

Q2.
문맥상 알맞은 단어를 고르시오.

Howard's high school teachers **[inspired / expired]** him to start his own business at a young age.

1496 혼동어휘

inspire
[inspáiər]

동 1. 고무[격려]하다 2. 영감[자극]을 주다

The birth of his daughter **inspired** him to write songs again.
딸의 탄생은 그로 하여금 다시 노래를 쓰도록 자극을 주었다.

1497

lecture
[léktʃər]

명 강의, 강연
동 강의하다, 강연하다

In this **lecture** we will concentrate on how the Roman Empire fell.
이번 강의에서 우리는 로마 제국이 어떻게 몰락했는지에 중점을 둘 것이다.

파생 lecturer 명 강사, 강연자
유의 lesson 명 수업[교육]
숙어 give a lecture 강연하다

1498

rainforest
[réinfɔ̀:rist]

명 (열대) 우림

There are plant and animal species found only in **rainforests.**
열대 우림에서만 발견되는 식물과 동물 종들이 있다.

1499

tremendous
[triméndəs]

형 1. 엄청난, 막대한 2. 대단한

Ingrid Bergman was considered to have **tremendous** acting talent. 학평 기출
Ingrid Bergman은 굉장한 연기 재능을 가진 것으로 여겨졌다.

유의 huge 형 엄청난, 막대한
enormous 형 막대한, 엄청난
amazing 형 대단한, 놀라운
반의 slight 형 약간의, 하찮은

1500

perspective
[pərspéktiv]

명 1. 관점, 시각 2. 전망, 경치 3. 원근법

This outside **perspective** is essential for creativity. 학평 기출
이러한 외부의 관점은 창조성에는 필수적이다.

어원 plus +

per (through) + spect (look) + ive (명사형 접미사) →
(전체를) 걸쳐서, 통틀어 봄 → 관점, 전망

유의 viewpoint 명 관점, 시각
view 명 관점, 전망

1501

shield
[ʃi:ld]

명 방패, 보호막
동 보호하다

The police officers defended themselves with metal **shields.**
경찰관들은 금속 방패로 스스로를 방어했다.

유의 protection 명 보호
protect 동 보호하다
반의 endanger 동 위험에 빠뜨리다

1502

miserable
[mízərəbl]

형 비참한, 불행한

They all returned home with tired and **miserable** faces.
그들은 모두 지치고 불행한 얼굴로 집에 돌아갔다.

파생 miserably 부 비참하게, 초라하게
유의 dismal 형 비참한, 침울한

1503

correspond
[kɔ̀(:)rispɑ́nd]

동 1. 일치[부합]하다 2. (~에) 상응하다
3. 편지를 주고 받다

Your actions do not **correspond** with your promises.
당신의 행동은 당신의 약속과 부합하지 않는다.

파생 correspondence 명 일치, 조화, 편지 왕래
유의 coincide 동 일치하다
숙어 correspond to[with]
~와 일치[부합]하다

1504

herb
[əːrb]

명 허브, 약초

Various **herbs** are used in European cooking.
유럽 음식에서는 다양한 허브가 사용된다.

파생 herbal 형 허브[약초]의

1505

exotic
[igzátik]

형 이국적인, 외국의

The dancers were all wearing **exotic** costumes.
무용수들은 모두 이국적인 의상을 입고 있었다.

어원 plus+

ex(o) (out) + tic (형용사형 접미사) → (나라) 밖에 있는 → 이국적인, 외국의

유의 foreign 형 외국의

1506

context
[kάntekst]

명 문맥, (일의) 맥락, 전후 상황

Without any **context**, it was hard to understand the meaning of the sentence.
문맥이 없이는 문장의 의미를 이해하기 힘들었다.

유의 circumstances 명 상황[정황]

1507 다의어

wind
[waind]

동 1. (도로·강 등이) 구불구불하다 2. (실 등을) 감다
명 [wind] 바람

This long and **winding** road will lead you to the old castle.
이 길고 구불구불한 길은 당신을 옛 성으로 이끌 것이다.

The girl tried to **wind** spaghetti around her fork.
그 소녀는 자신의 포크에 스파게티를 감으려고 애썼다.

The **wind** blew her brown hair across her ivory pale skin. 학평 기출
바람이 그녀의 상아색의 창백한 피부 위로 갈색 머리카락을 흩날렸다.

내신 UP

Q3.
밑줄 친 단어의 뜻으로 알맞은 것은?

The old lady winds the thread into a ball after she finishes knitting.

① 구불구불하다 ② 감다 ③ 바람

1508

diminish
[dimíniʃ]

동 줄어들다, 감소하다

They said the snow would **diminish** around midnight.
그들은 자정 무렵 눈이 약해질 것이라고 말했다.

유의 decline 동 줄어들다, 감소하다
반의 increase 동 늘다, 증가하다

1509

consult
[kənsʌ́lt]

동 1. 상담하다, 상의하다 2. 참고하다

If the stomachache continues, you need to **consult** your doctor.
복통이 계속되면 의사와 상담해야 한다.

파생 **consultant** 명 상담가
consulting 명 자문, 조언
유의 **confer** 동 상의하다
숙어 **consult A about B**
A에게 B에 대해 상담하다

1510

feast
[fiːst]

명 축제, 연회, 잔치

The winning team had a **feast** to celebrate the victory.
우승팀은 승리를 축하하기 위해 연회를 열었다.

유의 **banquet** 명 연회

1511 혼동어휘

bald
[bɔːld]

형 머리가 벗겨진, 대머리의

He started going **bald** in his thirties.
그는 30대에 머리가 벗겨지기 시작했다.

내신 UP

Q4.
문맥상 알맞은 단어를 고르시오.

All the headings are written in **[bald / bold]** type.

1512 혼동어휘

bold
[bould]

형 1. 용감한, 대담한 2. (선 등이) 굵은, 선명한

She was **bold** enough to leave her high-paying job.
그녀는 높은 연봉의 직장을 떠날 만큼 대담했다.

1513

defeat
[difíːt]

동 패배시키다, 이기다
명 패배

A god called Moinee was **defeated** by a rival god called Dromerdeener. 학평 응용
Moinee라는 신은 Dromerdeener라는 경쟁하는 신에게 패배했다.

유의 **beat** 동 이기다
loss 명 패배
반의 **lose** 동 지다
surrender 동 항복하다

1514

chant
[tʃænt]

명 1. (단조로운) 노래 2. 성가 3. 구호
동 1. ~을 노래하다 2. 구호를 외치다

Chants have been recognized as an effective tool in early childhood education.
챈트 송은 유아 교육에 있어 효과적인 도구로 인식되어 왔다.

유의 **sing** 동 노래하다

1515

applaud
[əplɔ́ːd]

동 1. 박수[갈채]를 보내다 2. 칭찬하다

All the people stood up and **applauded** the speaker.
모든 사람들이 일어나서 연설자에게 박수를 보냈다.

파생 **applause** 명 박수, 칭찬
유의 **clap** 동 박수를 치다
praise 동 칭찬하다

1516

delight
[diláit]

명 (큰) 기쁨, 기쁜 일
동 기쁘게 하다

Much to her **delight**, Massami was invited in.
학평 기출
너무 기쁘게도, Massami는 안으로 초대되었다.

파생 **delightful** 형 매우 기쁜
유의 **pleasure** 명 기쁨
please 동 기쁘게 하다

1517

uneasy
[ʌníːzi]

형 불안한, 걱정되는

She felt **uneasy** about taking the elevator with a stranger.
그녀는 낯선 사람과 엘리베이터를 타는 것에 대해 불안함을 느꼈다.

유의 **anxious** 형 불안한, 걱정하는
반의 **relaxed** 형 느긋한, 편안한
at ease 편한, 안락한

고등 필수 숙어

1518

break down

1. 고장 나다 2. 부수다

The car **broke down**, so they had to push it to the nearest town.
차가 고장 나서 그들은 가장 가까운 마을까지 차를 밀어야 했다.

1519

bring down

1. 실망시키다 2. 무너뜨리다

The current economy can **bring down** small businesses.
현재 경제는 중소기업을 무너뜨릴 수 있다.

1520

settle down

1. 정착하다 2. 진정하다, 안정되다

You need to **settle down**, or it'll be tough to concentrate on solving the problem.
네가 진정하지 않으면 문제를 해결하는 데 집중하기 어려울 것이다.

내신 UP 

Q5.
다음 빈칸에 알맞은 숙어는?

I couldn't make copies because the copy machine ____________.

① broke down
② brought down
③ settled down

Daily Test 38

정답 p. 362

A 우리말은 영어로, 영어는 우리말로 쓰시오.

01 기울이다; 여윈 ____________
02 방패, 보호막 ____________
03 축제, 연회, 잔치 ____________
04 편리한, 간편한 ____________
05 염색하다; 염료 ____________
06 강의(하다), 강연(하다) ____________
07 견디다, 참다 ____________
08 pretend ____________
09 bald ____________
10 expire ____________
11 toss ____________
12 outweigh ____________
13 tremendous ____________
14 applaud ____________

B 빈칸에 알맞은 단어를 쓰시오. (필요시 형태를 바꿀 것)

서술형

01 There was a terrible a____________ on the highway during the storm.
폭풍우가 치는 동안 고속도로에서 끔찍한 사고가 있었다.

02 From the business p____________, her decision was unwise.
사업적 관점으로 볼 때, 그녀의 결정은 현명하지 못했다.

03 Erin has decided to s____________ ____________ there to protect her grandparents' farm.
Erin은 조부모님의 농장을 지키기 위해 그곳에 정착하기로 결심했다.

C 각 단어의 유의어 혹은 반의어를 쓰시오.

01 형 miserable 유의 d____________
02 형 uneasy 반의 r____________
03 명 autograph 유의 s____________
04 형 rapid 반의 s____________
05 형 exotic 유의 f____________
06 동 diminish 반의 i____________

시험에 더 강해지는 어휘

1521

chief
[tʃiːf]

형 주요한, 최고의
명 (단체의) 장(長), 우두머리

The **chief** problem in this region is the lack of water.
이 지역의 주요 문제는 물 부족이다.

파생 **chiefly** 부 주로
유의 **principal** 형 주요한
head 형 주요한 명 우두머리

1522

fountain
[fáuntən]

명 1. 분수 2. 원천

Central Park is famous for its spectacular **fountain.**
센트럴 파크는 멋진 분수로 유명하다.

유의 **source** 명 원천

1523

concept
[kάnsept]

명 개념, 관념

This **concept** has been discussed at least as far back as Aristotle. 학평 기출
이 개념은 적어도 아리스토텔레스 시대만큼 오래전부터 논의되어 왔다.

파생 **conceptual** 형 개념의
유의 **idea** 명 개념, 관념

1524

appoint
[əpɔ́int]

동 1. 임명[지명]하다 2. (시간·장소 등을) 정하다

He was **appointed** as chairman despite the recent scandal.
최근의 추문에도 불구하고 그가 의장으로 임명되었다.

파생 **appointment** 명 임명, 약속
유의 **nominate** 동 임명[지명]하다
fix 동 (시간·장소 등을) 정하다
반의 **cancel** 동 취소하다
숙어 **appoint A as B**
A를 B로 임명[지명]하다

1525

ongoing
[άngòuiŋ]

형 진행 중인

The discussions on the matter are still **ongoing.**
그 문제에 대한 논의는 여전히 진행 중이다.

유의 **in progress** 진행 중인

1526

drought
[draut]

명 가뭄

One of the worst **droughts** on record caused many people to die.
기록상 최악의 가뭄 중 하나가 많은 사람들을 사망하게 했다.

1527

stir
[stəːr]

동 1. 휘젓다, 섞다 2. 동요시키다
명 1. 휘젓기 2. 동요[혼란]

Stir the coffee with the spoon until you can't see any grains.
알갱이가 안 보일 때까지 스푼으로 커피를 저으세요.

유의 **mix** 동 섞다
disturbance 명 동요[불안]
숙어 **stir up** 불러일으키다, 유발하다

1528

meantime
[míːntàim]

명 그동안, 그 사이
부 그동안에, 그 사이에

In the **meantime,** she plans to visit the laboratory.
그동안에, 그녀는 연구실을 방문할 계획이다.

유의 **meanwhile** 부 그동안에
숙어 **in the meantime** 그동안에

1529 혼동어휘

noble
[nóubl]

형 1. 고결한, 숭고한 2. 귀족의, 신분이 높은

The Crusaders believed the war was for a **noble** cause.
십자군들은 그 전쟁이 숭고한 대의명분을 위한 것이라고 믿었다.

내신 UP

Q1.
문맥상 알맞은 단어를 고르시오.

The **[noble / novel]** virus was first discovered in a pig farm.

1530 혼동어휘

novel
[nάvəl]

명 (장편) 소설
형 새로운, 신기한

Her **novel** has been translated into eight languages.
그녀의 소설은 8개 국어로 번역되었다.

1531

examine
[igzǽmin]

동 1. 조사[검사]하다 2. 진찰하다

We're going to **examine** every offer we received closely.
우리는 우리가 받은 모든 제안을 면밀히 살펴볼 것이다.

파생 **examination** 명 조사[검사], 시험
유의 **inspect** 동 검사[점검]하다

1532

prestige
[prestíːʒ]

명 명성, 위신
형 명성이 있는, 명품의

The opera singer has gained international **prestige**.
그 오페라 가수는 국제적 명성을 얻었다.

파생 **prestigious** 형 명성이 있는, 일류의
유의 **reputation** 명 명성

1533

converse
[kɑ́ːnvəːrs]

형 정반대의, 거꾸로의 명 정반대
동 [kənvə́ːrs] 대화하다

Likewise, the **converse** situation should be also considered.
마찬가지로, 반대의 상황도 고려되어야 한다.

파생 **conversation** 명 대화, 회화
유의 **opposite** 형 정반대의 명 정반대의 일[사람]
talk 동 대화하다

1534 다의어

plain
[plein]

형 명백한, 분명한, 평이한
명 평원, 평지

You can easily lose motivation when you face the **plain** reality. 학평 기출
여러분이 명백한 현실에 직면했을 때 쉽게 동기를 잃을 수 있다.

The picture shows a vast **plain** of central Asia.
그 사진은 중앙아시아의 광활한 평원을 보여준다.

내신 UP

Q2.
밑줄 친 단어의 뜻으로 알맞은 것은?

It was plain that he was not going to agree.

① 명백한 ② 평이한 ③ 평원

1535

scramble
[skrǽmbl]

동 1. 뒤섞다, 뒤범벅을 만들다 2. 다투다, 쟁탈하다
명 1. 뒤범벅 2. 쟁탈(전)

The boys **scrambled** for a seat in the subway.
그 소년들은 지하철에서 자리 다툼을 했다.

유의 **struggle** 명 동 분투(하다)

1536

wildlife
[wáildlàif]

명 야생 동물, 야생 생물

If we continue to destroy habitats, the **wildlife** will stop using these areas. 학평 기출
만약 우리가 계속해서 서식지를 파괴한다면, 야생 동물은 이 지역들을 이용하는 것을 중단할 것이다.

1537

homesick
[hóumsìk]

형 **향수병의, 향수병을 앓는**

He felt very **homesick** when he first went to college.
그는 처음 대학에 갔을 때 심한 향수병을 앓았다.

파생 **homesickness** 명 향수병

1538

conduct
[kəndʌ́kt]

동 **1. 수행하다 2. 지휘하다 3. 전도하다**
명 [kάndʌkt] **행동, 수행**

The researchers **conducted** a study of motorcycle accidents.
연구자들은 오토바이 사고에 대한 연구를 수행했다.

What he showed us is a good example of good **conduct.** 학평 기출
그가 우리에게 보여준 것은 선행의 좋은 예이다.

어원 plus +
con (together) + duc(t) (lead) → 함께 이끌다 → 지휘하다

파생 **conductor** 명 지휘자
conductive 형 전도하는
유의 **carry out** 수행하다
behavior 명 행동

1539

bend
[bend]

동 **굽히다, 구부리다**

Some students walk with their shoulders **bent** forwards. 학평 기출
어떤 학생들은 어깨를 앞으로 구부리고 걷는다.

파생 **bendable** 형 구부릴 수 있는
숙어 **bend over[down]**
몸을 구부리다

1540

virtual
[və́:rtʃuəl]

형 **1. 가상의 2. 사실상의**

This app offers a **virtual** tour of the museum.
이 앱은 박물관의 가상 투어를 제공한다.

파생 **virtually** 부 가상으로, 사실상

1541

lessen
[lésən]

동 **줄다[줄이다]**

He would chew bubblegum to **lessen** stress.
그는 스트레스를 줄이기 위해 풍선껌을 씹곤 했다.

유의 **decrease** 동 줄다[줄이다]
reduce 동 줄다[줄이다]
반의 **increase** 동 늘다[늘리다]

1542

sword
[sɔ:rd]

명 **검, 칼**

Do you agree with the phrase “The pen is mightier than the **sword**”?
여러분은 ‘펜이 칼보다 강하다’라는 말에 동의하나요?

1543

resentful
[rizéntfəl]

형 분개한, 분해하는

She was **resentful** about not being promoted.
그녀는 승진이 되지 않은 것에 분개했다.

파생 **resent** 동 분개하다, 분하게 여기다
resentfully 부 분개하여

1544

filter
[fíltər]

동 거르다, 여과하다
명 여과기, 필터

The protective sunglasses **filter** up to 95% of harmful UV rays.
보호용 선글라스는 유해한 자외선을 95%까지 걸러준다.

유의 **purify** 동 정화하다

1545

awake
[əwéik]

형 깨어 있는
동 1. 깨어나다, 깨우다 2. (감정을) 불러일으키다

Norm shook Jason **awake** and told him to look at the stove. 학평 기출
Norm은 Jason을 흔들어 깨워 그에게 난로를 보라고 말했다.

파생 **awaken** 동 깨다[깨우다], (감정을) 불러일으키다
유의 **wake up** 깨다, 깨우다
반의 **asleep** 형 잠들어 있는

1546

option
[ápʃən]

명 선택(권)

Fear of a Better **Option** is the anxiety that something better will come along. 학평 기출
더 나은 선택에 대한 두려움은 더 나은 어떤 것이 나타날 것이라는 불안감이다.

파생 **optional** 형 선택의, 선택적인
유의 **choice** 명 선택(권)

1547

revise
[riváiz]

동 1. 수정하다, 변경하다 2. (책 등을) 개정하다

The editor is **revising** the manuscript before publishing it.
편집자는 출판하기 전에 원고를 수정하고 있다.

어원 plus +

re (again) + vise (see) → (개선하려고) 다시 보다 → 수정하다

파생 **revision** 명 수정, 검토, 개정(판)
유의 **modify** 동 수정[변경]하다

1548

feedback
[fíːdbæ̀k]

명 반응, 의견

We always welcome **feedback** from people who use our goods.
저희는 저희 제품을 사용하시는 분들의 의견을 항상 환영합니다.

1549

substance

[sʌ́bstəns]

명 1. 물질 2. 실체 3. 본질, 핵심

This **substance** is quite harmful to the human body.
이 물질은 인체에 상당히 해롭다.

파생 **substantial** 형 본질적인, 상당한 (양의)
유의 **material** 명 물질

1550 혼동어휘

though

[ðou]

접 ~에도 불구하고
부 그렇지만, 그래도

Though Chris is young, we can learn a lot from him.
Chris가 어리긴 하지만 그에게 배울 점이 많다.

내신 UP

Q3.
문맥상 알맞은 단어를 고르시오.

To find the missing document, they did a **[through / thorough]** search of the office.

1551 혼동어휘

through

[θruː]

전 ~을 통해, ~을 통과하여

Much of learning occurs **through** trial and error. 학평 기출
배움의 많은 부분은 시행착오를 통해 일어난다.

1552 혼동어휘

thorough

[θə́ːrou]

형 철저한, 빈틈없는

A **thorough** investigation of the case is necessary.
그 사건에 대한 철저한 수사가 필요하다.

1553

decorate

[dékərèit]

동 장식하다, 꾸미다

We spent more than $30,000 **decorating** our new home.
우리는 새로운 집을 꾸미는 데 30,000달러 이상을 썼다.

파생 **decoration** 명 장식(품)
decorative 형 장식(용)의
유의 **ornament** 동 장식하다
숙어 **decorate A with B** A를 B로 꾸미다

1554

theme

[θiːm]

명 주제, 화제, 테마

Movies with political **themes** were sometimes banned.
정치적인 주제를 다룬 영화들은 때때로 금지되었다.

파생 **thematic** 형 주제의, 주제와 관련된
유의 **subject** 명 주제
topic 명 주제, 화제

1555

manual
[mǽnjuəl]

형 1. 육체노동의 2. 수동의
명 설명서

Doing **manual** labor requires a high level of physical strength.
육체노동을 하는 것은 높은 수준의 체력을 필요로 한다.

유의 **hand-operated** 형 수동의
handbook 명 안내서
반의 **automatic** 형 자동의

1556

infant
[ínfənt]

명 유아, 갓난아기
형 유아(용)의

We're often told that newborns and **infants** are comforted by rocking. 학평 기출
우리는 흔히 신생아와 유아가 흔들림에 의해 편안해진다는 말을 듣는다.

파생 **infancy** 명 유아기

1557

unify
[júːnəfài]

동 통합하다, 통일하다

Yesterday's online concert truly **unified** the band's fans all around the world.
어제 있었던 온라인 콘서트는 그 밴드의 전 세계 팬들을 진정으로 통합했다.

파생 **unification** 명 통합[통일]
유의 **combine** 동 결합하다
unite 동 통합하다

고등 필수 숙어

1558

keep off

멀리하다, 피하다

If you want to lose weight, **keep off** salty foods.
살을 빼고 싶다면 짠 음식을 멀리하세요.

1559

send off

1. ~을 발송하다 2. ~을 퇴장시키다

He **sent off** two warm letters to the boys. 학평 기출
그는 그 소년들에게 두 통의 훈훈한 편지를 보냈다.

1560

show off

~을 과시하다, 자랑하다

She keeps taking photos to **show off** her new phone.
그녀는 새 휴대폰을 과시하기 위해 계속 사진을 찍는다.

내신 UP

Q4.
다음 빈칸에 알맞은 숙어는?

To __________ his new car, he drove to a restaurant that is just 500 meters away.

① keep off
② send off
③ show off

Daily Test 39

정답 p. 363

A 우리말은 영어로, 영어는 우리말로 쓰시오.

01 향수병의 ____________

02 선택(권) ____________

03 가상의, 사실상의 ____________

04 분개한, 분해하는 ____________

05 분수, 원천 ____________

06 가뭄 ____________

07 굽히다, 구부리다 ____________

08 lessen ____________

09 substance ____________

10 decorate ____________

11 thorough ____________

12 noble ____________

13 examine ____________

14 unify ____________

B 빈칸에 알맞은 단어를 쓰시오. (필요시 형태를 바꿀 것)

서술형

01 Though I couldn't hear him well, it was p____________ that he agreed with my plan.
나는 그의 말을 잘 들을 수는 없었지만, 그가 내 계획에 동의한다는 것은 명백했다.

02 He asked for his identity to be kept secret because the investigation was o____________.
그는 수사가 진행 중이므로 자신의 신원을 비밀로 유지해 줄 것을 요청했다.

03 You don't have to k____________ ____________ chicken because of the threat of avian flu.
조류 독감의 위협 때문에 닭고기를 멀리할 필요는 없다.

C 각 단어의 유의어 혹은 반의어를 쓰시오.

01 명 prestige 유의 r____________

02 형 manual 반의 a____________

03 형 converse 유의 o____________

04 형 awake 반의 a____________

05 동 revise 유의 m____________

06 동 appoint 반의 c____________

VOCA CLEAR

DAY 40

시험에 더 강해지는 어휘

1561

career
[kəríər]

명 1. 직업 2. 경력

After graduating from Brooklyn College, she began her **career** as a teacher. 학평 기출
브루클린 대학을 졸업한 후, 그녀는 교사로서의 경력을 시작했다.

유의 occupation 명 직업
vocation 명 직업

1562

steady
[stédi]

형 1. 꾸준한, 한결같은 2. 안정된

Slow but **steady** progress could be observed in the negotiations.
협상에서 느리지만 꾸준한 진전을 관찰할 수 있었다.

유의 constant 형 일정한
consistent 형 한결같은
반의 unsteady 형 불안정한

1563

lunar
[lú:nər]

형 1. 달의 2. 음력의

The first **lunar** landing took place in 1969.
최초의 달 착륙은 1969년에 일어났다.

1564

enrich
[inrítʃ]

동 부유하게 하다, 풍요롭게 만들다

The discovery of oil **enriched** the country.
석유의 발견은 그 나라를 부유하게 했다.

파생 enrichment 명 부유[풍부]하게 함
enriched 형 풍부한

1565 다의어

cover
[kʌ́vər]

동 1. 덮다, 가리다 2. 다루다 3. (보험으로) 보장하다 4. 취재하다
명 1. 덮개 2. 표지

The summit of the mountain is always **covered** with snow.
그 산의 정상은 항상 눈으로 덮여 있다.

The magazine will **cover** the story in its next issue.
그 잡지는 다음 호에서 그 이야기를 다룰 것이다.

Open the **cover** and check if the jar is in place.
뚜껑을 열어서 병이 제자리에 있는지 확인하세요.

내신 UP

Q1.
밑줄 친 단어의 뜻으로 알맞은 것은?

Your health insurance doesn't cover the cost of physical examinations.

① 덮다 ② 보장하다 ③ 취재하다

1566

deserve
[dizə́ːrv]

동 ~을 받을 만하다, ~할 가치가 있다

She **deserves** to have her own team to handle the project.
그녀는 그 프로젝트를 처리하기 위해 자신의 팀을 가질 만하다.

파생 **deserving** 형 받을 만한[자격이 있는]
숙어 **deserve to-v** ~할 만하다[가치가 있다]

1567

threat
[θret]

명 1. 위협, 협박 2. 위험

This is one of the reasons why some perceive technology as a **threat.** 학평 응용
이것은 일부 사람들이 기술을 위협으로 인식하는 이유 중 하나이다.

파생 **threaten** 동 위협[협박]하다
유의 **danger** 명 위협, 위험
risk 명 위험

1568

convert
[kənvə́ːrt]

동 1. 전환하다, 개조하다 2. 개종하다

It will take a few months to **convert** this building into an orphanage.
이 건물을 고아원으로 개조하는 데 몇 달이 걸릴 것이다.

어원 plus +
con (강조) + vert (turn: 방향을 돌리다) → 전환하다

파생 **conversion** 명 전환, 개종
유의 **change** 동 바꾸다
alter 동 변경하다, 바꾸다
숙어 **convert A into B** A를 B로 전환[개조]하다

1569

genre
[ʒɑ́ːnrə]

명 (예술 작품의) 장르

The graph shows the favorite TV **genres** of people in the Middle East. 학평 응용
그 그래프는 중동 사람들이 가장 좋아하는 TV 장르를 보여준다.

1570

undoubtedly
[ʌndáutidli]

부 의심할 여지없이

It is **undoubtedly** true that our health is our wealth.
건강이 재산이라는 것은 의심할 여지없이 사실이다.

파생 **undoubted** 형 의심할 여지 없는
유의 **beyond question** 의심할 여지없이
반의 **doubtfully** 부 미심쩍게

1571

predator
[prédətər]

명 1. 포식자, 포식 동물 2. 약탈자

They built the huge cage to protect the birds from **predators.**
그들은 포식 동물들로부터 새들을 보호하기 위해 큰 새장을 만들었다.

파생 **predatory** 형 포식성의, 약탈하는

1572

ripe
[raip]

형 익은, 숙성한

A green banana is not **ripe** enough to eat.
녹색 바나나는 먹기에 충분히 익지 않았다.

파생 **ripen** 동 익다, 숙성하다
유의 **mature** 형 익은, 숙성한
반의 **unripe** 형 덜 익은

1573 혼동어휘

revolution
[rèvəljúːʃən]

명 1. 혁명 2. 공전, 회전

The French **Revolution** changed France into a republic.
프랑스 혁명은 프랑스를 공화국으로 변화시켰다.

내신 UP

Q2.
문맥상 알맞은 단어를 고르시오.

They study the **[revolution / evolution]** of animals and plants by examining fossils.

1574 혼동어휘

evolution
[èvəlúːʃən]

명 1. 진화 2. 발달, 발전

In the course of **evolution,** some birds have lost the ability to fly.
진화의 과정에서 어떤 새들은 날 수 있는 능력을 잃어버렸다.

1575

suffer
[sʌ́fər]

동 1. (고통을) 겪다 2. (병을) 앓다

She created art representing the voices of people **suffering** from social injustice. 학평 기출
그녀는 사회적 불평등으로 고통받는 사람들의 목소리를 대변하는 예술을 창조했다.

파생 **suffering** 명 고통
유의 **undergo** 동 (안 좋은 일을) 겪다, 받다
숙어 **suffer from** ~으로 고통받다

1576

merit
[mérit]

명 1. 장점 2. 가치, 우수함

Her idea has the **merit** of being easy to implement.
그녀의 생각은 구현하기 쉽다는 장점이 있다.

유의 **excellence** 명 장점, 우수함
advantage 명 장점
반의 **demerit** 명 단점, 결점

1577

frown
[fraun]

동 얼굴[눈살]을 찌푸리다
명 찌푸림

Do not **frown** in front of him even when you are upset.
그의 앞에서는 화가 날 때라도 얼굴을 찌푸리지 마라.

파생 **frowning** 형 눈살을 찌푸린
유의 **make a face** 얼굴을 찌푸리다

1578

leftover
[léftòuvər]

명 1. 남은 음식 2. 잔재
형 남은, 나머지의

Giving **leftovers** to dogs may not be advisable.
개에게 남은 음식을 주는 것은 바람직하지 않을 수 있다.

유의 **remainder** 명 형 나머지(의)

1579

enormous
[inɔ́ːrməs]

형 거대한, 엄청난

He has **enormous** confidence in his own talent.
그는 자신의 재능에 대해 엄청난 자신감을 가지고 있다.

유의 **huge** 형 거대한, 엄청난
tremendous 형 엄청난
반의 **tiny** 형 아주 작은

1580 다의어

note
[nout]

명 1. 메모, 쪽지 2. ((-s)) 기록 3. 음, 음표 4. 지폐
동 1. 주목[주의]하다 2. 언급하다

He came to me with the **note** with tears in his eyes and thanked me. 학평 기출
그는 눈물을 글썽이며 그 쪽지를 들고 내게 와서 고맙다고 했다.

Please **note** that the payment must be made within 10 days.
지불은 10일 이내에 이루어져야 한다는 것에 주의하세요.

The judge **noted** that there's no physical evidence.
판사는 물리적인 증거가 없다는 것을 언급했다.

내신 UP

Q3.
밑줄 친 단어의 뜻으로 알맞은 것은?

In order to honor the great people, they were printed on coins and notes.

① 기록 ② 쪽지 ③ 지폐

1581

blame
[bleim]

동 비난하다, ~의 탓으로 돌리다
명 비난, 탓

In everyday life we often **blame** people for creating their own problems. 학평 기출
일상생활에서 우리는 종종 사람들이 그들 자신의 문제를 일으키는 것에 대해 비난한다.

유의 **criticize** 동 비난하다
반의 **forgive** 동 용서하다
숙어 **blame A for B**
B에 대해 A를 비난하다
take the blame for
~에 대한 잘못의 책임을 지다

1582

zoologist
[zouɑ́lədʒist]

명 동물학자

Zoologists are scientists who study everything about animals.
동물학자는 동물에 관한 모든 것을 연구하는 과학자이다.

파생 **zoology** 명 동물학

1583

junk
[dʒʌŋk]

명 폐물, 쓰레기

Get rid of all the **junk** in the cupboard right now.
찬장에 있는 쓰레기 전부를 당장 치워라.

유의 **garbage** 명 쓰레기
litter 명 쓰레기
rubbish 명 쓰레기

1584

overall
[òuvərɔ́:l]

형 전체의, 전반적인
부 전반적으로, 대체로

The **overall** cost of the trip to Chicago is $1,050.
시카고 여행의 전체 비용은 1,050달러이다.

유의 **total** 형 전체의
general 형 전반적인

1585

pedestrian
[pədéstriən]

명 보행자
형 보행자의

Pedestrians were waiting for the light to change.
보행자들은 신호등이 바뀌길 기다리고 있었다.

유의 **walker** 명 보행자

1586 혼동어휘

physician
[fizíʃən]

명 (내과) 의사

Consult your **physician** before taking new medication.
새로운 약을 먹기 전에 의사와 상의하세요.

내신 UP

Q4.
문맥상 알맞은 단어를 고르시오.

[Physicians / Physicists] say that running has positive effects on mental health.

1587 혼동어휘

physicist
[fízisist]

명 물리학자

Wilhelm Röntgen was a German **physicist** and winner of the first Nobel Prize.
Wilhelm Röntgen은 독일 출신의 물리학자이며 첫 번째 노벨상 수상자였다.

1588

memorize
[méməràiz]

동 기억하다, 암기하다

Students were briefly shown numbers that they had to **memorize**. 학평 기출
학생들에게 그들이 암기해야 하는 숫자를 잠시 보여 주었다.

파생 **memory** 명 기억
유의 **remember** 동 기억하다

1589

accurate
[ǽkjərit]

형 정확한, 정밀한

I need **accurate** information to prove the article wrong.
나는 그 기사가 틀렸음을 입증하기 위해 정확한 정보가 필요하다.

파생 **accuracy** 명 정확(도), 정밀
유의 **precise** 형 정확한, 정밀한
반의 **inaccurate** 형 부정확한, 정밀하지 않은

1590

harbor
[hɑ́:rbər]

명 1. 항구, 항만 2. 피난처

The storm caused damage to yachts in the **harbor**.
폭풍은 항구에 있는 요트에 피해를 입혔다.

1591

multiply
[mʌ́ltəplài]

동 1. 곱하다 2. 증가하다[시키다]

Those bacteria **multiply** better in warm climates.
그 세균들은 따뜻한 기후에서 더 잘 증식한다.

어원 plus+
multi (many) + ply (fold) → 여러 번 접다 → 곱하다, 증가시키다

파생 **multiple** 형 많은, 다양한
multiplication 명 곱셈
유의 **increase** 동 증가하다
반의 **divide** 동 나누다
decrease 동 감소하다[시키다]

1592

author
[ɔ́:θər]

명 저자, 작가

Don't miss the opportunity to meet this year's best-selling **author**. 학평 기출
올해의 베스트셀러 작가를 만날 기회를 놓치지 마세요.

유의 **writer** 명 작가

1593

stretch
[stretʃ]

동 1. 늘이다, 늘어나다 2. (팔·다리 등을) 뻗다
명 1. 늘임 2. 신축성

He's looking for a way to **stretch** his old jeans.
그는 오래된 청바지를 늘릴 방법을 찾고 있다.

파생 **stretchable** 형 펼 수 있는
유의 **extend** 동 늘이다, 뻗다
lengthen 동 늘이다, 늘어나다
숙어 **stretch out** 몸을 뻗고 눕다

1594

tone
[toun]

명 1. 어조, 말투 2. 음색, 음조 3. 색조

You might get a clue from the **tone** of voice that they use. 학평 기출
너는 그들이 사용하는 목소리의 어조에서 단서를 얻을지도 모른다.

1595

overhear
[òuvərhíər]

동 우연히 듣다, 엿듣다

He swore that he didn't mean to **overhear** the conversation.
그는 대화를 엿들을 의도는 없었다고 맹세했다.

유의 **hear by chance** 우연히 듣다
listen in 엿듣다
eavesdrop 동 엿듣다

1596

holy
[hóuli]

형 신성한, 성스러운

The Ganges River is considered **holy** by people in India.
갠지즈강은 인도 사람들에게 신성하게 여겨진다.

파생 **holiness** 명 신성함
유의 **sacred** 형 신성한, 성스러운
반의 **unholy** 형 신성하지 않은

1597

freedom
[fríːdəm]

명 자유

It makes no sense to free a nation unless all its citizens enjoy **freedom.** 학평 기출
모든 시민이 자유를 누리지 못한다면, 한 국가를 해방시킨다는 것은 의미가 없다.

파생 **free** 형 자유로운
유의 **liberty** 명 자유
숙어 **freedom to-v** ~할 자유

고등 필수 숙어

1598

make a point of

~하기로 되어 있다

We **made a point of** going hiking on weekends.
우리는 주말마다 하이킹을 가기로 했다.

1599

make sense of

~을 이해하다

She kept asking questions to **make sense of** the situation.
그녀는 상황을 이해하기 위해 계속해서 질문을 했다.

1600

make the most of

~을 최대한 활용하다

Make the most of your time so that you have no regrets.
후회가 남지 않도록 시간을 최대한 활용하세요.

내신 UP

Q5.
다음 빈칸에 알맞은 숙어는?

They __________ the opportunity and learned a lot from the professional.

① made a point of
② made sense of
③ made the most of

Daily Test 40

정답 p. 363

A 우리말은 영어로, 영어는 우리말로 쓰시오.

01 (내과) 의사 ______________

02 저자, 작가 ______________

03 항구, 항만, 피난처 ______________

04 진화, 발달, 발전 ______________

05 의심할 여지없이 ______________

06 보행자; 보행자의 ______________

07 얼굴[눈살]을 찌푸리다 ______________

08 consult ______________

09 accurate ______________

10 overhear ______________

11 career ______________

12 predator ______________

13 deserve ______________

14 convert ______________

B 빈칸에 알맞은 단어를 쓰시오. (필요시 형태를 바꿀 것)

서술형

01 She has seen the advertisement many times already, so she has almost m__________ it.

그녀는 그 광고를 이미 여러 번 봐서 그것을 거의 외웠다.

02 Coffee and cola have enjoyed s__________ popularity around the world for a long time.

커피와 콜라는 오랫동안 전 세계적으로 꾸준한 인기를 누려 왔다.

03 The economy seems hard to m__________ __________ __________, but it is not complicated.

경제는 이해하기 어려워 보이지만, 복잡하지는 않다.

C 각 단어의 유의어 혹은 반의어를 쓰시오.

01 형 ripe 유의 m__________

02 동 blame 반의 f__________

03 명 leftover 유의 r__________

04 형 enormous 반의 t__________

05 동 stretch 유의 e__________

06 명 merit 반의 d__________

내신에 더 강해지는 TEST DAY 36-40

A 각 영영풀이에 알맞은 단어를 <보기>에서 찾아 쓰시오.

<보기>	bold	fond	convert	distract	drought

01 a long period of time when there is little or no rain ____________

02 having warm or loving feelings for somebody/something ____________

03 to make someone stop giving their attention something ____________

04 brave; not afraid to say your feelings or to take risks ____________

05 to change from one form, purpose, etc. to another ____________

B 다음 빈칸에 공통으로 알맞은 단어를 고르시오.

01 • I don't understand why you are so ____________ of everything I wear.
• The kidneys play a(n) ____________ role in the removal of waste products from the blood.

① uneasy ② critical ③ brilliant ④ aggressive

02 • Their message was short, but the meaning was ____________ enough.
• All members of the orchestra should wear a ____________ black shirt.

① plain ② manual ③ tremendous ④ conventional

03 • The police should ____________ the time when they left the building.
• Make a ____________ of how much you spend while you are traveling.

① wonder ② point ③ blame ④ note

정답 p. 363

C

다음 중 짝 지어진 단어의 관계가 나머지와 <u>다른</u> 하나를 고르시오.

01 ① rotten : decayed ② timid : bold ③ investigate : examine

02 ① ripe : mature ② purchase : sell ③ manual : automatic

03 ① proceed : process ② defend : defense ③ elegant : elegance

04 ① terrify : frighten ② refer : mention ③ multiply : divide

05 ① pale : deep ② defeat : beat ③ dip : soak

D

서술형

우리말과 같은 의미가 되도록 <보기>의 단어를 이용하여 문장을 완성하시오. (필요시 형태를 바꿀 것)

<보기>	worthless	priceless	random	break	conduct

01 몸에 있는 화학 물질들은 음식물을 유용한 물질들로 분해한다.

→ Chemicals in the body ______________ down our food into useful substances.

02 사람들에게 동기를 부여하는 능력은 특히 교사에게는 대단히 귀중한 재능이다.

→ The ability to motivate people is a ______________ talent, especially for a teacher.

03 그 회사는 무작위로 선택된 150명의 고객들을 대상으로 여론조사를 실시하고 있다.

→ The company is ______________ a poll of 150 customers selected at ______________.

VOCA CLEAR

ANSWERS
정답 및 해설

INDEX

VOCA CLEAR

ANSWERS 정답 및 해설

DAY 01

내신 UP pp. 010-016

Q1 memorial **Q2** ② **Q3** require **Q4** ①

Q1 이 유적들은 폭격 피해자들의 추모비가 되었다.
Q2 그 사업가는 그 그림의 현재 주인이다.
Q3 우정은 그냥 생기는 것이 아니다. 우정은 노력을 필요로 한다.
Q4 시장은 그의 연설에서 시민들에게 함께 일할 것을 요청했다.

Daily Test 01 p. 017

A **01** range **02** exhibit **03** destination
04 adolescent **05** ordinary **06** disguise
07 launch **08** 10년(간)
09 순환하다, (소문 등이) 퍼지다 **10** 고객, 의뢰인
11 기억할 만한, 인상적인 **12** 정화하다, 정제하다
13 얻다, 획득하다, 습득하다
14 구성하다, 작곡하다, 작문하다
B **01** declared **02** present
03 depends on[upon]
C **01** achieve **02** reality **03** propose **04** huge
05 real **06** pessimistic

DAY 02

내신 UP pp. 018-024

Q1 ② **Q2** breathe **Q3** ③ **Q4** principles **Q5** ①

Q1 우리의 식습관은 때때로 우리의 성격을 반영한다.
Q2 그 환자는 좀 더 쉽게 숨 쉬기 시작했다.
Q3 모든 피실험자들은 밤새 깨어 있을 것을 요청받았다.
Q4 내 어머니는 엄격한 도덕적 신념을 지닌 여성이었다.
Q5 모든 것이 너무 빨리 변하고 있어서 따라가기 어렵다.

Daily Test 02 p. 025

A **01** fabric **02** masterpiece **03** diverse
04 breathe **05** stimulate **06** careless
07 anxiety **08** 교외, 근교
09 실(을 꿰다) **10** 울다, 눈물을 흘리다 **11** 증거(물)
12 반사하다, 반영하다, 숙고하다
13 정복하다, 이기다, 극복하다
14 손해, 손상; 해치다
B **01** disappointed **02** principles **03** make up
C **01** supply **02** conservative **03** gain
04 defend **05** fatal **06** expenditure

DAY 03

내신 UP pp. 026-032

Q1 effective **Q2** ① **Q3** ① **Q4** prey **Q5** ③

Q1 새로운 교통법은 다음 달부터 시행될 것이다.
Q2 그 빌딩은 일반적인 대중들에게는 개방되어 있지 않았다.
Q3 우리는 그녀가 뒷마당의 햇볕이 잘 드는 장소에 앉아 있는 것을 발견했다.
Q4 어린 사슴은 표범에게 이상적인 사냥감이다.
Q5 잠시 기다려 주시겠습니까? 그가 시간이 되는지 확인해 보겠습니다.

Daily Test 03 p. 033

A **01** frank **02** embarrassed **03** annual
04 pray **05** blank **06** spectacle **07** offend
08 즐겁게 하다, 접대하다 **09** 요리(법)
10 단서, 실마리 **11** 기능, 역할; 기능하다, 작동하다
12 효율적인, 능률적인 **13** 성취하다, 이루다
14 상기시키다, 생각나게 하다
B **01** spot **02** murder **03** carried on
C **01** disturb **02** admit[accept] **03** garbage
04 permanent **05** brutal **06** lengthen

DAY 04

내신 UP pp. 034-040

Q1 ② **Q2** board **Q3** ① **Q4** migrate **Q5** ②

Q1 목표는 외국의 자본을 주식 시장으로 가져오는 것이다.
Q2 그들은 명단을 게시판에 붙였다.
Q3 의자들과 탁자들은 바닥에 고정되었다.
Q4 많은 종류의 새들이 겨울에 더 많은 먹이를 찾아 이동한다.
Q5 학생들은 문장을 완성하기 위해 빈칸을 채워야 한다.

Daily Test 04 p. 041

A **01** accustomed **02** broad **03** outstanding
04 souvenir **05** crisis **06** corporation
07 accomplish **08** 비교하다, 비유하다
09 빚, 부채 **10** 실업(률), 실직 (상태)
11 기진맥진한, 고갈된, 다 써 버린
12 이주하다, (새·동물이) 이동하다 **13** 수고, 노력
14 사과하다
B **01** board **02** immigrate **03** cut in
C **01** shout **02** maximize **03** trustworthy
04 public **05** disturb **06** arrive

DAY 05

내신 UP pp. 042-048

Q1 imitate **Q2** ② **Q3** ① **Q4** reward **Q5** ①

Q1 돌고래는 아주 정확하고 빠르게 소리를 모방하는 것을 배운다.
Q2 아주 작은 나무 조각이 그의 손가락을 찔러서 피가 나게 했다.
Q3 제가 제 계좌에서 돈을 얼마나 인출해야 합니까?
Q4 경찰은 그 강도 사건에 대한 어떤 정보에 대해서도 보상금을 걸었다.
Q5 Baker 씨는 당신이 한 서류 작업을 가지고 그녀의 사무실에 잠깐 들르기를 원한다.

Daily Test 05 p. 049

A **01** permanent **02** acid **03** define **04** intense
05 pity **06** crop **07** major
08 모방하다, 흉내 내다 **09** 풍경, 경치 **10** 강조하다
11 외교의, 외교에 능한 **12** 번역하다, 통역하다
13 전사, 무사 **14** 복원[복구]하다, 회복시키다
B **01** consume **02** intimate **03** drop off
C **01** break **02** exhale **03** impair
04 praise **05** hurry **06** mental

내신에 더 강해지는 TEST DAY 01-05

pp. 050-051

A **01** intense **02** remind **03** fluent **04** evidence
05 compare
B **01** ② **02** ③ **03** ①
C **01** ③ **02** ② **03** ① **04** ① **05** ②
D **01** required **02** count **03** damage

A

01 특히 질적인 면에서나 감정에서 강렬하고 큰: 극심한, 강렬한
02 누군가가 중요한 무언가를 기억하도록 돕다: 상기시키다, 생각나게 하다
03 쉽고 능숙하게 언어를 말하거나 읽거나 쓸 줄 아는: 유창한, 유창하게 말하는
04 어떤 것이 사실임을 믿게 해 주는 것: 증거(물)
05 둘 또는 그 이상의 것들 사이의 차이를 조사하다: 비교하다

B

01 • 쇼의 성공을 어떻게 설명할 수 있는가?
• 계좌를 만들려면 이 문서를 작성해야 한다.
02 • 우리는 과거가 아니라 현재에 사는 법을 배워야 한다.
• 그는 그녀에게 약혼반지를 줄 계획이다.
03 • 그녀는 상점 창문에 반사된 자신을 쳐다보았다.
• 잠시 나는 그 질문에 어떻게 대답할지 숙고했다.

C

01 ①, ② 유의어 관계 / ③ 반의어 관계
02 ①, ③ 반의어 관계 / ② 유의어 관계
03 ① 명사-명사 관계 / ②, ③ 동사-명사 관계
04 ① 유의어 관계 / ②, ③ 반의어 관계
05 ①, ③ 유의어 관계 / ② 반의어 관계

DAY 06

내신 UP pp. 052-058

Q1 ① Q2 constant Q3 ① Q4 medication
Q5 ②

Q1 핸드폰 카메라는 계속해서 발달하고 있고, 이미 디지털 카메라를 대체했다.
Q2 Terry의 끊임없는 부주의한 행동은 나를 짜증 나게 하기 시작했다.
Q3 스캐너는 음식물 쓰레기통에서 금속 물체를 감지했다.
Q4 그는 고혈압 때문에 약물 치료를 받아 왔다.
Q5 그녀는 그녀의 연령대에서 최고의 체스 선수인 것으로 드러났다.

Daily Test 06 p. 059

A 01 personality 02 nevertheless 03 statistic
04 participate 05 selfish 06 typical 07 affair
08 명상, 심사숙고 09 공손함, 정중함
10 (지위·가치 등을) 높이다, 향상시키다
11 즉시의, 즉각적인; 순간
12 나르다, 운반하다, (생각·감정 등을) 전하다
13 성숙한, 다 자란, 익은, 숙성한; 성숙해지다, 숙성하다
14 고려[숙고]하다, ~으로 여기다
B 01 recent 02 object 03 carry out
C 01 prey 02 success 03 assume 04 permit
05 delicate 06 reject

DAY 07

내신 UP pp. 060-066

Q1 approve Q2 ② Q3 ① Q4 compassion
Q5 ①

Q1 대부분의 부모들은 아이들이 화장하는 것에 찬성하지 않는다.
Q2 그 해변은 고운 모래와 아름다운 경관으로 유명하다.
Q3 Nate는 내 발언을 농담으로 다뤘고 진지하게 받아들이지 않았다.
Q4 이 소설에서 주인공은 동정심이 없는 잔인한 인물을 마주한다.
Q5 그의 어머니를 제외하고, 아무도 오늘 그 환자를 방문하러 오지 않았다.

Daily Test 07 p. 067

A 01 relationship 02 install 03 belief
04 alternative 05 ashamed 06 approve
07 compassion 08 (물이) 튀다, (물을) 튀기다
09 인류, (모든) 인간 10 필요(성), 필수품
11 열정, 격정 12 직업, 전문직
13 예측(하다), 예보(하다) 14 진단하다
B 01 incredible 02 situation
03 sets, apart from
C 01 ethical 02 effect 03 hardly 04 generous
05 escape 06 release

DAY 08

내신 UP pp. 068-074

Q1 sight Q2 ② Q3 respective Q4 ③

Q1 내가 아이슬란드에서 본 오로라는 정말로 신비한 광경이었다.
Q2 Ron은 우리가 규칙을 엄격하게 적용해야 한다고 주장했다.
Q3 학생들은 과제를 위해 각자의 파트너와 짝을 지었다.
Q4 TV를 켜고 보고 싶은 프로그램을 고르시오.

Daily Test 08 p. 075

A 01 oppress 02 theory 03 informative
04 prospect 05 site 06 prompt
07 respectable 08 회의, 회담, 협의
09 눈에 보이는, 뚜렷한, 명백한
10 치유되다, 치료하다 11 환대, 친절한 대접
12 각자의, 각각의 13 강력한, 힘센, 굉장한, 대단한
14 짐(을 지우다), 부담(시키다)
B 01 apply 02 disturb 03 put on
C 01 accurate 02 positive 03 advance
04 relaxed 05 attack 06 supporter

DAY 09

내신 UP pp. 076-082

Q1 ③ Q2 literal Q3 ① Q4 cancel Q5 ②

Q1 아주 작은 움직임 조차도 선반의 먼지를 날릴 것이다.
Q2 그녀의 이야기는 문자 그대로 믿을 수가 없다.
Q3 그들의 새로운 컴퓨터 시스템은 현재의 기술을 넘어서는 듯 하다.
Q4 3월 10일까지 배달되지 않는다면 제 주문을 취소할 것입니다.
Q5 당신은 그들의 긴장한 행동 방식을 통해 거짓말쟁이를 알아낼 수 있다.

Daily Test 09
p. 083

A **01** literary **02** eliminate **03** democracy
04 current **05** identify **06** endangered
07 flatter **08** 대체[대신]하다, 교체하다
09 인물 소개, 개요, 옆얼굴 **10** 분석하다, 분해하다
11 적절한, 충분한 **12** 후보자, 지원자
13 무서운, 겁을 주는
14 자포자기한, 절망적인, 필사적인
B **01** organic **02** universal **03** check out
C **01** effect **02** conceal **03** classify **04** release
05 steady **06** dawn

DAY 10

내신 UP
pp. 084-090

Q1 ① **Q2** historical **Q3** access **Q4** ② **Q5** ①

Q1 버스가 갑자기 앞으로 움직이면서 그녀는 거의 균형을 잃었다.
Q2 그녀의 책은 역사적인 사실과 환상을 혼합하고 있다.
Q3 그녀는 내 태블릿 PC에 접속하는 데 필요한 비밀번호에 대해 물었다.
Q4 그 유명인 커플은 어디를 가든 자연스럽게 대중을 사로잡는다.
Q5 학교 버스는 멈추지 않고 지나갔다.

Daily Test 10
p. 091

A **01** assess **02** various **03** sympathy
04 nationality **05** breeze **06** refund
07 conceal **08** 쓰레기; 버리다, 어지럽히다
09 이해하다 **10** 역사(상)의, 역사와 관련된
11 자신감 있는, 확신하는 **12** 특성, 특징
13 매혹하다, 마음을 사로잡다 **14** 긴급한, 다급한
B **01** phenomenon **02** engage **03** stopped by
C **01** order **02** dismiss **03** rarely **04** praise
05 wounded **06** dry

내신에 더 강해지는 TEST DAY 06-10

pp. 092-093

A **01** sympathy **02** forecast **03** opponent
04 adequate **05** mature
B **01** ④ **02** ① **03** ③
C **01** ① **02** ② **03** ① **04** ③ **05** ②
D **01** turned **02** approve
03 Nevertheless, participate

A
01 어떤 사람에 대해 가엾게 느끼는 것: 동정(심), 연민
02 미래에 일어날 것이라고 당신이 생각하는 것을 말하다: 예측하다, 예보하다
03 당신이 상대하여 경기를 하거나 싸우는 사람: 상대, 적수
04 특정한 목적을 위해 질적으로 충분하거나 양적으로 충분히 좋은: 적절한, 충분한
05 (사람, 나무 혹은 동물이) 완전히 자라거나 발달한: 성숙한, 다 자란, 익은, 숙성한

B
01 • 새는 하늘 높이 날아오르기 위해 따뜻한 기류를 이용했다.
• 당신은 운동을 통해 현재의 몸무게를 유지할 수 있다.
02 • 그 게임의 목적은 아이들의 수학 능력을 향상시키는 것이다.
• 사장이 그 아이디어를 제안했을 때 아무도 반대하지 못했다.
03 • 그 도시는 미세한 화산재 층으로 덮였다.
• 이 아파트는 2명에게는 괜찮지만 그 이상에겐 좋지 않다.

C
01 ① 반의어 관계 / ②, ③ 유의어 관계
02 ①, ③ 반의어 관계 / ② 유의어 관계
03 ① 명사-동사 관계 / ②, ③ 반의어 관계
04 ①, ② 동사-명사 관계 / ③ 단수-복수 관계
05 ①, ③ 유의어 관계 / ② 반의어 관계

DAY 11

내신 UP pp. 094-100

Q1 ② **Q2** considerable **Q3** ② **Q4** intent **Q5** ①

Q1 그가 의지할 수 있는 유일한 것은 손전등에서 나오는 희미한 빛뿐이었다.
Q2 그는 주식 투자에 상당한 전문 지식을 가지고 있다.
Q3 그 잡지는 비만의 위험성에 대한 기사를 실었다.
Q4 법정은 그가 훔치려는 의도를 가지고 건물에 들어갔다고 판결을 내렸다.
Q5 나는 양식을 기입하고 사진을 붙여서 제출하라고 들었다.

Daily Test 11 p. 101

A **01** poll **02** scholarship **03** justify **04** treasure
05 fault **06** considerate **07** intent
08 측면, 면, 양상, 모습
09 중립의, 중립적인, (전기) 중성의
10 확신시키다, 납득시키다, 설득하다 **11** 짐승, 야수
12 주목할 만한, 놀랄 만한
13 (일련의) 연속, 순서, 차례
14 지배적인, 우위를 차지하는
B **01** Otherwise **02** fainted **03** hand out
C **01** discussion **02** supply
03 approving[advantageous] **04** praise
05 happen **06** conservative

DAY 12

내신 UP pp. 102-108

Q1 sew **Q2** ③ **Q3** personal **Q4** ③

Q1 이 바지는 천이 질겨서 바느질하기 아주 어렵다.
Q2 Walter는 전기 자동차 산업에서 중요한 인물이다.
Q3 Jonathan은 언제나 사적인 감정과 사업을 섞지 않으려 노력한다.
Q4 우리 가족은 개를 좋아해서 나는 네가 멀리 가 있는 동안 너의 개를 돌봐 줄 수 있다.

Daily Test 12 p. 109

A **01** fee **02** civilization **03** saw **04** device
05 ecosystem **06** escape **07** sow
08 인지[감지]하다, 알아차리다
09 기념하다, 축하하다, 찬양하다, 기리다
10 (총)인원, (전) 직원, 인사과 **11** 집단의, 공동의
12 관리, 행정 (업무), 행정부, 집행
13 과정, 처리; 처리하다, 가공하다
14 지역, 영토, 영역
B **01** personal **02** hastened **03** get rid of
C **01** experience **02** disarrange **03** pull
04 obscure **05** fierce **06** fantasy

DAY 13

내신 UP pp. 110-116

Q1 ② **Q2** expend **Q3** ③ **Q4** industrial **Q5** ③

Q1 직원들 중 한 명이 새로운 지급 조건 수용을 거부했다.
Q2 섭취하는 칼로리는 소비하는 칼로리와 같아야 한다.
Q3 그 사고가 운전자의 부주의함으로 인한 것이었는지는 확실하지 않다.
Q4 이 청소 제품들은 공업용으로만 사용해야 한다.
Q5 전기를 절약하기 위해서, 우리는 방을 나갈 때에 전등을 꺼야 한다.

Daily Test 13 p. 117

A **01** odor **02** mental **03** astronaut **04** fatigue
05 industrial **06** distinguish **07** select
08 물다, 물어뜯다; 한 입
09 정장, 한 벌, 소송; 잘 맞다, 어울리다
10 공식적인; 공무원, 관리
11 논란이 많은, 논쟁의 여지가 있는
12 확대[확장]하다, 팽창시키다
13 분출하다, 폭발하다
14 진공 (상태); 진공청소기로 청소하다
B **01** calculate **02** expend **03** call off
C **01** recently **02** permit **03** modest
04 minority **05** opposite **06** complexity

DAY 14

내신 UP pp. 118-124

Q1 ② **Q2** ethnic **Q3** ① **Q4** peels **Q5** ③

Q1 1940년에 젊은 군인이 그의 아내에게 쓴 편지는 독자들을 감동으로 눈물짓게 한다.
Q2 국가들은 소수 민족을 보호하기 위한 법을 통과시켰다.
Q3 이곳은 실업률이 높은 지역이다.
Q4 새로운 피부가 자라고, 손상된 피부는 껍질이 벗겨진다.
Q5 그 여자는 아픈 아이를 돌보느라 밤새 자지 않고 깨어 있었다.

Daily Test 14 p. 125

A **01** biography **02** iceberg **03** department
04 tragic **05** ethnic **06** priority **07** peel
08 생물, 사람 **09** 용돈, 수당, 허용량
10 모이다[모으다], 조립하다 **11** 기적, 기적같은 일
12 폭탄; 폭파하다, 폭격하다
13 우연히 만나다, 직면하다; (뜻밖의) 만남, 접촉
14 분명한, 명백한
B **01** sacrifice **02** curious **03** set up
C **01** concentrate **02** descendant **03** effect
04 detach **05** essential **06** partial

DAY 15

내신 UP pp. 126-132

Q1 imaginary **Q2** ② **Q3** add **Q4** ②

Q1 아이들이 그들 자신만의 세상을 만들고 상상의 친구를 가지는 것은 흔한 일이다.
Q2 이 새로운 자동차는 운전자가 일정한 속도를 유지할 수 있도록 도와준다.
Q3 당신의 이름을 목록에 추가하고 싶으신가요?
Q4 심리학자가 되고자 하는 그의 목표는 그의 어린 시절과 관련이 있다.

Daily Test 15 p. 133

A **01** slight **02** instrument **03** imaginable
04 cooperate **05** phrase **06** odd **07** dig
08 턱수염 **09** 예산(안); 예산을 세우다
10 여백, 가장자리, 끝, 이윤[이익] 폭 **11** 맥박
12 치료, 요법 **13** 유제품(의), 낙농업(의)
14 완전한, 절대적인
B **01** transfers **02** waste **03** have difficulty
C **01** exhibit **02** loss **03** scream **04** manual
05 lucky **06** attend

내신에 더 강해지는 TEST DAY 11-15

pp. 134-135

A **01** due **02** notice **03** convince **04** vital
05 priority
B **01** ④ **02** ② **03** ①
C **01** ① **02** ③ **03** ② **04** ① **05** ②
D **01** budget **02** Considerable **03** Due, put

A
01 특정 시간에 (발생하거나 도착하는 등) 예상되는: (~하기로) 예정된
02 써 있거나 인쇄된 정보를 제공하는 종이: 통지(서)
03 어떤 것이 사실이라고 누군가를/자신을 믿게 만들다: 확신시키다, 납득시키다
04 어떤 것이 성공하거나 존재하기 위해 필요하고 필수적인: 필수적인, 매우 중요한
05 중요해서 제일 먼저 다뤄져야 하는 것: 우선 사항, 우선(권)

B
01 • 공식 수치에 따르면 실직은 5월에 정점에 이르렀다.
• 멀리서 사람 모습이 보였지만 나는 그들이 누구인지는 알 수 없었다.
02 • 조끼는 소매가 없는 의류 물품이다.
• 나는 어떤 과학자가 쓴 노화를 주제로 한 흥미로운 기사를 읽었다.
03 • 그들의 웹사이트의 광고 요금은 터무니없이 높다.
• 오늘날 모든 사람들은 기후 변화를 제일 중요한 문제로 평가한다.

C
01 ① 반의어 관계 / ②, ③ 유의어 관계
02 ①, ② 반의어 관계 / ③ 유의어 관계
03 ①, ③ 명사-동사 관계 / ② 명사-형용사 관계
04 ① 유의어 관계 / ②, ③ 반의어 관계
05 ①, ③ 유의어 관계 / ② 반의어 관계

DAY 16

내신 UP pp. 136-142

Q1 ② **Q2** aboard **Q3** lay **Q4** ③ **Q5** ②

Q1 CEO는 Steve에게 광고와 재무의 책임을 맡도록 했다.
Q2 배에 탑승한 지 3일이 되자, 그는 편안한 기분이 들기 시작했다.
Q3 너의 머리를 베개 위에 둔다면, 너는 잠들 것이다.
Q4 미국 정부는 그에게 비자를 발부하기를 거부했다.
Q5 아이들은 상황을 모면했다고 생각했지만, 모두가 그들의 거짓말에 대해 알았다.

Daily Test 16 p. 143

A **01** barn **02** obstacle **03** domestic
04 pioneer **05** abroad **06** recommend
07 myth **08** 비틀거리다, 넘어질 뻔하다, 말을 더듬다
09 감사하는, 고마워하는
10 인용하다, 예로 들다; 인용문
11 (가치·품질 등을) 평가하다, 감정하다
12 서명, 특징 **13** ~할[살] 여유가 되다
14 마감 시한, 최종 기한
B **01** charge **02** disagree **03** along with
C **01** unexpected **02** acquired **03** cause
04 disprove **05** pursue **06** obscure

DAY 17

내신 UP pp. 144-150

Q1 ③ **Q2** customs **Q3** ③ **Q4** terrible **Q5** ②

Q1 내가 명령을 내릴 때까지 쏘지 말아라.
Q2 세관 공무원들이 우리의 가방과 짐들을 수색했다.
Q3 나는 당시에는 John과 Ted가 얼마나 가까운 사이인지 인식하지 못했다.
Q4 오염된 바닷물은 해양 생물들에게는 끔찍하다.
Q5 사람들은 나이가 들어감에 따라, 이전의 좋았던 시절을 갈망하는 경향이 있다.

Daily Test 17 p. 151

A **01** terrific **02** faithful **03** exact **04** custom
05 namely **06** trend **07** foresee
08 설립하다, 수립하다, (법률 등을) 제정하다
09 일회용의, 쓰고 버릴 수 있는
10 승인하다, 인정하다, 수여하다; 보조금, 지원금
11 선고하다; 문장, 형벌, 선고
12 (집요하게) 계속하다, 고집하다
13 홍수; 범람하다, 물에 잠기게 하다
14 도전, 시험; 도전하다, 이의를 제기하다
B **01** collapsed **02** customs **03** stands for
C **01** intention **02** final **03** enough
04 moderate **05** destroy **06** impatient

DAY 18

내신 UP pp. 152-158

Q1 ① **Q2** adopt **Q3** ③ **Q4** insert **Q5** ②

Q1 여종업원이 그들의 테이블로 계산서를 가지고왔다.
Q2 그들은 사무실을 런던으로 옮기자는 Terry의 제안을 채택하기로 결정했다.
Q3 그녀는 열심히 일했고 곧 승진되었다.
Q4 그들은 계약서에 다른 조건을 끼워 넣을 방법을 찾고 있는 중이다.
Q5 나는 내 개가 이웃의 고양이를 뒤쫓는 것을 막으려 노력했지만, 소용이 없었다.

Daily Test 18 p. 159

A **01** vague **02** intuition **03** fossil **04** insult
05 resident **06** adapt **07** insert
08 근본적인, 본질적인, 핵심적인, 필수적인
09 협력하다, 공동으로 작업하다
10 수행하다, 공연하다 **11** 결과
12 청구서, 계산서, 지폐, 법안 **13** 자랑하다, 뽐내다
14 보통의, 정상적인
B **01** specific **02** Glaciers **03** take after
C **01** translate **02** rough **03** fire **04** increase
05 blend **06** sweet

DAY 19

내신 UP pp. 160-166

Q1 raising **Q2** ③ **Q3** status **Q4** ③

Q1 시는 성당의 수리를 위해 돈을 모금하고 있다.
Q2 혁신적인 기기는 얼리 어댑터들의 관심을 끈다.
Q3 Josh는 더 나은 사회적 지위를 얻기 위해 그가 할 수 있는 것을 다 했다.
Q4 그들은 나쁜 날씨 예보 때문에 정원 파티를 취소하기로 결정했다.

Daily Test 19 p. 167

A **01** barrier **02** agony **03** pharmacy **04** chaos **05** republic **06** status **07** lively **08** (대규모) 집회, 대회, 관습 **09** 참을 수 없는 **10** 목격자, 증인; 목격하다, 증언하다 **11** 집중하다, 농축하다 **12** 초상(화), 인물 사진, 묘사 **13** 제조[제작](하다), 생산(하다) **14** 예측하다, 예언하다
B **01** register **02** raise **03** owing to
C **01** distinctive **02** innocent **03** construction **04** melt **05** devote **06** external

DAY 20

내신 UP pp. 168-174

Q1 ① **Q2** mass **Q3** ① **Q4** superior **Q5** ②

Q1 저희 지점 어디에서나 수수료 없이 현금을 인출하실 수 있습니다.
Q2 이메일은 버튼을 터치하는 것만으로 대량의 메일 발송을 가능하게 만들었다.
Q3 무한한 창의성은 그 회사의 혁신적인 프로젝트의 주요 특징이다.
Q4 다른 사람들에게 우월한 느낌을 갖는 것은 당신을 거만하고 고집스럽게 만들 수 있다.
Q5 우리는 공원을 더 지어서 우리의 시를 좀 더 친환경적으로 만들자는 계획을 생각해 냈다.

Daily Test 20 p. 175

A **01** merchant **02** proper **03** ash **04** randomly **05** direct **06** restrict **07** inferior **08** 의학의, 의료의 **09** 선호(도), 선호하는 것 **10** 서식지, 거주지 **11** 흔한, 공통의 **12** 알고 있는, 인식하는 **13** 적의, 적개심 **14** 철수하다, 철회하다, (예금 등을) 인출하다
B **01** contrast **02** chores **03** keeping up with
C **01** hire **02** dusk **03** decrease **04** worthless **05** depressing **06** cheerful

내신에 더 강해지는 TEST DAY 16-20

pp. 176-177

A **01** collide **02** randomly **03** withdraw **04** pioneer **05** custom
B **01** ② **02** ④ **03** ①
C **01** ③ **02** ① **03** ② **04** ③ **05** ②
D **01** adapt **02** come **03** aim, insight

A
01 서로 격렬하게 충돌하다: 충돌하다, 부딪치다
02 어떤 계획, 목적 혹은 일정한 패턴 없이: 무작위로
03 어떤 장소나 상황으로부터 뒤로 혹은 멀리 이동하다: 철수하다, 철회하다
04 특정한 영역을 최초로 연구하거나 발전시킨 사람: 개척자, 선구자
05 어떤 사회에서 받아들여지는 행동 방식: 관습, 풍습

B
01 • 우리는 불법 약물의 위험성에 대한 대중의 인식을 높였다.
• 홍수 피해자들에 대한 호소가 300만 달러 이상을 모금했다.
02 • 투숙객은 객실 및 손상에 대한 비용을 부담하게 될 것이다.
• 그녀는 내게 그녀의 쌍둥이 딸을 돌보는 일을 맡겼다.
03 • 저희는 이탈리아의 패션 산업에 대한 심도 있는 특집 기사를 다룹니다.
• 호주산 소고기의 가장 독특한 특징은 소에게 주로 풀을 먹인다는 것이다.

C
01 ①, ② 유의어 관계 / ③ 반의어 관계
02 ① 유의어 관계 / ②, ③ 반의어 관계
03 ①, ③ 동사-명사 관계 / ② 동사-형용사 관계
04 ①, ② 반의어 관계 / ③ 유의어 관계
05 ①, ③ 유의어 관계 / ② 반의어 관계

DAY 21

내신 UP pp. 178-184

Q1 comments **Q2** ① **Q3** flash **Q4** ② **Q5** ③

Q1 팀 프로젝트 동안 그의 태도에 대해 수많은 의견들이 있었다.
Q2 그는 다음 월요일까지 유아용 케어 제품을 배달해 달라고 요청 받았다.
Q3 방문객들은 갤러리 안에서는 카메라의 플래시를 꺼야 한다.
Q4 이곳은 어린 아이들이 있는 가족들에게 훌륭한 휴양지이다.
Q5 폭풍으로 인해 비행기가 몇 시간 지연되었다.

Daily Test 21 p. 185

A **01** psychology **02** celebrity **03** sneeze
04 marvelous **05** architect **06** collect
07 complicated **08** 무질서, 혼란, 장애[질병]
09 둘러싸다, 에워싸다 **10** 살, 고기, 과육
11 청중, 관중, 시청자 **12** 짧은, 간결한; 보고하다
13 ~할 운명의, ~행(行)의 **14** 명령(하다), 지휘(하다)
B **01** claimed **02** deliver **03** check up
C **01** disregard **02** tight **03** confuse
04 disappear **05** necessary **06** damage

DAY 22

내신 UP pp. 186-192

Q1 ② **Q2** tidy **Q3** ① **Q4** intellectual **Q5** ②

Q1 평화 운동가들은 군사적 공격은 또 다른 전쟁을 일으킬 뿐이라고 주장한다.
Q2 그는 방을 청소했다고 말했지만, 그것은 정돈되어 보이지 않는다.
Q3 이 그림은 일반적으로 그 예술가의 역작으로 여겨진다.
Q4 더 많은 책을 읽는 것은 아이들의 지적인 능력을 높일 것이다.
Q5 만약 친구가 감정적 또는 상황적인 위기를 겪고 있다면, 친구의 말을 잘 들어 주어라.

Daily Test 22 p. 193

A **01** telescope **02** reputation **03** disappear
04 eventual **05** regulate **06** tidy **07** vehicle
08 학기 **09** 각도, 각, 관점, 시각 **10** 붕대(를 감다)
11 중간의; 매체, 수단 **12** 화려한, 훌륭한, 멋진
13 (공 등이) 튀어 오르다, 튀다
14 (과학) 기술의, 전문적인
B **01** confirmed **02** rushed **03** go through
C **01** flaw[fault] **02** allow **03** guarantee
04 release **05** even **06** impractical

DAY 23

내신 UP pp. 194-200

Q1 ③ **Q2** quantity **Q3** ② **Q4** contribute **Q5** ①

Q1 그가 창 밖을 내다봤을 때, 그 낯선 사람은 그림자 속에 정지한 채 서 있었다.
Q2 가게에서 많은 양의 옷이 도난당했다.
Q3 그 범죄자는 현장에서 자신의 발자국을 감추는 법을 알았음이 틀림없다.
Q4 에어컨의 사용은 지구 온난화의 원인이 될 수 있다.
Q5 그는 자신의 실수를 만회하기 위해 최선을 다하고 있다.

Daily Test 23 p. 201

A **01** overwhelm **02** strategy **03** quantity
04 nutrient **05** equipment **06** weed
07 benefit **08** 진짜의, 진실한 **09** 경제의, 경제학의
10 (시간·노력 등을) 바치다, 쏟다
11 영원한, 변치 않는
12 나누어 주다, 분배하다, 분포시키다
13 깜박거리다; 깜박거림
14 길, (발)자국, 경주로; 추적하다
B **01** belong **02** recognized **03** sign up for
C **01** gaze **02** sink **03** elastic **04** introverted
05 delete **06** floor

DAY 24

내신 UP pp. 202-208

Q1 ③ **Q2** regions **Q3** ① **Q4** comparative
Q5 ③

Q1 이 알려지지 않은 물질은 고무와 비슷한 특성을 가지고 있다.
Q2 내일 아침 전 지역에 눈이 예상된다.
Q3 이 나무들은 따뜻한 날씨 덕분에 작년보다 더 많은 과일을 산출할 것으로 기대된다.
Q4 그는 비교적 쉽게 사업에서 성공했다.
Q5 과학자들은 암세포를 죽이는 새로운 방법을 찾으려 애쓰고 있다.

Daily Test 24 p. 209

A **01** repetitive **02** tax **03** sparkle **04** method
05 athlete **06** awkward **07** comparative
08 기계, 기계류, 기계 부품들 **09** 감독하다, 관리하다
10 지역, 지방, 영역 **11** 장관, 목사, 성직자
12 재산, 소유물, 부동산, 토지, 특성, 속성
13 (결과를) 내다, 산출하다, 굴복하다, 양보하다; (농작물 등의) 산출량 **14** 뿐만 아니라, 더욱이
B **01** guarantee **02** estimate **03** based on
C **01** ordinary **02** improve **03** fragile **04** forbid
05 heal **06** diligent

DAY 25

내신 UP pp. 210-216

Q1 ① **Q2** successive **Q3** ③ **Q4** attitude **Q5** ①

Q1 현재 문제의 가장 공정한 해결책은 무엇이라고 생각합니까?
Q2 그녀는 5일 연속으로 학교에 결석했다.
Q3 그는 누구에게 이야기하든지 자신의 기분과 의견을 표현하는 것을 두려워하지 않는다.
Q4 건강하고 긍정적인 태도를 가지는 것이 더 좋다.
Q5 그 저널리스트는 그 문제 뒤에 숨은 진실을 뒤쫓기로 결심했다.

Daily Test 25 p. 217

A **01** broaden **02** hatch **03** invest
04 successive **05** appetite **06** separate
07 altitude **08** 관찰, 관측, (관찰에 따른) 의견
09 의식하는, 자각하는, 의식이 있는
10 열망하는, 열성적인 **11** 발표하다, 알리다
12 표현하다, 나타내다; 급행열차; 급행의, 신속한
13 흘긋 보다; 흘긋 봄 **14** 재개하다, 갱신하다
B **01** illegal **02** disasters **03** looks after
C **01** urge **02** compulsory **03** slender
04 employ **05** reputation **06** import

내신에 더 강해지는 TEST DAY 21-25

pp. 218-219

A **01** claim **02** awkward **03** strategy **04** eager
05 reputation
B **01** ② **02** ④ **03** ③
C **01** ① **02** ③ **03** ② **04** ② **05** ①
D **01** remained, successive **02** looked
03 attribute

A

01 어떤 것이 진실이거나 사실이라고 말하다: 주장하다, 요구하다
02 어려움이나 불편한 감정을 일으키는: 어색한, 불편한
03 특정한 목적을 달성하기 위해 의도된 계획: 전략
04 하고 싶은 것에 대해 매우 들떠 있는: 열망하는, 열성적인
05 일반적인 사람들이 생각하는 누군가/어떤 것에 대한 의견: 평판, 명성

B

01 • 기름은 물에 뜨는 속성을 갖고 있다.
• 표지판은 이 땅이 이제 사유지임을 알려준다.
02 • 나는 그녀를 20년간 못 봤지만 그녀를 바로 알아봤다.
• 이 자격증들은 전 유럽연합에서 공식적으로 인정된다.
03 • 젖소 한 마리당 평균 우유 산출량은 꾸준히 증가했다.
• 그 계획은 미래에 좋은 결과를 낳을 것으로 예상된다.

C

01 ① 유의어 관계 / ②, ③ 반의어 관계
02 ①, ② 명사-형용사 관계 / ③ 동사-명사 관계
03 ①, ③ 유의어 관계 / ② 반의어 관계
04 ①, ③ 반의어 관계 / ② 유의어 관계
05 ① 반의어 관계 / ②, ③ 유의어 관계

DAY 26

내신 UP pp. 220-226

Q1 ③ **Q2** effect **Q3** ② **Q4** flavor **Q5** ②

Q1 이 얼어붙은 호수의 얼음은 네 무게를 견디기엔 충분히 두껍지 않을지도 모른다.
Q2 관리자의 태도는 부서의 나머지 구성원에게 큰 영향을 미친다.
Q3 재구매율은 제품의 인기의 한 척도이다.
Q4 우리로 하여금 음식의 풍미를 인식할 수 있게 하는 것은 후각이다.
Q5 지역 주민들은 초등학교 주변에 더 많은 횡단보도를 요구했다.

Daily Test 26 p. 227

A **01** identical **02** frost **03** melt **04** effect
05 addicted **06** symptom **07** transport
08 호의, 친절, 부탁; 호의를 보이다, 찬성하다
09 비범한, 대단한, 기이한 **10** 기둥
11 흔적, 자취; 추적하다 **12** 동반자, 동행, 친구
13 참다, 견디다, (아이를) 낳다, (열매를) 맺다
14 면역성의, 면역의
B **01** affected **02** contain **03** speak for
C **01** critical **02** fragile **03** stimulate **04** disable
05 sharp **06** difficulty

DAY 27

내신 UP pp. 228-234

Q1 exclude **Q2** ① **Q3** split **Q4** ②

Q1 판사는 부당하게 취득한 증거는 제외하기로 결정했다.
Q2 인사 담당자는 각 지원자의 상대적인 장점들을 비교했다.
Q3 그 록 밴드는 서울에서의 콘서트 이후 헤어지기로 결정했다.
Q4 아이들은 그들의 부모의 손을 놓고 광대에게로 달려갔다.

Daily Test 27 p. 235

A **01** spill **02** instruct **03** dreadful **04** swear
05 despair **06** exclude **07** testify
08 (사물을) 다루다, 조종하다, 조작하다
09 상대적인, 비교상의; 친척
10 직업, 점유, 거주, 점령 **11** 단단한, 확고한; 회사
12 결론을 내리다, 끝내다
13 그럴 듯한, 충분히 가능한 **14** 잘게 자르다[썰다]
B **01** include **02** solution **03** run out of
C **01** prison **02** spiritual **03** reuse **04** dead
05 contribute **06** lack

DAY 28

내신 UP pp. 236-242

Q1 ② **Q2** means **Q3** ② **Q4** explore **Q5** ①

Q1 그는 하루에 세 번 그 구역 주변으로 그의 개를 산책시킨다.
Q2 그들은 사고가 일어났을 때 Sarah에게 연락할 수단이 없었다.
Q3 이 옷은 모든 공식적인 행사에 적합하다.
Q4 그녀는 언제나 희귀한 물고기를 찾기 위해 깊은 바다를 탐사하고 싶어 했다.
Q5 나는 내 아내에게 내 부모님을 배웅할 필요는 없다고 말했다.

Daily Test 28 p. 243

A **01** atmosphere **02** temperature **03** severe
04 policy **05** ambition **06** incident
07 negotiate **08** 열대의, 열대 지방의
09 폭발하다[시키다], 폭발적으로 증가하다
10 은퇴하다, 퇴직하다, 물러나다 **11** 시작되다[하다]
12 소화(력) **13** 줄, 열; 노를 젓다
14 나타내다, 상징하다, 대표하다, 표현하다
B **01** published **02** Despite **03** took off
C **01** rely **02** rural **03** unite **04** deny
05 professional **06** complicate

DAY 29

내신 UP pp. 244-250

Q1 ③ **Q2** extend **Q3** ② **Q4** vocation **Q5** ②

Q1 그녀는 그녀가 기관을 위해 한 것에 대해 인정을 받지 못했다.
Q2 연구원들은 인간의 평균 수명을 연장하기를 바라고 있다.
Q3 나는 여동생의 결혼식에 참석하기 위해 시카고에 갔다.
Q4 17살의 나이에, 그녀는 작가로서의 천직을 찾았다.

Q5 갑자기 전체 시스템이 아무런 경고 없이 멈췄다.

Daily Test 29
p. 251

A **01** spouse **02** certificate **03** additional
04 attend **05** disgusting **06** extent
07 overcome **08** 터무니없는, 어리석은, 우스운
09 여행(하다), 항해(하다) **10** 칭찬하다; 칭찬, 찬사
11 접근하다; 접근(법) **12** 수많은, 다수의
13 직업, 천직, 소명 (의식)
14 (연극 등의) 의상, 복장, 분장
B **01** pollution **02** share **03** cutting down
C **01** murmur **02** increase **03** rub **04** accept
05 faint **06** undesirable

DAY 30

내신 UP
pp. 252-258

Q1 ③ **Q2** Pure **Q3** ② **Q4** compete **Q5** ②

Q1 Chris는 영화에서 그리 중요하지 않은 역할을 연기했다.
Q2 순수한 올리브 기름은 대개 옅은 금색이고 밋밋한 맛이 난다.
Q3 Sam은 Liz와 결혼한 후에, 보스턴에 정착하기로 마음먹었다.
Q4 올림픽 경기에 참가할 기회를 얻어서 영광이다.
Q5 그녀는 L.A.의 거리를 걸으며, 유명인을 우연히 만나기를 바랐다.

Daily Test 30
p. 259

A **01** swallow **02** irritate **03** meaningful
04 hardship **05** stubborn **06** Antarctic
07 settle **08** 상당히, 꽤, 오히려 **09** 순수한, 깨끗한
10 ~에서 비롯되다, 유래하다
11 기어가다, 서행하다; 기어가기, 서행
12 유능한, 실력 있는 **13** 간지럽게 하다; 간지럼
14 유전의, 유전학의
B **01** tradition **02** compete **03** break into[in]
C **01** offender **02** concrete **03** establish
04 disobey **05** extra **06** subjective

내신에 더 강해지는 TEST DAY 26-30

pp. 260-261

A **01** negotiate **02** competent **03** compliment
04 split **05** durable
B **01** ② **02** ① **03** ③
C **01** ① **02** ③ **03** ② **04** ③ **05** ②
D **01** concluded **02** stubborn **03** cut, affect

A

01 공식적인 논의를 통해 합의에 도달하려고 노력하다: 협상하다, 교섭하다
02 어떤 것을 잘 할 만큼 충분한 기술이나 지식을 갖고 있는: 유능한, 실력 있는
03 어떤 사람에 대한 칭찬이나 인정을 표현하는 말: 칭찬, 찬사
04 두 개 혹은 그 이상의 부분으로 나눠지거나 어떤 것을 나누다: 나누다[나뉘다], 분열되다[시키다]
05 깨지거나 약해지지 않고 오랫동안 지속될 것 같은: 내구성이 있는

B

01 • 그 밴드는 자신들의 이미지에 어울리는 이름들을 찾고 있다.
• 그 음식은 위장 장애를 가진 환자들에게는 적합하지 않다.
02 • 그 나무는 올해 많은 사과가 열릴 것으로 예상된다.
• 복통은 그가 견딜 수 있는 것보다 훨씬 더 고통스러웠다.
03 • 너의 월급만으로는 너의 성공의 척도가 될 수 없다.
• GDP는 한 국가의 경제 활동에 대한 가장 광범위한 척도로 여겨진다.

C

01 ① 유의어 관계 / ②, ③ 반의어 관계
02 ①, ② 유의어 관계 / ③ 반의어 관계
03 ①, ③ 반의어 관계 / ② 유의어 관계
04 ①, ② 동사-명사 관계 / ③ 동사-형용사 관계
05 ①, ③ 유의어 관계 / ② 반의어 관계

DAY 31

내신 UP pp. 262-268

Q1 ① **Q2** awful **Q3** ② **Q4** stuff **Q5** ②

Q1 부모님이 돌아가신 후, 그녀는 우울해지고 건강 상태가 나빠졌다.
Q2 새벽 3시에, 나는 내가 경험했던 중 가장 끔찍한 악몽에서 깨어났다.
Q3 몇몇 화학자들은 물질을 더 작은 성분으로 분해하는 방법을 찾으려 하고 있다.
Q4 분실물 센터는 더 이상 필요 없는 온갖 종류의 물건들로 가득 찼다.
Q5 과녁을 맞히기 위해, 양궁 선수들은 중력과 바람을 고려해야 한다.

Daily Test 31 p. 269

A **01** stiff **02** particular **03** accountant **04** fate
05 bury **06** recipe **07** underneath
08 살금살금 움직이다, 기다
09 경탄할 만한, 최고의, 멋진
10 조심, 경고, 주의; 경고하다, 주의시키다
11 승강장, 연단, 강단 **12** 내포하다, 암시[시사]하다
13 빠른, 신속한 **14** 혐의, 의심
B **01** address **02** awful **03** take the place
C **01** operation **02** horizontal **03** intense
04 conceal **05** vary **06** natural

DAY 32

내신 UP pp. 270-276

Q1 exists **Q2** ① **Q3** ② **Q4** jealous **Q5** ①

Q1 그는 지적인 생명체가 먼 행성에 존재한다고 믿는다.
Q2 그 회사는 6개 국에서 패스트푸드점을 운영한다.
Q3 사람들은 1850년에 이 지역에서 금을 채굴하기 시작했다.
Q4 그의 동료들은 그의 승진을 질투할 것이다.
Q5 지쳐 보이는 한 남자가 물 한 잔을 요청하며 다가왔다.

Daily Test 32 p. 277

A **01** zealous **02** sponsor **03** fantasy
04 persuade **05** acquaintance **06** mine
07 resemble **08** 진실된, 진심의
09 날것의, 가공되지 않은 **10** 아주 멋진, 화려한
11 지속적인, 끊임없는 **12** 창안[고안]하다
13 작동하다, 운영하다, 수술하다
14 유출, 새는 곳; 유출하다, 새다, (비밀을) 누설하다
B **01** regret **02** bother **03** hanging out
C **01** fate **02** permit **03** broke **04** genuine
05 face **06** defeat

DAY 33

내신 UP pp. 278-284

Q1 suspect **Q2** ① **Q3** preserved **Q4** ① **Q5** ②

Q1 경찰은 절도 용의자를 가장 가까운 경찰서로 연행했다.
Q2 그의 무심한 결정으로 그들 모두는 심각한 위험에 처했다.
Q3 많은 사람들은 열대우림이 보존되어야 한다고 생각한다.
Q4 나는 그녀의 성씨의 철자를 정확하게 쓰기가 어렵다.
Q5 계약서에 사인하기 전에 반드시 주의 깊게 검토하도록 해라.

Daily Test 33 p. 285

A **01** thermometer **02** embassy **03** infinite
04 yawn **05** suspect **06** overflow
07 innovate **08** 건설하다, 구성하다
09 소형의, (공간이) 작은, 조밀한
10 바꾸다, 변경하다 **11** 보존하다, 지키다, 저장하다
12 무덤, 묘; 심각한, 중대한 **13** 회복되다, 되찾다
14 결정하다, 결심하다
B **01** suspense **02** authority **03** looked over
C **01** endure **02** withdraw **03** calculate
04 broad **05** specific **06** plain

DAY 34

내신 UP pp. 286-292

Q1 ③ **Q2** previous **Q3** ① **Q4** loyal **Q5** ③

Q1 그 여자는 머리카락에 콤플렉스를 가지고 있다.
Q2 그 집의 이전 주인은 뒷마당에 트램펄린을 남겨두었다.
Q3 주연을 제외한 출연진 모두가 훌륭한 배우였다.
Q4 당신은 Henry가 2년 동안 이 조직에 충성해 왔다는 것을 이해해야 한다.
Q5 짖는 개에게서 도망치지 마라. 개가 너를 쫓아올 것이다.

Daily Test 34 p. 293

A **01** arrow **02** indifferent **03** philosophy
04 loyal **05** inform **06** charity **07** starve
08 적절한, 적합한
09 변화, 교대 근무; 바꾸다, 이동하다[시키다]
10 민속의, 전통적인; 사람들 **11** 소지품, 소유물, 재산
12 귀중한, 값비싼, 소중한 **13** 수정하다, 변경하다
14 제출하다, 항복[굴복]하다
B **01** increased **02** previous **03** passed away
C **01** intuition **02** release **03** handicapped
04 temporary **05** rough **06** vanish

DAY 35

내신 UP pp. 294-300

Q1 ③ **Q2** absorbed **Q3** welfare **Q4** ① **Q5** ③

Q1 아이들이 성냥을 가지고 노는 것은 안전하지 않다.
Q2 Yong은 그의 밴드를 위한 새로운 노래를 쓰는 것에 몰두해 있었다.
Q3 우리는 모든 시민들의 복지를 증진시키기 위해 노력할 것이다.
Q4 나는 그 강좌의 내용이 12살 이하의 어린이들에게는 적합하지 않다고 생각한다.
Q5 그는 아들의 태도를 참을 수 없었기 때문에 목소리를 높였다.

Daily Test 35 p. 301

A **01** welfare **02** habitual **03** elect **04** strict
05 isolate **06** passenger **07** ingredient
08 지휘자, 안내원, (열차의) 차장
09 터무니없는, 어리석은, 불합리한
10 갈등, 충돌; 대립하다, 충돌하다
11 협회, 단체, 연관, 연관성
12 조정[조절]하다, 적응하다 **13** 똑같이, 마찬가지로
14 변형시키다, 변화시키다
B **01** content **02** absorbs **03** do away with
C **01** revise **02** imprison **03** accurate
04 common **05** liquid **06** calm

내신에 더 강해지는 TEST DAY 31-35

pp. 302-303

A **01** adjust **02** zealous **03** caution **04** grave
05 emerge
B **01** ② **02** ③ **03** ①
C **01** ① **02** ③ **03** ③ **04** ② **05** ①
D **01** granted **02** preserve **03** absorbs

A
01 어떤 것이 더 잘 작동하도록 그것을 살짝 바꾸다: 조정[조절]하다
02 어떤 것에 엄청난 에너지와 열정을 보이는: 열심인, 열광적인
03 위험이나 실수를 피하기 위해 당신이 하는 유의: 조심
04 매우 심각한; 당신에게 걱정할 이유를 주는: 심각한, 중대한
05 어떤 것에서 벗어나서 볼 수 있게 되다: 나오다, 나타나다

B
01 • 고기를 먹든지 안 먹든지는 개인의 신념의 문제이다.
• 과학자들은 우주에 있는 물질의 전체 양을 계산했다.
02 • 그 문은 화재 발생 시에 수동으로 작동될 수 있다.
• 외과의사들은 총알들을 제거하기 위해 3시간 동안 그녀를 수술했다.
03 • 그 배우는 내가 그 인물에 대해 갖고 있던 마음속 이미지와 어울리지 않는다.
• 협회는 선수들이 시합 전날 밤 술을 마시는 것을 금지했다.

C
01 ① 유의어 관계 / ②, ③ 반의어 관계
02 ①, ② 유의어 관계 / ③ 반의어 관계
03 ①, ② 동사-명사 관계 / ③ 동사-형용사 관계
04 ①, ③ 반의어 관계 / ② 유의어 관계
05 ① 반의어 관계 / ②, ③ 유의어 관계

DAY 36

내신 UP pp. 304-310

Q1 worthless **Q2** ② **Q3** ① **Q4** leap **Q5** ②

Q1 그녀는 쓸모없어 보이는 오래된 반지를 발견했지만, 알고 보니 금으로 만들어진 것으로 드러났다.
Q2 중대한 결정에 직면했을 때, Eric은 조언이 필요했다.
Q3 표를 구하려면, 미리 예약해야 한다.
Q4 연료 가격에 있어 큰 상승이 있었다.
Q5 만약 여러분이 독감을 빨리 낫고 싶다면, 집에 머물러 충분한 휴식을 취하고, 따뜻한 물을 마시세요.

Daily Test 36 p. 311

A **01** insurance **02** molecular **03** bind
04 heritage **05** aggressive **06** skeleton
07 proceed **08** 거두다, 수확하다
09 싸다, 포장하다 **10** 궤도(를 돌다)
11 가치 없는, 쓸모없는 **12** 통근하다; 통근 (거리)
13 애쓰다, 분투하다; 노력, 분투
14 글을 모르는, 문맹의; 문맹자
B **01** cliff **02** critical **03** thought over
C **01** respect **02** sell **03** material **04** freedom
05 bright **06** attack

DAY 37

내신 UP pp. 312-318

Q1 ① **Q2** contract **Q3** ② **Q4** wandering **Q5** ①

Q1 너는 어느 정도는 책임을 받아들여야 한다.
Q2 그는 그 회사에 즉시 계약을 갱신하기를 요청했다.
Q3 그는 결승전에서 전 챔피언을 간신히 이겼다.
Q4 아이가 혼자 거리를 배회하고 있는 것이 발견되었다.
Q5 도움은 가까이에 있다는 것을 기억하세요. 당신이 할 일은 손을 뻗는 것입니다.

Daily Test 37 p. 319

A **01** sigh **02** deprive **03** paradox **04** emission
05 attempt **06** sensible **07** individual
08 치명적인, 극도의; 극도로
09 (이리저리) 돌아다니다, 배회하다
10 동시의, 동시에 일어나는
11 포효하다, 고함치다; 포효 **12** 단지, 그저
13 겁나게 하다, 무섭게 하다
14 (죄·과실 등을) 저지르다, 전념[헌신]하다, 약속하다
B **01** beat **02** investigated **03** at random
C **01** decayed **02** bold **03** entertain
04 deep **05** unavoidable **06** attract

DAY 38

내신 UP pp. 320-326

Q1 ① **Q2** inspired **Q3** ② **Q4** bold **Q5** ①

Q1 그녀는 그들에게 몸을 기울여서 그들이 그리웠다고 속삭였다.
Q2 Howard의 고등학교 선생님들은 그가 어린 나이에 자신의 사업을 시작하도록 격려해 주었다.
Q3 그 노부인은 뜨개질을 마친 후에 실을 공 모양으로 감는다.
Q4 모든 제목은 굵은 글씨로 쓰여 있다.
Q5 복사기가 고장 나서 나는 복사를 할 수 없었다.

Daily Test 38 p. 327

A **01** lean **02** shield **03** feast **04** convenient
05 dye **06** lecture **07** endure
08 ~인 척하다, 가장하다 **09** 머리가 벗겨진, 대머리의
10 만료되다, (기간이) 끝나다
11 (가볍게) 던지다; 던지기
12 ~보다 무겁다, (~을) 능가하다
13 엄청난, 막대한, 대단한
14 박수[갈채]를 보내다, 칭찬하다
B **01** accident **02** perspective **03** settle down
C **01** dismal **02** relaxed **03** signature **04** slow
05 foreign **06** increase

DAY 39

내신 UP pp. 328-334

Q1 novel **Q2** ① **Q3** thorough **Q4** ③

Q1 그 새로운 바이러스는 돼지 농장에서 처음 발견되었다.
Q2 그가 동의하지 않을 것임이 명백했다.
Q3 그들은 분실된 서류를 찾기 위해 사무실을 샅샅이 수색했다.
Q4 그는 자신의 새 차를 자랑하기 위해, 단 500미터 떨어진 식당까지 차를 몰았다.

Daily Test 39 p. 335

A **01** homesick **02** option **03** virtual
04 resentful **05** fountain **06** drought
07 bend **08** 줄다[줄이다] **09** 물질, 실체, 본질, 핵심
10 장식하다, 꾸미다 **11** 철저한, 빈틈없는
12 고결한, 숭고한, 귀족의, 신분이 높은
13 조사[검사]하다, 진찰하다 **14** 통합하다, 통일하다
B **01** plain **02** ongoing **03** keep off
C **01** reputation **02** automatic **03** opposite
04 asleep **05** modify **06** cancel

DAY 40

내신 UP pp. 336-342

Q1 ② **Q2** evolution **Q3** ③ **Q4** Physicians
Q5 ③

Q1 당신의 건강 보험은 건강 검진 비용을 보장하지 않습니다.
Q2 그들은 화석을 조사함으로써 동물과 식물의 진화를 연구한다.
Q3 위대한 사람들을 기리기 위해, 그들은 동전과 지폐에 인쇄되었다.
Q4 의사들은 달리기가 정신 건강에 긍정적인 영향을 준다고 말한다.
Q5 그들은 그 기회를 최대한 활용해서 전문가로부터 많은 것을 배웠다.

Daily Test 40 p. 343

A **01** physician **02** author **03** harbor
04 evolution **05** undoubtedly **06** pedestrian
07 frown **08** 상담하다, 상의하다, 참고하다
09 정확한, 정밀한 **10** 우연히 듣다, 엿듣다
11 직업, 경력 **12** 포식자, 포식 동물, 약탈자
13 ~을 받을 만하다, ~할 가치가 있다
14 전환하다, 개조하다, 개종하다
B **01** memorized **02** steady **03** make sense of

C **01** mature **02** forgive **03** remainder **04** tiny
05 extend **06** demerit

내신에 더 강해지는 TEST DAY 36-40

pp. 344-345

A **01** drought **02** fond **03** distract **04** bold
05 convert
B **01** ② **02** ① **03** ④
C **01** ② **02** ① **03** ③ **04** ③ **05** ②
D **01** break **02** priceless
03 conducting, random

A
01 비가 거의 혹은 전혀 내리지 않는 오랜 기간: 가뭄
02 어떤 사람/어떤 것에 대한 따뜻하거나 사랑하는 감정을 갖고 있는: 좋아하는, 애정을 느끼는
03 어떤 사람이 어떤 것에 주의를 기울이는 것을 멈추게 하다: 산만하게 하다
04 용감한; 자신의 감정을 말하거나 위험을 무릅쓰는 데 두려워하지 않는: 용감한, 대담한
05 한 형태, 목적 등에서 다른 형태, 목적 등으로 변화시키다: 전환하다, 개조하다

B
01 • 나는 네가 왜 그렇게 내가 입는 모든 것에 비판적인지 이해할 수 없다.
• 신장은 혈액에서 노폐물을 제거하는 데 중대한 역할을 한다.
02 • 그들의 메시지는 짧았지만 그 의미는 충분히 명백했다.
• 모든 관현악 단원들은 평이한 검정색 셔츠를 입어야 한다.
03 • 경찰은 그들이 그 건물을 떠난 시각에 주목해야 한다.
• 여행하는 동안 얼마나 돈을 쓰는지 메모하라.

C
01 ①, ③ 유의어 관계 / ② 반의어 관계
02 ① 유의어 관계 / ②, ③ 반의어 관계
03 ①, ② 동사-명사 관계 / ③ 형용사-명사 관계
04 ①, ② 유의어 관계 / ③ 반의어 관계
05 ①, ③ 반의어 관계 / ② 유의어 관계

VOCA CLEAR

INDEX

A

D

E

H

I

Q

R

T

VOCA CLEAR

시험에 더 강해지는

미니 단어장

고교필수편

동아출판

시험에 더 강해지는

보카 클리어

미니 단어장

고교필수편

DAY 01

0001	**attract**	동 (주의·관심 등을) 끌다, 끌어들이다, 매혹하다
0002	**opportunity**	명 기회
0003	**curve**	명 곡선, (도로 등의) 커브 동 곡선을 그리다, 굽히다
0004	**fluent**	형 유창한, 유창하게 말하는
0005	**suggest**	동 1. 제안하다 2. 암시하다, 시사하다
0006	**illusion**	명 1. 착각 2. 환상, 환각
0007	**ordinary**	형 1. 보통의, 일상적인 2. 평범한
0008	**memorable**	형 기억할 만한, 인상적인
0009	**memorial**	명 기념비, 기념물 형 기념하기 위한, 추모의
0010	**range**	명 범위, 폭 동 (범위가) ~에 이르다
0011	**compose**	동 1. 구성하다 2. 작곡하다, 작문하다
0012	**control**	명 지배, 통제 동 1. 지배하다, 통제하다 2. 억제하다
0013	**circulate**	동 1. 순환하다 2. (소문 등이) 퍼지다
0014	**decade**	명 10년(간)
0015	**frustrated**	형 좌절한, 낙담한
0016	**government**	명 1. 정부, 정권 2. 통치 (체제)
0017	**exhibit**	동 전시하다 명 전시(품)
0018	**branch**	명 1. 나뭇가지 2. 분점, 지사 동 갈라지다, 나뉘다
0019	**disguise**	동 변장하다, 위장하다 명 변장, 위장, 가면

0020	**tiny**	형 아주 작은
0021	**present**	형 1. 현재의 2. 있는, 존재하는 3. 참석한, 출석한 명 1. 선물 2. 현재 동 1. 주다, 증정하다 2. 제시하다 3. 발표하다
0022	**flow**	명 1. 흐름 2. 계속적인 공급, 생산 동 흐르다
0023	**actual**	형 실제의, 사실상의
0024	**honesty**	명 정직(성), 솔직함
0025	**acquire**	동 얻다, 획득하다, 습득하다
0026	**inquire**	동 1. 묻다, 알아보다 2. 조사하다
0027	**require**	동 요구하다, 필요로 하다
0028	**fulfill**	동 1. 성취하다, 달성하다 2. (약속을) 이행하다 3. 충족시키다
0029	**client**	명 고객, 의뢰인
0030	**destination**	명 목적지, 도착지
0031	**international**	형 국제의, 국제적인
0032	**declare**	동 1. 선언하다, 공표하다 2. (세금·소득을) 신고하다
0033	**launch**	동 1. 시작[착수]하다 2. 출시하다 3. (로켓 등을) 발사하다 명 1. 시작 2. 출시 3. 발사
0034	**adolescent**	명 청소년 형 청소년(기)의
0035	**purify**	동 정화하다, 정제하다
0036	**optimistic**	형 낙관적인, 낙천적인
0037	**vision**	명 1. 시력, 시야 2. 통찰력, 선견지명
0038	**call on[upon]**	1. 요청하다 2. 방문하다
0039	**count on**	1. 믿다, 확신하다 2. 의지하다
0040	**depend on[upon]**	~에 의존하다

DAY 02

0041	**blend**	동 1. 섞다, 혼합하다 2. 조화되다 명 혼합(물)
0042	**careless**	형 부주의한, 조심성 없는
0043	**harm**	명 손해, 손상 동 해치다
0044	**license**	명 면허(증), 인가(증) 동 면허를 주다, 허가하다
0045	**diverse**	형 다양한, 가지각색의
0046	**anxiety**	명 1. 불안(감), 염려 2. 갈망, 열망
0047	**disappoint**	동 실망시키다, 낙담시키다
0048	**primary**	형 1. 주요한 2. 최초의 3. 초등(교육)의
0049	**masterpiece**	명 걸작, 명작
0050	**reflect**	동 1. 반사하다 2. 반영하다 3. 숙고하다
0051	**liberal**	형 자유주의의, 개방적인
0052	**fabric**	명 직물, 천
0053	**insist**	동 1. 주장하다 2. 고집하다
0054	**breath**	명 숨, 호흡
0055	**breathe**	동 숨 쉬다, 호흡하다
0056	**mortal**	형 1. 죽음을 피할 수 없는 2. 치명적인
0057	**weep**	동 울다, 눈물을 흘리다
0058	**thread**	명 실 동 실을 꿰다
0059	**vast**	형 막대한, 방대한

0060	**provide**	동 제공하다, 공급하다
0061	**profit**	명 수익, 이익 동 이익을 얻다[주다]
0062	**subject**	명 1. 주제 2. 과목, 학과 3. 피실험자 형 ~ 받기[하기] 쉬운 동 복종[종속]시키다
0063	**suburb**	명 교외, 근교
0064	**ancient**	형 고대의, 옛날의
0065	**meanwhile**	부 1. 그동안에, 그 사이에 2. 한편
0066	**exchange**	동 1. 교환하다 2. 환전하다 명 1. 교환 2. 환전
0067	**income**	명 소득, 수입
0068	**relieve**	동 1. 완화하다, 경감하다 2. 안심시키다
0069	**attack**	명 1. 폭행[공격] 2. 비난 동 1. 폭행[공격]하다 2. (강하게) 비난하다
0070	**stimulate**	동 1. 자극하다, 격려하다 2. 흥미를 불러일으키다
0071	**principal**	형 주요한, 제1의 명 (단체의) 장, 교장
0072	**principle**	명 1. 원리, 원칙 2. 신념, 신조
0073	**climate**	명 기후
0074	**monitor**	동 감시하다, 관찰하다 명 화면, 모니터
0075	**conquer**	동 1. 정복하다 2. 이기다 3. 극복하다
0076	**evidence**	명 증거(물)
0077	**nap**	명 낮잠 동 낮잠을 자다
0078	**keep up**	1. 계속하다[되다] 2. 따라가다
0079	**make up**	1. 화장하다 2. 화해하다
0080	**throw up**	토하다

DAY 03

0081	**clue**	명 단서, 실마리
0082	**beneath**	전 1. ~ 아래에 2. ~보다 못한
0083	**concern**	동 1. 걱정하게 하다 2. 관련[연관]되다 명 1. 걱정 2. 관심(사)
0084	**temporary**	형 일시적인, 임시의
0085	**spectacle**	명 구경거리, 장관
0086	**remind**	동 상기시키다, 생각나게 하다
0087	**efficient**	형 효율적인, 능률적인
0088	**effective**	형 1. 효과적인, 효력 있는 2. (법률 등이) 시행되는
0089	**institute**	명 (교육) 기관, 협회 동 세우다, 설립하다
0090	**shorten**	동 짧게 하다, 줄이다
0091	**tray**	명 쟁반
0092	**plant**	명 1. 식물 2. 공장 동 (식물을) 심다
0093	**cuisine**	명 요리(법)
0094	**interrupt**	동 1. 방해하다 2. 중단시키다
0095	**underground**	형 지하의, 땅속의 부 지하에 명 지하(도)
0096	**offend**	동 1. 기분을 상하게 하다 2. 위반하다
0097	**blank**	형 빈, 텅 빈 명 빈칸, 공란
0098	**murder**	명 살인(죄), 살해 동 살해하다
0099	**field**	명 1. 분야, 영역 2. 경기장 3. 들판

0100	**general**	형 1. 일반적인 2. 개괄적인, 대략적인 명 장군
0101	**congratulate**	동 축하하다
0102	**trash**	명 쓰레기
0103	**embarrassed**	형 당황스러운, 난처한
0104	**annual**	형 매년의, 연간의
0105	**deny**	동 1. 부인하다 2. 거절하다
0106	**function**	명 기능, 역할 동 기능하다, 작동하다
0107	**spot**	명 1. 장소 2. 점 3. 얼룩 동 발견하다, 알아채다
0108	**project**	동 1. 계획하다 2. 투사하다 명 계획 (사업), 과제
0109	**achieve**	동 성취하다, 이루다
0110	**afraid**	형 1. 두려워하는, 겁내는 2. 염려하는
0111	**prey**	명 1. 먹이, 사냥감 2. 희생(물)
0112	**pray**	동 기도하다, 빌다, 간청하다
0113	**earthquake**	명 지진
0114	**frank**	형 솔직한
0115	**avenue**	명 (도시의) 큰 대로, 거리, -가(街)
0116	**entertain**	동 1. 즐겁게 하다 2. 접대하다
0117	**cruel**	형 잔인한, 잔혹한
0118	**carry on**	계속하다
0119	**go on**	1. (일이) 일어나다, 벌어지다 2. 계속되다
0120	**hang on**	1. 붙잡다 2. 버티다 3. (잠시) 기다리다

DAY 04

0121	**apologize**	동 사과하다
0122	**shadow**	명 그림자, 그늘 동 1. 그늘지게 하다 2. 미행하다
0123	**follow**	동 1. 따라가다[오다] 2. 뒤를 잇다 3. 이해하다
0124	**capital**	명 1. 수도 2. 자본 3. 대문자 형 1. 주요한 2. 자본의 3. 대문자의
0125	**exhausted**	형 1. 기진맥진한 2. 고갈된, 다 써 버린
0126	**corporation**	명 (큰 규모의) 기업, 법인
0127	**interact**	동 1. 소통하다, 교류하다 2. 상호 작용하다
0128	**average**	형 1. 평균의 2. 보통의, 일반적인 명 평균 동 평균 ~이 되다
0129	**unemployment**	명 실업(률), 실직 (상태)
0130	**except**	전 접 ~을 제외하고 동 제외하다
0131	**scream**	동 비명을 지르다, 악을 쓰다 명 비명
0132	**pitch**	명 1. 음의 높이 2. 최고조, 정점 동 내던지다
0133	**depart**	동 출발하다, 떠나다
0134	**accustomed**	형 익숙한
0135	**root**	명 1. 뿌리, 기원 2. 근원, 원인 동 뿌리를 내리다
0136	**outstanding**	형 뛰어난, 눈에 띄는
0137	**interfere**	동 1. 방해하다 2. 간섭하다, 개입하다
0138	**amount**	명 1. 양 2. 총계, 총액 동 총계가 ~이 되다
0139	**minimize**	동 1. 최소화하다 2. 축소하다

0140	**board**	명 1. 판자 2. (게시)판 3. 이사회, 위원회 동 탑승하다
0141	**broad**	형 넓은, 광대한
0142	**effort**	명 수고, 노력
0143	**souvenir**	명 기념품
0144	**involve**	동 1. 포함[수반]하다 2. 관련[연루]시키다
0145	**harvest**	명 수확(물), 추수 동 수확하다
0146	**fix**	동 1. 고정시키다 2. 수리하다 3. 정하다 4. 준비하다
0147	**diet**	명 1. 식사, 식습관 2. 다이어트, 규정식
0148	**private**	형 1. 사적인, 개인적인 2. 비밀의
0149	**debt**	명 빚, 부채
0150	**compare**	동 1. 비교하다 2. 비유하다
0151	**likely**	형 1. ~할 것 같은 2. 그럴듯한
0152	**immigrate**	동 이민을 오다, 이주해 오다
0153	**migrate**	동 1. 이주하다 2. (새·동물이) 이동하다
0154	**crisis**	명 위기, 고비
0155	**reliable**	형 믿을[신뢰할] 수 있는
0156	**cost**	명 값, 비용 동 1. (돈·시간·노력 등이) 들다 2. ~을 희생시키다
0157	**accomplish**	동 이루다, 성취하다
0158	**cut in**	(말·대화에) 끼어들다
0159	**fill in**	1. 채우다, 작성하다 2. 일을 잠시 봐 주다
0160	**fit in**	어울리다, 조화하다

DAY 05

0161	**sculpture**	명 조각(품), 조소
0162	**intense**	형 극심한, 강렬한
0163	**translate**	동 번역하다, 통역하다
0164	**damage**	명 손상, 피해 동 손상을 입히다
0165	**criticize**	동 1. 비판[비난]하다 2. 비평하다
0166	**inhale**	동 (숨을) 들이쉬다, 들이마시다
0167	**permanent**	형 영구적인, 영원한
0168	**imitate**	동 모방하다, 흉내 내다
0169	**intimate**	형 친한, 친밀한
0170	**acid**	명 산 형 산성의
0171	**consume**	동 1. 소비하다, 다 써 버리다 2. 먹다, 마시다
0172	**define**	동 정의하다, 규정하다
0173	**trial**	명 1. 시도, 실험, 시험 2. 재판
0174	**stick**	동 1. (풀로) 붙이다 2. 찌르다 명 막대기, 나뭇가지
0175	**physical**	형 1. 육체[신체]의 2. 물리적인, 물질의
0176	**bang**	동 쾅[쿵/탕] 소리가 나게 치다 명 쾅[쿵/탕] 하는 소리
0177	**pity**	명 동정(심), 유감
0178	**seemingly**	부 외견상으로, 겉보기에는
0179	**restore**	동 1. 복원[복구]하다 2. 회복시키다

0180	**haste**	명 서두름, 급함
0181	**professor**	명 교수
0182	**frequent**	형 잦은, 빈번한
0183	**landscape**	명 풍경, 경치
0184	**sin**	명 죄 동 죄를 짓다
0185	**account**	명 1. 계좌, 계정 2. 설명 3. (회계) 장부 동 설명하다
0186	**emphasize**	동 강조하다
0187	**request**	명 요청[요구], 부탁 동 요청[요구]하다
0188	**financial**	형 금융의, 재정의
0189	**warrior**	명 전사, 무사
0190	**communicate**	동 1. 의사소통 하다, 연락하다 2. (정보를) 전달하다
0191	**major**	형 1. 주요한 2. 대다수의 명 전공 (과목) 동 전공하다
0192	**reward**	명 보상(금), 사례금 동 보상하다
0193	**award**	명 상, 상품 동 수여하다
0194	**crop**	명 1. 농작물 2. 수확(량)
0195	**emergency**	명 비상(사태), 위급
0196	**violate**	동 1. 위반하다 2. 침해하다
0197	**diplomatic**	형 1. 외교의 2. 외교에 능한
0198	**drop by[in]**	잠깐 들르다
0199	**drop off**	1. 깜박 잠이 들다 2. 줄어들다
0200	**drop out (of)**	(~에서) 중퇴하다

DAY | 06

0201	**affair**	명 일, 사건, 문제
0202	**suppose**	동 1. 가정하다 2. 추정[추측]하다
0203	**fragile**	형 1. 부서지기 쉬운, 연약한 2. 취약한
0204	**statistic**	명 1. 통계, 통계 자료 2. ((-s)) 통계학
0205	**develop**	동 1. 발달하다[시키다] 2. 개발하다 3. (병·문제가) 생기다 4. (필름을) 현상하다
0206	**consider**	동 1. 고려하다, 숙고하다 2. ~으로 여기다
0207	**distance**	명 1. 거리, 간격 2. 먼 곳, 원거리
0208	**selfish**	형 이기적인, 자기 중심적인
0209	**recent**	형 최근의
0210	**failure**	명 1. 실패, 실패자[작] 2. 고장
0211	**convey**	동 1. 나르다, 운반하다 2. (생각·감정 등을) 전하다
0212	**enhance**	동 (지위·가치 등을) 높이다, 향상시키다
0213	**constant**	형 1. 끊임없는, 계속되는 2. 일정한, 변함없는
0214	**instant**	형 즉시의, 즉각적인 명 순간
0215	**desert**	명 사막 동 버리다, 떠나다
0216	**participate**	동 참가[참여]하다
0217	**courtesy**	명 공손함, 정중함
0218	**argue**	동 1. 언쟁하다, 논쟁하다 2. 주장하다
0219	**personality**	명 성격, 개성

0220	**diligent**	형 부지런한, 근면한
0221	**object**	명 1. 물건, 물체 2. 대상 3. 목적, 목표 동 반대하다
0222	**bond**	동 1. 유대를 맺다 2. 접착[결합]시키다 명 1. 유대, 끈 2. 채권 3. 접착(제)
0223	**delay**	명 지연, 연기 동 연기하다, 지연시키다
0224	**receive**	동 받다, 받아들이다
0225	**mature**	형 1. 성숙한, 다 자란 2. 익은, 숙성한 동 1. 성숙해지다 2. 숙성하다
0226	**victim**	명 피해자, 희생(자)
0227	**nevertheless**	부 그럼에도 불구하고
0228	**secretary**	명 1. 비서, 비서관 2. 장관
0229	**typical**	형 전형적인, 대표적인
0230	**bet**	동 1. (내기 등에) 돈을 걸다 2. 틀림없다 명 내기, 내기 돈
0231	**medication**	명 약[약물] (치료)
0232	**meditation**	명 1. 명상 2. 심사숙고
0233	**accept**	동 1. 받아들이다, 수락하다 2. 인정하다
0234	**race**	명 1. 경주, 경쟁 2. 인종 동 경주[경쟁]하다
0235	**forbid**	동 1. 금지하다 2. (~을) 못하게 막다
0236	**envelope**	명 봉투
0237	**rough**	형 1. 거친, 험한 2. 대략적인 3. 힘든
0238	**carry out**	실행하다, 수행하다
0239	**turn out**	~인 것으로 드러나다, 밝혀지다
0240	**work out**	1. 운동하다 2. (일이) 잘 풀리다

DAY 07

0241	cause	동 초래하다, 야기하다 명 원인, 이유
0242	necessity	명 1. 필요(성) 2. 필수품
0243	diagnose	동 진단하다
0244	capable	형 ~할 수 있는, 유능한
0245	forecast	명 예측, 예보 동 예측하다, 예보하다
0246	situation	명 상황, 처지
0247	usual	형 보통의, 평소의
0248	approve	동 1. 승인하다 2. 찬성하다
0249	improve	동 향상시키다, 개선하다
0250	mankind	명 인류, (모든) 인간
0251	satisfy	동 만족시키다, 충족시키다
0252	profession	명 직업, 전문직
0253	greedy	형 탐욕스러운, 욕심 많은
0254	avoid	동 1. 피하다 2. 막다
0255	fine	형 1. 좋은 2. 고운, 미세한 3. (날씨가) 맑은 명 벌금 동 벌금을 부과하다
0256	alternative	명 대안 형 대안의, 대체 가능한
0257	solar	형 태양의
0258	coordinate	동 1. 조직화[편성]하다 2. 조정하다 3. 조화를 이루다
0259	reject	동 거절하다, 거부하다

0260	**mention**	동 언급하다, 말하다 명 언급
0261	**barely**	부 1. 거의 ~않다 2. 간신히, 가까스로
0262	**species**	명 (생물 분류상의) 종(種)
0263	**evil**	형 사악한 명 악(惡)
0264	**belief**	명 믿음, 신념
0265	**treat**	동 1. 다루다 2. 논의하다 3. 치료하다 명 한턱내기, 대접
0266	**ashamed**	형 부끄러운, 창피한, 수치스러운
0267	**relationship**	명 관계, 관련(성)
0268	**install**	동 설치하다, 설비하다
0269	**proof**	명 증거(물), 증명
0270	**solid**	형 1. 고체의, 단단한 2. 견고한 3. 확실한 명 고체
0271	**grab**	동 붙잡다, 움켜잡다 명 움켜잡음
0272	**compassion**	명 동정(심), 연민
0273	**passion**	명 열정, 격정
0274	**incredible**	형 1. (믿기 힘들 만큼) 놀라운, 대단한 2. 믿을 수 없는
0275	**splash**	동 (물이) 튀다, (물을) 튀기다 명 첨벙하는 소리
0276	**moral**	형 도덕(상)의, 도덕적인 명 교훈
0277	**invention**	명 1. 발명, 발명품 2. 날조, 지어낸 이야기
0278	**apart from**	~을 제외하고, ~ 외에는
0279	**far from**	1. ~에서 멀리 2. 결코 ~이 아닌
0280	**set ~ apart from**	~을 …과 구별하다

DAY 08

0281	**heal**	동 치유되다, 치료하다
0282	**legal**	형 1. 법률(상)의 2. 합법적인
0283	**institution**	명 1. 기관, 협회 2. 보호 시설
0284	**burden**	명 짐, 부담 동 짐을 지우다, 부담시키다
0285	**realize**	동 1. 깨닫다 2. (꿈·목표 등을) 실현하다
0286	**advertise**	동 광고하다, 알리다
0287	**mighty**	형 1. 강력한, 힘센 2. 굉장한, 대단한
0288	**behave**	동 1. 행동하다, 처신하다 2. 예의 바르게 행동하다
0289	**sight**	명 1. 시력, 보기 2. 시야, 광경
0290	**site**	명 위치, 장소, 부지
0291	**prompt**	형 즉각적인, 신속한 동 촉발하다, 유도하다
0292	**opponent**	명 1. 상대, 적수 2. 반대자
0293	**tap**	동 톡톡 두드리다 명 1. 톡톡 두드리기 2. 수도꼭지
0294	**hospitality**	명 환대, 친절한 대접
0295	**deal**	동 다루다, 처리하다 ((with)) 명 거래
0296	**oppress**	동 압박하다, 억압하다
0297	**ability**	명 능력, 재능
0298	**invade**	동 1. 침략하다, 침입하다 2. 침해하다
0299	**apply**	동 1. 신청[지원]하다 2. 적용[응용]하다 3. (화장품 등을) 바르다

0300	**environment**	명 (자연) 환경, 주위(의 상황)
0301	**visible**	형 1. 눈에 보이는 2. 뚜렷한, 명백한
0302	**tense**	형 1. 긴장한, 긴장된 2. 팽팽한 동 긴장하다
0303	**theory**	명 이론, 학설
0304	**counsel**	동 1. (전문적인) 상담을 하다 2. 충고[조언]하다 명 1. 상담 2. 충고[조언]
0305	**respective**	형 각자의, 각각의
0306	**respectable**	형 존경할 만한, 훌륭한
0307	**respectful**	형 공손한, 존경심을 보이는
0308	**progress**	동 1. 전진하다, 진행하다 2. 발전[진보]하다 명 1. 전진, 진행 2. 발전[진보]
0309	**correct**	형 1. 옳은, 정확한 2. 적절한 동 바로잡다, 정정하다
0310	**prospect**	명 1. 가능성 2. 전망, 예상
0311	**informative**	형 정보를 주는, 유익한
0312	**disease**	명 병, 질병
0313	**circuit**	명 1. 순환, 순회 2. (전기) 회로
0314	**refuse**	동 거절하다, 거부하다
0315	**disturb**	동 1. 방해하다 2. 어지럽히다, 혼란시키다
0316	**negative**	형 1. 부정적인 2. 음성(반응)의
0317	**conference**	명 회의, 회담, 협의
0318	**put on**	1. ~을 입다 2. ~을 바르다
0319	**try on**	~을 입어 보다, 써 보다
0320	**turn on**	(TV·전기 등을) 켜다

DAY 09

0321	**analyze**	동 분석하다, 분해하다
0322	**sort**	명 종류, 유형 동 분류하다
0323	**twilight**	명 1. 황혼, 땅거미 2. 황혼기, 쇠퇴기
0324	**organic**	형 1. 유기농의 2. 유기(체)의
0325	**blow**	동 1. (바람이) 불다 2. 날리다 3. 폭파하다 명 충격, 강타
0326	**warn**	동 경고하다, 주의를 주다
0327	**spirit**	명 1. 정신, 영혼 2. ((-s)) 기분
0328	**desperate**	형 1. 자포자기한, 절망적인 2. 필사적인
0329	**via**	전 1. ~을 경유해서 2. ~을 통해서[매개로]
0330	**influence**	명 영향(력) 동 영향을 끼치다
0331	**genius**	명 천재(성)
0332	**panic**	명 극심한 공포, 공황 (상태) 동 겁에 질려 어쩔 줄 모르다
0333	**literal**	형 문자 그대로의
0334	**literary**	형 문학의, 문학적인
0335	**identify**	동 1. 확인하다, 식별하다 2. 동일시하다
0336	**column**	명 1. 기둥, 원주 2. 정기 기고란, 칼럼
0337	**stable**	형 1. 안정된 2. 침착한, 차분한 명 마구간
0338	**flatter**	동 아첨하다, 비위 맞추다
0339	**democracy**	명 민주주의

0340	**current**	형 현재의, 지금의 명 1. 흐름, 기류, 해류 2. 경향, 추세
0341	**load**	명 1. 짐 2. 부담 동 (짐을) 싣다, 적재하다
0342	**frightening**	형 무서운, 겁을 주는
0343	**advance**	명 진보[발전], 전진 동 진보하다, 전진하다
0344	**reveal**	동 밝히다, 폭로하다, 드러내다
0345	**cancer**	명 암
0346	**cancel**	동 취소하다
0347	**universal**	형 1. 보편적인, 일반적인 2. 전 세계적인
0348	**imprison**	동 투옥하다, 감금하다
0349	**manage**	동 1. 관리하다, 경영하다 2. 간신히[용케] 해내다
0350	**profile**	명 1. 인물 소개 2. 개요 3. 옆얼굴
0351	**endangered**	형 멸종 위기에 처한, 위험에 처한
0352	**quit**	동 그만두다, 중지하다
0353	**replace**	동 1. 대체[대신]하다 2. 교체하다
0354	**candidate**	명 후보자, 지원자
0355	**eliminate**	동 제거하다, 없애다
0356	**trade**	명 무역, 거래 동 1. 무역하다 2. 교환하다
0357	**adequate**	형 적절한, 충분한
0358	**check out**	1. (호텔에서) 체크아웃하다 2. 확인하다, 살펴보다
0359	**pick out**	1. 고르다 2. 알아내다, 분간하다
0360	**pick up**	1. ~을 집다 2. ~을 차로 태우러 가다

DAY 10

0361	**comprehend**	동 이해하다
0362	**humid**	형 습한, 습기 찬
0363	**journey**	명 (특히 멀리 가는) 여행, 여정
0364	**balance**	명 1. 균형 2. (은행) 잔고 동 균형을 이루다
0365	**seldom**	부 좀처럼 ~ 않는, 드물게
0366	**nationality**	명 1. 국적 2. 국민(임), 국민성
0367	**conceal**	동 숨기다, 감추다
0368	**intelligence**	명 1. 지능 2. 정보 (기관)
0369	**historic**	형 역사적으로 중요한, 역사적인
0370	**historical**	형 역사(상)의, 역사와 관련된
0371	**assist**	동 돕다, 원조하다 명 어시스트
0372	**sue**	동 1. 고소하다, 소송을 제기하다 2. 청하다
0373	**dictate**	동 1. 받아쓰게 하다 2. 명령하다, 지시하다
0374	**breeze**	명 산들바람, 미풍 동 산들바람이 불다
0375	**passive**	형 소극적인, 수동적인
0376	**rely**	동 의지하다, 믿다
0377	**phenomenon**	명 현상
0378	**hire**	동 고용하다, 채용하다
0379	**urgent**	형 긴급한, 다급한

0380	**access**	명 접근(권) 동 1. 접근하다 2. (컴퓨터에) 접속하다
0381	**assess**	동 평가하다, 산정하다
0382	**sorrowful**	형 슬픈, 비탄에 잠긴
0383	**length**	명 1. 길이 2. (계속되는) 시간, 기간
0384	**scold**	동 꾸짖다, 야단치다
0385	**painkiller**	명 진통제
0386	**confident**	형 1. 자신감 있는 2. 확신하는
0387	**refund**	명 환불, 반환 동 환불하다, 반환하다
0388	**sympathy**	명 1. 동정(심), 연민 2. 공감
0389	**decide**	동 결정하다, 결심하다
0390	**detail**	형 1. 세부 사항 2. ((-s)) 상세한 설명
0391	**engage**	동 1. 관여[참여]하다 2. (주의·관심을) 사로잡다 3. 약혼하다
0392	**injured**	형 1. 다친, 부상을 입은 2. 기분이 상한
0393	**fascinate**	동 매혹하다, 마음을 사로잡다
0394	**trait**	명 특성, 특징
0395	**litter**	명 쓰레기 동 버리다, 어지럽히다
0396	**graduate**	동 졸업하다 명 졸업자, 학사
0397	**various**	형 다양한, 여러 가지의
0398	**pass by**	(~ 옆을) 지나가다, 지나치다
0399	**stand by**	1. 대기하다 2. (방관·좌시하며) 가만히 있다
0400	**stop by**	(잠시) 들르다

DAY 11

0401	**academic**	형 학업[학교]의, 학문의, 학구적인
0402	**treasure**	명 1. 보물 2. 매우 귀중한 것 동 소중히 하다
0403	**willing**	형 기꺼이 ~하는, 자발적인
0404	**compromise**	동 타협하다, 절충하다 명 타협, 절충
0405	**support**	동 1. 지지[지원]하다 2. 부양하다 3. 떠받치다 명 1. 지지[지원], 후원 2. 부양
0406	**fault**	명 1. 잘못, 과실 2. 결점
0407	**justify**	동 정당화하다
0408	**faint**	동 기절하다 형 1. 희미한 2. 기절할 듯한
0409	**radical**	형 급진적인, 과격한 명 급진주의자
0410	**convince**	동 1. 확신시키다, 납득시키다 2. 설득하다
0411	**beast**	명 짐승, 야수
0412	**explain**	동 1. 설명하다 2. 이유를 대다, 해명하다
0413	**debate**	명 토론, 논의 동 토론하다, 논의하다
0414	**considerable**	형 상당한, 꽤 많은
0415	**considerate**	형 사려 깊은, 배려하는
0416	**gather**	동 모이다[모으다]
0417	**poll**	명 1. 여론 조사 2. 투표 동 1. 여론 조사를 하다 2. 표를 얻다
0418	**harmonize**	동 1. 조화를 이루다, 어울리다 2. 화음을 넣다
0419	**scholarship**	명 1. 장학금 2. 학문

0420	**demand**	동 요구하다 명 1. 요구 2. 수요
0421	**article**	명 1. 글, 기사 2. 물품 3. (조약·계약 등의) 조항
0422	**remarkable**	형 주목할 만한, 놀랄 만한
0423	**force**	동 강요하다, ~하게 하다 명 힘, 물리력
0424	**aspect**	명 1. 측면, 면 2. 양상, 모습
0425	**favorable**	형 1. 호의적인 2. 유리한
0426	**otherwise**	부 (만약) 그렇지 않으면
0427	**sequence**	명 1. (일련의) 연속 2. 순서, 차례
0428	**relax**	동 쉬다, 긴장을 풀다
0429	**neutral**	형 1. 중립의, 중립적인 2. (전기) 중성의
0430	**mechanic**	명 정비사, 기계공
0431	**intend**	동 의도하다, ~할 작정이다
0432	**intent**	명 의도 형 몰두하는, 열중하는
0433	**occur**	동 1. 발생하다, 일어나다 2. (생각이) 떠오르다
0434	**cattle**	명 소
0435	**movement**	명 1. 움직임 2. (정치적·사회적) 운동
0436	**punish**	동 처벌하다, 벌주다
0437	**dominant**	형 지배적인, 우위를 차지하는
0438	**fill out**	~에 기입[작성]하다
0439	**give out**	1. ~을 나누어주다 2. 내다, 발산하다
0440	**hand out**	~을 나누어주다, 배부하다

DAY 12

0441	drag	동 1. 끌다, 끌고 가다 2. 드래그하다
0442	celebrate	동 1. 기념하다, 축하하다 2. 찬양하다, 기리다
0443	process	명 과정, 처리 동 처리하다, 가공하다
0444	administration	명 1. 관리, 행정 (업무), 행정부 2. 집행
0445	impressive	형 인상적인, 감명 깊은
0446	violent	형 1. 폭력적인, 난폭한 2. 격렬한, 맹렬한
0447	sew	동 바느질하다, 꿰매다
0448	saw	명 톱 동 톱질하다
0449	sow	동 (씨를) 뿌리다, 심다
0450	mobile	형 이동식의, 움직임이 자유로운
0451	company	명 1. 회사 2. 동료, 일행 3. 동반, 동석
0452	reality	명 현실, 실제, 사실
0453	apparent	형 1. 분명한, 명백한 2. 외관상의, 겉보기의
0454	undergo	동 겪다[받다], 경험하다
0455	fee	명 1. 수수료 2. 요금
0456	collective	형 집단의, 공동의
0457	advise	동 충고하다, 조언하다
0458	notice	동 1. 알아차리다 2. 주목하다 명 1. 통지(서) 2. 주목 3. 게시물
0459	territory	명 1. 지역, 영토 2. 영역

0460	**figure**	명 1. 숫자, ((-s)) 수치 2. 모습, 형상 3. 몸매 4. 인물 5. 도표, 도형 동 1. 생각하다, 판단하다 2. 계산하다
0461	**escape**	동 탈출하다, 달아나다 명 탈출, 도망
0462	**casual**	형 1. 무심한 2. 평상시의 3. 우연한
0463	**handle**	동 다루다, 처리하다 명 손잡이
0464	**risk**	명 위험(성), 손해 가능성 동 위태롭게 하다, 감행하다
0465	**personal**	형 1. 개인의, 개인적인 2. 사적인
0466	**personnel**	명 1. (총)인원, (전) 직원 2. 인사과
0467	**arrange**	동 1. 정리하다, 배열하다 2. 준비하다 3. 편곡하다
0468	**device**	명 장치, 기기
0469	**review**	명 1. (재)검토 2. 논평 3. 복습 동 1. 재검토하다 2. 논평하다 3. 복습하다
0470	**hasten**	동 1. 서두르다 2. 재촉하다, 앞당기다
0471	**depth**	명 1. 깊이 2. 심도
0472	**oval**	형 타원형의, 계란형의 명 타원형, 계란형
0473	**perceive**	동 인지[감지]하다, 알아차리다
0474	**ecosystem**	명 생태계
0475	**borrow**	동 (물건·돈 등을) 빌리다
0476	**ideal**	형 이상적인, 완벽한 명 이상
0477	**civilization**	명 문명 (세계)
0478	**get rid of**	~을 제거하다, 처리하다
0479	**get in the way of**	~을 방해하다, ~의 방해가 되다
0480	**take care of**	~을 돌보다

DAY 13

0481	**supply**	동 공급하다 명 1. 공급 2. ((-s)) 보급품
0482	**official**	형 공식적인 명 공무원, 관리
0483	**term**	명 1. 용어, 말 2. 기간 3. 학기 4. ((-s)) 조건 5. ((-s)) 관계, 사이
0484	**humble**	형 1. 겸손한 2. 미천한, 변변치 않은
0485	**suit**	명 1. 정장, 한 벌 2. 소송 동 잘 맞다, 어울리다
0486	**horror**	명 공포, 무서움
0487	**bite**	동 물다, 물어뜯다 명 한 입
0488	**erupt**	동 분출하다, 폭발하다
0489	**peak**	명 1. 산봉우리 2. 정점, 절정 동 절정에 이르다
0490	**select**	동 선택하다, 선발하다 형 엄선된
0491	**fatigue**	명 피로, 피곤
0492	**symbol**	명 1. 상징, 상징물 2. 기호, 부호
0493	**expand**	동 확대[확장]하다, 팽창시키다
0494	**expend**	동 (시간·노력·돈 등을) 들이다, 소비하다
0495	**responsible**	형 책임이 있는, 책임감 있는
0496	**contrary**	형 반대되는, 반대의 명 반대되는 것
0497	**vacuum**	명 진공 (상태) 동 진공청소기로 청소하다
0498	**controversial**	형 논란이 많은, 논쟁의 여지가 있는
0499	**gender**	명 성, 성별

0500	**experience**	동 겪다, 경험하다 명 경험
0501	**due**	형 1. (~하기로) 예정된 2. 지불 기일이 된 3. ~으로 인한, ~ 때문에 ((to))
0502	**prohibit**	동 1. 금지하다 2. ~하지 못하게 하다
0503	**calculate**	동 1. 계산하다, 산출하다 2. 추정하다
0504	**odor**	명 냄새, 악취
0505	**industrial**	형 산업의, 공업의
0506	**industrious**	형 부지런한, 근면한
0507	**assure**	동 보증[보장]하다, 장담하다
0508	**simplicity**	명 단순함, 간단함
0509	**distinguish**	동 구별하다, 식별하다
0510	**lately**	부 최근에, 요즈음
0511	**alien**	형 1. 낯선, 생경한 2. 외국의, 외래의 명 1. 체류 외국인 2. 외계인
0512	**recall**	동 1. 기억해 내다 2. 회수[리콜]하다 명 1. 기억(해 냄) 2. 회수
0513	**astronaut**	명 우주 비행사
0514	**majority**	명 대다수, 과반수
0515	**grip**	명 꽉 잡음, 움켜쥠 동 꽉 잡다, 움켜잡다
0516	**mental**	형 정신의, 마음의
0517	**illustrate**	동 1. (실례·도해를 써서) 설명하다 2. 삽화를 넣다
0518	**call off**	취소하다, 중지하다
0519	**put off**	~을 연기하다, 늦추다
0520	**turn off**	(전기 등을) 끄다, 잠그다

DAY 14

0521	**attach**	동 붙이다, 첨부하다
0522	**impact**	명 영향, 충격 동 영향[충격]을 주다
0523	**evident**	형 분명한, 명백한
0524	**tear**	동 찢다, 찢어지다 명 1. 눈물 2. 찢어진 곳
0525	**priority**	명 우선 사항, 우선(권)
0526	**generous**	형 관대한, 너그러운, 후한
0527	**ethic**	명 윤리
0528	**ethnic**	형 인종의, 민족의, 종족의
0529	**rob**	동 훔치다, 강탈하다
0530	**creature**	명 1. 생물 2. 사람
0531	**encounter**	동 1. 우연히 만나다 2. 직면하다 명 (뜻밖의) 만남, 접촉
0532	**bomb**	명 폭탄 동 폭파하다, 폭격하다
0533	**maintain**	동 1. 유지하다, 지속하다 2. 주장하다 3. 부양하다
0534	**tutor**	명 개인 교사, 가정 교사 동 개인 지도를 하다
0535	**vital**	형 1. 필수적인, 매우 중요한 2. 생명의, 활기찬
0536	**department**	명 부문, 부(部), 학과
0537	**allowance**	명 1. 용돈, 수당 2. 허용량
0538	**miracle**	명 기적, 기적 같은 일
0539	**focus**	동 집중하다, 초점을 맞추다 명 초점, 주목

0540	**rate**	명 1. 비율 2. 요금 3. 속도 동 평가하다, 등급을 매기다
0541	**curious**	형 궁금해 하는, 호기심이 많은
0542	**biography**	명 전기, 일대기
0543	**assemble**	동 1. 모이다[모으다] 2. 조립하다
0544	**scent**	명 향기, 냄새
0545	**entire**	형 전체의, 완전한
0546	**peel**	동 껍질을 벗기다 명 껍질
0547	**pill**	명 알약
0548	**sacrifice**	동 1. 희생하다 2. 제물로 바치다 명 1. 희생 2. 제물
0549	**locate**	동 1. ~에 위치시키다[두다] 2. (위치를) 찾아내다
0550	**ancestor**	명 조상, 선조
0551	**nod**	동 끄덕이다 명 끄덕임
0552	**stunning**	형 굉장히 멋진, 깜짝 놀랄
0553	**depress**	동 1. 우울하게 하다 2. 침체시키다, 하락시키다
0554	**iceberg**	명 빙산
0555	**tragic**	형 비극적인, 비극의
0556	**educate**	동 교육하다, 가르치다
0557	**wound**	명 상처, 부상 동 상처를 입히다
0558	**pile up**	쌓이다, 쌓다
0559	**set up**	1. 세우다, 설립하다 2. 설치하다
0560	**stay up**	자지 않고 깨어 있다

DAY 15

0561	**fuel**	명 연료 동 연료를 공급하다
0562	**produce**	동 1. 생산하다 2. (결과를) 야기하다 3. (새끼를) 낳다
0563	**budget**	명 예산(안) 동 예산을 세우다
0564	**automatic**	형 1. 자동의 2. 무의식적인
0565	**yell**	동 소리치다, 외치다
0566	**therapy**	명 치료, 요법
0567	**motion**	명 1. 운동, 움직임 2. 동작
0568	**imaginable**	형 상상할 수 있는
0569	**imaginary**	형 상상의, 가상의
0570	**imaginative**	형 상상력이 풍부한, 창의적인
0571	**cooperate**	동 협력하다, 협조하다
0572	**stem**	명 줄기 동 생기다, 유래하다 ((from))
0573	**inclined**	형 1. ~하는 경향이 있는, ~하고 싶은 2. 기운, 경사진
0574	**fasten**	동 1. 꽉 매다, 고정시키다 2. 잠그다, 걸다
0575	**display**	동 전시[진열]하다, 내보이다 명 전시
0576	**dairy**	형 1. 유제품의 2. 낙농업의 명 유제품, 낙농업
0577	**circumstance**	명 ((-s)) 상황, 사정, 환경
0578	**margin**	명 1. 여백 2. 가장자리, 끝 3. 이윤[이익] 폭
0579	**even**	부 1. ~조차(도), 심지어 2. 훨씬 형 1. 평평한, 고른 2. 일정한, 균등한 3. 짝수의

0580	**pursue**	동 1. 추구하다 2. 뒤쫓다, 추적하다
0581	**gain**	동 얻다, 획득하다 명 얻는 것, 이익
0582	**fortunate**	형 운이 좋은, 다행인
0583	**beard**	명 턱수염
0584	**waste**	동 낭비하다 명 1. 낭비 2. 쓰레기, 폐기물
0585	**adventure**	명 모험(심)
0586	**odd**	형 1. 이상한, 특이한 2. 홀수의
0587	**add**	동 1. 추가하다, 덧붙이다 2. (수·양을) 더하다
0588	**opposite**	형 1. 반대편의, 마주 보고 있는 2. (정)반대의 명 반대(되는 것) 전 ~의 맞은편에
0589	**pulse**	명 맥박
0590	**transfer**	동 1. 옮기다, 이동하다 2. 환승하다 명 1. 이동 2. 환승
0591	**senior**	명 1. 연장자 2. 졸업반 학생 형 상급의, 선배의
0592	**slight**	형 약간의, 미미한
0593	**phrase**	명 구(절), 문구, 관용구
0594	**dig**	동 파다, 파내다
0595	**instrument**	명 1. 기구 2. 악기
0596	**neglect**	동 무시하다, 소홀히 하다 명 무시, 태만
0597	**absolute**	형 1. 완전한 2. 절대적인
0598	**have ~ in common**	(~을) 공통으로 지니다
0599	**have difficulty v-ing**	~하기 어렵다, ~하는 데 애를 먹다
0600	**have to do with**	~와 관련이 있다, ~에 관한 것이다

DAY 16

0601	**afford**	동 ~할[살] 여유가 되다
0602	**fever**	명 1. 열, 발열 2. 열기, 열광
0603	**myth**	명 1. 신화 2. 근거 없는 믿음, 통념
0604	**charge**	동 1. 요금을 청구하다 2. (책임을) 맡기다 3. 비난하다, 고발하다 4. 충전하다 명 1. 요금 2. 책임, 의무 3. 비난, 고발 4. 충전
0605	**obstacle**	명 장애(물), 방해(물)
0606	**aim**	명 1. 목표, 목적 2. 겨냥, 조준 동 목표로 하다
0607	**sudden**	형 갑작스러운, 불시의
0608	**union**	명 1. 조합, 협회 2. 연합, 연방
0609	**native**	형 1. 태어난 곳의 2. 타고난 3. 토박이의 명 1. ~ 출신자 ((of)) 2. 원주민, 토착민
0610	**quote**	동 1. 인용하다 2. 예로 들다 명 인용문
0611	**population**	명 인구, 주민 (수)
0612	**survive**	동 1. 살아남다, 생존하다 2. 견뎌 내다
0613	**reason**	명 1. 이유, 근거 2. 이성 동 추론하다
0614	**aboard**	전 (비행기·기차 등에) 타고 부 타고, 탑승하여
0615	**abroad**	부 해외에(서), 해외로
0616	**recommend**	동 1. 추천하다 2. 권장[권고]하다
0617	**livestock**	명 가축(류)
0618	**chase**	동 뒤쫓다, 추격하다 명 추격, 추적
0619	**marine**	형 바다의, 해양의 명 해병

0620	**deadline**	명 마감 시간, 최종 기한
0621	**prove**	동 1. 입증하다, 증명하다 2. (~임이) 판명되다
0622	**evaluate**	동 (가치·품질 등을) 평가하다, 감정하다
0623	**barn**	명 헛간, 창고
0624	**domestic**	형 1. 국내의 2. 가정의
0625	**lay**	동 1. 놓다, 두다 2. (알을) 낳다
0626	**lie**	동 1. 눕다 2. 놓여 있다, (어떤 상태로) 있다 3. 거짓말하다 명 거짓말
0627	**grateful**	형 감사하는, 고마워하는
0628	**stumble**	동 1. 비틀거리다, 넘어질 뻔하다 2. 말을 더듬다
0629	**trust**	명 신뢰, 신임 동 믿다, 신뢰하다
0630	**detect**	동 탐지하다, 발견하다
0631	**signature**	명 1. 서명 2. 특징
0632	**obvious**	형 명백한, 분명한
0633	**issue**	명 1. 문제(점), 쟁점 2. 발행(물) 동 1. 공표[발표]하다 2. 발행[발부]하다
0634	**disagree**	동 1. 의견이 다르다 2. 일치하지 않다
0635	**electronic**	형 전자의 명 ((-s)) 전자 공학, 전자 장치
0636	**offer**	동 1. 제안하다 2. 제공하다 명 1. 제안 2. 제공
0637	**pioneer**	명 개척자, 선구자 동 개척하다
0638	**get along with**	~와 잘 지내다
0639	**get away with**	1. ~을 잘 해내다 2. 교묘히 모면하다
0640	**get[keep] in touch with**	~와 연락하고 지내다

DAY 17

0641	**initial**	형 처음의, 초기의 명 머리글자(이니셜)
0642	**await**	동 기다리다
0643	**flood**	명 홍수 동 범람하다, 물에 잠기게 하다
0644	**order**	명 1. 주문 2. 명령 3. 순서 4. 질서 동 1. 주문하다 2. 명령하다
0645	**advantage**	명 유리한 점, 이점, 장점
0646	**discuss**	동 토론하다, 논의하다
0647	**custom**	명 1. 관습, 풍습 2. 습관
0648	**customs**	명 1. 세관 2. 관세
0649	**active**	형 활동적인, 적극적인
0650	**vegetarian**	명 채식주의자 형 채식의
0651	**sufficient**	형 충분한
0652	**trend**	명 경향, 추세, 유행
0653	**foresee**	동 예견하다, 예지하다
0654	**muscle**	명 1. 근육 2. 힘
0655	**faithful**	형 충실한, 신의 있는
0656	**ruin**	동 망치다, 파괴하다 명 1. 붕괴, 파괴 2. ((-s)) 폐허, 유적
0657	**sentence**	동 선고하다 명 1. 문장 2. 형벌, 선고
0658	**stream**	명 1. 개울, 시내 2. 흐름
0659	**persist**	동 1. (집요하게) 계속하다 2. 고집하다

0660	**extreme**	형 극도의, 극단적인 명 극단
0661	**appreciate**	동 1. 고마워하다 2. 감상하다 3. 인식하다, 알아보다
0662	**challenge**	명 도전, 시험 동 1. 도전하다 2. 이의를 제기하다
0663	**establish**	동 1. 설립하다, 수립하다 2. (법률 등을) 제정하다
0664	**dirt**	명 1. 먼지, 때 2. 흙
0665	**terrible**	형 끔찍한, 심한, 지독한
0666	**terrific**	형 아주 멋진, 훌륭한
0667	**specialize**	동 전문으로 하다, 전공하다
0668	**purpose**	명 목적, 의도
0669	**exact**	형 정확한, 정밀한
0670	**jury**	명 배심원(단)
0671	**collapse**	동 1. 붕괴되다, 무너지다 2. 망하다, 실패하다 명 붕괴
0672	**patient**	명 환자 형 참을성 있는
0673	**broadcast**	동 방송하다, 널리 알리다 명 방송
0674	**namely**	부 즉, 다시 말해
0675	**grant**	동 1. 승인하다 2. 인정하다 3. 수여하다 명 보조금, 지원금
0676	**disposable**	형 일회용의, 쓰고 버릴 수 있는
0677	**leisure**	명 여가, 한가한 시간
0678	**go for**	1. 찬성하다, ~의 편을 들다 2. ~을 좋아하다
0679	**long for**	~을 갈망하다, ~을 열망하다
0680	**stand for**	~을 상징하다, 의미하다

DAY 18

0681	**alarm**	동 놀라게 하다 명 1. 놀람, 불안 2. 경보(기)
0682	**delete**	동 삭제하다
0683	**smooth**	형 매끄러운, 부드러운 동 매끄럽게 하다
0684	**indicate**	동 1. 나타내다, 암시하다 2. 가리키다
0685	**glacier**	명 빙하
0686	**sweat**	명 1. 땀 2. 노력, 수고 동 땀을 흘리다
0687	**shoot**	동 1. (총 등을) 쏘다 2. 촬영하다 명 사격, 발사
0688	**bill**	명 1. 청구서, 계산서 2. 지폐 3. 법안
0689	**tag**	명 꼬리표, 가격표 동 꼬리표를 붙이다
0690	**bitter**	형 1. 맛이 쓴 2. 고통스러운 3. 신랄한
0691	**remark**	동 언급하다, 논평하다 명 1. 발언, 논평 2. 주목
0692	**boast**	동 자랑하다, 뽐내다
0693	**intuition**	명 직관(력), 직감
0694	**adapt**	동 1. 적응하다 2. 조정하다 3. 각색하다
0695	**adopt**	동 1. 입양하다 2. (정책 등을) 채택하다
0696	**normal**	형 보통의, 정상적인
0697	**craft**	명 1. 공예, 기술 2. 선박, 비행기 동 정교하게 만들다
0698	**mixture**	명 혼합(물)
0699	**collaborate**	동 협력하다, 공동으로 작업하다

0700	**perform**	동 1. 수행하다 2. 공연하다
0701	**nonsense**	명 터무니없는 생각, 허튼소리
0702	**vague**	형 1. 모호한 2. 희미한
0703	**interpret**	동 해석하다, 통역하다
0704	**decline**	동 1. 감소하다, 쇠퇴하다 2. 거절하다 명 감소[하락], 쇠퇴
0705	**outcome**	명 결과
0706	**specific**	형 1. 구체적인, 명확한 2. 특정한
0707	**promote**	동 1. 장려하다, 촉진하다 2. 승진시키다 3. 홍보하다
0708	**record**	명 1. 기록 2. 음반 동 1. 기록하다 2. 녹음[녹화]하다
0709	**judge**	동 1. 판단하다[여기다] 2. 재판하다, 심판하다 명 1. 판사 2. (경기·토론의) 심판
0710	**resident**	명 거주자, 주민 형 거주하는
0711	**insult**	동 모욕하다 명 모욕
0712	**insert**	동 삽입하다, 끼워 넣다
0713	**certain**	형 1. 확신하는, 확실한 2. 어떤, 어느 정도의
0714	**fossil**	명 화석
0715	**highlight**	동 강조하다, 강조 표시를 하다 명 가장 중요한 부분
0716	**fundamental**	형 1. 근본[본질]적인 2. 핵심적인, 필수적인
0717	**cottage**	명 오두막집
0718	**ask after**	~의 안부를 묻다
0719	**run after**	~을 뒤쫓다
0720	**take after**	~를 닮다

DAY 19

0721	**structure**	명 구조(물), 조직 동 구조화하다, 조직하다
0722	**arrogant**	형 거만한, 오만한
0723	**freeze**	동 얼다[얼리다] 명 동결
0724	**republic**	명 공화국
0725	**concentrate**	동 1. 집중하다, 전념하다 2. 농축하다
0726	**tip**	명 1. (뾰족한) 끝 2. 조언 3. 팁, 봉사료
0727	**chaos**	명 혼돈, 혼란
0728	**raise**	동 1. 들어 올리다 2. 모금하다 3. 기르다, 키우다
0729	**rise**	동 1. 오르다, 상승하다 2. 증가하다 3. (해·달이) 뜨다 명 1. 오름, 상승 2. 증가
0730	**guilty**	형 1. 유죄의 2. 죄책감을 느끼는
0731	**portrait**	명 1. 초상(화), 인물 사진 2. 묘사
0732	**agony**	명 극심한 고통, 고뇌
0733	**predict**	동 예측하다, 예언하다
0734	**household**	명 가정, 가구 형 가정(용)의
0735	**lively**	형 활기 넘치는, 활발한
0736	**loss**	명 상실, 손실[손해]
0737	**manufacture**	동 제조[제작]하다, 생산하다 명 제조, 생산, ((-s)) 제품
0738	**mark**	동 표시하다, 나타내다 명 표시, 자국[흔적]
0739	**convention**	명 1. (대규모) 집회, 대회 2. 관습

0740	**interest**	명 1. 관심, 흥미 2. 이자, 이익 동 ~의 관심을 끌다
0741	**register**	동 등록하다, 기재하다 명 등록(부), 명부
0742	**unique**	형 1. 유일한, 독특한 2. 특별한, 별난
0743	**press**	동 1. 누르다 2. 압박하다, 강요하다 명 신문, 언론, 출판물
0744	**internal**	형 내부의, 내면의
0745	**status**	명 1. 지위, 신분 2. 상태
0746	**state**	명 1. 상태 2. 국가 3. (미국의) 주 동 말하다, 진술하다
0747	**statue**	명 조각상
0748	**dedicate**	동 1. 전념[헌신]하다 2. 헌정하다, 바치다
0749	**pharmacy**	명 1. 약국 2. 약학
0750	**connect**	동 연결하다
0751	**seek**	동 1. 찾다, 추구하다 2. 시도하다
0752	**trap**	명 덫, 함정 동 가두다
0753	**intolerable**	형 참을 수 없는
0754	**barrier**	명 장벽, 장애물
0755	**collide**	동 충돌하다, 부딪치다
0756	**indeed**	부 정말, 참으로
0757	**witness**	명 1. 목격자 2. 증인 동 1. 목격하다 2. 증언하다
0758	**due to**	~ 때문에, ~에 기인하는
0759	**owing to**	~ 덕분에, ~ 때문에
0760	**thanks to**	~ 덕분에

DAY 20

0761	**habitat**	명 서식지, 거주지
0762	**gloomy**	형 우울한, 울적한
0763	**withdraw**	동 1. 철수하다 2. 철회하다 3. (예금 등을) 인출하다
0764	**reduce**	동 줄이다[줄다]
0765	**hostility**	명 적의, 적개심
0766	**contrast**	명 대조, 대비 동 대조를 이루다, 대조[대비]하다
0767	**direct**	동 1. 감독하다, 지도하다 2. (길을) 가리키다 형 직접적인, 직행의
0768	**element**	명 1. 요소, 성분 2. 원소
0769	**randomly**	부 무작위로
0770	**valuable**	형 소중한, 값비싼
0771	**ash**	명 재
0772	**justice**	명 1. 정의, 공정 2. 정당성 3. 사법, 재판(관)
0773	**mass**	명 1. 큰 덩어리 2. 다량, 다수 3. ((-s)) 대중 형 1. 많은, 대량의 2. 대중의
0774	**mess**	명 엉망인 상태 동 엉망으로 만들다
0775	**complain**	동 불평하다, 항의하다
0776	**dawn**	명 1. 새벽, 동틀 녘 2. 시초, 서광 동 날이 밝다
0777	**proper**	형 적절한, 알맞은
0778	**restrict**	동 제한하다, 한정하다
0779	**aware**	형 알고 있는, 인식하는

0780	**Mediterranean**	형 지중해의 명 ((the)) 지중해
0781	**feature**	명 1. 특징 2. 얼굴 생김새, 이목구비 3. 특집 기사 동 1. 특징으로 삼다 2. 특종으로 다루다
0782	**search**	동 찾다, 검색하다 명 수색, 검색
0783	**common**	형 1. 흔한, 보통의 2. 공통의, 공동의
0784	**scoop**	명 1. 숟갈, 스쿠프 2. 한 숟갈(의 양) 동 (국자·숟가락 등으로) 푸다
0785	**hesitate**	동 주저하다, 망설이다
0786	**merchant**	명 상인, 무역상
0787	**protect**	동 보호하다, 지키다
0788	**subjective**	형 주관적인, 주관의
0789	**host**	명 주최자, 진행자 동 주최하다
0790	**employ**	동 1. 고용하다 2. (기술·방법 등을) 이용하다
0791	**inferior**	형 열등한, 낮은, 하급의 명 아랫사람, 하급자
0792	**superior**	형 뛰어난, 우월한, 상급의 명 윗사람, 상급자
0793	**tend**	동 (~하는) 경향이 있다, ~하기 쉽다
0794	**preference**	명 선호(도), 선호하는 것
0795	**chore**	명 허드렛일, 하기싫은 일, ((-s)) 집안일
0796	**insight**	명 통찰(력), 간파, 이해
0797	**medical**	형 의학의, 의료의
0798	**break up with**	~와 결별하다, 갈라서다
0799	**come up with**	~을 생각해 내다, 떠올리다
0800	**keep up with**	1. ~에 뒤지지 않다 2. ~와 계속 연락하고 지내다

DAY 21

0801	**claim**	동 주장하다, 요구하다 명 주장, 요구, 청구
0802	**formal**	형 1. 공식적인, 정식의 2. 격식을 차린
0803	**standard**	명 표준, 기준, 수준 형 일반적인, 표준의
0804	**audience**	명 청중, 관중, 시청자
0805	**collect**	동 수집하다, 모으다
0806	**guard**	명 경비(원), 경호(원) 동 지키다, 보호하다
0807	**assume**	동 1. 가정하다, 추정하다 2. (책임 등을) 떠맡다
0808	**command**	명 1. 명령 2. 지휘(권) 동 1. 명령하다 2. 지휘하다
0809	**comment**	명 의견, 논평 동 의견을 말하다, 논평하다
0810	**brief**	형 짧은, 간결한 동 보고하다
0811	**architect**	명 건축가, 설계자
0812	**core**	명 1. 핵심 2. 중심부 형 핵심의, 가장 중요한
0813	**complicated**	형 복잡한
0814	**sneeze**	동 재채기하다 명 재채기
0815	**remain**	동 남아 있다, 여전히 ~이다 명 남은 것, ((-s)) 유적
0816	**psychology**	명 심리, 심리학
0817	**demonstrate**	동 1. (증거·실례를 통해) 보여 주다, 증명하다 2. 시위하다
0818	**occasion**	명 1. (특정한) 때, 경우 2. 행사
0819	**deliver**	동 1. 배달하다, 전하다 2. 연설을 하다 3. 분만하다

0820	**essential**	형 필수의, 본질적인
0821	**ignore**	동 무시하다, (사람을) 못 본 체하다
0822	**disorder**	명 무질서, 혼란, 장애[질병]
0823	**celebrity**	명 1. 유명 인사 2. 명성
0824	**flash**	동 번쩍이다 명 번쩍임, 플래시
0825	**flesh**	명 살, 고기, 과육
0826	**destined**	형 1. ~할 운명의, 예정된 2. ~행(行)의
0827	**volume**	명 1. 용량, 부피 2. 음량
0828	**surround**	동 둘러싸다, 에워싸다
0829	**irritated**	형 짜증 난, 화난
0830	**repair**	동 1. 수리하다 2. 회복하다 명 1. 수리 2. 회복
0831	**lung**	명 폐, 허파
0832	**marvelous**	형 경이로운, 놀라운
0833	**resort**	명 1. 휴양지, 리조트 2. 의지, 호소 동 의지하다, 호소하다
0834	**appear**	동 1. 나타나다 2. ~처럼 보이다, ~인 것 같다
0835	**puzzle**	동 당혹스럽게 하다 명 퍼즐, 수수께끼
0836	**loose**	형 풀린, 헐거운[헐렁한]
0837	**electricity**	명 전기
0838	**check up**	확인하다, 알아보다
0839	**hang up**	1. ~을 걸다 2. 전화를 끊다
0840	**hold up**	1. 지연시키다 2. 버티다, 지탱하다

DAY 22

0841	**consist**	동 1. 구성되다 2. (~에) 있다, 존재하다
0842	**medium**	형 중간의 명 1. 매체 2. 수단
0843	**defect**	명 결함, 결점
0844	**strike**	동 (세게) 치다, 때리다, 부딪치다 명 1. 치기, 공격 2. 파업
0845	**practical**	형 1. 실용적인 2. 실제적인
0846	**ensure**	동 확실하게 하다, 보증하다
0847	**tide**	명 1. 조수, 조류 2. 흐름
0848	**tidy**	형 잘 정돈된, 단정한
0849	**disappear**	동 사라지다
0850	**technical**	형 1. (과학) 기술의 2. 전문적인
0851	**bandage**	명 붕대 동 붕대를 감다
0852	**flat**	형 1. 평평한, 납작한 2. 바람이 빠진, 펑크 난
0853	**sip**	동 조금씩 마시다 명 한 모금
0854	**infect**	동 감염[전염]시키다, 오염시키다
0855	**nest**	명 둥지, 보금자리 동 둥지[보금자리]를 짓다
0856	**prevent**	동 막다, 예방하다
0857	**crash**	명 1. 충돌 (사고), 추락 (사고) 2. 요란한 소리, 굉음 동 충돌하다, 추락하다
0858	**feed**	동 젖[음식]을 먹이다, 먹이를 주다
0859	**reputation**	명 평판, 명성

0860	**regard**	동 1. (~으로) 여기다[간주하다] 2. 존중[중시]하다 명 1. 고려(할 점) 2. 존경
0861	**appropriate**	형 적절한, 알맞은
0862	**angle**	명 1. 각도, 각 2. 관점, 시각
0863	**confirm**	동 1. 확인하다 2. 승인[확정]하다 3. 확실하게 하다
0864	**vehicle**	명 1. 탈것, 차량 2. 매개, 수단
0865	**intellectual**	형 1. 지능의, 지적인 2. 교육을 많이 받은
0866	**intelligent**	형 1. 총명한, 똑똑한 2. 지능이 있는
0867	**regulate**	동 1. 조절하다 2. 규제하다
0868	**legend**	명 전설, 전설적인 인물
0869	**telescope**	명 망원경
0870	**rush**	동 1. 돌진하다 2. 재촉하다 명 1. 돌진 2. 혼잡, 분주함
0871	**helpless**	형 무력한, 속수무책인
0872	**arrest**	동 체포하다, 구속하다 명 체포
0873	**semester**	명 학기
0874	**splendid**	형 화려한, 훌륭한, 멋진
0875	**bounce**	동 (공 등이) 튀어 오르다, 튀다
0876	**tailor**	명 재단사 동 (양복을) 짓다, 옷을 맞추다
0877	**eventual**	형 최종적인, 궁극의
0878	**break through**	1. 돌파하다 2. 극복하다
0879	**go through**	1. ~을 거치다, 겪다 2. ~을 조사하다
0880	**look through**	1. 살펴보다, 검토하다 2. ~을 못 본 척하다

DAY 23

0881	**belong**	동 속하다, 소유이다
0882	**float**	동 (물 위에) 뜨다, (물 위·공중에서) 떠다니다
0883	**still**	부 1. 아직(도), 여전히 2. 그런데도 3. 더욱 형 정지한
0884	**research**	명 연구, 조사 동 연구하다, 조사하다
0885	**equipment**	명 장비, 용품, 설비
0886	**annoy**	동 짜증 나게 하다, 귀찮게 하다
0887	**stare**	동 응시하다, 빤히 쳐다보다 명 응시
0888	**weed**	명 잡초 동 잡초를 뽑다
0889	**outgoing**	형 외향적인, 사교적인
0890	**recognize**	동 1. 알아보다, 인지하다 2. 인정하다
0891	**nutrient**	명 영양소, 영양분
0892	**cave**	명 동굴, 굴
0893	**genuine**	형 진짜의, 진실한
0894	**erase**	동 지우다, 없애다
0895	**quality**	명 1. 질, 품질 2. 특성 3. (사람의) 자질, 재능 형 양질의, 고급의
0896	**quantity**	명 1. 양, 수량 2. 다량
0897	**devote**	동 (시간·노력 등을) 바치다, 쏟다
0898	**mode**	명 방식, 양식
0899	**track**	명 1. 길 2. 발자국, 자국 3. 경주로, 트랙 동 추적하다

0900	**permit**	동 허락[허용]하다 명 허가(증)
0901	**independent**	형 1. 독립된, 독립적인 2. 자립심이 강한
0902	**benefit**	명 1. 이익, 이득, 혜택 2. 보조금 동 ~에게 이롭다, 이익을 얻다
0903	**agency**	명 1. 대리점, 대행사 2. 기관, 단체
0904	**flexible**	형 1. 유연한, 구부리기 쉬운 2. 융통성 있는
0905	**attribute**	동 ~의 탓[덕분]으로 돌리다 명 속성, 자질
0906	**contribute**	동 1. 기여[공헌]하다 2. ~의 원인이 되다 3. 기부하다
0907	**distribute**	동 1. 나누어 주다, 분배하다 2. 분포시키다
0908	**dine**	동 (잘 차린) 식사를 하다, 만찬을 들다
0909	**anger**	명 화, 분노 동 화나게 하다
0910	**overwhelm**	동 압도하다
0911	**strategy**	명 1. 전략 2. 계략, 술수
0912	**classic**	형 1. 일류의, 최고의 2. 전형적인 명 고전, 명작
0913	**blink**	동 깜박거리다 명 깜박거림
0914	**ceiling**	명 천장
0915	**everlasting**	형 영원한, 변치 않는
0916	**economic**	형 경제의, 경제학의 명 ((-s)) 경제학
0917	**community**	명 1. 지역 사회, 주민 2. 공동체
0918	**make up for**	~을 보상하다, 만회하다
0919	**sign up for**	~을 신청하다, 등록하다
0920	**stand up for**	~을 옹호하다, 지지하다

DAY 24

0921	**military**	형 군(대)의, 군사의 명 군대, 군사, 군인
0922	**method**	명 방법, 방식
0923	**behavior**	명 행동, 품행, 태도
0924	**property**	명 1. 재산, 소유물 2. 부동산, 토지 3. 특성, 속성
0925	**clinic**	명 (개인) 병원, 진료소
0926	**allow**	동 허락하다, 허용하다
0927	**region**	명 1. 지역, 지방 2. 영역
0928	**religion**	명 종교, 신앙
0929	**significant**	형 1. 중요한 2. (양·정도가) 상당한
0930	**delicate**	형 1. 연약한 2. 섬세한, 정교한
0931	**estimate**	동 1. 추정하다, 견적하다 2. 평가하다 명 1. 추정, 견적(서) 2. 평가
0932	**cure**	동 1. 치료하다, (병을) 고치다 2. 해결하다 명 1. 치료(법) 2. 해결(책)
0933	**regular**	형 1. 규칙적인, 정기적인 2. 보통의
0934	**athlete**	명 운동선수
0935	**repetitive**	형 반복되는
0936	**supervise**	동 감독하다, 관리하다
0937	**minister**	명 1. 장관 2. 목사, 성직자
0938	**guarantee**	동 보장[보증]하다, 확실히 하다 명 보장[보증], 보증서
0939	**shame**	명 1. 수치(심), 창피 2. 유감인 일

0940	**yield**	동 1. (결과를) 내다, 산출하다 2. 굴복하다, 양보하다 명 (농작물 등의) 산출량
0941	**machinery**	명 1. 기계, 기계류 2. 기계 부품들
0942	**awkward**	형 1. 어색한, 서투른 2. 불편한, 다루기 힘든
0943	**portion**	명 1. 부분, 일부 2. 몫, 1인분
0944	**sparkle**	동 반짝이다 명 반짝임
0945	**emotion**	명 감정, 정서
0946	**comparable**	형 비교할 만한, 비슷한
0947	**comparative**	형 비교의, 비교를 통한, 비교적
0948	**worsen**	동 악화시키다[되다]
0949	**usage**	명 1. (언어의) 용법, 어법 2. 사용(법)
0950	**describe**	동 묘사하다, 설명하다
0951	**arouse**	동 1. 불러일으키다, 자극하다 2. (잠에서) 깨우다
0952	**origin**	명 1. 기원, 유래 2. 출신
0953	**overweight**	형 과체중의, 중량 초과의
0954	**tax**	명 세금 동 세금을 부과하다
0955	**council**	명 1. (지방 자치 단체의) 의회 2. 위원회, 협의회
0956	**idle**	형 게으른, 나태한 동 빈둥거리다
0957	**furthermore**	부 뿐만 아니라, 더욱이
0958	**base on**	~을 근거로 하다
0959	**build on**	~을 기반으로 하다
0960	**work on**	1. 애쓰다, 공들이다 2. 착수하다

DAY 25

0961	**export**	명 수출(품) 동 수출하다
0962	**prepare**	동 준비하다, 대비하다
0963	**voluntary**	형 1. 자원봉사의 2. 자발적인
0964	**fair**	형 1. 공평한, 공정한 2. 상당한 3. (날씨가) 맑은 명 박람회
0965	**appetite**	명 1. 식욕 2. 욕구
0966	**cabin**	명 1. 오두막집 2. (배·비행기의) 선실[객실]
0967	**separate**	동 분리하다[되다] 형 분리된, 별개의
0968	**patriot**	명 애국자
0969	**dismiss**	동 1. 묵살[일축]하다 2. 해고하다 3. 해산시키다
0970	**hatch**	동 부화하다[되다]
0971	**slim**	형 1. 날씬한, 호리호리한 2. 얇은
0972	**browse**	동 1. 둘러보다 2. 대강 읽다 3. (인터넷을) 검색하다
0973	**successful**	형 성공한, 성공적인
0974	**successive**	형 연속적인, 연이은
0975	**fame**	명 명성
0976	**eager**	형 열망하는, 열성적인
0977	**broaden**	동 넓히다, 넓어지다
0978	**renew**	동 1. 재개하다 2. 갱신하다
0979	**impulse**	명 1. 충동 2. 충격, 자극

0980	**express**	동 표현하다, 나타내다 명 급행열차 형 급행의, 신속한
0981	**thoughtful**	형 1. 사려 깊은 2. 생각에 잠긴
0982	**stitch**	명 (한) 바늘, (한) 땀 동 바느질하다, 꿰매다
0983	**nuclear**	형 원자력의, 핵의
0984	**disaster**	명 재난, 재해
0985	**announce**	동 발표하다, 알리다
0986	**lyric**	명 1. ((-s)) 가사 2. 서정시 형 서정적인
0987	**conscious**	형 1. 의식하는, 자각하는 2. 의식이 있는
0988	**glance**	동 흘긋 보다 명 흘긋 봄
0989	**illegal**	형 불법의
0990	**observation**	명 1. 관찰, 관측 2. (관찰에 따른) 의견
0991	**multiple**	형 1. 다수의, 많은, 다양한 2. 배수의 명 ((수학)) 배수
0992	**altitude**	명 (해발) 고도, 고지
0993	**attitude**	명 태도, 자세
0994	**burst**	동 1. 터지다, 터뜨리다 2. 갑자기 ~하다 명 파열, 폭발
0995	**coast**	명 해안, 연안
0996	**invest**	동 투자하다
0997	**limitation**	명 1. 제한, 한정 2. 규제, 제약 3. 한계
0998	**go after**	뒤쫓다, 추구하다
0999	**look after**	~을 돌보다, 보살펴 주다
1000	**name after**	~의 이름을 따서 짓다

DAY 26

1001	**melt**	동 녹다[녹이다]
1002	**logic**	명 1. 논리(학) 2. 타당성
1003	**volcanic**	형 화산의, 화산 작용에 의한
1004	**ease**	명 1. 쉬움 2. 편안함, 안락함 동 편안하게 하다, (고통 등을) 덜어 주다
1005	**symptom**	명 1. 증상 2. 징후, 조짐
1006	**plot**	명 1. 줄거리, 구성 2. 음모 동 음모를 꾸미다
1007	**bear**	동 1. 참다, 견디다 2. (아이를) 낳다, (열매를) 맺다
1008	**addicted**	형 중독된, 푹 빠진
1009	**bunch**	명 다발, 묶음
1010	**enable**	동 ~할 수 있게 하다, 가능하게 하다
1011	**shortcut**	명 1. 지름길 2. 손쉬운 방법
1012	**charm**	명 매력 동 매혹하다
1013	**motivate**	동 동기를 부여하다, 자극하다
1014	**affect**	동 영향을 미치다
1015	**effect**	명 영향, 효과, 결과
1016	**identical**	형 동일한, 똑같은
1017	**summarize**	동 요약하다
1018	**pillar**	명 기둥
1019	**contain**	동 1. 포함하다, 함유하다 2. (감정 등을) 억누르다, 억제하다

1020	**immune**	형 면역성의, 면역의
1021	**throughout**	전 ~ 내내, ~ 동안 죽
1022	**trace**	명 흔적, 자취 동 추적하다
1023	**gaze**	동 응시하다, 빤히 쳐다보다 명 응시, 시선
1024	**companion**	명 동반자, 동행, 친구
1025	**measure**	동 1. 측정하다, 재다 2. 판단[평가]하다 명 1. 치수, 크기 2. ((-s)) 조치, 대책 3. 척도, 기준
1026	**crucial**	형 중대[중요]한, 결정적인
1027	**react**	동 1. 반응하다 2. 반작용하다
1028	**propose**	동 1. 제안하다 2. 청혼하다
1029	**steep**	형 1. 가파른, 비탈진 2. 급격한
1030	**frost**	명 서리, 성에
1031	**discourage**	동 1. 의욕을 꺾다, 낙담시키다 2. 막다[말리다], 단념시키다
1032	**flavor**	명 1. 맛, 풍미 2. 양념, 향신료 동 맛을 내다
1033	**favor**	명 1. 호의, 친절 2. 부탁 동 호의를 보이다, 찬성하다
1034	**extraordinary**	형 1. 비범한, 대단한 2. 기이한
1035	**border**	명 국경, 경계 동 (국경·경계를) 접하다
1036	**transport**	동 수송하다, 운반하다 명 수송
1037	**durable**	형 내구성이 있는
1038	**speak for**	~을 대변하다
1039	**call for**	요구하다, 청하다
1040	**care for**	1. ~을 돌보다 2. 좋아하다

DAY 27

1041	**alive**	형 1. 살아 있는 2. 활기찬, 생기 넘치는
1042	**emperor**	명 황제
1043	**complete**	형 1. 완전한, 완벽한 2. 완료된 동 완료하다, 끝마치다
1044	**pottery**	명 도자기, 도예
1045	**category**	명 범주, 부문
1046	**despair**	명 절망 동 절망하다
1047	**firm**	형 단단한, 확고한 명 회사
1048	**exclude**	동 제외하다, 배제하다
1049	**include**	동 포함하다, (~에) 포함시키다
1050	**conclude**	동 결론을 내리다, 끝내다
1051	**immediate**	형 1. 즉각적인 2. 당면한 3. 직접적인
1052	**chop**	동 잘게 자르다[썰다]
1053	**recycle**	동 재활용하다
1054	**poison**	명 독, 독약 동 독을 넣다, 독살하다
1055	**overnight**	형 하룻밤 동안의, 야간의 부 하룻밤 사이에
1056	**acknowledge**	동 1. 인정하다, 승인하다 2. 감사를 표하다
1057	**fire**	명 1. 화재, 불 2. 발사 동 1. 해고하다 2. 발사하다
1058	**material**	명 1. 재료, 물질 2. 자료 형 물질의, 물질적인
1059	**donate**	동 기부하다, 기증하다

1060	**relative**	형 상대적인, 비교상의 명 친척
1061	**excess**	명 1. 지나침, 과잉 2. 초과(량) 형 초과한
1062	**instruct**	동 지시하다, 가르치다
1063	**jail**	명 교도소, 감옥 동 투옥하다
1064	**occupation**	명 1. 직업 2. 점유, 거주 3. 점령
1065	**spill**	동 엎지르다, 흘리다 명 엎질러짐, 유출
1066	**split**	동 나누다[나뉘다], 분열되다[시키다] 명 틈, 분열
1067	**probable**	형 그럴 듯한, 충분히 가능한
1068	**swear**	동 1. 맹세하다 2. 욕을 하다
1069	**anxious**	형 1. 불안해하는, 걱정하는 2. 열망하는
1070	**grain**	명 곡식, 낟알, 곡물
1071	**dreadful**	형 1. 두려운, 무시무시한 2. 끔찍한, 지독한
1072	**testify**	동 증언하다, 증명하다
1073	**manipulate**	동 1. (사물을) 다루다 2. 조종하다, 조작하다
1074	**solution**	명 1. 해결책, 해답 2. 용액, 용해
1075	**owe**	동 1. (~에게) 빚지고 있다 2. (~의) 덕분이다
1076	**commercial**	형 1. 상업의 2. 영리적인, 상업적인 명 광고 방송
1077	**bark**	동 (개 등이) 짖다 명 짖는 소리
1078	**get out of**	~에서 나오다, 도망치다
1079	**let go of**	(손에 쥐고 있는 것을) 놓다, 놓아주다
1080	**run out of**	1. ~을 다 써 버리다 2. ~로부터 달아나다

DAY 28

1081	**publish**	동 1. 출판[발행]하다 2. 발표[공표]하다
1082	**policy**	명 정책, 방침
1083	**similar**	형 비슷한, 유사한
1084	**block**	명 1. (단단한) 사각형 덩어리 2. 구역, 블록 동 1. 막다, 차단하다 2. 방해하다
1085	**digestion**	명 소화(력)
1086	**confuse**	동 혼동하다, 혼란스럽게 하다
1087	**represent**	동 1. 나타내다, 상징하다 2. 대표하다 3. 표현하다
1088	**ambition**	명 야망, 야심
1089	**tropical**	형 열대의, 열대 지방의
1090	**depend**	동 의지[의존]하다, ~에 달려 있다 ((on/upon))
1091	**retire**	동 1. 은퇴하다, 퇴직하다 2. 물러나다
1092	**expert**	명 전문가 형 전문적인, 숙련된
1093	**bump**	동 (쾅) 부딪치다 명 1. 쾅, 충돌 2. 혹, 융기
1094	**mean**	동 1. 의미하다 2. 의도하다 형 1. 못된 2. 보통의, 평균의
1095	**means**	명 수단, 방법
1096	**severe**	형 1. 심각한, 극심한 2. 엄한, 가혹한
1097	**commence**	동 시작되다[하다]
1098	**incident**	명 (부정적) 사건, 일어난 일
1099	**fit**	동 1. (모양·크기가) 맞다 2. 적합하다 3. 어울리다 형 1. 건강한 2. 적합한 3. 어울리는

1100	**desire**	명 욕구, 갈망 동 바라다, 원하다
1101	**code**	명 1. 암호, 부호 2. 관례, 규칙 3. 법규
1102	**combine**	동 1. 결합하다 2. 갖추다, 겸비하다 명 콤바인
1103	**row**	명 줄, 열 동 노를 젓다
1104	**simplify**	동 단순화하다, 간소화하다
1105	**chemical**	형 화학의, 화학적인 명 화학 제품[물질]
1106	**negotiate**	동 협상하다, 교섭하다
1107	**skyscraper**	명 고층 건물, 마천루
1108	**admit**	동 1. 인정[시인]하다 2. 입장[입학]을 허가하다
1109	**response**	명 1. 반응 2. 대답, 응답
1110	**despite**	전 ~에도 불구하고
1111	**explode**	동 1. 폭발하다[시키다] 2. 폭발적으로 증가하다
1112	**explore**	동 탐험[탐사]하다
1113	**gradual**	형 1. 점진적인, 서서히 일어나는 2. (경사가) 완만한
1114	**temperature**	명 1. 온도, 기온 2. 체온
1115	**urban**	형 도시의
1116	**cling**	동 꼭 붙잡다, 매달리다, 집착하다 ((to))
1117	**atmosphere**	명 1. 대기(권) 2. 분위기
1118	**see off**	배웅하다
1119	**set off**	1. 출발하다 2. (경보 등을) 울리다
1120	**take off**	1. (옷 등을) 벗다 2. 이륙하다

DAY 29

1121	**pollution**	명 공해, 오염 (물질)
1122	**share**	동 1. 공유하다 2. 나누다, 나눠주다 명 몫, 할당, 지분
1123	**mystery**	명 1. 수수께끼 2. 신비, 불가사의
1124	**drown**	동 물에 빠져 죽다, 익사하다
1125	**credit**	명 1. 신용 (거래) 2. 학점 3. 인정, 칭찬 동 1. 신용하다 2. (공로를) ~에게 돌리다
1126	**scrub**	동 문질러 닦아내다 명 문질러 씻기
1127	**costume**	명 (연극 등의) 의상, 복장, 분장
1128	**unite**	동 1. 연합하다 2. 결합시키다
1129	**desirable**	형 바람직한
1130	**dizzy**	형 어지러운
1131	**approach**	동 접근하다, 다가가다 명 접근(법)
1132	**spouse**	명 배우자
1133	**numerous**	형 수많은, 다수의
1134	**extend**	동 1. 늘이다, 확장하다 2. 뻗다
1135	**extent**	명 1. 규모, 정도 2. 크기
1136	**decrease**	동 감소하다, 줄다[줄이다] 명 감소
1137	**literature**	명 문학
1138	**mood**	명 1. 기분 2. 분위기
1139	**compliment**	동 칭찬하다 명 칭찬, 찬사

1140	**disgusting**	형 혐오스러운, 역겨운
1141	**twist**	동 1. 비틀다 2. 왜곡하다 명 비틀기
1142	**overcome**	동 극복하다, 이겨내다
1143	**panel**	명 1. 판, 널빤지 2. 토론자단, 심사원단
1144	**bully**	명 (약자를) 괴롭히는 사람 동 괴롭히다, 왕따시키다
1145	**attend**	동 1. 참석하다 2. 주의를 기울이다 ((to)) 3. 돌보다
1146	**resist**	동 1. 저항하다, 반대하다 2. 참다, 잘 견디다
1147	**creative**	형 창의적인, 창조적인, 독창적인
1148	**voyage**	명 여행, 항해 동 여행하다, 항해하다
1149	**local**	형 1. 지역의 2. 현지의 명 주민, 현지인
1150	**organ**	명 1. 기관, 장기 2. 오르간
1151	**whisper**	동 속삭이다 명 속삭임
1152	**vocation**	명 1. 직업, 천직 2. 소명 (의식)
1153	**vacation**	명 방학, 휴가
1154	**additional**	형 추가적인, 부가의
1155	**certificate**	명 증명서, 자격증
1156	**ridiculous**	형 터무니없는, 어리석은, 우스운
1157	**factor**	명 요소, 요인
1158	**cut down**	줄이다, 삭감하다
1159	**shut down**	1. 문을 닫다, 폐쇄하다 2. 멈추다, 정지하다
1160	**turn down**	1. (소리·온도 등을) 낮추다 2. 거절하다

DAY 30

1161	**irritate**	동 1. 짜증 나게 하다 2. (피부 등을) 자극하다
1162	**weapon**	명 무기
1163	**character**	명 1. 성격, 특징 2. 개성 3. 등장인물, 역할 4. 문자
1164	**envious**	형 부러워하는
1165	**recharge**	동 (전기를) 충전하다, (에너지 등을) 재충전하다
1166	**derive**	동 ~에서 비롯되다, 유래하다 ((from))
1167	**abstract**	형 추상적인, 관념적인 명 1. 추상 2. 개요 동 1. 추출하다 2. 요약하다
1168	**aid**	명 도움, 원조 동 돕다, 원조하다
1169	**pour**	동 (액체를) 따르다, (퍼)붓다
1170	**pure**	형 1. 순수한 2. 깨끗한
1171	**hardship**	명 고난, 어려움
1172	**tradition**	명 전통
1173	**Antarctic**	명 ((the)) 남극 (지역) 형 남극의
1174	**possess**	동 1. 소유하다 2. (자질 등을) 지니다
1175	**tickle**	동 간지럽게 하다 명 간지럼
1176	**meaningful**	형 의미 있는, 유의미한
1177	**peer**	명 또래 동 유심히 보다, 응시하다
1178	**genetic**	형 유전의, 유전학의 명 ((-s)) 유전학
1179	**frame**	명 1. 뼈대, 틀 2. 액자 동 틀[액자]에 넣다, 테를 두르다

1180	**settle**	동 1. 해결하다 2. 정착하다 3. 안정[진정]되다
1181	**period**	명 1. 기간, 시기 2. 시대 3. 마침표
1182	**encourage**	동 1. 격려하다, 용기를 북돋우다 2. 장려하다
1183	**criminal**	명 범죄자, 범인 형 범죄의
1184	**objective**	형 객관적인 명 목표, 목적
1185	**compete**	동 경쟁하다, 겨루다, (시합 등에) 참가하다
1186	**competent**	형 유능한, 실력 있는
1187	**series**	명 1. 연속, 연쇄 2. 시리즈, 연속물
1188	**swallow**	동 (꿀꺽) 삼키다 명 제비
1189	**rather**	부 1. 상당히, 꽤 2. 오히려
1190	**found**	동 1. 설립하다 2. ~에 기반을 두다
1191	**innocent**	형 1. 무죄의, 결백한 2. 순진한
1192	**beam**	명 빛줄기, 광선 동 비추다
1193	**stubborn**	형 완고한, 고집이 센
1194	**crawl**	동 기어가다, 서행하다 명 기어가기, 서행
1195	**obey**	동 복종하다, 따르다
1196	**spare**	형 남는, 여분의 명 여분, 예비품 동 1. 할애하다 2. 아끼다
1197	**magnet**	명 1. 자석 2. 마음을 끄는 사람[물건]
1198	**break into[in]**	1. 침입하다 2. (대화에) 끼어들다
1199	**bump into**	1. ~에 부딪치다 2. ~와 우연히 만나다
1200	**burst into**	갑자기 ~하기 시작하다

DAY 31

1201	**entrance**	명 1. 입구 2. 들어감, 입장 3. 입학
1202	**fierce**	형 격렬한, 사나운
1203	**condition**	명 1. (건강) 상태 2. ((-s)) 상황, 환경 3. 조건
1204	**artificial**	형 인공의, 인위적인, 인조의
1205	**chew**	동 씹다
1206	**bury**	동 묻다, 매장하다
1207	**comfort**	명 1. 안락, 편안 2. 위로 동 위로하다
1208	**former**	형 예전의, 전임의, ((the)) 전자의 명 ((the)) 전자
1209	**accountant**	명 회계원, 회계사
1210	**misunderstand**	동 오해하다
1211	**platform**	명 1. 승강장 2. 연단, 강단
1212	**cheat**	동 1. 속이다, 사기 치다 2. (시험에서) 부정행위를 하다 명 1. 사기(꾼) 2. 속임수
1213	**surgery**	명 (외과) 수술
1214	**link**	동 1. 연결하다 2. 관련되다[시키다] 명 1. 연결 (수단) 2. 관계, 유대
1215	**awesome**	형 경탄할 만한, 최고의, 멋진
1216	**awful**	형 끔찍한, 지독한
1217	**suspicion**	명 혐의, 의심
1218	**swift**	형 빠른, 신속한
1219	**matter**	동 중요하다, 문제가 되다 명 1. 문제 2. 물질, 재료

1220	fate	명 운명
1221	imply	동 내포하다, 암시[시사]하다
1222	proportion	명 1. 비율, 부분 2. 균형 3. 비례
1223	creep	동 살금살금 움직이다, 기다
1224	particular	형 특정한, 특별한
1225	differ	동 1. 다르다 2. 의견을 달리하다, 동의하지 않다
1226	underneath	전 ~의 아래에
1227	recipe	명 조리법, 요리법
1228	familiar	형 익숙한, 친숙한, 잘 아는
1229	reform	동 개혁[개선]하다 명 개혁[개선]
1230	caution	명 1. 조심 2. 경고, 주의 동 경고하다, 주의시키다
1231	stiff	형 뻣뻣한, 딱딱한
1232	stuff	명 것(들), 물건, 물질 동 채워 넣다
1233	expose	동 1. 노출시키다, 드러내다 2. 폭로하다
1234	orphan	명 고아 동 고아로 만들다
1235	address	명 1. 주소 2. 연설 동 1. 연설하다 2. (문제를) 다루다 3. (~라고) 부르다
1236	gossip	명 잡담, 소문, 험담
1237	vertical	형 수직의, 세로의
1238	take ~ for granted	~을 당연하게 여기다
1239	take ~ into account	~을 고려하다, ~을 참작하다
1240	take the place of	~을 대신하다

DAY 32

1241	**ban**	동 금지하다 명 금지
1242	**fake**	형 위조의, 가짜의 명 모조품, 위조품 동 위조하다
1243	**allergy**	명 알레르기
1244	**bankrupt**	형 파산한, 지불 능력이 없는
1245	**switch**	명 1. 전환 2. 스위치 동 바꾸다, 전환하다
1246	**bother**	동 1. 괴롭히다, 귀찮게 하다 2. 신경 쓰다, 걱정하다
1247	**fantasy**	명 공상, 상상, 환상
1248	**exist**	동 존재하다, 실재하다
1249	**exit**	명 1. 출구 2. 퇴장 동 1. 나가다 2. 퇴장하다
1250	**persuade**	동 설득하다, 납득시키다
1251	**gorgeous**	형 아주 멋진, 화려한
1252	**manner**	명 1. 태도, 방식 2. ((-s)) 예의범절
1253	**continuous**	형 지속적인, 끊임없는
1254	**leak**	명 유출, 새는 곳 동 1. 유출하다, 새다 2. (비밀을) 누설하다
1255	**operate**	동 1. 작동하다 2. 운영하다 3. 수술하다
1256	**elementary**	형 1. 초급의 2. 기본적인, 근본적인
1257	**laboratory**	명 실험실, 연구소
1258	**visual**	형 시각적인, 시각의
1259	**confront**	동 (문제·어려움 등에) 직면하다, 맞서다

1260	**pace**	명 (걸음 등의) 속도, 페이스
1261	**destiny**	명 운명, 숙명
1262	**appeal**	동 1. 호소하다, 애원하다 2. 항소하다 3. (마음을) 끌다 명 1. 호소 2. 항소 3. 매력
1263	**resemble**	동 닮다, 비슷하다
1264	**mine**	명 1. 광산 2. 지뢰 동 1. 채굴하다 2. 지뢰를 묻다
1265	**sincere**	형 진실된, 진심의
1266	**colleague**	명 (직장) 동료
1267	**spread**	동 1. 퍼지다, 확산되다 2. 펼치다 명 확산
1268	**acquaintance**	명 1. 아는 사람 2. 친분
1269	**devise**	동 창안[고안]하다
1270	**edge**	명 1. 가장자리, 모서리 2. (칼 등의) 날 3. 우위, 유리함
1271	**regret**	동 후회하다, 유감스럽게 생각하다 명 후회, 유감
1272	**jealous**	형 질투하는
1273	**zealous**	형 열심인, 열광적인
1274	**triumph**	명 승리, 대성공 동 승리를 거두다, 성공하다
1275	**luxury**	명 사치(품), 호화로움
1276	**raw**	형 1. 날것의 2. 가공되지 않은
1277	**sponsor**	동 후원하다 명 후원자
1278	**ask for**	요구하다, 요청하다
1279	**ask ~ out**	(~에게) 데이트 신청하다
1280	**hang out**	시간을 보내다, 함께 어울리다

DAY 33

1281	**divide**	동 나누다, 분리하다
1282	**narrow**	형 좁은 동 좁아지다, 좁히다
1283	**suspect**	동 의심하다 명 용의자
1284	**suspense**	명 긴장, 긴장감
1285	**court**	명 1. 법정, 법원 2. (테니스 등의) 코트 3. 궁정
1286	**innovate**	동 혁신하다, 쇄신하다
1287	**score**	명 1. 점수 2. 득점 동 1. 점수를 매기다 2. 득점하다
1288	**grave**	명 무덤, 묘 형 심각한, 중대한
1289	**excite**	동 흥분시키다, 자극하다
1290	**concrete**	형 구체적인, 명확한 명 콘크리트
1291	**embassy**	명 대사관
1292	**count**	동 1. 계산하다, 셈에 넣다 2. (수를) 세다 3. 중요하다 4. (~라고) 여기다 명 계산, 셈
1293	**authority**	명 1. 권한, 권력 2. ((-s)) (정부) 당국
1294	**worth**	형 ~할 가치가 있는 명 1. 가치 2. (얼마) 어치
1295	**yawn**	동 하품하다 명 하품
1296	**recover**	동 1. 회복되다 2. 되찾다
1297	**upset**	형 기분이 상한 동 속상하게 만들다
1298	**base**	명 1. 기초, 토대 2. 기지, 근거지 동 ~에 근거지를 두다
1299	**deposit**	명 예금(액), 보증금 동 1. 예금하다 2. 두다, 맡기다

1300	observe	동 1. 보다, 관찰하다 2. 준수하다, 지키다
1301	preserve	동 1. 보존하다, 지키다 2. 저장하다
1302	reserve	동 1. 예약하다 2. 비축하다 명 1. 비축(물) 2. 보호 구역
1303	infinite	형 무한한
1304	thermometer	명 온도계, 체온계
1305	overflow	동 넘치다, 넘쳐흐르다 명 넘침, 초과됨
1306	fancy	형 1. 화려한, 장식이 많은 2. 고급의 명 상상, 공상
1307	spell	동 철자를 말하다[쓰다] 명 마법, 주문
1308	determine	동 결정하다, 결심하다
1309	construct	동 1. 건설하다 2. 구성하다
1310	besides	전 ~ 외에(도) 부 게다가, 뿐만 아니라
1311	maximum	명 최고, 최대 형 최고의, 최대의
1312	potential	형 잠재적인, 가능성이 있는 명 잠재력, 가능성
1313	journal	명 1. 신문, 저널, 학술지 2. 일기
1314	alter	동 바꾸다, 변경하다
1315	tolerate	동 참다, 견디다, 용인하다
1316	background	명 1. 배경 2. 배후 사정
1317	compact	형 1. 소형의, (공간이) 작은 2. 조밀한
1318	check over	점검하다, 검사하다
1319	go over	잘 살펴보다, 검토하다
1320	look over	대강 훑어보다, 검토하다

DAY 34

1321	globe	명 1. ((the)) 지구, 세계 2. 구체
1322	emerge	동 1. 나오다, 나타나다 2. (사실 등이) 드러나다
1323	audition	명 오디션 동 오디션을 하다[받다]
1324	complex	형 복잡한 명 1. 복합 건물, 단지 2. 콤플렉스, 강박 관념
1325	amaze	동 (대단히) 놀라게 하다
1326	instinct	명 1. 본능 2. 직감
1327	waterproof	형 방수의 명 방수복 동 방수 처리를 하다
1328	submit	동 1. 제출하다 2. 항복[굴복]하다
1329	philosophy	명 철학
1330	eternal	형 영원한, 끊임없는
1331	inform	동 알리다, 통지하다
1332	tough	형 1. 강한, 튼튼한 2. 힘든, 고된 3. (음식이) 질긴
1333	modify	동 수정하다, 변경하다
1334	arrow	명 1. 화살 2. 화살표
1335	startled	형 (깜짝) 놀란
1336	outlet	명 1. 출구, 배출구 2. 아웃렛[직판점] 3. 콘센트
1337	indifferent	형 무관심한
1338	starve	동 굶주리다, 굶어 죽다
1339	mission	명 1. 특별 임무[사명] 2. 선교

1340	**precious**	형 1. 귀중한, 값비싼 2. 소중한
1341	**previous**	형 앞의, 이전의
1342	**increase**	동 증가하다[시키다] 명 증가, 인상
1343	**belongings**	명 소지품, 소유물, 재산
1344	**target**	명 목표(물), 과녁 동 목표로 삼다, 겨냥하다
1345	**cast**	동 1. 던지다 2. 배역을 정하다[맡기다] 3. 주조하다 명 1. 출연진 2. 거푸집 3. 깁스
1346	**suitable**	형 적절한, 적합한
1347	**charity**	명 1. 자선 (단체) 2. 너그러움, 자비(심)
1348	**disabled**	형 장애가 있는
1349	**fiction**	명 1. 소설 2. 꾸며낸 이야기, 허구, 날조
1350	**straighten**	동 곧게 하다, 똑바르게 하다
1351	**loyal**	형 충성스러운, 충실한
1352	**royal**	형 왕[여왕]의, 왕실의
1353	**judgment**	명 1. 판단(력) 2. 판결[심판]
1354	**shift**	명 1. 변화 2. 교대 근무 동 1. 바꾸다 2. 이동하다[시키다]
1355	**capture**	동 1. 붙잡다, 포획하다 2. 포착하다 3. (관심 등을) 사로잡다
1356	**folk**	형 민속의, 전통적인 명 사람들
1357	**document**	명 문서, 서류 동 기록하다
1358	**keep away (from)**	~을 멀리하다, 가까이 하지 않다
1359	**pass away**	사망하다[돌아가시다]
1360	**run away**	도망치다

DAY 35

1361	**routine**	명 틀에 박힌 일, 일상 형 1. 일상적인 2. 진부한
1362	**strict**	형 1. 엄격한 2. 엄밀한
1363	**match**	동 1. 어울리다 2. 일치하다 명 1. 시합 2. 맞수 3. 성냥
1364	**association**	명 1. 협회, 단체 2. 연관, 연관성
1365	**bleed**	동 피를 흘리다
1366	**nerve**	명 1. 신경 2. 용기 3. ((-s)) 신경과민
1367	**rare**	형 1. 드문, 희귀한 2. (고기가) 살짝 익힌
1368	**passenger**	명 승객
1369	**absorb**	동 1. 흡수하다 2. 몰두하게 하다
1370	**absurd**	형 1. 터무니없는, 어리석은 2. 불합리한
1371	**isolate**	동 고립시키다, 격리하다
1372	**knowledge**	명 1. 지식 2. 인식, 이해
1373	**fluid**	명 유체, 유동체 형 유동체의
1374	**likewise**	부 똑같이, 마찬가지로
1375	**referee**	명 심판 동 심판을 보다
1376	**adjust**	동 1. 조정[조절]하다 2. 적응하다
1377	**enemy**	명 적, 적군
1378	**elect**	동 (투표로) 선출하다, 선거하다 형 선출된
1379	**chilly**	형 1. 쌀쌀한, 추운 2. 냉랭한, 쌀쌀맞은

1380	**welfare**	명 복지, 행복, 번영
1381	**farewell**	명 작별 (인사)
1382	**dare**	동 감히 ~하다, ~할 용기가 있다
1383	**conflict**	명 갈등, 충돌 동 대립하다, 충돌하다
1384	**dramatic**	형 1. 극적인, 연극같은 2. 연극의, 희곡의, 각본의
1385	**content**	명 1. 내용(물) 2. ((-s)) 목차 3. 함유량 4. 콘텐츠 형 만족하는
1386	**release**	동 1. 풀어 주다[석방하다] 2. 공개[발표]하다 명 1. 석방 2. 발표(물)
1387	**ingredient**	명 1. 재료, 성분 2. 구성 요소
1388	**precise**	형 정확한, 정밀한
1389	**edit**	동 1. 편집하다 2. 수정하다
1390	**index**	명 1. 지수, 지표 2. 색인
1391	**furious**	형 몹시 화가 난, 맹렬한
1392	**transform**	동 변형시키다, 변화시키다
1393	**conductor**	명 1. 지휘자 2. 안내원 3. (열차의) 차장
1394	**suck**	동 1. 빨다 2. 빨아들이다, 흡수하다
1395	**socialize**	동 1. (사람들과) 사귀다, 교제하다 2. 사회화하다
1396	**signal**	명 신호 동 1. 신호를 보내다 2. 암시하다
1397	**habitual**	형 습관적인, 상습적인
1398	**do away with**	~을 처분하다, 폐지하다
1399	**get on with**	1. ~을 해 나가다 2. ~와 잘 지내다
1400	**put up with**	참다, 참고 견디다

DAY 36

1401	**fond**	형 좋아하는, 애정을 느끼는
1402	**resource**	명 1. 자원, 원천, 물자 2. 재료
1403	**commute**	동 통근하다 명 통근 (거리)
1404	**aggressive**	형 공격적인, 적극적인
1405	**proceed**	동 1. (계속) 진행하다, 계속되다 2. 나아가다
1406	**bind**	동 1. 묶다 2. 결속시키다
1407	**pirate**	명 1. 해적 2. 저작권 침해자 동 저작권을 침해하다, 표절하다
1408	**priceless**	형 값을 매길 수 없는, 대단히 귀중한
1409	**worthless**	형 가치 없는, 쓸모없는
1410	**flock**	명 떼, 무리 동 떼를 짓다, 모이다
1411	**defend**	동 1. 방어하다 2. 변호하다, 옹호하다
1412	**skeleton**	명 1. 해골 2. 뼈대
1413	**critical**	형 1. 비판적인 2. 중대한, 결정적인 3. 위기의, 위독한
1414	**exhaust**	동 1. 기진맥진하게 만들다 2. 다 써 버리다 명 배기가스
1415	**slavery**	명 노예 (신분), 노예 제도
1416	**orbit**	명 궤도 동 궤도를 돌다
1417	**flame**	명 불길, 불꽃 동 활활 타오르다
1418	**purchase**	동 구입하다, 구매하다 명 구입(품), 구매
1419	**conventional**	형 관습적인, 전통적인

1420	elegant	형 우아한, 고상한
1421	preview	명 1. 미리 보기, 사전 검토 2. 시사회, 예고편
1422	struggle	동 애쓰다, 분투하다 명 노력, 분투
1423	cliff	명 절벽, 낭떠러지, 벼랑
1424	tender	형 1. 다정한 2. 부드러운, 연한
1425	heritage	명 유산
1426	book	동 예약하다 명 책
1427	roast	동 굽다 명 구운 요리
1428	brilliant	형 1. 빛나는 2. (재능이) 뛰어난 3. 훌륭한, 멋진
1429	wrap	동 싸다, 포장하다
1430	illiterate	형 글을 모르는, 문맹의 명 문맹자
1431	leap	동 뛰어넘다, 도약하다 명 도약
1432	reap	동 거두다, 수확하다
1433	insurance	명 보험(금)
1434	admire	동 존경하다, 감탄하다
1435	dip	동 살짝 담그다[적시다]
1436	molecular	형 분자의
1437	rotation	명 1. 회전 2. 순환, 교대 3. 자전
1438	come over	1. (~에) 들르다 2. (기분·감정이) 들다
1439	get over	1. 극복하다 2. 회복하다
1440	think over	숙고하다

DAY 37

1441	**vapor**	명 증기, 수증기 동 증발하다[시키다]
1442	**pale**	형 1. 핏기 없는, 창백한 2. (색깔이) 옅은
1443	**roar**	동 1. 포효하다 2. 고함치다 명 포효
1444	**degree**	명 1. 정도 2. (각도·온도계 등의) 도 3. 학위
1445	**commit**	동 1. (죄·과실 등을) 저지르다 2. 전념[헌신]하다 3. 약속하다
1446	**industry**	명 산업, 제조업
1447	**distract**	동 (주의를) 딴 데로 돌리다, 산만하게 하다
1448	**bar**	명 1. 막대, 바 2. 술집 동 막다, 빗장을 치다
1449	**merely**	부 단지, 그저
1450	**sensible**	형 분별 있는, 현명한
1451	**amuse**	동 즐겁게 하다
1452	**organize**	동 1. 조직[구성]하다, 준비하다 2. 정리하다
1453	**liver**	명 간
1454	**inevitable**	형 피할 수 없는, 필연적인
1455	**contract**	명 계약(서) 동 1. 계약하다 2. 수축하다[시키다]
1456	**contact**	동 연락하다 명 연락, 접촉
1457	**attempt**	명 시도 동 시도하다
1458	**fold**	동 1. (종이·천 등을) 접다 2. 감싸다
1459	**rotten**	형 썩은, 부패한

1460	**beat**	동 1. 두드리다, 때리다 2. 이기다 3. (심장이) 뛰다 명 1. (심장) 박동 2. 박자, 비트
1461	**paradox**	명 역설, 모순
1462	**terrify**	동 겁나게 하다, 무섭게 하다
1463	**investigate**	동 조사[수사]하다, 연구하다
1464	**timid**	형 소심한, 겁 많은
1465	**crack**	명 틈, 금 동 갈라지다, 금이 가다[가게 하다]
1466	**symphony**	명 교향곡
1467	**sigh**	동 한숨 쉬다 명 한숨
1468	**individual**	명 개인 형 개인의, 각각의
1469	**nursery**	명 육아실, 탁아소, 어린이집
1470	**wander**	동 (이리저리) 돌아다니다, 배회하다
1471	**wonder**	동 궁금하다 명 놀라움
1472	**deadly**	형 치명적인, 극도의 부 극도로
1473	**package**	명 꾸러미, 소포
1474	**deprive**	동 빼앗다, 박탈하다
1475	**refresh**	동 1. 생기를 되찾게 하다 2. 기억을 새롭게 하다
1476	**emission**	명 1. 배출, 방출 2. 배출물
1477	**simultaneous**	형 동시의, 동시에 일어나는
1478	**at hand**	가까이에 있는, 가까운 장래에
1479	**at once**	1. 즉시 2. 동시에, 한꺼번에
1480	**at random**	임의로, 무작위로

DAY 38

1481	**pretend**	동 ~인 척하다, 가장하다
1482	**rapid**	형 빠른, 신속한
1483	**autograph**	명 (유명인의) 사인, 서명 동 사인을 해 주다, 서명하다
1484	**outweigh**	동 1. ~보다 무겁다 2. (~을) 능가하다
1485	**endure**	동 견디다, 참다
1486	**dye**	동 염색하다 명 염료, 염색제
1487	**galaxy**	명 은하수, 은하계
1488	**lean**	동 1. 기울이다[기울다] 2. 기대다, 의지하다 형 1. 여윈 2. 기름기가 적은
1489	**accident**	명 1. 사고 2. 우연
1490	**toss**	동 (가볍게) 던지다 명 던지기
1491	**naked**	형 벌거벗은, 나체의
1492	**refer**	동 1. 언급하다 ((to)) 2. 지칭하다 ((to)) 3. 참조하다 ((to))
1493	**convenient**	형 편리한, 간편한
1494	**guideline**	명 지침, 가이드라인
1495	**expire**	동 만료되다, (기간이) 끝나다
1496	**inspire**	동 1. 고무[격려]하다 2. 영감[자극]을 주다
1497	**lecture**	명 강의, 강연 동 강의하다, 강연하다
1498	**rainforest**	명 (열대) 우림
1499	**tremendous**	형 1. 엄청난, 막대한 2. 대단한

1500	**perspective**	명 1. 관점, 시각 2. 전망, 경치 3. 원근법
1501	**shield**	명 방패, 보호막 동 보호하다
1502	**miserable**	형 비참한, 불행한
1503	**correspond**	동 1. 일치[부합]하다 2. (~에) 상응하다 3. 편지를 주고 받다
1504	**herb**	명 허브, 약초
1505	**exotic**	형 이국적인, 외국의
1506	**context**	명 문맥, (일의) 맥락, 전후 상황
1507	**wind**	동 1. (도로·강 등이) 구불구불하다 2. (실 등을) 감다 명 바람
1508	**diminish**	동 줄어들다, 감소하다
1509	**consult**	동 1. 상담하다, 상의하다 2. 참고하다
1510	**feast**	명 축제, 연회, 잔치
1511	**bald**	형 머리가 벗겨진, 대머리의
1512	**bold**	형 1. 용감한, 대담한 2. (선 등이) 굵은, 선명한
1513	**defeat**	동 패배시키다, 이기다 명 패배
1514	**chant**	명 1. (단조로운) 노래 2. 성가 3. 구호 동 1. ~을 노래하다 2. 구호를 외치다
1515	**applaud**	동 1. 박수[갈채]를 보내다 2. 칭찬하다
1516	**delight**	명 (큰) 기쁨, 기쁜 일 동 기쁘게 하다
1517	**uneasy**	형 불안한, 걱정되는
1518	**break down**	1. 고장 나다 2. 부수다
1519	**bring down**	1. 실망시키다 2. 무너뜨리다
1520	**settle down**	1. 정착하다 2. 진정하다, 안정되다

DAY 39

1521	**chief**	형 주요한, 최고의 명 (단체의) 장(長), 우두머리
1522	**fountain**	명 1. 분수 2. 원천
1523	**concept**	명 개념, 관념
1524	**appoint**	동 1. 임명[지명]하다 2. (시간·장소 등을) 정하다
1525	**ongoing**	형 진행 중인
1526	**drought**	명 가뭄
1527	**stir**	동 1. 휘젓다, 섞다 2. 동요시키다 명 1. 휘젓기 2. 동요[혼란]
1528	**meantime**	명 그동안, 그 사이 부 그동안에, 그 사이에
1529	**noble**	형 1. 고결한, 숭고한 2. 귀족의, 신분이 높은
1530	**novel**	명 (장편) 소설 형 새로운, 신기한
1531	**examine**	동 1. 조사[검사]하다 2. 진찰하다
1532	**prestige**	명 명성, 위신 형 명성이 있는, 명품의
1533	**converse**	형 정반대의, 거꾸로의 명 정반대 동 대화하다
1534	**plain**	형 명백한, 분명한, 평이한 명 평원, 평지
1535	**scramble**	동 1. 뒤섞다, 뒤범벅을 만들다 2. 다투다, 쟁탈하다 명 1. 뒤범벅 2. 쟁탈(전)
1536	**wildlife**	명 야생 동물, 야생 생물
1537	**homesick**	형 향수병의, 향수병을 앓는
1538	**conduct**	동 1. 수행하다 2. 지휘하다 3. 전도하다 명 행동, 수행
1539	**bend**	동 굽히다, 구부리다

1540	**virtual**	형 1. 가상의 2. 사실상의
1541	**lessen**	동 줄다[줄이다]
1542	**sword**	명 검, 칼
1543	**resentful**	형 분개한, 분해하는
1544	**filter**	동 거르다, 여과하다 명 여과기, 필터
1545	**awake**	형 깨어 있는 동 1. 깨어나다, 깨우다 2. (감정을) 불러일으키다
1546	**option**	명 선택(권)
1547	**revise**	동 1. 수정하다, 변경하다 2. (책 등을) 개정하다
1548	**feedback**	명 반응, 의견
1549	**substance**	명 1. 물질 2. 실체 3. 본질, 핵심
1550	**though**	접 ~에도 불구하고 부 그렇지만, 그래도
1551	**through**	전 ~을 통해, ~을 통과하여
1552	**thorough**	형 철저한, 빈틈없는
1553	**decorate**	동 장식하다, 꾸미다
1554	**theme**	명 주제, 화제, 테마
1555	**manual**	형 1. 육체노동의 2. 수동의 명 설명서
1556	**infant**	명 유아, 갓난아기 형 유아(용)의
1557	**unify**	동 통합하다, 통일하다
1558	**keep off**	멀리하다, 피하다
1559	**send off**	1. ~을 발송하다 2. ~을 퇴장시키다
1560	**show off**	~을 과시하다, 자랑하다

DAY 40

1561	**career**	명 1. 직업 2. 경력
1562	**steady**	형 1. 꾸준한, 한결같은 2. 안정된
1563	**lunar**	형 1. 달의 2. 음력의
1564	**enrich**	동 부유하게 하다, 풍요롭게 만들다
1565	**cover**	동 1. 덮다, 가리다 2. 다루다 3. (보험으로) 보장하다 4. 취재하다 명 1. 덮개 2. 표지
1566	**deserve**	동 ~을 받을 만하다, ~할 가치가 있다
1567	**threat**	명 1. 위협, 협박 2. 위험
1568	**convert**	동 1. 전환하다, 개조하다 2. 개종하다
1569	**genre**	명 (예술 작품의) 장르
1570	**undoubtedly**	부 의심할 여지없이
1571	**predator**	명 1. 포식자, 포식 동물 2. 약탈자
1572	**ripe**	형 익은, 숙성한
1573	**revolution**	명 1. 혁명 2. 공전, 회전
1574	**evolution**	명 1. 진화 2. 발달, 발전
1575	**suffer**	동 1. (고통을) 겪다 2. (병을) 앓다
1576	**merit**	명 1. 장점 2. 가치, 우수함
1577	**frown**	동 얼굴[눈살]을 찌푸리다 명 찌푸림
1578	**leftover**	명 1. 남은 음식 2. 잔재 형 남은, 나머지의
1579	**enormous**	형 거대한, 엄청난

1580	**note**	명 1. 메모, 쪽지 2. ((-s)) 기록 3. 음, 음표 4. 지폐 동 1. 주목[주의]하다 2. 언급하다
1581	**blame**	동 비난하다, ~의 탓으로 돌리다 명 비난, 탓
1582	**zoologist**	명 동물학자
1583	**junk**	명 폐물, 쓰레기
1584	**overall**	형 전체의, 전반적인 부 전반적으로, 대체로
1585	**pedestrian**	명 보행자 형 보행자의
1586	**physician**	명 (내과) 의사
1587	**physicist**	명 물리학자
1588	**memorize**	동 기억하다, 암기하다
1589	**accurate**	형 정확한, 정밀한
1590	**harbor**	명 1. 항구, 항만 2. 피난처
1591	**multiply**	동 1. 곱하다 2. 증가하다[시키다]
1592	**author**	명 저자, 작가
1593	**stretch**	동 1. 늘이다, 늘어나다 2. (팔·다리 등을) 뻗다 명 1. 늘임 2. 신축성
1594	**tone**	명 1. 어조, 말투 2. 음색, 음조 3. 색조
1595	**overhear**	동 우연히 듣다, 엿듣다
1596	**holy**	형 신성한, 성스러운
1597	**freedom**	명 자유
1598	**make a point of**	~하기로 되어 있다
1599	**make sense of**	~을 이해하다
1600	**make the most of**	~을 최대한 활용하다

Memo

Memo

Memo

시험에 더 강해지는

보카 클리어

고교필수편

미니 단어장

시험에 더 강해지는

보카 클리어

고교필수편